COLLECTION FOLIO

C'est à la courtoisie de Jacques Robichon qui a publié sous le même titre un roman en 1951, chez Julliard, que je dois de pouvoir intituler le mien La Mise à mort, *comme je l'avais imaginé.*
Qu'il en soit remercié. — A.

Aragon

La mise à mort

Gallimard

© *Éditions Gallimard, 1965.*
© *Aragon, 1970, pour Le Mérou.*

Or être vieux c'est Rome qui,
Au lieu des chars et des échasses,
Exige non la comédie,
Mais que la mise à mort se fasse,

    Boris Pasternak,
(dans la traduction d'Elsa Triolet).

LE MIROIR DE VENISE

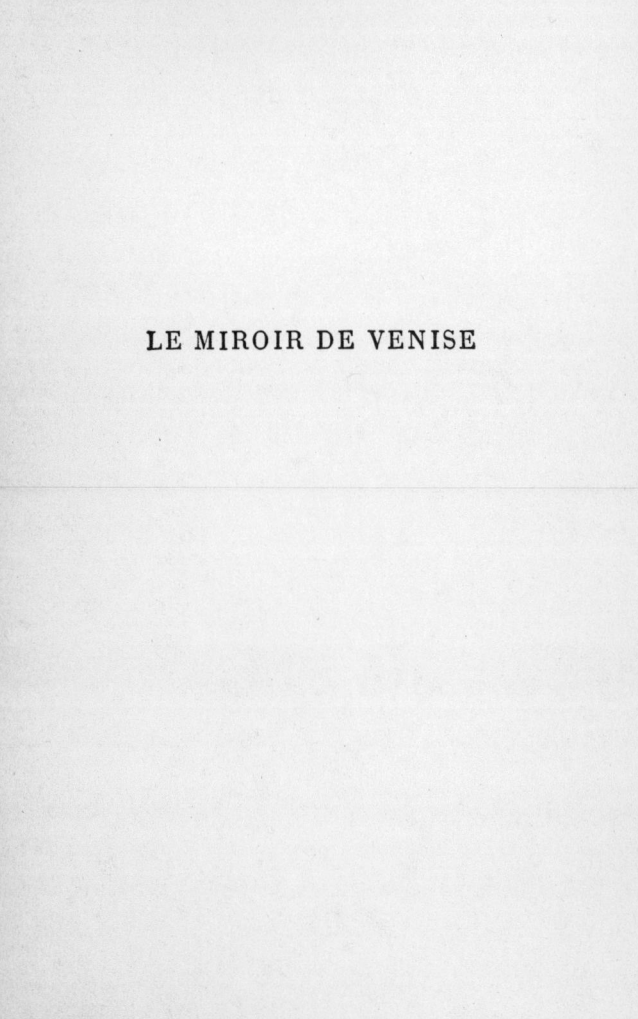

I

Il l'avait d'abord appelée Madame, et toi le même soir, Aube au matin. Et puis deux ou trois jours il essaya de Zibeline, trouvant ça ressemblant. Je ne dirai pas le nom que depuis des années il lui donne, c'est leur affaire. Nous supposerons qu'il a choisi Fougère. Pour les autres, elle était Ingeborg, je vous demande un peu.

« Ne te regarde pas comme cela dans la glace, — dit Fougère, — reste un moment avec nous... » La scène se passe dans un petit restaurant à l'époque du Front populaire, quand les nappes étaient de linge à carreaux blancs et rouges, l'air comme une bataille de confettis, avec le steack flambé au poivre, trois verres par personne, et l'accordéoniste aveugle qui venait de jouer *Marquita*.

Je ne me regarde pas dans la glace, dit Antoine, sans qu'on y prît garde, sa réputation déjà faite. S'il avait jamais insisté, quand Fougère disait cela, les gens auraient souri. Elle le lui disait toutes les fois qu'elle lui voyait soudain ce regard perdu. Qui eût jamais pu croire que, quand il regardait la glace, il regardait la glace et pas lui? Il aurait bien voulu se regarder dans la glace. Même à Fougère, il n'avouait pas cette anomalie. Cette fois, il n'y avait avec eux qu'un ami, Antoine s'était peu à peu absenté, tandis que Fougère et l'autre parlaient comme s'ils avaient été seuls. Ce miroir en l'air au-dessus d'elle...

C'était un beau miroir guilloché, de ce Venise à bords couleur de saphir, avec des étoiles taillées. Je m'y serais bien plu, j'aurais aimé pour moi ce cadre. Antoine soupira. Il ne pouvait pas se rappeler comment cela avait commencé. L'homme qui a perdu son ombre ne s'y trompe pas, il a fait un marché avec le diable et celui-ci a roulé sa silhouette à ses pieds comme un petit tapis. Mais je n'avais fait de marché avec personne, je n'avais pas remarqué le moment où quelque chose s'était passé, pas su tout de suite que j'avais perdu mon image...

Un homme qui n'a plus d'ombre, c'est un scandale quand on s'en aperçoit. Personne ne voit que vous n'avez plus de reflet dans le miroir. Soi-même, il a fallu vouloir faire, par exemple, son nœud de cravate. Après tout, ce n'est pas tellement gênant. Une femme, je ne dis pas. Je me suis toujours rasé à tâtons.

Quand il n'y a pas où se voir, Antoine est comme tout le monde. Plutôt gai. Curieux de tout. Une mémoire exceptionnelle. Il vous racontera par le menu des conversations vieilles de plusieurs années, chaque mot, la couleur des robes, le parfum de cette dame, de quoi avait l'air le voisin de table, le dessin en tête du menu. D'abord Fougère croyait qu'il inventait. Maintenant c'est elle qui le consulte comme un dictionnaire : Albi, j'ai été à Albi, Antoine? Ou bien quel chapeau j'avais ce soir-là? Tu étais tête nue. Ce n'est pas possible! J'aurais juré... Alors comment imaginer qu'il ne sait plus de quoi il a l'air?

Il se rencontrerait dans la rue, il se regarderait avec des yeux vides, ses yeux noirs. Et s'il n'y avait pas les autres qui le reconnaissent, il se prendrait parfois pour l'homme invisible. Comprenez, il se voit, lui, ses mains, les parties de son corps. Mais ce n'est plus la même chose, d'abord le visage, c'est important le visage et, s'il constate en louchant qu'il a toujours un nez, cela ne va pas plus loin. Parfois on le dirait absent : il essaye de se reconstituer. Or, ses données sont demeurées les mêmes qu'au temps où il se voyait dans les glaces. Il a dû changer depuis, il a changé pour les autres, c'est certain. Quant à lui, je veux dire à ses propres yeux, l'âge, qu'il sent bien à diverses restrictions, ne se matérialise pas dans son aspect. Il ne dispose que d'une image jeune de lui-même. Encore une fois, les mains, évidemment... cela doit correspondre à quelque chose sur le front, autour de la bouche, enfin. Il vit sans y songer, sauf quand cela le reprend de se dire, se touchant les joues, les oreilles : j'ai probablement bien vieilli ces temps-ci... Pour peu qu'il ait légèrement engraissé.

L'affaire n'est pas de nature subjective. Les autres non plus ne le voient pas dans les miroirs : seulement ils ne s'en aperçoivent pas, ils croient être mal placés. Les appareils photographiques le prennent, on ne peut pas dire. Mais Fougère, par exemple, trouve toujours qu'il n'est pas ressemblant. Ce type-là, s'écrie-t-elle, mais ce n'est pas toi! Ou bien, tu as encore bougé! Antoine doute donc même de ce que la machine perçoit de lui. Il est encore tout habité du jeune homme qu'il fut. Il ne comprend pas que les enfants ne soient plus les mêmes avec lui. Les femmes... Avec elles, est-ce qu'on peut savoir, elles sont si rusées! Mais quand il pense à comment Fougère peut bien le voir, il est pris de panique, il a des troubles de l'oreille interne.

Il faut qu'il fasse très attention avec Fougère. Une fois, tout au commencement. Je veux dire dans les premiers temps qu'il avait constaté sa disparition des miroirs. Parce qu'il ne lui en avait rien dit, à Fougère. Il avait failli cependant lui en parler, comme d'une douleur qu'on a, que l'autre bien entendu ne ressent point. Mais cela n'avait pas pu sortir de sa bouche, se formuler... deux ou trois fois sur le point de dire, je ne me vois plus, est-ce que toi tu me vois... une étrange pudeur l'en retenait toujours. Et maintenant il était trop tard. Il aurait fallu avouer la dissimulation. Fougère aurait demandé depuis quand, et cela aurait été comme s'il lui avait menti toute la vie. Il ne fallait pas qu'elle sache. Pourtant il a l'horreur de la dissimulation.

Une fois, donc, tout au commencement. Il se lavait les dents devant le lavabo. Il y a une glace au-dessus. Antoine n'y pensait pas, puisque, bien entendu, il ne s'y voyait pas. Il était de bonne humeur, il chantonnait, en se frottant les gencives. Du Mozart. *Les Noces*... Il a vu, sans en tirer conclusion, Fougère derrière lui, je veux dire Fougère sans lui dans le miroir. Elle est plus petite que lui, beaucoup. Elle avançait pour lui dire quelque chose à cause du dîner, je m'en souviens de façon précise, qu'il devrait bien se dépêcher parce que Mme de Giblet avait demandé qu'on vienne à huit heures très exactement... Il la regardait, si jolie, et l'avant-bras qu'elle a tout mince, du biscuit, près de le toucher, quand tout à coup il a vu l'expression de l'horreur sur son visage. Elle ne comprenait pas, elle se rattrapait à lui, fermant ses ongles sur son bras : Antoine ! Il fallait avoir l'air de ne pas saisir, tandis qu'il s'écartait un peu, pour rendre naturelle son absence dans la glace : « Qu'est-ce que tu as, ma petite ? Ça ne va pas ? » Elle avait porté la main à ses yeux, les cachant, comme on fait quand on y a de la vapeur, je ne sais. Elle regardait à nouveau. Non. Rien. Tout était absolument normal : « Imagine-toi que je me suis approchée, et j'ai vu la glace, je ne sais pas, brouillée, je ne comprends même pas très bien, j'aurais dû t'y voir... » Et lui plaisantait. Petite folle. Ça m'a fait un vertige, je ne sais pas. Tu me voyais bien, j'étais là. Oui, mais comment te dire ? Pas dans la glace.

C'est resté sans lendemain. Il faut toutefois faire attention avec Fougère. Très attention. Parce que les choses entre nous tiennent à un équilibre, à une certaine conception qu'elle a de moi. Je suis persuadé que tant que je collerai à cette *image* de moi qu'elle s'est faite, je n'ai presque rien à craindre. Presque rien. Enfin je vis avec cette idée rassurante. Pourtant si tout d'un coup je m'écartais de cette image, elle serait aussitôt comme libre de moi, du moi conventionnellement que j'ai accepté d'être. Est-ce que Fougère m'aime? Elle m'aime, pour sûr. C'est-à-dire qu'elle aime *une image* de moi, qu'elle appelle Antoine. Elle a l'habitude de moi, elle se passerait peut-être difficilement de moi, peut-être, mais s'en passerait, par exemple s'il y avait conflit entre ma présence et son travail. Je n'ai pas à me plaindre, elle ne préférera jamais un homme, pas plus un autre que moi, à son travail.

Elle chante. Vous ne l'avez jamais entendue? Ses disques, oui. On ne peut pas se faire idée avec des disques. Même maintenant avec la Hi-Fi[1]. C'est évidemment un progrès pour donner le relief du chant, mais on s'en tient ainsi à une image assez primitive, à transcrire pour le son les procédés de la vision, une stéréoscopie du son. Tout ce qu'on a pu inventer pour la voix enregistrée ne dépasse pas cette approximation. Il faudrait trouver le moyen de saisir *l'âme* dans la voix, une tout autre sorte de profondeur. Avec la plupart des chanteurs, il faut dire, la perte n'est pas très grande. Chez Fougère... Il y a beaucoup de gens qui chantent. Il y a de très grandes voix. Mais vous n'allez pas comparer. Les gens me l'envient, Fougère, pour son élégance, le goût, ce dont elle s'entoure, cet extraordinaire talent de donner vie aux choses. Comme dit mon vieil ami américain M. J., *she is a home-maker*. Et puis il y a ses yeux, ses grands yeux brusquement pleins de bleu à déborder, une coupe de ciel, tout le coquillage blanc en disparaît. Quand elle se met à chanter, c'est autre chose : ses yeux prennent le caractère olympien, un archaïsme comme dans l'amour, l'immense perle vide, cette dila-

---

1. *De l'anachronisme :* il est clair que ceci est écrit très postérieurement à quand ça se passe. Cet avis vaut pour la suite.

tation de la pupille qui en mange l'iris, l'azur, comme si la voix lui venait des yeux. L'art. Elle passe au grand écran. Tout le reste du monde s'évanouit, ou plutôt le monde entier s'inscrit dans ce bruit d'elle. Cela peut être une banale romance, ou le grand opéra. Une chanson tzigane ou Wagner. Le démentiel, c'est que, au contraire d'avec tous les autres, c'est la musique qui devient Fougère, comprenez-vous, et non pas elle qui se fait instrument de la musique, me comprenez-vous bien? C'est toujours comme si elle chantait ce morceau pour la première fois, et que personne ne l'eût, avant elle, chanté. Dire que les autres passent leur temps à chercher des chansons nouvelles, à se créer un répertoire. Je vais vous dire comment elle est, avec la musique : c'est comme il y a des écrivains, ils se donnent un mal à trouver du nouveau, ils font des voyages au diable pour décrire des gens et des paysages qu'on ne puisse comparer à ce que nous connaissons, ils torturent leur âme et leurs phrases, ils leur donnent étrangeté, et puis prenez, je ne sais pas moi, Colette, avec trois mots on est tout de suite entré dans une maison, il y a des coussins sur le canapé, la trace partout des habitudes, une ombre de femme sur des objets vulgaires, je suis pris, je ne peux plus partir. C'est ça, la voix de Fougère. Et que meure Isolde, ou que ce soit *Le Temps des cerises*, j'y crois. Cet art de s'effacer plus grand que tout autre, l'art des choses banales qui vous entrent dans le cœur sans qu'on semble y avoir rien ajouté. Si elle dit *mon amour*, j'en suis brutalement bouleversé, et pas seulement parce que Dieu sait à qui cela s'adresse, mais parce que ce n'est pas Dieu permis de le dire comme ça, et qu'elle ne me l'a jamais dit comme ça, ni à personne, j'en suis sûr. Est-ce que vous connaissez quelqu'un, n'importe qui, homme, femme, qui fasse en chantant la nuit, mieux qu'à fermer les yeux? Elle est soudain la première femme rencontrée, n'importe où, dans la rue. Elle est le mystère des femmes sans mystère. Rien n'y fait, ni les ans passés à son murmure : c'est toujours comme si je la rencontrais dans le couloir d'un train, permettez, et je baisse la vitre où elle s'accoude, les deux bras horizontaux. Je meurs un peu de ce geste des reins, pour laisser passer n'importe qui.

Et plus les mots sont nus dans sa bouche, et plus ils sont pareils à des amants ensemble.

Je ne sais pas, ce n'est peut-être qu'imagination, mais je m'imagine, oui, je m'imagine que c'est une fois pendant qu'elle chantait que j'ai perdu mon image. Cela ne pourra jamais se prouver, puisque, pas même moi, personne ne s'en est aperçu. Je ne l'ai remarqué, je suppose, que longtemps après. Ou non. Je ne le saurai jamais. Mais rien ne me fera passer l'idée que c'est pendant que Fougère chantait que mon image m'a quitté, qu'elle a cessé d'avoir consistance, qu'elle a pâli, d'abord je suppose floue, grise, puis transparente, la réalité peu à peu visible au travers, puis prenant le pas sur moi, puis m'anéantissant, m'effaçant, occupant tout le champ des choses visibles. Fougère chantait, j'en suis sûr. Qu'importe ce qu'elle chantait, si elle chantait! *Im wunderschönen Monat Mai...* quand elle chante, c'est toujours le mai miraculeux de sa voix. Cela m'a toujours fait m'oublier moi-même. Cette fois-là, l'oubli a été plus profond, définitif. Jusqu'alors, j'étais comme tout le monde, je ne jugeais de tout que par rapport à moi. Comme ces peintres qui peuvent faire le portrait d'une femme ou d'un philosophe, d'un enfant ou d'un roi, c'est toujours leur portrait qu'ils font. Avant cela, je n'avais pas besoin de regarder mon image dans la glace, parce qu'elle était très exactement l'image que j'avais en moi de moi-même. Et puis, pendant que tu chantais, j'ai perdu ce sens subjectif des choses, qui s'organisaient toujours jusque-là par rapport à moi, comme les accessoires d'or de mon portrait. La guerre de 14-18, par exemple, cela n'avait été qu'un décor où j'étais habillé en bleu. Tout d'un coup, c'est fini. Ta voix. Le chant qui entre dans les choses, et me relègue au loin, m'efface. Voilà que je me suis mis à voir le monde *objectivement*. J'imagine que quelque chose de ce genre s'est produit, quand pour la première fois les peintres ont accepté les lois de la perspective qui ont régné sur eux six ou sept siècles, sans être objets de révision. On venait d'adopter une langue, on ne concevait désormais rien comme avant : cela n'était plus ce hasard de voir qui est moi, toute représentation du monde avait désormais avec la représentation peinte de la réalité ce rapport de convention, cet *admirable* rapport de convention.

Qu'est-ce qu'elle avait chanté, ce jour-là, pour que l'effet au lieu d'être l'affaire d'un moment, du temps qu'elle chante, ait pris cette valeur définitive, pour que l'effet musical se perpétuât, pour que je n'en sorte jamais plus, jamais plus... Même la voix de Fougère est d'impuissance à me libérer de son propre prodige.

Et après... pourquoi de tous les miroirs rencontrés suis-je revenu à celui-ci, avec son bord bleu sombre, et *l'œil* ouvert sur mon absence au milieu des étoiles taillées, dans ce restaurant de 1936, cela doit être 1936, plus j'y pense, et naturellement que je regardais le miroir, un peu penché vers moi, le miroir, moi me disant, et si tout d'un coup je me retrouvais, là, comme auparavant, visible pour moi, avec tout ce que j'allais apprendre de moi-même, toutes les variations de moi que je n'avais pu connaître, peut-être un tic dans le visage, cette façon de renifler pour quoi Fougère tout à coup me déteste, la peau changée de couleur, les rides, une expression que je m'ignore, qui m'est venue entre temps...

« Ne te regarde pas comme cela dans la glace, — dit Fougère — je t'en prie, Antoine... cesse! » Elle me donne parfois le sentiment de l'injustice que c'en est à hurler. Ne pas pouvoir dire. Si je lui disais... elle jurerait que c'est une histoire, que j'invente pour l'occasion. Il n'y a pas qu'elle. Personne ne me croit, jamais. Si je dis que j'ai mal au pied, on me répond que je l'invente pour faire joli. Est-ce que c'est joli de ne pas se voir dans le miroir, est-ce que c'est joli d'avoir perdu son image ? ou d'avoir mal au pied.

Le pouvoir de Fougère sur moi va jusque-là. Me faire perdre à mes propres yeux ma propre apparence. Bien sûr, quand il s'agissait simplement d'une cravate, un regard de Fougère, un mot d'elle, j'arrachais ce bout d'étoffe qui lui avait déplu, *Hilditch and Key*, *Sulka*, *Rose* ou *Charvet*. Mais s'arracher soi-même... et puis, c'est trop terrible à penser : est-ce que je lui déplaisais tant, me trouvait-elle si laid que j'eusse à renoncer à mon apparence ? Qu'est-ce qu'elle avait donc chanté, ce jour-là, du ciel ou de l'enfer ?

Je ne sais pas. Cela n'a pas grande importance. Si quelqu'un vous tue avec un revolver, on ne se met pas la tête à l'envers, après, pour savoir la marque de l'arme, son calibre, on est tué, ça suffit. Il est probable que cela avait été si beau, et probablement que cela s'adressait à quelqu'un d'autre, et alors j'avais mesuré la différence entre quand elle me parle, et quand elle chante. Je ne peux pas dire que je suis jaloux de son chant, cela n'est pas ça : son chant me fait jaloux à en mourir, pas de quelqu'un, de ce que je ne suis pas, vous comprenez ? Il y a des sentiments négatifs comme des puits, on s'y voit très loin, très profond, et alors on tombe, on tombe. Quand Fougère chante, je tombe toujours. Elle me déchire. Je me dis, et moi qui lui faisais l'amour ! Qui ne lui faisais *que* l'amour... Un jour, elle a si bien chanté, que j'en ai perdu mon image. Que je suis resté à jamais comme si elle chantait encore, comme si elle chantait toujours. J'ai vu le monde *objectivement*, c'est-à-dire sans ma couleur. Je ne peux plus le voir autrement. Est-ce que vous entrez bien dans ce que je dis : c'est Fougère, c'est la voix de Fougère, son chant, c'est-à-dire cette création permanente qu'est son chant, cette découverte, cette transmission d'une Amérique intérieure, cette objectivation du rêve dont elle est tourmentée, qui m'ont appris que je n'étais pas seul au monde, que le monde ce n'était pas moi, que j'étais partie infime d'un tout, lequel si je ferme les yeux ne s'évanouit point, mais sans moi continue d'être, varie, se transforme si bien que pour un peu que je tienne un peu longtemps les paupières baissées je ne le reconnaîtrais plus, comprenez-vous que c'est de Fougère, de cette musique d'elle, que je tiens *l'existence des autres*, et comment voulez-vous que, de cette donnée étrange, *il existe d'autres que moi-même*, je n'aie pas été de fond en comble modifié, changé, bouleversé? Est-ce que, de cette leçon fondamentale, je devais sortir à ce point moi-même *un autre* que je ne me voie plus dans les miroirs? Les yeux que j'avais bleus, quand je les voyais encore, sont, m'assure-t-on, noirs devenus. Cela me paraît impossible, mais comment contredire *les autres?*

Et lorsque *les autres* sont Fougère... tout cela est parti d'une plaisanterie d'elle, enfin drôle de plaisanterie! j'ai cru d'abord que c'était une plaisanterie, qu'est-ce que tu as fait, Antoine... Antoine est d'ailleurs un nom qu'elle m'a donné, et qui a *pris* sur moi, voilà tout... je m'appelais quelque chose comme Alfred, avant... qu'est-ce que tu as fait de tes yeux, Antoine? Comment qu'est-ce que j'ai fait de mes yeux? Qu'est-ce que tu as fait de tes yeux bleus, ils sont devenus noirs! D'abord, je n'ai pas pris la chose au sérieux, mais comme je ne pouvais pas vérifier dans les miroirs, n'est-ce pas? Tu as dû me tromper, Antoine, que tes yeux aient comme ça changé de couleur. Tu ferais mieux de me le dire : je ne suis pas jalouse, mais j'ai horreur de la dissimulation. Très vite, ce n'était plus d'avoir perdu mes yeux bleus que j'avais à me défendre, mais en venir à prétendre, même si mes yeux étaient devenus noirs, que ça prouve que je l'ai trompée! Alors, je disais, d'abord je ne t'ai pas trompée. Tu es sûr que tu ne m'as pas trompée? Écoute, finis. Ah, tu vois. Justement, je ne vois pas. Enfin, de fil en aiguille, il a été entendu que je n'avais pas trompé Fougère, mais que mes yeux étaient devenus *naturellement* noirs. Ça me change, dit-elle, de coucher avec des yeux noirs. Je vois donc le monde avec des yeux noirs, les yeux que j'ai dans l'amour. C'est depuis ce temps, à peu près, que j'ai tourné au réalisme. Je dis à Fougère que si mes yeux sont devenus noirs, c'est sûrement de ce qu'elle a chanté. Et elle : « J'aimais bien tes yeux bleus, mais maintenant si je faisais l'amour avec un homme qui aurait des yeux bleus, il me semblerait que je te trompe... » Donc, c'est entendu : j'ai les yeux noirs. Mais pour moi, dans mon for intérieur, Fougère me trompe avec mes yeux noirs...

Vous vous représentez, que répondre, à l'interviewer de la radio, quand il me demande : « A partir de quand, Monsieur Célèbre, êtes-vous devenu un réaliste ? Pouvez-vous en fixer précisément le jour, l'heure... parce que ce serait fort intéressant d'en avoir les coordonnées... pour voir en faisant votre horoscope, à la lumière de cette nouvelle naissance —, les Poissons, le Taureau, la Balance ? — sous quelles influences astrales vous êtes devenu un réaliste, vous qui, jusque-là, tout au contraire, comme on sait, enfin les gens de mon âge, bien entendu, qui lisions les livres d'Antoine Célèbre, avant qu'il ne devînt célèbre, ah ah! je veux dire avant qu'il ne devînt un réaliste, plaçât ses mots, suivant la perspective, écrivît comme on écrit depuis le quatorzième siècle, le treizième peut-être, est-ce que je sais? enfin, de la littérature réaliste, quoi! comme tout ce qui s'écrit depuis toujours, si bien que les gens n'y ont pas de mal, ils ont l'habitude, toutes les lignes convergent vers un point conventionnel qu'il est de convention de considérer comme l'infini, un infini bien sage, qui ne sort pas des limites du papier, on sait ce qui arrive si on tourne à droite, ce qui n'arrive pas si on tourne à gauche, enfin... » Si on laissait faire les interviewers, ils parleraient tout le temps qui vous est imparti, à la radio ou à la télé, c'est tout comme. Au fond, c'est leur idéal : ils font venir un bonhomme et puis ils n'ont plus qu'une idée, l'empêcher de parler. On pourrait croire qu'ils s'en passeraient facilement, sonore ou visuelle, de son image, à l'interviewé... eh bien, non, il leur faut la présence de la victime, son apparence conventionnelle, pour lui poser la question magique : Qui êtes-vous, Monsieur Célèbre ? par exemple. Et surtout couper la réponse. Il y a dans ce genre-là des femmes merveilleuses. Elles vous prennent pour un monsieur qui a inventé le fil à couper le beurre, ou le cancer. Elles lui expliquent comment on coupe le beurre avec un couteau et puis, qu'au fond, ce qui les intéresse, c'est l'emphysème, le cancer c'est devenu si banal ! Effacer l'homme, l'effacer, gommer son image... qu'est-ce que je disais ?

Oui, je suis un écrivain réaliste. Antoine Célèbre est un écrivain réaliste. Et bien qu'il soit difficile, pour ne pas dire impossible, de fixer la date où ça a commencé, le réalisme, si je répondais honnêtement à l'inquisiteur des ondes moyennes, je devrais dire que cela, selon toute vraisemblance, a, du moins je le crois, commencé, pendant que Fougère chantait... je ne dirais pas Fougère, mais c'est que pour ce monsieur qui me regarde d'un air narquois, et qui n'ignore bien entendu rien de ma vie privée, Fougère s'appelle Mme Ingeborg d'Usher. Il le dit, d'ailleurs : « Comment pouvez-vous parler de réalisme, vous qui vivez avec cette femme extraordinaire, dont la voix est si peu réelle, si parfaitement *magique*, magique c'est le mot... » A quoi me servirait-il de protester, de tenter de lui expliquer que c'est précisément Ingeborg d'Usher qui m'a donné le sens de la réalité, qui m'a fait comprendre ce qu'il y a d'intolérable à écrire comme si on détournait le fleuve de son cours, et cela précisément dans un monde qui se précipite vers sa perte, sa chute plutôt, oui, vers sa chute, ce monde où nous vivons, cette maison où nous habitons... tenez, vous me faites rire, est-ce que vous ne comprenez pas que ce nom qu'elle se donne, c'est précisément celui

d'une maison qui va tomber, mais non, pas Ingeborg!
Le nom de famille, si j'ose dire... et tu parles d'une
famille... Usher, mon cher, comme dans Edgar Poe, oui
La Maison d'Usher... Tout ce qui l'intéresse, cet homme,
c'est d'apprendre, de surprendre que c'est elle, Ingeborg,
qui s'est inventé ce patronyme d'épouvante. Alors, ce
n'est pas son nom? Il me fatigue. Comme si on pouvait
s'appeler Ingeborg d'Usher! Cela crève les yeux. Mais
alors... son vrai nom? Je perdrais mon temps à lui expliquer que c'est son vrai nom puisque c'est celui qu'elle
a choisi. L'autre, c'était celui d'un type qui a couché
avec sa mère. J'ai vu sa photographie. Il lui ressemblait.
Blond. Il portait la barbe. Très sympathique. Enfin, à
mon sens. Il est mort, oui. Je ne l'ai pas connu. Et voilà
que l'homme-télé me pose une question que je n'attendais pas : « Et de son père, entre nous, est-ce que vous
en êtes jaloux, de son père? » L'objectivité. C'est fou,
ce que c'est fatigant, le réalisme.

Pourquoi serais-je jaloux de son père? Est-ce qu'il n'y
a pas assez d'occasions comme cela d'être jaloux d'elle?
Mais l'inceste est à la mode, alors si je ne suis pas
jaloux de son père, les critiques vont penser que je
décolle de la réalité. La réalité pour eux, c'est la mode.
Fougère m'a beaucoup parlé de son père. Mais c'était
pour que je la connaisse mieux, elle. Je l'ai écoutée me
parler de son père, comme si elle m'eût raconté un
voyage. Il était blond, il portait la barbe. Il était avocat. C'est de sa mère que Fougère tient la musique. Ce
doit être de son père qu'elle tient le charme. Il ne chantait pas pourtant. Elle a ses yeux. Ses yeux bleus.
Comment un homme pouvait-il avoir des yeux pareils?
Je ne suis pas jaloux de lui. Elle ne porte pas son nom.
C'est lui qui a inventé de l'appeler Ingeborg. A vrai
dire, ils étaient persuadés que ce serait un garçon, ils
avaient décidé de lui donner le nom de Palamède. Le
père n'avait pas pris le temps de demander à sa femme
comment faire, maintenant que c'était une fille. Il n'y
songea qu'une fois à l'état civil, et dut se décider tout

seul pour ne pas avoir l'air surpris par l'événement :
il inventa donc le premier nom de fille qui lui vînt à
l'esprit, et dit Ingeborg, comme il eût pu dire Marie.
Quant à Usher, vous vous trompez : Edgar Poe n'y est
pour rien, c'est le nom de son premier mari. Elle l'a
quitté, mais elle a gardé son nom, il s'appelait Rodolphe,
le baron Rodolphe d'Usher. Elle n'a jamais voulu qu'on
l'appelle Ingeborg Célèbre, c'est vrai que cela fait bizarre,
tandis qu'Ingeborg d'Usher s'est écrit tout naturellement dans tous les pays du monde, sur ces affiches en
large par quoi s'annonçaient ses concerts. L'idée ne
me serait pas venue d'être jaloux de Rodolphe. Il vit
dans un château quelque part en Saintonge, avec des
setters et son fusil, il chasse le canard quand c'est la
saison. Le reste du temps, il fait des mots croisés pour
un journal anglais, où il met toutes les fois qu'il peut le
nom d'Ingeborg. Il ne fait pas réparer son toit, si bien
qu'il pleut dans la bibliothèque, et les poutres du grenier sont rongées par les termites, ça va se terminer très
mal un jour ou l'autre.

Tout cela est parfaitement oiseux, mais puisque je
suis aussi un écrivain réaliste, moi, ne suis-je pas tenu
à dire les choses telles qu'elles sont ? Quel est le sujet
de mon livre, à vrai dire... l'homme qui a perdu son
image, la vie d'Antoine Célèbre et d'Ingeborg d'Usher,
le chant, le réalisme ou la jalousie ? Rien de tout cela, et
tout cela, bien sûr. La réalité en 1936, c'était la nappe
à carreaux rouges et blancs dans ce petit restaurant rue
Montorgueil. Il n'y avait pas très longtemps qu'Antoine
avait perdu son image, qu'il avait au moins remarqué
l'avoir perdue. Quant à la jalousie, quel âge avait-il,
alors, l'écrivain ? Assurément l'âge d'être jaloux. Parce
qu'il l'a été toute sa vie... Un soir chez lui, beaucoup
plus tard, il y avait quatre ou cinq personnes à dîner,
sous un prétexte quelconque il a emmené dans son
bureau l'un de ses hôtes pour lui lire deux pages du
livre qu'il allait écrire. Ou qu'il prétendait qu'il allait
écrire. En vérité, son livre devait être le roman d'un

homme qui a perdu son image. Mais il n'avait pas encore atteint son sujet. Il s'agissait d'autre chose dans ce qui était écrit. Cela se comprend. Antoine voulait écrire un roman sur un homme qui a perdu son image, mais il fallait à tout prix qu'on ne pût imaginer que c'était lui-même qu'il mettait en scène. Comment se serait-il expliqué avec Fougère, si tout le monde l'avait reconnu sous les traits de l'homme qui a, etc., d'autant qu'elle se serait peut-être rappelé cette fois où elle avait cru à un trouble de la vision, dans la salle de bain, le soir où Mme de Giblet les attendait à huit heures précises. De là à... Merci. Évidemment, on peut tricher dans la présentation du personnage, par exemple en prétendant qu'il avait les yeux noirs s'il les avait bleus, ou l'inverse. Mais ce sont là de mineures astuces : d'autant que, dans son cas, il y avait des gens pour se souvenir, ne serait-ce que Fougère, qu'il les avait eus bleus, les yeux... alors. L'équivoque, un mot à quoi notre Antoine donnait un sens très particulier dans son vocabulaire théorique, devait porter sur des éléments autrement fondamentaux du récit que sur le physique du héros. Par exemple, sur le sujet même du roman qu'il écrivait maintenant, c'est-à-dire, vingt-sept ou vingt-huit ans après la scène du restaurant. D'ailleurs le roman pouvait avoir plusieurs sujets, comme plusieurs personnages. Du point de vue d'Antoine, cela pouvait bien être le roman de quelqu'un qui a perdu son image, tandis que du point de vue de Fougère ce serait un roman sur le réalisme ou le chant, et ainsi de suite. Il y a un auteur anglais, comment l'appelez-vous ? qui a réécrit trois fois la même histoire, mais vue par un personnage différent. C'est un peu simple. Qu'est-ce qu'il voulait dire ? Qu'une même chose peut paraître autrement suivant qui la regarde, c'est une banalité. Ici, la question était plutôt de regarder les mêmes faits et les mêmes gens du point de vue de la jalousie, de la dépersonnalisation, du réalisme, etc. Et puis d'ailleurs, suivant les moments, Antoine, Fougère, n'importe qui, pouvaient se trouver porteurs de ce qui jusque-là avait été la vérité d'un autre. C'est-à-dire que, prenons la jalousie, pourquoi les personnages non jaloux du livre n'attraperaient-ils pas tout d'un coup la jalousie ? Comme une maladie qui a sans doute des traits communs avec la jalousie d'Antoine, pour fixer les idées, ou de tout autre, mais qui pourrait, se développant sur un terrain différent, particulier, prendre des aspects particuliers, différents. Par exemple, moi : je ne suis pas plus ou moins jaloux qu'Antoine, seulement Antoine nie être jaloux et je le reconnais, nous sommes jaloux *dissymétriquement*. Mais la question n'était pas tant du sujet réel du roman, que de comment il serait entendu par les lecteurs.

Aussi fallait-il donner à ceux qui auraient primeur, comme par hasard, d'une lecture, l'impression d'un bout pris n'importe où (il faut toujours donner aux gens cette idée qu'on n'écrit pas les choses dans l'ordre), et en même temps que dans ce fragment le sujet était si bien défini, qu'ensuite, lorsqu'on aurait le livre en main, toute l'affaire de l'homme-qui... paraisse comme une fioriture secondaire, parce qu'on attendrait le sujet principal, le vrai sujet, d'après la mémoire gardée de ces quelques pages. La jalousie, bien entendu. D'abord, comme je viens de le dire, Antoine a la réputation de ne pas être jaloux, tout à fait comme il celle de se contempler à tout bout de champ dans les glaces. Fougère le répète : « Antoine est merveilleux pour cela, il n'est pas jaloux... vous imaginez, dans mon métier, ce que ce serait de vivre avec un homme jaloux ! » Ainsi, pensera-t-on, c'est miraculeux, ce talent qu'il a, d'inventer de toutes pièces des gens si différents de lui, voyez son nouveau roman, il a créé *l'image*, je dis l'image, et je sais pourquoi... l'image du jaloux, le prototype, vous comprenez, du jaloux. Un jaloux d'aujourd'hui, pas Othello, bien sûr. Il y a tout ce qu'il faut pour le réalisme tel que nous l'entendons, la contemporainéité, le typique, et surtout l'objectivité... assez de cette littérature où l'auteur se regarde tout le temps dans la glace, ce narcissisme, Proust, Barrès... L'image du jaloux, mais entendons-nous : d'un jaloux positif, là est l'important! D'une jalousie qui est un facteur de la transformation du monde, vous ne voyez pas ? Une jalousie tournée au bien, qui préfigure cette jalousie *d'un type nouveau*, laquelle ne saurait éclore dans un monde où l'homme-loup domine encore, sur le fond d'une économie perverse... non, une jalousie comme on en connaîtra une, quand déjà l'abondance régnant partout on ne saurait plus depuis longtemps y voir quelque vestige des temps féodaux. Ah! j'ai oublié de dire que notre homme venait d'inventer, après vingt romans signés Antoine Célèbre, d'écrire désormais son prénom Anthoine. C'est de peu d'importance, mais enfin, c'est un trait de caractère. Anthoine donc [1]... Il avait dans son bureau un grand fauteuil à oreilles, en velours amarante, très passé de couleur, capitonné, avec des boutons qui manquent. C'était là qu'il asseyait négligemment les gens qu'il s'était décidé à utiliser, pour voir comment cela sonnait, ce qu'il écrivait. Il avait choisi justement celui-ci, un garçon beaucoup plus jeune que lui, parce qu'il savait parfaitement que l'autre détestait les lectures à haute voix. S'il avait aimé ça, de quel intérêt eût été son approbation? D'ailleurs, pour une fois, Anthoine s'était promis de se mesurer. En fait, il n'y avait pas de mal, puisque ces deux pages, deux pages et demie, c'est tout ce qu'il avait écrit de son roman. Après cela, quand notre jeune garçon dirait avec négligence : « Anthoine Célèbre... nous avions dîné chez lui, cela faisait longtemps que je ne l'avais pas vu... m'a lu un fragment de son nouveau roman. Non, ça n'a pas encore de titre : *a work in progress*, seulement... », on pouvait être assuré que son interlocuteur lui demanderait, et de quoi s'agit-il, quel est le sujet? Alors il répondrait, comme si cela allait de soi, tout naturelle-

---

1. Ce subterfuge remet l'horloge à l'heure. Nous écrirons désormais Anthoine à partir de 1938, l'autre orthographe servant à nous replacer au temps du restaurant près des Halles ou antérieurement.

ment : « La jalousie... c'est un livre sur la jalousie... du point de vue du réalisme, naturellement, de ce réalisme très particulier à Anthoine... » Oh, je sais, je ne donne pas deux jours que la chose se répétant il y ait un petit écho dans *Paris-Presse* : *Anthoine Célèbre vient de lire à des intimes son nouveau roman. Surprise : c'est un roman sur la jalousie. Qu'en dira Ingeborg d'Usher, qui déclarait il n'y a pas six mois à notre journal :* « *Mon mari est l'homme le moins jaloux que la terre ait porté, et dans mon métier qu'est-ce que ce serait de vivre avec un homme jaloux !* » *Mais peut-être Anthoine Célèbre est-il jaloux d'une autre femme ? Qui sait ! Ce serait pour beaucoup de gens, à la fin, un soulagement. La fidélité du romancier agace, il faut bien le dire, beaucoup de ses confrères. Elle a quelque chose de monstrueux, d'irréel, qui convient mal au parti pris réaliste de cet auteur...*

Entre nous, l'histoire d'un homme qui a perdu son image, est-elle compatible avec le réalisme ? Anthoine voit bien comment un pareil *thème* risque de faire dire qu'il est au moins infidèle à son esthétique. A moins qu'on change la définition du réalisme, qu'on en recule les berges. Comme le propose ce philosophe marxiste, vous savez. Oui. Donc... Si, c'est naturel, ce thème n'est qu'un thème accessoire, dans un livre sur la jalousie, la chose passera plus aisément, il sera même possible de considérer que ce n'est pas un thème de l'auteur, mais quelque chose qui est introduit par un personnage du roman, comme un trait psychologique de ce personnage, sans que l'auteur s'en trouve responsable, autrement que du point de vue descriptif. Si j'écris un roman où il y a un anthropophage, on ne va pas nécessairement m'accuser d'anthropophagie, mais il faut bien que je prenne mes précautions pour qu'aucune confusion ne soit possible entre mon protagoniste et moi, l'auteur. Par exemple que nous ayons des yeux de couleur différente. Enfin, ce sont des choses qui demandent des sondages, des expériences, avant de leur donner forme définitive. Aussi Anthoine avait-il bien réfléchi avant de tenter le coup d'une lecture. Il avait choisi son lecteur, ce jeune homme, pour toute sorte de raisons, mais surtout parce que celui-ci avait pris dans la vie, et dans la littérature, une attitude qui permettait d'imaginer ses réactions, il avait choisi de se faire passer pour un petit bourgeois, ce qu'il était dans une certaine mesure, mais je veux dire pour un petit bourgeois typique, ce qui le forçait à avoir des réactions correspondant à cette définition de lui-même, et par conséquent celles du petit bourgeois typique, qui somme toute est le lecteur moyen dans le milieu du vingtième siècle. Si donc il n'avait pas de doute que le sujet du roman fût la jalousie, l'affaire était dans le sac.

Ce jeune homme... à vrai dire, il n'est pas si jeune que tout ça. Cela dépend à qui on le compare. Il est assis entre les oreilles du fauteuil, bien enfoncé, remontant ses épaules, les jambes allongées, et il joue avec ses mains, les affrontant doigt à doigt, et cela n'a pas du tout l'air d'être pour prier. Anthoine Célèbre, derrière sa table, le désordre du courrier sans réponse, a sorti d'une chemise similicuir, deux feuillets, déjà un peu mâchurés sur les bords, comme quelque chose qu'on a lu et relu, transbahuté avec soi, en voyage peut-être, pris et repris... « C'est tout ? » dit le jeune homme relatif, avec une espèce d'espoir, qui prend un air de déception polie. Oui, dit Anthoine, c'est tout ce que je te lirai, en tout cas... et il met ses lunettes d'écaille, il tousse un peu, il caresse le merisier de la table avec deux doigts. Il pensait : si je ne me vois plus dans les miroirs, je peux me voir dans les gens et, ce garçon, c'est une glace comme une autre. Même s'il triche. Je vais me voir dans ses paroles. Il ne peut pas ne pas se trahir, ne pas me montrer comment il me voit...

Anthoine lit donc ces deux pages, qui seront ou ne seront pas dans son roman. Cela dépend un peu de comment son hôte y va réagir. Naturellement, c'est *aussi* un écrivain. Du talent. Beaucoup de talent. Et puis, l'essentiel, il a un certain goût d'habitude pour ce qu'écrit Anthoine. Voici, cette fois :

Il y avait eu quatre ou cinq personnes à dîner, les invités étaient sur le point de partir, tu cherchais je ne sais quoi pour l'offrir à cette amie américaine qui devait s'en aller le lendemain je ne sais où, quelqu'un m'a demandé : « Et maintenant qu'est-ce que vous allez écrire ? » J'ai pensé, comme ils sont pressés. Et vraiment qu'est-ce que j'allais écrire maintenant ? Je me suis entendu répondre : « Un livre sur la jalousie... Othello, ou dans le genre... » Et Marie-Louise a ri de toutes ses dents : « Othello ? quelle idée ! Othello de nos jours ! — Pourquoi pas, — dit l'un des hommes, — c'est d'actualité... Chypre... Famagouste... » Je n'avais pas remarqué que tu étais revenue avec un flacon de parfum, quand j'ai entendu ta voix : « Othello ? je te défends bien ! »

... Ce n'était qu'un rêve, il n'y avait eu personne à dîner, tu ne m'avais rien défendu. D'ailleurs, je n'avais pas parlé d'Othello. Mais pourquoi tout de même, en rêve, m'avais-tu défendu, enfin avais-je imaginé que tu me défendais ce sujet, ce thème, ce personnage ? Tu sais très bien que je suis de caractère jaloux, bien que je n'en montre rien, bien que je ne t'aie jamais fait sentir cette jalousie en moi. Quelle raison aurais-tu de me défendre de parler de la jalousie ? Une fois de plus, cette question suffit à me mordre le cœur. Tu sais bien que j'aime Othello, la pièce et l'opéra. Shakespeare et Verdi (Rossini, je ne connais pas). Que j'ai envie d'y rêver, d'en partir... Je comprends pourtant que ce n'est pas l'homme Othello pour toi, la question. Mais la jalousie.

Tu n'as pas, enfin telle que je te rêve, tu n'as pas envie que je regarde ce côté-là de notre âme. De quoi as-tu peur ? Mon Dieu, ce n'est pas toi, c'est moi qui ai peur. De ce que tu me répondrais, si je t'en posais la question à l'état de veille. D'ailleurs, tu ne me répondrais rien. Tu hausserais les épaules. C'est-à-dire que tu laisserais carrière au doute, au vertige. Aussi, je ne te pose pas cette question, je me contente du mécanisme qui m'est propre, je garde pour moi toute la responsabilité de ce que je vais penser.

. . . .

Anthoine a toussé, ostensiblement mis son feuillet de côté, puis a soupesé le second, qui tenait également sur une page de son écriture serrée. « Je ne t'ennuie pas ? Non ? Vraiment ? » et il a continué.

Les femmes m'ont élevé selon leur morale, où la jalousie est un sentiment honteux. Elles m'avaient persuadé que l'attrait qu'elles pouvaient avoir d'un tiers, il était indigne de ne point s'incliner devant lui. Si je ne savais les retenir, je ne pouvais m'en prendre qu'à moi-même, il fallait bien admettre que j'avais quelque défaut de séduire, et comment s'en prendre à elles ? Que cela pût me blesser, n'était-ce pas mon affaire, et je n'avais pas à reprocher au couteau de couper, mais à panser la main que j'avais imprudemment refermée sur lui.

Les femmes m'ont dès ma première jeunesse appris à souffrir et à me taire, je leur en ai reconnaissance, et de m'avoir épargné de donner ma douleur en spectacle, comme ces gens grossiers qui prennent à témoin le ciel et le voisin de ce qu'ils aient perdu à la comparaison. Mais il n'était pas de leur pouvoir de m'épargner la jalousie intérieure. Et, quant à moi, je regardais avec mépris ceux qui n'avaient point reçu cette éducation sévère et laissaient voir leur dépit de n'être point préférés. Je considérais comme l'héritage de temps barbares ce droit imprescriptible que s'arroge l'homme pour la complaisance qu'on a pu avoir de lui. Et si la réflexion me ramenait celle qui s'était de moi détournée, eh bien, j'aurais tenu pour de la sauvagerie de lui rappeler qu'elle l'eût fait.

Tu me diras que je n'aimais point. J'ai toujours cru aimer. Il est possible que ce fût erreur, pourtant, le mal que je ressentais de n'avoir point, vrai ou faux, réponse à cet amour, de sa vérité j'étais seul juge. Il y a des femmes qu'avec le temps j'ai oubliées, leur visage, leur nom : je me souviens pourtant de la douleur que j'ai eue d'elles, j'en garde un portrait ressemblant. Ce ne sont pas choses à raconter. Si je suis parvenu à n'en pas gémir sur le moment, ce n'est point pour en tirer, après tant d'années, gloriole de mon stoïcisme.

Mais si tu as raison, si je n'aimais pas celles à qui j'ai fait silence de souffrir, alors imagine un peu combien plus atroce eût été de les aimer. Imagine ce que c'est quand il s'agit de toi.

Je t'en prie, ne dis rien. Ne m'explique pas que je n'avais pas à souffrir de toi, si j'en ai souffert. Bien entendu, comme tout le monde, il me serait doux de penser que c'était toujours pure folie. Mais, si je suis fou, appeler folie mon mal n'arrange rien. Tu vas encore hausser les épaules, biaiser, parler d'autre chose. Une fois pourtant, dans la vie, une longue vie à nous trop courte pour tout dire, permets-moi de te parler de cette chose sans nom appelée jalousie...

« Ah ! — dit l'auditeur, — c'est vraiment très différent de ce que tu écris d'habitude. Ça a un ton nouveau. Je me demande où ça va te mener... »

Anthoine aurait bien répliqué que ce ton-là n'a rien de nouveau pour lui, que c'est le ton du *Cahier noir*, mais d'abord son interlocuteur ne peut pas avoir lu *le Cahier noir* : c'est une chose que j'ai écrite, moi, vers 1926... Anthoine a une envie féroce de parler là-dessus de l'homme qui perdit son image. Il se retient. Il faut compter avec l'effet de surprise. Dans le bureau de l'écrivain, il n'y a pas de miroir. C'est-à-dire que si : la grande glace au-dessus de la cheminée, mais Anthoine, assis à son bureau, y tourne le dos. Il a placé sa table devant la cheminée, avec son fauteuil pivotant dans le feu. Un feu tout imaginaire (j'ai failli dire : *un feu qui perdit son image*), puisque la cheminée ne sert pas, il y a le chauffage central. Et même s'il ne tournait pas le dos à la glace, il ne pourrait pas s'y voir. D'abord parce que dans toute sa largeur elle est masquée par des portraits, des photos de Fougère. Comme il y en a partout dans la pièce. Je les ai comptés : trente-quatre.

Anthoine ne voit qu'elle. Le monde s'ordonne d'après Fougère. Et il est là dans un coin, comme autrefois un donateur.

Comme dans le cœur, entre deux crises, la douleur.

Brusquement, j'ai pris la mesure du temps, de mon âge, des années, je veux dire des années en dehors de moi, des années objectives, comme dans un roman réaliste. C'était à l'instant que l'histoire de l'homme-qui-a-perdu-son-image se situait par rapport à un miroir de 1936. Mais cela, c'était le récit, la chose dans sa perspective, qui n'impliquait pas où se tient l'homme qui écrit. Voici que dans ces fragments séparés que je venais de lire à mon jeune ami... vous savez, comme on tient les morceaux cassés, une fleur, un détail quelconque, d'un bibelot, un Saxe pour fixer les idées, et on les a bien mis de côté après l'accident, la cassure, parce que peut-être l'objet si on les garde soigneusement pourra encore se réparer, avoir l'air intact... dans ces fragments d'un roman que je ne vais peut-être pas écrire, et il ne s'agit pas de moi, c'est entendu, mais d'Anthoine, l'imaginaire Anthoine, cependant ce sont des débris de mon âme... dans ces fragments, et si c'était un bout de mon oreille, un ongle, je dirais *de ma chair*, mais, puisqu'il s'agit de mon âme, disons *de ma porcelaine*... dans ces fragments, je m'en avise d'où je suis sur cette mer, une phrase a fait le point sans que j'en eusse conscience, *Othello, c'est d'actualité... Chypre, Famagouste...* Anthoine peut ignorer de quoi il a l'air, mais je suis pris au piège : il avait maturité d'être jaloux en 1936, et le voilà en 1964. Vingt-huit ans ont passé. Je suis désormais le prisonnier de cette donnée. Quel âge a-t-il, Anthoine ? Si je me regardais dans la glace, moi, je pourrais peut-être m'en faire idée... bien qu'en 1936 il était permis, à Anthoine, d'être plus jeune que celui que je vois. Je veux dire qu'il était en 1936, ou pouvait être, plus jeune que moi. La comparaison demeure difficile puisqu'il avait déjà perdu son image... Moi, je la reconstitue, je reconstitue Anthoine. Je l'écris.

On va se demander où est la limite entre Anthoine et moi, entre l'imaginaire et qui l'imagine. Nous nous distinguons par la couleur des yeux, par le fait que Fougère *semble* aimer Anthoine, par le fait qu'Anthoine déclare n'être pas jaloux (ce en quoi il ne se différencie pas d'Othello, au départ), qu'il a perdu son image, etc. Mais il existe une zone de confusion, une région où nos silhouettes tendent à se superposer, ou peut-être est-ce le rapport de l'ombre et du corps, ou du corps et de l'âme, pourquoi pas ? c'est où l'un comme l'autre nous cessons d'exister pour autrui, pour n'être que soi-même, je veux dire quand nous écrivons. Il est plus facile de distinguer, l'une de l'autre en nous, la marionnette, que d'attribuer, à Anthoine ou à moi, ces textes où nous avons tous deux tendance à glisser de la première à la troisième personne, et vice-versa : en fait, la *coïncidence* de nos deux images se fait dans l'auteur, je veux dire (qui, je ?) dans ce moment où la pensée peut sembler émaner d'un tiers, dit *l'auteur*.

Chypre, Famagouste... j'ai acheté tous les livres qu'on peut et qu'on ne peut pas trouver, pour y voir, est-ce bien Othello, ou Anthoine ? ce personnage que ne me livrent pas les miroirs. Il me semblait que dans ce miroir-ci de Chypre, ce parfum, j'allais apprendre sur moi-même, sur Anthoine enfin, les secrets qui me sont refusés, découvrir cette image perdue dans ma mémoire. J'ai dévalisé les libraires, demandé à tous ceux qui ont chance de connaître, et de trouver, des livres sur Chypre de se jeter sur les pistes brouillées, l'antiquité, de rouvrir pour moi les bouquins *refermés sur le nom de Paphos*, la mythologie, et le temps de Byzance où l'impératrice Hélène apporte au sommet du mont Olympe un fragment de la vraie croix, pour conjurer les dieux païens, mais à vrai dire c'est de la croix du Bon Larron, pas du Christ... et les Lusignan, les vrais et les légendaires, ceux de Mélusine... tout jusqu'à cette fausse maison prétendue d'Othello à Famagouste... tout cela moins pour voir Anthoine peut-être que Desdémone... Allons, allons, ça recommence! Anthoine et moi nous lisions avec passion les journaux, les nouvelles de cette guerre étrange de 1964, les Grecs, les Turcs, les Casques bleus... Anthoine ne sort pas de cet étrange cycle contemporain. Pour moi, les événements d'aujourd'hui ne m'intéressent que pour ce qu'ils sont reflets d'une longue histoire. J'ai finalement donné tous mes livres à Anthoine, la Chronique d'Amadi et celle de Strombaldi, la *Description exacte des Isles de l'Archipel*, du Hollandais O. Drapper, M. D., la *Saxonis gesta Danorum*, de Saxo Grammaticus, *Strabonis geographica*, la *Description de toute l'Isle de Cypre* d'Estienne de Lusignan, la littérature grecque, l'anglaise, des livres de consuls, des guides, est-ce que je sais? je m'étais lassé. Mais Anthoine, lui, commençait seulement à s'intéresser au passé comme reflet du présent, à mon inverse. Je me moquais un peu de lui. Rien ne se ressemble que le sang. Y a-t-il donc des pays qui ont perdu leur image? Et si je veux parler d'un homme, il faut que je voie à la fois Anthoine au temps du Front populaire et en 1964, d'une île et c'est la Chypre des croisades, ou le temps des Génois, ou celui des Vénitiens, le roi Janus prisonnier, que j'aime absurdement supposer *bifrons*, à deux visages contredits, promené dans les rues du Caire, l'époque au contraire où ce sont les Chypriotes qui feront appel aux Égyptiens contre leurs souverains...

Abandonnons tout cela. Si Anthoine se cherche dans les miroirs (et lui sont miroirs les livres), j'ai des yeux pour le voir dans la vie, tel qu'il est, tel qu'il fut. Mon contemporain, à peu près. Son costume n'a rien qui m'étonne. Il peut, lui, tranquillement ignorer les variations de son visage, il peut regarder sa jeunesse, et à cette heure que Chypre marque ici se voir encore enfant... Mais moi, l'essentiel m'est que Desdémone soit toujours jeune, et dans mes bras marqués par l'âge elle demeure nue comme les rêves, et sans s'éveiller qui me dit, quand la conscience en moi du monde atroce m'a soudain écarté d'elle, comme toujours ou comme jadis : *Prends-moi dans tes bras.* Est-ce à moi, dormant, qu'elle le dit, ou à Othello ? Othello ? Drôle de variation du nom d'Anthoine, et soudain je m'avise d'où vient qu'il ait, Anthoine, introduit ce théâtre, cette consonne muette dans son nom... je n'en savais rien. Les bras d'Anthoine, ah, une femme qui dort, les bras de l'homme autour d'elle sont toujours ceux d'un autre...

Anthoine ou moi... comme si je m'écartais jamais d'elle ! A en juger par la seule posture du corps... mais les bras d'âme... Je pense à toi, Fougère, ou de quelque nom que je t'aime, mes bras sont autour de toi toujours, mes bras d'âme, comme les branches sans nombre des forêts. Par exemple, parce que je vois bien ce sourire ou ce hochement de tête, si j'écris d'Anthoine que le bureau de l'écrivain n'a pas de miroir, mais que des portraits de Fougère, il y en a partout dans la pièce, c'est peut-être mon propre bureau que je décris, comme on s'en assurerait d'un coup d'œil, mais est-ce que ce n'est pas plutôt le souvenir d'un roman, tu sais : *Les murs... étaient presque entièrement tapissés de petites gouaches fixées avec des punaises. Cela teintait la pièce à la fois de blanc-bleuté et de sépia. Au-dessus de la cheminée, il y avait une gouache plus grande que les autres, longue et étroite. Je m'approchai pour voir : elle représentait la Cène... Et saint Jean, c'était Jenny... Sur le petit tableau, à droite de la Cène, on voyait un lit défait, une table, avec une cuvette, une fenêtre et devant la fenêtre, une femme... C'était Jenny. A gauche... un bec de gaz, un banc, une femme... c'était Jenny. Sur chaque tableau on voit une Jenny hallucinante de ressemblance...* Tu te souviens de ce roman ? Il s'appelle *Personne ne m'aime*, mais ce n'est pas celui qui vit parmi les gouaches qui dit cette phrase amère, c'est Jenny. Et moi, je vis dans cette pièce où l'on ne peut tourner d'aucun côté les yeux sans te voir, comme s'il y avait partout des miroirs, où je n'aie image que de toi.

Elle chante. Pour les autres, il n'y a pas de miracle. Ils sont sans crainte. Ils ne connaissent d'elle que la perfection. Ils ne savent pas comme moi que Fougère soudain croit sa voix perdue, qu'elle est prise de cette peur qui la paralyse, et pendant des jours et des jours qu'elle invente mille et une nuits pour ne pas chanter : une photographie égarée, et rien ne compte plus d'autre que de la retrouver, les armoires sens dessus dessous, d'anciens cahiers qu'elle découvre, et elle ne fera plus rien que de les lire, un journal qu'elle a tenu... que sais-je, il n'est prétexte qui ne la détourne d'elle-même, et je la vois se promener par les chambres, avec ses deux mains sur sa gorge, comme si elles tenaient un oiseau qui va mourir... Elle désespère sans cesse d'elle-même, et quand on ne croit plus que ce soit possible, voilà que le chant lui monte, qu'il fleurit à la lèvre, et sa bouche est comme un baiser. Parfois je la surprends ainsi sur le bord d'une chanson, je m'immobilise, nous avons des doubles-portes, avec l'épouvante que m'entendre marcher, le plancher qui craque sous mon pas, l'arrête, brise la confidence... je reste là, le cœur battant, j'écoute, tremblant de ce que je vais apprendre d'elle. Car ce n'est jamais pour moi ni Mozart ni Rossini qu'elle *dit* à merveille, ni César Franck ni Hændel... mais elle-même d'elle-même parlant. Je perds le sens de tout ce qui m'entoure, et de ce qui se passe dans les journaux, dans ma vie, pour ne plus rien savoir que cette pureté d'un sentiment qui m'entraîne. J'imagine que son art, s'il eût été d'écrire ainsi qu'elle chante, je n'en aurais pas autrement écouté les aveux... J'entre dans ce pays qu'elle m'ouvre, où tout est palpitement d'elle, et c'est sa main qui pousse le volet sur le jardin d'où vient le bruit des choses invisibles. Je ne puis, je ne puis parler que par image de ce qui défie ainsi les mots, leur maladresse à force de limpidité... Je partage atrocement cet amour qu'elle exprime à déconcerter les instruments de l'ombre, je ne suis plus que ce qu'elle veut, l'intolérable attente ou le trouble du printemps.

Elle chante, et j'ai cessé d'être pour ne faire que suivre. Elle chante, et je l'écoute à en mourir. Je ne saurais dire quelle fut la durée du charme, si cela se prolongea toute une vie ou rien que l'instant d'une blessure. Il s'agit d'une flamme comme un flacon de parfum renversé, il s'agit d'un bonheur enfin que je ne sais quelle absence rend plus sensible, il s'agit d'un malheur sans mesure et qui ne se contient que pour grandir... Est-ce que je sais? Il s'agit toujours d'une femme au minuit d'elle-même, tout est femme de ce qui tremble et se perpétue en cette voix... Et brusquement cela s'arrête comme une souffrance, le vide étrange d'une souffrance qui s'interrompt, ce creux de la douleur, qui fait mal, si bien que c'est de ne plus entendre la plainte qu'en moi quelque chose se plaint. Le silence après elle, comme la frayeur des forêts.

Quand elle chante, j'aime bestialement son âme. Ah, ceci dépasse l'entendement. Parfois la mélodie atteint ce paroxysme du frisson, qui me fait pâle, sans que j'aie à le savoir besoin de la confirmation des miroirs. Le sang me quitte, qui bat sous la peau transparente du chant. Qu'est-ce que je dis? Ce sont là des choses insensées. Mais aimer n'est rien d'autre que perdre le sens, n'est-ce pas? L'extraordinaire de Fougère tient à ce que, si belle que soit la musique, elle en fait parvenir à vous les paroles. Le comble du savoir est quand la phrase atteint à la grandeur de la banalité, quand ce qui se dit est si simple, qu'on est absolument déconcerté. Rien ne lui est plus étranger que le style, ce parti pris de l'admirable, où l'on sait toujours ce qu'il faut applaudir et quand. La beauté véritable à quoi cette voix en se jouant atteint, précisément désarçonne à ce point le jugement qu'on ne saurait l'applaudir, toujours de peur de l'interrompre, même dans le silence qui la suit.

Elle me demande comment j'ai trouvé le chant. Et moi je n'ai pas un mot à dire, si bien que dans ses yeux il se forme des larmes. Alors, dans la terreur de ma sottise, je précipite les propos, je parle, je parle, et je vois qu'elle ne me croit pas. C'est qu'il aurait fallu se taire, l'écouter, elle, au-delà du chant.

Je m'arrête pile. Si nous prenions la voiture... Pourquoi faire. Je ne sais pas, un tour au Bois. Non, dit-elle. J'ai des papiers à ranger, des photos que je cherche. Et vous. Elle appuie sur le vous. Allez donc vous promener : ce soir, j'ai Anthoine, il sait écouter, lui. Je ne vous retiens pas.

J'ai pris la voiture. Le Bois ne se ressemble plus.

II

Une simple phrase de ce jaune de la rose, à l'écran bleu-noir : *Ce soir-là...*

Toute ma vie est devant moi comme un livre débroché, les pages en désordre, qui tournent par cahiers sur leurs fils distendus, s'embrouillent, les numéros les uns en l'air, les autres en bas. Et je ne puis m'y reconnaître, années et jours se sont mêlés, rien ne se passe plus selon la succession raisonnable des choses. Simplement cela se partage autour de toi, dit Anthoine... c'est avant ou avec Fougère, voilà tout. Elle est devant sa coiffeuse, et elle ne l'écoute pas. Elle est lasse de ce qu'il dit. Elle cherche en elle-même l'accent qu'elle a mis sur un mot, peut-être à tort, peut-être qui détourne du sentiment vrai dont elle est travaillée... elle essaye d'imaginer le chant plus nu, comme un gémissement sans témoins. L'articulation de l'âme sur la musique.

Toute ma vie... dit Anthoine. Une robe y passe, et j'en devine la saison. Je prends dans la mienne ta main, mais où était-ce ? à quel âge ? Elle m'a toujours fui dans les doigts. Je n'ai souvenir que de t'importuner.

« Bon, — dit Fougère. — A quoi veux-tu en venir ? Tu parlais de 1936... »

Tiens, c'est vrai. Je parlais de 1936. Enfin, pas très sûr que ce fût vraiment en 1936. Le restaurant de la rue Montorgueil. Je disais tout le temps 1936, sans examen, il me semblait que ce fût en 1936. Si je réfléchis bien, ça ne pouvait pas être en 1936, parce que c'était déjà la guerre d'Espagne déclenchée, et nous ne sommes rentrés qu'en septembre, Michel ne pouvait pas déjà être revenu à Paris, nous avons été en Espagne en octobre, novembre. La rue Montorgueil, il faisait beau, chaud presque. 1937 ou 1938 ? 37, je crois. Parce qu'à côté de Fougère il y avait Michel, racontant un tas d'histoires. Un Michel de passage, tourné vers Fougère, sous le miroir à bords bleu sombre. Si j'ai pensé d'abord 36, c'est sans doute parce que dans ma mémoire Michel est lié à cette aube de l'été 36, à ces jours de la mort de Maxime Gorki.

Gorki aimait beaucoup Fougère. Et à cause d'elle, bien qu'il ne lût pas le français, il avait considération de moi. Je ne sais ce qu'on lui en avait dit, probablement cette « conversion » au réalisme, dont il avait écrit deux ou trois fois dans les journaux de son pays. Mais c'étaient, entre eux, des liens d'avant moi. Alexeï Maximovitch avait entendu Fougère quand elle était venue chanter, je ne sais plus où, à Rome, sinon à Capri... à moins que ce ne fût en Allemagne. C'était dans les années 20. On n'écrivait pas encore en lettres de feu sur Kurfürstendamm ou la Scala de Milan le nom d'Ingeborg d'Usher. En tout cas, elle avait chanté ce soir-là du Tchaïkovski, *Onéguine* probablement, la lettre de Tatiana... Je me souviens, bien plus tard, la première fois que nous avions été chez lui ensemble : il était retourné depuis très peu de temps à Moscou, dans cette énorme maison de campagne qu'on lui avait alors donnée, avec un grand parc, où il avait autour de lui toute la troupe de ses familiers. Comme cela était étrange, incompréhensible... si différent de l'image imaginaire que je me faisais de la nouvelle Russie, et pourtant tout ce qu'il racontait... Ah, brouillons les cartes, il ne s'agit pas de cela. Toujours est-il qu'en 1936...

Mai, juin 1936... Nous étions à Londres, où tu avais chanté *La Traviata* à Covent Garden. Il faisait incroyablement beau, et des gens inconnus t'envoyaient des camélias. Qu'est-ce que tu dis? Ce n'est pas vrai? Tu ne sais déjà pas sans moi si tu as été à Albi ou non, alors. Ne me dis pas qu'au début de juin on t'envoyait des violettes de Parme. Nous habitions en dehors de la ville, dans un de ces faubourgs où les rues se ressemblent tant qu'on pourrait se tromper de porte, se tromper de vie, d'homme ou de femme... Les maisons cachant des jardins secrets, elles ont l'air faites pour ranger l'argenterie. Je finissais d'écrire mon roman, tu lisais *Trilby*... non, non, je ne vais pas en parler.

C'était, cela, en 1936. Mais, rue Montorgueil, pour en revenir au miroir de Venise, il y avait, il devait bien y avoir un an de cela. Un an de plus, un an plein comme un œuf. Tant d'événements entre temps. Michel était de passage à Paris, revenant d'Espagne. Avec mille histoires comme toujours, mais cette fois-ci c'était une autre affaire. Cette animation des traits, des mains, cette hâte... Entre nous, moi, je le trouvais plutôt laid, Michel: les pattes un peu courtes, pas grand, ce qui faisait que le visage en semblait plus long, avec les lunettes, ces dents qui se chevauchaient, mais c'était comme du vif-argent, je veux dire sa conversation, parce que lui, il était d'un brun clair, quelque chose de la châtaigne, enfin... Je dis ça, parce que c'est comme ça que le voit encore Fougère, moi la plupart des gens me sont blonds, par rapport à moi sans doute, j'aurais dit, si je m'écoutais, que c'était un blond foncé, quoi! Pour ce qui est du reste, en tout cas, je devais avoir tort, pourtant, car il plaisait beaucoup aux femmes, c'est un fait. Il allait retrouver à Moscou son amie d'alors, que nous avions connue cinq ou six ans plus tôt à Berlin, une jeune fille de la bonne société allemande... pauvre Maria! je ne peux pas penser à elle, sans voir son avenir... Naturellement, nous comprenions ces choses incompréhensibles qu'il racontait, parce qu'à l'automne précédent nous avions été à Madrid, juste quand Franco arrivait dans le quartier de la Cité Universitaire : Michel parlait de Largo Caballero, de Negrin, des Brigades Internationales... Oui, naturellement, nous étions en 1937. Te souviens-tu des gens qui étaient assis derrière moi, rue Montorgueil, un peu de côté, ce qui me permettait, sans tout à fait me tourner, de les apercevoir... parce que c'était plus fort que lui, Michel, il se coupait en plein récit pour dire : « Ce type, non, ce type! » Le restaurant était assez vide. « Cesse de te regarder dans le miroir », disait Fougère. Et qu'est-ce que j'y regardais dans cet œil-de-bœuf sur l'inconnu ? Murano, peut-être avec la marmaille affamée dans l'île, et les touristes attaqués par ces glapissantes abeilles... ou le palais du duc d'Albe au-dessus de Madrid avec de jeunes garçons naïfs qui donnent à manger aux chiens et aux oiseaux abandonnés par l'aristocratie... ou le monastère de Novy Devitchi où Tchékhov dort sous un cerisier en fleurs dans cette saison de l'année... Moscou...

L'année d'avant, un télégramme de Michel, *Gorki vous demande de hâter votre venue*, nous avait arrachés à Londres. Je continuais mon roman sur le bateau soviétique, il faisait des soirs merveilleux, avec tout le monde sur le pont, les marins qui chantaient, l'accordéon... Michel alors travaillait à la *Pravda*, c'était avant la guerre d'Espagne. André Gide était à Moscou.

« Tu l'as bien vu ? — disait Michel, rue Montorgueil. — Ce type... moi, je n'ai jamais vu de type pareil... »
Je l'avais vu, mais comme ça, de côté. Je me tournai pour appeler le garçon. Une autre bouteille du même. Tant pis pour l'escalier des verres. Et une demi-Badoit. Oui, on continue avec le même. Mieux vaut pas mêler. L'homme... ils étaient deux. L'autre, tiré à quatre épingles, le genre cercleux, le costume gris, on ne disait

pas encore impeccable, un peu trop clair pour ce temps-là. La cinquantaine sonnée, quoi. La moustache grise à pointes, légèrement gommée, gominée, une cravate noire à pois blancs, il regardait ses ongles avec beaucoup d'intérêt, c'était son vis-à-vis qui parlait.

« Tu le vois, hein ? — dit Michel. — Pas croyable... »

Enfin, si. Une espèce de colosse, avec la gueule dans un plomb jaune, le front bas, une mâchoire de dogue. C'était surtout sa mise qui tranchait avec celle de son compagnon, le col ouvert sur le poil sauvage, la manche roulée sur des bras hors mesure, et le chien sous la table, un berger allemand qui grognait. Je devais tout de même mal le voir, parce que je ne partageais pas l'émotion de Michel.

« Tu en as déjà croisé, toi ? des types comme ça... Qu'est-ce que c'est ? que fait-il dans la vie ? Regarde ses mains. Tu t'expliques ce déjeuner ? D'où se connaissent-il ? Les bas-fonds... »

Le mot me ramenait à Gorki. A l'enterrement de Gorki. Là, oui, j'en avais vus, des types, peut-être pas tout à fait le même modèle... mais Michel n'aimait pas ce genre de propos. Bien sûr, dans tous les pays du monde, la police. Il vaut mieux employer les brutes pour la police, que les laisser faire pour leur propre compte. C'est ce que tu appelles la dialectique ? Il haussa les épaules. Allez, ne me cherche pas.

Le type était vraiment atroce. C'était pour dire, à ne pas rencontrer au coin d'un bois, mais même là, dans le corridor, en allant aux W.-C... Il en avait erré au grand jour, sur les boulevards, les Champs-Élysées, dans la période de février 34, des comme ça. Il y en avait dans les bordels. Près de Barbès. Peut-être un de ces caïds, comme l'Afrique du Nord en envoie à Paris... Tout de même, qu'est-ce que tu racontes, l'enterrement de Gorki ? Je fis celui qui n'entend pas. Comme si je ne le lui avais pas raconté trois fois, à Michel. Il sait bien.

Sur le bateau, l'autre année, je croyais à tout au monde. L'incroyable gentillesse des gens, les chansons, j'aurais voulu que Fougère... elle me dit tout bas, tu n'y penses pas... Moi, j'aurais aimé faire plaisir à l'équipage. Heureusement personne ici ne savait que c'était Ingeborg d'Usher. Sur le livre de bord, elle s'appelait Mme Célèbre. *Votre épouse*, comme me disait le Capitaine. Le point noir, c'était qu'on allait retrouver Gide à Moscou. Avec toute sa smala. A part Dabit pour qui j'avais un faible... Comme la nuit était chaude et douce! J'aurais voulu que le voyage durât, durât. Mon roman s'achevait. Je n'avais pu résister à une petite plaisanterie, commençant le chapitre XXIII et dernier de la Troisième partie par ces mots qui n'étaient drôles que pour moi : *Ce que cette misérable chambre d'hôtel prise à Levallois, rue Gide, arrivait à constituer de confort, de luxe...* Et puis, quoi? ce n'était pas tricher : il y avait une rue Gide à Levallois-Perret. De toute façon, mon manuscrit, je ne pourrais pas le montrer à Gorki, il ne sait pas le français. Je me souvenais de comme il accueillait chez lui tous ces jeunes gens, des gamins, ou des garçons qui avaient roulé leur bosse le diable dise où, des gens des chantiers, qui ne savaient pas écrire et croyaient avoir quelque chose à dire. Il me semblait que tout ce monde surgi des fermes collectives, des fabriques, et que cela démangeait ainsi, cela devait être extraordinaire, humainement parlant, je comprenais Gorki, ce sourire du vieil homme dans les moustaches tombantes, avec ses hautes épaules courbées, la poitrine creusée, tout son passé, les années de vagabondage, cette espèce de gloire singulière dont la lumière m'avait atteint dans mon enfance, le mal qu'il se donnait avec eux, le goût de leur langage maladroit, l'espoir de faire d'eux quelque chose, même si peut-être pas vraiment des écrivains... Au fond, dans tous ces gens qui venaient à lui, c'était lui-même qu'il cherchait, qu'il se demandait s'il n'avait pas devant lui... il pensait entendre quelque jeune Gorki, sortant d'une ville de province, sur la Volga ou l'Oka... d'une ville un jour à qui l'on donnerait peut-être le nom de ce gosse frisé, là, devant lui, un inconnu, comme à Nijni-Novgorod le sien...

Le type du restaurant était vraiment atroce. Brusquement j'avais compris Michel. C'est vrai, on ne se fait pas à l'idée qu'on peut coudoyer, par hasard, dans le métro, n'importe où, ce genre de spécimen inhumain. Il faut que la société soit bien mal faite pour qu'il s'en échappe dans les lieux que hantent les personnes naturelles. C'est comme si des cloisons avaient été abattues d'un coup d'épaule, et qu'on apercevait brusquement les êtres à tout faire, dont on sait bien qu'ils existent ailleurs que dans les cauchemars, mais qu'on vous cache d'habitude, dans les lieux civilisés. Évidemment, j'avais été un peu fort de comparer... on a beau savoir, ça ne fait pas poli poli... Même Michel qui en a tant vu, il supporte mal... Pourtant. « Un tueur. » Il avait dit ça à Fougère. Pas à moi, qui étais du côté de ces dangereux voisins. Je ne les regardais pas. Il y avait là-haut le miroir de Venise. Ce qui peut passer dans un miroir! Le premier acte d'*Othello*, un Othello moderne, avec des Lancias sur le Canal Grande, l'Hôtel Danieli, le whisky au Palais Vendramin... ou tout à coup la nuit baltique, les reflets d'une chanson, avec Fougère qui se tait... les îles... la flèche d'or de Pierre-et-Paul doucement qui s'approche :

> *Que de fois l'été nous trouva*
> *Quand se fait transparent et pâle*
> *Le ciel des nuits sur la Néva...*

Nulle part comme ici le temps ne semble s'être arrêté, pas même à Venise, nulle part la nuit n'est à ce point restée pareille :

Tout se tait sauf quand s'interpellent
L'une l'autre les sentinelles
Et qu'au choc des drojki lointains
La rue a retenti soudain [1]...

Tout ce qu'on peut voir dans un miroir guilloché, le ciel sombre du cadre, ses étoiles taillées...

Quand, après un arrêt à Léningrad, nous étions arrivés à Moscou, le 16 ou le 17 juin, c'était déjà trop tard. L'état de santé d'Alexeï Maximovitch s'était aggravé. Michel voulait pourtant que nous le voyions. Terriblement. Gorki lui avait dit... il avait insisté pour qu'on nous presse de venir, il avait quelque chose à nous dire... Quoi? Est-ce que je sais... il vous dira lui-même. Le lendemain, prenant ses risques, Michel était venu nous chercher en voiture... Une chaleur écrasante. Je ne sais pas si c'était un dimanche. Probablement pas. Mais ça avait l'air d'un dimanche. La route magistrale dans le soleil, des enfants qu'on croisait chantant, tout avait cette senteur de paix, ce calme si loin de la mort.

« Un tueur », répétait Michel, rue Montorgueil. Le type était affreux, c'est entendu. Mais Michel exagérait. On peut être affreux sans pour ça. Au fond, c'était une remarque d'étranger. Sur le fond d'un autre pays, tout prend facilement figure théâtrale. Qu'il y avait des tueurs en France, bien sûr, l'Affaire Prince, les frères Rosselli abattus dans leur auto... Mais est-ce que les tueurs avaient nécessairement gueule de tueurs? Ce pouvait être des jeunes gens exaltés, avec un joli sourire, des étudiants ou des joueurs de football. Qu'est-ce que ça prouve, le physique?

1. Pouchkine (*Eugène Onéguine*).

Le carrefour devant la propriété. Dimanche ou pas. Le 18 juin. On se trouvait soudain dans un lieu de grands arbres, à l'abri du soleil implacable. Une sentinelle à la porte. Le parc de hautes ombres. On ne nous avait pas laissé entrer, Michel descendu, qui avait été parlementer, montrer ses papiers, sa carte de la *Pravda*. On attendait le docteur. Personne n'était autorisé que le docteur... La voiture se gara en face, sous un bouquet d'arbres. Michel était mécontent, il avait téléphoné, on lui avait assuré... Mécontent, ou inquiet ? « Il vous attend. hier encore, il m'a dit... amène-les-moi, dès qu'ils arrivent... » Cela se présentait plus comme une sottise, une consigne au pied de la lettre, que comme autre chose. Michel se montrait contrarié. Même lui, on ne le laissait pas passer. A qui pouvait bien avoir été ce parc, où se perdait la maison, d'ici invisible... avant... Nous y étions venus en 34, un soir avec un tas de gens, des écrivains, un dîner, je ne sais pas, de cent couverts, tout le gouvernement, sauf Staline. J'étais assis entre un général et un homme politique, leurs noms alors ne me disaient pas grand'chose. Depuis, ils ont tous les deux disparu. Je revois, debout à sa place, Malraux son verre à la main qui prononce un toast... si le Japon attaque l'U. R. S. S.... alors, nous autres, nous prendrons un fusil, nous irons en Sibérie... Il avait l'air d'y croire.

Michel parlait de l'Espagne, un an plus tard. Maintenant c'était la vraie guerre. Malraux y commandait plus ou moins l'aviation. Mais les dissensions terribles. Les anarchistes, les faux kolkhoz, ce pauvre grand peuple naïf, comme vous les avez vus...

Sous les arbres, devant chez Gorki, l'an dernier, il ne semblait pas qu'il pût y avoir la guerre quelque part, ni la mort d'ailleurs, là, dans les arbres de l'*oussadba*, comme on appelait naguère ce genre de grande propriété nostalgique. Rien que l'agacement des tracasseries administratives, un ordre mal compris, probable. Michel avait ce même air d'irritation, alors, sur le bord de la route, que maintenant, au restaurant, quand il relevait le nez, se tournant vers moi, d'apercevoir à la table du fond ce vilain bonhomme. Je lui racontai comment en Février sur les grands boulevards j'en avais vus tout à fait de cette espèce, avec une canne, sautant du trottoir pour briser une borne lumineuse en face du Crédit Lyonnais... Le chien grognait sous la table. Fougère fredonnait à peine, comme on rêve, la chanson de ces jours-là, *Fleur bleue*... puis raconta à Michel comment nous avions déjeuné avec Charles Trenet, quelques jours plus tôt, rue Saint-Denis.

Enfin, j'en reviens au 18 juin 1936. Devant l'*oussadba*. Une voiture. Le chauffeur qui parlemente à son tour avec la sentinelle, la chaîne dans le portail qui s'abaisse. C'était le docteur. Peut-être qu'après sa visite, on aurait le droit. Michel faisait la navette entre la sentinelle et nous. Nous avons attendu plus d'une heure encore. Quand la voiture est ressortie, Michel a pu s'en approcher. Le médecin le connaissait. Ils parlèrent. De là où nous étions, on ne pouvait rien comprendre. Michel se contrôle quand il veut. Si j'avais su que ce médecin, on allait dire ensuite, croire pendant près de vingt ans qu'il venait alors de mettre la dernière main à un crime... que c'était *un tueur*... Je ne l'ai pas bien regardé, il avait l'air d'un docteur comme un autre. Gorki était mort. On n'avait plus qu'à s'en retourner. Michel avait de grandes larmes. Il disait tout le temps que le Vieux aurait tant aimé nous voir, qu'il le lui avait dit, qu'il avait dit *avant de mourir*... Michel, il était si bien habitué à tout arranger pour le mieux. Il n'avait pas pu lui faire ce plaisir, à Maxime Gorki. Voilà. Maxime Gorki, il faut bien comprendre : Nijni-Novgorod s'appelle

Gorki, la Tverskaïa, la longue rue qui descend de la gare de Brest au Kremlin, s'appelle rue Gorki... On avait donné le nom de Gorki à des usines, au plus grand avion, au théâtre de Stanislavski... On ne savait pas alors, on ne rêvait pas que cette mort, après une longue maladie, ce fût un assassinat : on ne l'a pas dit même cette année, je veux dire l'année où nous étions là, rue Montorgueil, Michel revenant d'Espagne, quand on chantait *Fleur bleue*. Il y avait eu pourtant un procès en 1936, dans l'été, à Moscou, plusieurs par la suite. L'accusation contre les médecins ne sera connue qu'au procès de Boukharine en 1938. Je me souviens qu'au lendemain de la mort de Gorki, c'est par Michel, un matin à l'Hôtel Métropole, que j'avais appris coup sur coup, l'arrestation de Boukharine quelque part au Pamir, et la mort d'Eugène Dabit, en Crimée, la scarlatine ou quoi ?

Comme nous nous en retournions vers la ville, ce 18 juin, une auto sur la route. Michel a reconnu Gide. On l'arrête. Il allait voir Alexeï Maximovitch. « Ah bien, — dit-il, — puisqu'il est mort, nous pouvons retourner à ce camp de pionniers que j'ai aperçu en chemin... » Je repensais à cela, rue Montorgueil, et à la difficulté d'être un écrivain réaliste. Un écrivain réaliste ne peut pas raconter les choses comme elles se sont produites. Il les arrange, nécessairement. Et puis il y en a qui ne se disent pas dans un roman. Remarquez, le tueur, de la rue Montorgueil, ça pourrait faire un personnage de roman. Avec les années, j'ai vu tant de choses qui n'avaient d'abord pas grand sens. Quand elles s'expliquent, après coup, on se sent un peu niais, on ne peut pas se mettre à faire le témoin de ce qu'on n'avait pas compris. Comme l'enterrement.

Pour y revenir.

J'ai toujours détesté les enterrements. On ne dirait pas. Ce que j'en ai suivi, par la suite. Enfin, nous avions tout laissé, j'avais dû finir mon roman sur mes genoux, dans le bateau, Fougère avait renoncé à aller chanter à Glasgow... tout cela, pour venir à l'appel du Vieux, comme disait Michel. Maintenant il était mort. Je ne voulais pas aller à son enterrement, ce serait terrifiant avec la chaleur, le parcours qui n'en finit plus jusqu'au cimetière, le piétinement, la fatigue. Je n'en voulais ni pour Fougère, ni pour moi. Une chose décidée. Là-dessus, Michel était venu à l'hôtel, il s'était fait suppliant. Il y tenait, c'était extraordinaire. Gorki n'aurait pas compris. Comment, Gorki n'aurait pas compris? Il vous aimait beaucoup tous les deux, c'est même la dernière chose que j'ai entendue de lui, vos noms. Il voulait tant vous voir. Au fond, cela me touche, mais me surprend : il avait été très gentil avec nous, toujours, c'est vrai, mais enfin, est-ce que Michel n'en rajoutait pas un peu ? Être dans cette foule, à piétiner, il faut comprendre, Michel... Il nous avait dit alors que nous serions avec lui, tout de suite derrière le gouvernement, nous marcherions ensemble, Gorki aurait voulu... Enfin, on a cédé. Bizarre de se trouver là, un peu comme par effraction, en tête de la colonne, juste derrière les officiels. Michel était avec nous d'abord, puis on l'a appelé en avant, mais il nous laissait avec Louppol. Ce grand homme blond, un peu gros, solide, un ami. On avait traduit en France son livre sur Diderot, il était venu à Paris en 1935, à ce Congrès international d'écrivains, où l'on s'était tant étonné que Gorki fût absent. Un ami, surtout pour toi, Fougère, il te faisait la cour. Bon, ne proteste pas, c'est un fait, il n'y a pas d'indiscrétion spéciale à le dire, et puis je ne te fais pas une scène de jalousie. Je n'ai jamais pu empêcher que tu plaises à d'autres. Tu as plu à d'autres, quand je ne te connaissais pas encore : je suis bien plus jaloux d'eux, que de ceux à qui tu as plu de mon temps. En tout cas, cela me paraît comme cela à cette minute. Bien, c'était comme je l'avais dit, après l'enlèvement du cercueil, à la Salle des Colonnes, on piétinait dans la rue, le cortège formé, qui s'ébranlait lentement, dans cette large avenue, où la foule massée de part et d'autre faisait on ne peut pas dire la haie, parce que c'était trop profond, maintenue par le cordon des gardes à cheval, presque à se toucher. Moscou a beaucoup changé depuis, tout un quartier a été abattu, l'*Okhotny Riad*... je nous vois dans ce cheminement, je ne puis plus trop bien le situer.

Rue Montorgueil, Michel ne parlait pas que de l'Espagne. Dans son pays, il venait d'y avoir un procès, pas comme les autres, très rapide, parce que les militaires... Toukhatchevski, les généraux. Parmi eux, Eideman, celui qui était assis à ma gauche en 1934, au dîner chez Gorki. Primakov, chez qui nous avions été en 1936 à Léningrad, à notre arrivée au début de juin, je revois le jardin dans la grande chaleur, et l'arrivée à l'improviste du Maréchal dans son uniforme blanc et or. Et Ouboriévitch... « Figurez-vous, — disait Michel, — comme les choses peuvent facilement prendre un aspect... et après ça, allez vous expliquer ! » Il ne connaissait pas autrement Ouboriévitch, il l'avait rencontré, l'année précédente, avant de partir pour l'Espagne, quand il ne savait pas encore qu'il allait partir pour l'Espagne. Et, le général ayant un peu bavardé avec lui, j'imagine que Michel l'avait amusé, l'autre lui avait dit quand ça vous chantera, venez donc passer quelques jours chez moi, une petite maison en Ukraine (je crois), j'y resterai tout l'été. Comme Michel avait filé à Madrid... mais regardez un peu, si j'y avais été : personne ne pourrait jamais croire que nous ne trafiquions pas quelque chose ensemble. Personne... Je serais dans de beaux draps. Non, Michel ne savait pas grand-chose sur la mort des généraux. On les avait fusillés tout de suite après le jugement, vingt-quatre heures après l'arrestation du Maréchal.

Le tueur s'était penché par-dessus la table, et, son énorme main, il écrasait celle de son vis-à-vis, par amitié sans doute. Le chien bougeait sous la nappe à carreaux rouges et blancs. « Il me fascine », dit Michel.

Toutes les images se brouillent dans ma tête. Cela fait combien, depuis ce matin-là, ... soixante-quatre moins trente-six, vingt-huit ans ? Il y avait eu d'abord la cérémonie sur la Place Rouge, où Gide avait parlé, au-dessus du Mausolée de Lénine. Rétrospectivement, tout cela est assez fou. On m'aurait dit, avant notre départ, à Londres... Remarquez, je ne l'aimais guère, Gide, mais... tout de même, du point de vue français, c'était un écrivain important, c'est sûr. Cependant, s'il y avait eu à Paris, quelque chose qui soit l'équivalent... allez trouver équivalent au Mausolée chez nous ! Le soldat inconnu ? Enfin, jamais, on n'imagine pas plus Flandin que Léon Blum dans une cérémonie, donnant la parole à Gide... Après tout, je trouvais ça plutôt bien, de la part, comme on dit dans la presse, des Soviets. Jusqu'à ce jour où l'auteur des *Caves du Vatican* était venu dans notre chambre au *Métropole* me demander de regarder avec lui son discours pour la Place Rouge, et de le lui « corriger ». Rien dans nos rapports antérieurs ne pouvait me faire prévoir une telle confiance, mais quand j'ai vu le texte qu'il avait écrit... Pas de raison de laisser un écrivain français se ridiculiser. Il n'y avait pas de soleil, le jour de l'enterrement. Une lumière de la Toussaint. Une Toussaint chaude. C'est écœurant comme pour la bière. On n'en était pas moins nombreux pour cela. J'avais un drôle de sentiment complexe. Le deuil du ciel avait un air de commande, et pourtant la tristesse des gens n'était pas feinte. Peut-être était-elle un peu trop canalisée. Bien qu'alors personne ne pensât que la mort de Gorki eût pu n'être pas naturelle, il y avait dans tout ce qui se passait quelque chose de forcé, une sorte de gêne. Des idées qu'on se fait. C'était un enterrement, pas un mariage. Des funérailles nationales, quoi. Donc, il y avait eu le meeting sur la Place Rouge. Gide qui parle, son papier à la main, avec mes corrections, cette façon oblique de tenir sa tête, les paupières longues sous les besicles, la diction chuintante aux fins de phrases. A sa droite, avant les écrivains, Cholokhov, Koltsov, Alexis Tolstoï, il y avait un type que je ne connaissais pas, qui prenait de l'importance, disait-on, Boulganine, et à l'arrière un certain Khrouchtchev qui n'en avait aucune... A la gauche de *l'o-rateûr*, comme celui-ci eût articulé lui-même avec cette emphase ironique, un certain balancement du front, sa voix dentale... Staline qui écoutait ce petit morceau d'éloquence et qui a dit, m'a plus tard raconté Micha, quand le Gœthe de la rue Vaneau se fut tu : « S'il ne ment pas, que Dieu lui prête vie [1] ! »

L'enterrement... du point de vue du réalisme, il faudrait décrire le cortège, les uniformes, la milice à cheval, des groupes de gens dans la foule, l'expression des *simples gens*, la douleur populaire, n'est-ce pas ? et pas jeter là-dedans des impressions, vagues d'ailleurs, et on ne peut plus subjectives. Nous étions donc déjà formés en cortège, devant nous le gouvernement, des militaires, d'abord à quelques rangs à peine en avant la vareuse si *modeste* de Staline, la haute silhouette de Jdanov, Molotov... Des gens nous avaient un peu dépassés, c'est-à-dire que Michel, à l'instant encore à nos côtés, s'était trouvé écarté de nous, en avant, il se retournait, nous faisait signe comme pour s'excuser. Puis on avait commencé à marcher.

Quand il revenait à Paris, Michel, du front d'Espagne où il était correspondant de son journal, laissait chez nous une valise, avec tout ce qu'il n'avait pas besoin de trimbaler jusqu'à Moscou, pour la reprendre à son retour. Il faisait un saut comme ça dans son pays, parce qu'il y avait des assises politiques auxquelles il était convoqué, il était député de je ne sais plus où, et puis il voulait aussi absolument expliquer chez lui, aux gens importants, ce dont il avait

[1]. Если не врет, дай ему бог жизни

été témoin. Parce qu'on se faisait là-bas une idee un peu schématique des choses, la réalité était un peu plus complexe, et cela peut être dangereux de voir les choses trop abstraitement. Est-ce qu'il écrirait, plus tard, sur l'Espagne ? Plus tard, disait-il, je ne sais pas. En tout cas, j'écris. Dans mon journal, pour mon journal. On ne publie pas tout. Cela pourrait se rassembler, ensuite. Cela dépend de comment vont tourner les choses. Quoi ? Comment vont tourner ?... Nous autres, nous avions la foi du charbonnier. Il se taisait. Tu es bien pessimiste, Michel. Voyons, l'Espagne, ce n'est pas l'Éthiopie ! Parce qu'il y avait eu l'Éthiopie. Bien pessimiste... « Moi, pessimiste ? » et il riait, disait on écrit, on écrit les faits comme on les voit, puis ils changent de sens ; avec le commentaire de ce qui la suit, la vérité devient impubliable, c'est une des grandes servitudes, une des grandes difficultés du réalisme, c'est où on touche ses limites... il faudra peut-être de longues années pour publier la vérité... après des bouleversements, des guerres, la disparition des contemporains... et encore, alors ce qui était aigu se sera émoussé, bien des choses ne seront plus compréhensibles, et les éditeurs diront que ça n'intéresse pas le public, que c'est trop long, est-ce qu'on ne pourrait pas pratiquer quelques *coupures* adroites ? Vous avez remarqué, rédacteurs, correcteurs, éditeurs, comme ils prononcent ce mot-là avec une sorte de chanson, *coupûre*, les lèvres en sifflet, on dirait qu'ils parlent de quelque mignonnerie : le sort du réalisme, c'est toujours qu'on y pratique.... pratique ! des coupes... Puis, tout à coup, son visage s'est assombri, mais c'était seulement à cause du *tueur*... ce type-là, il me fait froid dans le dos.

C'est drôle, j'ai l'air d'arranger les choses, de monter, comme on dit pour un film, ma mémoire. Est-ce que le réalisme admet le montage, ou non ? Je n'ai jamais entendu quelqu'un raconter comme Michel. C'était du feu, et puis tout de suite écraser sa cigarette, quand ça vous fait mal à dire. Non, mais vous imaginez, si j'avais pris l'invitation au sérieux, et que j'aie été comme ça chez Ouboriévitch six mois avant... J'aurais pu raconter tout ce que j'aurais voulu. Je me représentais. Mais est-ce qu'il ne connaissait pas personnellement Staline, qui avait en lui grande confiance, qui souvent le faisait venir pour entendre lui-même ce que Michel avait à dire ? Bien sûr, il y a Staline. J'aurais toujours pu faire appel au Patron, mais. Lui, aussi, on lui présente les choses. Il ne peut pas voir tout par lui-même. Malheureusement. Et si on lui avait dit...

Je savais déjà, l'année d'avant, que Louppol n'aimait pas Staline. Cela ressortait de ses conversations avec Fougère. Pour des raisons de caractère. D'habitudes aussi. Il le voyait souvent, et il ne pouvait pas lui pardonner de le forcer à boire. Cela lui faisait le plus grand mal. Et l'autre le forçait. Ce sont de ces petites faiblesses des grands hommes, sans doute. Joseph Vissarionovitch se méfiait des gens qui ne veulent pas boire, comme s'ils craignaient, ayant bu, de laisser échapper quelque secret. Fougère disait : « Pourquoi donc est-il si méfiant, Staline ? Je ne comprends pas un monde où la méfiance est la règle, si on doit changer le monde est-ce que ce n'est pas pour que la confiance y règne ? » Et moi je pensais que tu mettais les bouchées doubles : la confiance viendrait plus tard, après... Tu te fâchais, tu disais : alors c'est par la méfiance qu'on arrivera à la confiance ? J'essayais de t'expliquer que c'est ça, la dialectique. Nous étions donc avec Louppol, dans les rangs du cortège, déjà plus les premiers. On avait beau essayer de maintenir le pas, la continuité, on était débordé par des hommes qui marchaient le long des rangs et se reformaient devant nous, une sorte de bouchon. Michel qui nous avait dit, il faut venir, Gorki ne comprendrait pas, vous serez là un peu comme de la famille. Si c'était la famille devant, il avait une drôle de famille, Gorki. Son fils était mort dans un accident d'auto, enfin celui de ses fils qui était en Russie. Je n'ai pas vu si sa belle-fille était là, devant nous, qui est si belle. Ni les autres gens de sa maison. Maintenant ce n'est plus à eux qu'il appartient, ni à lui-même. Je ne sais pas si vraiment il n'aurait pas compris que nous ne soyons pas là, nous deux Fougère, mais en tout cas il avait accepté que les choses se passent comme elles se passaient, sûrement. Il en devait voir la continuité, Tolstoï, Tchékhov, lui... une continuité par lui de la Russie profonde, le peuple héritier, et par lui cette liaison... Je peux comprendre, d'une certaine manière, comment tout cela devait se combiner en lui. Une sorte de sentiment de la responsabilité. La conscience de jouer un rôle que personne d'autre ne pouvait tenir. Puis, quand on a accepté... Est-ce qu'il avait perdu l'esprit critique ? Sûrement pas. Mais la question est de savoir comment il s'exerce, et quand cela vient de quelqu'un comme lui, je veux dire de quelqu'un qui s'est trouvé porté, à plus ou moins juste titre, si haut, en pleine lumière, devant nous, comment un Gorki n'aurait-il pas d'abord cette crainte qu'un mot de lui, même traduisant sa pensée, puisse nuire, déconcerter, démoraliser ? Enfin, tout au moins, je le vois ainsi. Il y aurait probablement, pour un portrait *réaliste* de Gorki, d'autres façons d'aborder le problème. Il a eu cette chance de mourir avant qu'on lui dise que son fils avait été assassiné. Il est mort à ses propres yeux de sa belle mort, il n'a pas à cette minute regardé son médecin comme Michel l'individu louche à la table voisine, ce jour-là, rue Montorgueil... Il avait confiance dans Micha, lui aussi, et dans toute sorte de gens, qui ne le méritaient pas également. Pourtant, il avait eu envie de nous voir, Fougère et moi, avant de mourir. C'était étrange. Si Micha ne mentait pas. Pour nous dire quoi ? J'ai l'impression, avait dit Micha, qu'il

voulait vous dire quelque chose. Peut-être pas pour
nous : peut-être, parce que nous vivions en France,
pour quelqu'un qui y était, ce fils peut-être que nous
ne connaissions pas, d'ailleurs, dont il nous avait
longuement parlé, la dernière fois que nous étions venus
le voir, en 1934, à l'automne, longtemps après le
banquet chez lui, et entre temps j'avais été très malade.
En tout cas, il ne nous l'avait pas dit, et les suppositions, ce n'est pas du domaine réaliste, non plus. (Sur
ce point, j'ai un peu varié d'opinion, mais j'en parle
comme alors, avec cette absence de mesure des néo-
phytes, Fougère a eu quelque mal à m'apprendre, si
je puis dire, à *chanter juste*.)

Qu'est-ce que je voyais, rue Montorgueil, dans cet
œil noir cerné de bleu, au mur au-dessus de vous deux,
piquant un peu de la tête en avant, la vague blancheur
à carreaux rouges de la nappe, les verres vides, le
beaujolais, des croûtes de pain, que sais-je? Michel
et toi, vous n'étiez pas dans le miroir, ni moi bien sûr.
Une nature morte. Le tueur ne s'y reflétait pas plus
que nous. Ni cette incompréhensible tragédie du vaste
monde, ici et là déjà sentant ses cancers. Dans cette
petite salle de restaurant, à l'entresol de la rue Montorgueil, le réalisme, ce serait de prendre le pouls de
cette scène immense, où l'on ne respecte jamais la
règle des Trois Unités. Est-ce que, par exemple, en
1935, en mai, j'aurais eu le droit, dans la chute de
l'avion géant de Toupolev, le *Maxime-Gorki*, de voir
comme une prémonition de ce qui allait être? Ce
serait avoir les yeux de l'avenir sur le passé récent,
et est-ce que c'est mal d'avoir les yeux de l'avenir
pour regarder la vie? Je ne sais pas. C'est un problème
difficile à résoudre, quand il s'en pose d'autres, plus
urgents.

Ce que je voulais raconter, c'était comment ces gens de plus en plus nombreux qui nous dépassaient, dans le cortège, beaucoup du même gabarit, des gens à qui on a fait faire de la gymnastique, et jouer des coudes est de leur profession, des costauds, assez bien nourris, avec des blouses russes comme on n'en portait plus guère, des casquettes ou de ces chapeaux mous improbables, comment ces gens avaient commencé à me donner sur les nerfs. Oh, tout d'abord je ne voulais même pas y venir, à cet enterrement, et puis vous savez, moi, je ne tiens pas beaucoup à fréquenter les huiles, n'allez pas penser que j'étais vexé de ne plus me trouver aux places d'honneur. Mais cela se faisait si bizarrement, si... je ne sais pas. On nous avait plusieurs fois bousculés, comme si dans la cour de la caserne des soldats qui n'ont pas pris le temps de boucler leur ceinturon arrivaient en retard pour se mettre en position... Et puis, à ma gauche (à ma droite il y avait Fougère et Louppol), deux ou trois s'étaient installés qui parlaient fort, peut-être m'ayant repéré comme un étranger, et les étrangers, il y a plus de chance de s'en faire entendre si on gueule, n'est-ce pas ? Ils parlaient entre eux, mais à mon intention, d'évidence. Mon voisin immédiat était un peu trop familier, il me faisait sentir son coude. Une de ces gueules (c'était à lui que je pensais, tout à l'heure, quand Michel me montrait son tueur).

Quelles sont les limites du réalisme ? De toute façon, le démon de l'analogie n'a rien à faire avec lui. Je me souviens aussi beaucoup plus tard, à Nice, pendant l'occupation, j'étais allé à la gare, parce que j'attendais ma « liaison »... tiens, comme les mots varient ! Ma liaison était avocat à la Cour de Paris, si vous voulez savoir. Et puis, je m'étais trouvé devant le perron, juste comme Doriot débarquait, avec ses bonshommes. La collection d'été, si Michel avait vu ça, tu parles de mannequins. Je n'ai pas demandé mon reste. J'ai été l'attendre chez nous, ma liaison. Non, ce n'est pas ça, la dialectique. Ni le réalisme. A l'époque en tout cas, je ne me posais pas la question, j'aurais trouvé inimaginable des analogies de ce genre, puisque la *forme*, pensais-je, n'est plus la même si le *contenu* est différent. Et qu'un monsieur qui a une sale gueule s'il est le siège d'une idéologie... ou à peu près. D'ailleurs, aujourd'hui même, je continue à trouver cela inimaginable. Comme certains faits de la physique ou des mathématiques, que j'admets, parce que les gens qui savent me disent que c'est comme ça, mais à quoi je ne puis donner en moi image, que je ne peux *imaginer*. Ni non plus ceux qui savent, d'ailleurs.

Ils avaient commencé, mon voisin et les deux suivants, sur ma gauche, à parler à voix forte entre eux, se montrant les gens du doigt, en avant. D'abord, ils perdaient leur temps avec moi, si c'était bien à moi que ça s'adressait. Ça se voyait que j'étais un étranger, et ils parlaient dans leur langue. Je ne savais pas le russe, je le bafouillais pour demander mon chemin, je commençais à déchiffrer les journaux, les titres. Mais si quelqu'un vous pousse du coude et vous montre, un peu en avant de vous, dans une foule un type qui porte un petit chapeau-gendarme en vous disant : Napoléon ? même si vous ne savez pas le français, vous comprenez qu'il plaisante. Fougère et Louppol avaient l'air très ennuyés, ils regardaient à gauche, et Fougère me dit : « Ne leur réponds pas! » D'ailleurs, toujours montrant du doigt (Molotov, Staline ?), ils continuèrent si grossièrement leur mimique, tenant absolument à tirer du voyageur que j'étais des précisions sur les personnalités locales, contre toute vraisemblance. Mon voisin devenait tout à fait familier : il me tenait le bras dans sa poigne, me racontait des trucs que je ne comprenais guère, se tournant brusquement vers moi, pour voir mes yeux, et il me soufflait dessus une de ces odeurs, il avait dû bouffer de l'oignon vert. Je suis de bonne composition, mais il y a des limites. Et puis je n'aime pas qu'on me palpe le biceps. Je me dégageai, une, deux fois. Je dis à Fougère : « J'en ai assez... qu'est-ce que c'est que ces gens? Je n'ai pas demandé à être ici, je ne voulais pas... où est passé Michel? » On ne le voyait plus, il y avait bien maintenant une vingtaine de rangs qui s'étaient formés comme par miracle entre les huiles et nous. « Reste tranquille », me dit Fougère, qui me connaît. Mais ça continuait. Le personnage m'avait repris le bras, je n'aime décidément pas ces familiarités... Je dis à Fougère : « Je ne peux pas supporter ça... est-ce que c'est pour ça que Michel a insisté? Et tu crois que Gorki, il aurait compris ça, peut-être? » Louppol se penchait vers Fougère et lui chuchota quelque chose d'un air tout à fait inquiet. Je dis à Fougère : « J'en ai assez, je te dis... sortons du cortège, rentrons à l'hôtel... — Mais tu es fou, on ne peut pas, comment veux-tu, avec les chevaux? » Les chevaux! Je m'en foutais des chevaux, bien qu'ils se tinssent côte à côte, comme un mur entre la foule et le cortège. Les chevaux, eux, ne me provoquaient pas, ne me tripotaient pas le muscle. Louppol, se penchant un peu plus, me souffla que je ne pouvais pas faire ça, que ce serait un scandale. Ah, ça, ce n'était pas le mot à me dire, et quand le voisin de mon voisin, qui avait fait un pas en avant du rang, me demanda, en me montrant d'ailleurs la silhouette haute de Jdanov, si c'était Vorochilov, lequel est tout de suite haut comme trois pommes, je vis simplement rouge. Vorochilov était de trop. Je bondis de côté. « Antoine! » cria Fougère. Mais allez, allez me retenir! J'ai filé entre les pieds des chevaux, devant les gens terrorisés, les miliciens au-dessus, je crois qu'ils ne me voyaient pas. C'était évidemment de la folie, mais la rage m'avait pris, la rage de l'humiliation. Il ne se passa rien de mal, les chevaux étaient bien sages, ils n'ont pas rué, pas bronché. Je me suis retrouvé parmi les gens comme vous et moi, ceux qui n'étaient pas de la famille, qui n'avaient pas de relations, qu'on ne tenait pas à avoir dans le cortège, leur nom n'aurait rien dit à personne. J'étais sorti des mondanités. Je ne voyais pas à deux pas devant moi, et maintenant c'était bien plus difficile de fendre l'innocent flot anonyme pour regagner le Métropole. Et, avec ça, je me sentais parfaitement ridicule. Je n'ai jamais compris comme Louppol et Fougère se sont trouvés soudain à côté de moi. Ils n'avaient pas passé sous le ventre des chevaux, eux, tout de même? Ils avaient dû s'expliquer, ce que c'est que de parler la langue des gens! J'avais envie de sangloter. Je pensais aux marins du bateau, en venant, sur la Baltique, les chansons dans la nuit, et à tout, le Font populaire en France, quand on allait aux Galeries Lafayette pendant les grèves, et Ingeborg d'Usher chantant *Le Temps des cerises* pour les vendeuses... et en général, à ce grand pays, ici, qui travaillait, travaillait... pour quoi, pour *ça*? « Tu es stupide, — me dit Fougère. — Tu passes d'un extrême à l'autre, je te dis souvent que tu admires tout à tort et à travers, et puis voilà! Pour un provocateur! » Mais précisément. Allons, viens, on va se prendre une tasse de thé bien chaud, avec des *tianouchki*.

Je le lui avais déjà raconté deux ou trois fois, à Michel, depuis. Il feignait encore de ne pas s'en souvenir. Il était d'ailleurs obnubilé par ce type, gangster, maquereau, est-ce que je sais? Il n'avait jamais vu ça. Même en Espagne? Même en Espagne. Et d'ailleurs, moi, qu'est-ce que ça m'a appris? Rien du tout. Au bout du compte, je ne voyais que ce joli métro, les stations de marbre, les statues. Après ça, parlez du réalisme. On a les faits devant son nez, et on s'en tire avec un beau raisonnement. C'est une petite chose après tout. Il n'y a qu'à rétablir le contexte, placer le détail à l'échelle de cette immense réalité, à son échelle de détail. Et puis, c'est de tout qu'on juge comme ça. De toutes les choses de la vie. Cette vie débrochée, en charpie, où le texte ne se suit plus, les pages n'importe comment, dans tous les sens. Un roman dont on n'a pas la clef. On ne sait même pas qui est le héros, positif ou pas. C'est une suite de rencontres, de gens à peine vus qu'on les oublie, d'autres sans intérêt qui tout le temps reviennent. Ah, ce que c'est mal foutu, la vie. On essaye de lui donner une signification générale. On essaye. Pauvre petit.

Michel, il m'écoutait parfois. Je parlais très librement avec lui. Quelle raison aurais-je eue de faire autrement ? Et puis lui, savait bien que je ne voulais rien de mal. Comme je m'étais fâché, après, avec ce livre de Gide ! Maintenant il y avait la guerre d'Espagne. Une chose toute proche. Nous étions allés à Madrid, Valence... Mon Dieu, quand je pense à ces gens que j'ai vus dix minutes ou deux jours, ici ou là ! Ce qu'il est advenu d'eux... Bien plus tard, une lettre m'apprendra que ce gamin, qui a maintenant dans les quarante-cinq ans, vit encore, comme une taupe, là-bas, dans le Sud. La vie a passé pour eux, une vie en pièces, avec des rêves mal cicatrisés. Ceux qui ont été à jamais séparés. Ceux qui ont passé en prison tout leur âge d'homme. Ceux qui n'ont plus jamais rencontré quelqu'un à qui parler. Ceux pour qui chaque jour est une humiliation... Mais alors, rue Montorgueil, je croyais encore que ce n'était pas possible, les types à blouses ne gagneraient pas, les assassins de Lorca, les gangsters qui brisaient les bornes lumineuses devant le Crédit Lyonnais... les Spirito, les Carbone... Je pouvais critiquer ceci ou cela, mais quand un Gide se permettait... allons bon. Je me fâche parfois, c'est épouvantable. Dix ans, vingt ans après. Ou huit jours. C'est dans ma tête que ça se passe. Personne ne sait à quoi je pense, de fil en aiguille. Fougère me dit : « Qu'est-ce que tu as ? Tu t'es fâché ? Il est arrivé quelque chose ? » Non. Rien. Laisse. Ça ne peut pas s'expliquer. J'ai pensé à des trucs.

Je n'ai plus revu Louppol, depuis le quai de la gare. On ne voyageait pas encore en avion. Il était venu dire adieu à Fougère. Il lui a encore envoyé des articles de lui, qui avaient paru. Sur les matérialistes français du dix-huitième siècle. Il y a une phrase de Lénine... Puis on a retiré ses livres des librairies. Oui, même en France. Le *Diderot*. Je pensais, il n'aimait pas Staline, mais enfin, c'était que l'autre le faisait boire. Michel était en Espagne. Je ne lui ai pas demandé. Et puis quand il est revenu... Ils avaient adopté un petit Espagnol trouvé dans un train, Maria et lui. Les choses allaient très mal en Espagne, ce que disait Michel blessait le cœur. Je ne voulais pas y croire. Il avait installé Maria à Paris, c'était plus commode, quand il passait... Je me souviens de mille choses. La France d'alors changeait, comme on dit de la gorge du pigeon, vouée au couteau. Au début de novembre, je crois, Michel est apparu chez nous. Il venait chercher sa valise, non, il retournait à Moscou, brusquement rappelé. Il était si triste. Ça se comprenait, l'Espagne. Mais voyons, Michel, ce n'est pas fini, cela peut encore se redresser. Ce n'est tout de même pas l'Éthiopie.... Il hochait la tête. Ce n'est tout de même pas... Il nous a embrassés. Il est parti. Ou plutôt non. Il fermait déjà la porte sur lui-même, il l'a repoussée, il est revenu dans notre étroite entrée : « Fougère... Antoine... je tenais, avant de partir, à vous dire une chose... » Il n'a pas voulu vraiment rentrer dans l'appartement, rien qu'un mot. Voilà. Il retournait dans son pays. Ce qui l'attendait, il n'en savait rien. Mais peut-être ne reviendrait-il pas à Paris d'assez longtemps, alors... Il peut y avoir des événements graves dans le monde. En tout cas, quoi qu'il lui arrive, à lui, rappelez-vous, tous les deux... rappelez-vous que la dernière chose que vous avez entendue de moi... rappelez-vous que *Staline a toujours raison...*

Il était parti. Fougère s'était appuyée à la porte et elle me regardait. Pendant plusieurs jours, elle ne pouvait plus chanter. Elle se promenait, tenant machinalement sa main sur sa gorge. Il était rentré chez lui pour la fête d'Octobre. Le vingtième anniversaire, pensez donc. Qu'avait-il voulu dire ? D'abord, de loin, tout avait l'air d'aller bien pour lui. Maria venait chez nous avec le petit Espagnol, qui était comme un gros grain de muscat noir. L'an 38. Le temps passait, sourd, sombre. Déjà Vienne... mon Dieu, qu'a-t-il pu advenir de Robert Musil ? Nous avions songé le faire venir à Paris, avec Josef Roth, ce gros homme roux et joyeux qui, maintenant, pleurait, ivre, contre mon épaule, trop tard, trop tard, et disait une chose folle : *Le roman ! Le roman ! C'en est fini du roman !* Tout allait très bien pour Micha, il avait encore été élu député aux Soviets de Grande-Russie... il dirigeait un journal humoristique, un hebdomadaire illustré, il avait toute sorte d'emplois, une activité folle. Qu'avait-il donc pu craindre ? Il est vrai qu'aussi une des dernières choses qu'il nous avait dites, c'était, maintenant, le coup de boutoir, ce sera pour ce bout gauche de l'étroite et longue Tchécoslovaquie. Moi qui ne songeais qu'à l'Espagne... D'ailleurs, il n'avait pas l'air d'avoir eu raison. D'abord. Puis, avec l'été, l'ombre des aigles ne tourna plus seulement au-dessus de Madrid. Il y eut Prague. C'est-à-dire qu'il y eut Munich à la naissance de l'automne. Michel, j'ai encore eu de ses nouvelles par la *Pravda* : il avait voyagé dans le ciel de la Tchécoslovaquie à l'heure du drame... La carte du monde se déchirait, en fait de roman, les pages pendantes, la colle séchée sur les fils du brochage, la couverture en lambeaux...

En décembre, Micha avait encore fait un long discours, deux heures, devant les écrivains. On n'a pas su tout de suite. Il avait dû être arrêté le lendemain, ou presque. Qu'est-ce que cela signifiait ? Maria disait que cela devait s'arranger, impossible. Comme un imbécile, j'ai été parler à l'Ambassadeur, tout ce qu'on voulait, Michel, je ne pouvais pas croire : qu'aurait-il pu me répondre d'autre, cet homme, que ce qu'il m'a répondu ? Prague, en mars. Maria attendait, jouait avec le gosse. Puis, après des mois, c'était quand Fougère devait chanter *Eugène Onéguine* au *Metropolitan Opera*, où elle n'avait eu qu'un essai malheureux, il y avait des années, nous étions sur le point de nous rendre à New York, l'Exposition s'y ouvrait : finalement Maria s'est décidée, elle est partie avec l'enfant pour Moscou, pensant plus facilement y avoir des nouvelles. Nous avons su seulement que jusqu'à la guerre, je veux dire la guerre là-bas, c'est-à-dire jusqu'en juin 1941, elle habitait au Métropole. Comment tout cela s'est-il passé... Avec la guerre, on a arrêté les Allemands, les antifascistes comme les autres. Personne n'a plus revu Maria. Le petit... peut-être, c'est douteux, quelqu'un en connaît-il la trace. Micha, quand il a été réhabilité en 1954, on a dit qu'il était mort en 1942, quelque part, loin. Le détail, ce n'est pas leur genre.

Qu'est-ce que vous voulez que je voie quand je regarde la glace ? Ce monde vide, comme une chambre à la hâte abandonnée, le livre par terre, déchiré, déchiré... Qu'est-il advenu de cet univers de la Bibliothèque Rose où l'on comptait avec des sous, et passait les frontières sans y prêter attention ? Nous avions beau voir arriver les nuages sur l'horizon, beau prophétiser la tragédie, qui pouvait l'imaginer dans sa propre demeure, les portes enfoncées, la patience dispersée, les pauvres choses qu'on croyait acquises, et nous étions là, dans la terreur ou la révolte, nous raccrochant à ce qui semblait au-dessus du doute, trouvant encore la force de survivre dans la confiance ancienne. 40... en juin, qui m'avait dit, je le revois encore, un grand garçon épouvanté, très brun, un gemmeur des Landes tout bête d'être sans échasses : *Tout de même... tout de même... la France, ce n'est pas l'Espagne !* Comme moi, parlant à Micha tout à l'heure... Il y aurait de quoi rire. Avoir été élevé dans l'idée d'une géographie immuable, les frontières, les départements, les sous-préfectures... Et puis maintenant, regarde-toi dans ton atlas, tu ne t'y retrouveras, tu ne t'y reconnaîtras, tu ne t'y verras plus : c'est pis que les miroirs! Où est-elle, notre image scolaire? La peau de chagrin... La France bientôt, ce n'est plus la France. Fougère disait qu'il aurait fallu aller chanter dans les cours, pour reconnaître les siens, comme Blondel de prison en prison cherchant Richard Cœur-de-Lion. Chanter dans les cours... mais quoi? N'importe. Toute chanson française maintenant, c'est comme tricher. Tu te rappelles, à Nice? Michel Émer, oui, le répertoire de Piaf, comme on entendait ça : *La fille de joie est triste*... Et tous ceux, ici, qu'ils ont tués, inconnus, amis de toujours ou d'un jour, ceux qui sont morts avec leur croyance à la bouche. Tu te souviens des cris, à Lyon, qui sortaient de la cave de l'Hôtel Terminus? Et les cadavres, place Bellecour, un jour devant ce bar où ils les avaient amenés, les tirant de la prison? *Celui qui croyait au ciel* avait dans la poche un bouquin rouge, on m'a dit plus tard, sa fiancée, ah, c'est prendre l'affaire par un côté bien personnel, mais si j'avais su par avance... D'autres, devant les fusils, quand ils avaient si peu de temps, si peu de mots à leur dernière bouche, juste la place d'un cri, leur pays, trouvèrent encore à jeter aux bourreaux ce seul défi, Staline... comme tout est amer, amer, je pense à toi, Michel, à ce qu'aurait été l'avenir avec ceux qui rêvaient vivre selon la justice, du ciel comme des hommes.

Quel désordre, mon Dieu, quel désordre! Il n'y a pas que moi qui ai perdu mon image. Tout un siècle ne peut plus comparer son âme à ce qu'il voit. Et nous nous comptons par millions qui sommes les enfants égarés de l'immense divorce.

« Cesse de te regarder dans la glace! » dit Fougère. Quelle glace? Qu'est-ce que ça fait, quelle glace? De Venise, ou n'importe. Je ne me regarde pas dans la glace, d'ailleurs.

LETTRE A FOUGÈRE
SUR L'ESSENCE DE LA JALOUSIE

> *Et quoi de plus Je vous écris*
> *Que puis-je d'autre encore dire* [1]...

Je n'ai jamais pu traduire la *Lettre de Tatiana* : les mots en sont trop simples pour passer d'une langue à l'autre. Le français ne fait pas miroir au russe, Tatiana ne pourrait s'y voir, ce front pur. Tout prend un air de fioriture où le cœur seul parlait. Sans doute, aurais-je ici voulu savoir me substituer à Pouchkine, que tu me chantes, et non pas lui. Pas seulement. C'était déguisement cherché, que ton chant se fît à mon image, que je me voie à ce miroir de toi. Étrange idée : les paroles de la jeune fille à ce Don Juan tombé en province, en faire la lettre à la femme de toute sa vie d'un vieil homme à jamais épris... « D'un vieil homme ? — dis-tu. — Mais en juin, juillet 1939, tu n'étais pas un vieil homme ! » Pourquoi cette lettre suivrait-elle fidèlement la chronologie du récit, d'un récit qui raconte des faits de 1939, mais n'est pas écrit en 1939. D'un vieil homme, donc. Moi. « Toi ? — dis-tu. — Lequel ? » Qu'importe... La vieillesse, ça unifie l'âme, sinon la peau. Que je sois Alfred ou Anthoine ! Et quoi de plus, je t'écris, Fougère, cela dit tout ou ne dit rien, tant les mots sont d'eau transparente. Le regard les passe comme verre et m'y verrais-tu, je t'écris, que dire plus, ton chant me perce à travers cœur, comme le sang... Ah, tout ceci, qui te ressemble,

---

1. *Eugène Onéguine*, 3, XXXI.

et toute la vie aura fui, sans que j'aie su les mettre ensemble, les mots de la lettre qui tremblent à ma lèvre, ils prennent, à n'être plus l'ingénuité de l'enfance, un sens ardent de crépuscule : *Une autre !... Non, à nulle au monde — Je n'eusse voulu donner mon cœur...*

Je t'écris, n'est-ce pas tout dire ? Tout n'est, que j'écris, qu'une lettre, une lettre sans fin vers toi. Je joue avec ton nom, je me donne âge variable, autre passé, destin changeant. Je suppose une année, je m'invente une vie, et toujours c'est ton geste et ton pas qui vont en faire la saison. Le masque que je mets moins qu'il me cache exprime un sentiment trop fort pour le visage nu, il est l'impudeur où se dissimule la passion. *Et quoi de plus...* tu le vois bien, j'emprunte leur parole à ceux dont tu ne saurais sourire, et je grimpe à ton balcon sous leur déguisement. Il y a tant de choses que tu n'écouterais pas, si je ne leur avais fait décor de transposition, si, cela que tu sais trop bien pour ne pas m'échapper d'avance, je ne l'amenais par la dissemblance, par la dissonance de nous. Par exemple, l'histoire de mes jalousies. Prends garde. Ce n'est pas à les raconter que j'en parle. Une douleur peut se traduire par une autre. Le passage de souffrir à souffrir se fait mieux que du russe au français (puisqu'il s'agissait de Pouchkine). Et donc ceci te soit ma lettre, au jour la nuit, sans cesse à quoi s'ajoute un peu de ce qui ne passe point la lèvre, de ce qui bat dans les mots tus, et que les mots, dits mal, trahissent.

Ah, laissons là Tatiana, Pouchkine... Tu sais bien qu'il n'y a que toi dans mes rêves. Qu'aurais-je à prendre un autre ou ce biais ? Et s'il est un jardin, ce n'est pas celui-là, où Tatiana rencontre Onéguine, mais ce lieu de nos pas, avec ses allées d'ombre, les roses, les lupins et l'aubépine en fleurs. A ceux pour qui la vie est un rêve entre deux sommeils shakespeariens, qu'on le reproche, qu'on le reproche donc, bien que celui-là qui le fait sans doute ignore sa cruauté... mais me pardonnerez-vous, hommes et femmes pourtant de qui si souvent je saigne, de dire qu'entre toi et moi elle fut un immense jeu, et nous avons joué au bonheur, et nous avons joué aux visites, et nous avons joué à vivre comme à mourir, et tu prenais une ficelle et c'était une rivière de diamants, et tu prenais une petite ville comme une poubelle au bout de la Brie et c'était, *cette ville de rouille,* un rendez-vous donné pour un quart de siècle après, et tu prenais n'importe quelle chanson de deux sous et je n'en pouvais plus dormir de l'existence... nous avons joué, joué de toute chose, à toute chose, contre le malheur et le temps, nous avons joué aux histoires, et nous étions nous-mêmes d'autres, d'autres toujours réinventés, pour recommencer l'aventure, un beau jour et te rencontrer... Mais à rien peut-être n'avons-nous tant joué, qu'au jeu des maisons, des jardins : et je te montrais de la route au loin la colline, une ruine comme un palais, ces grands arbres noirs où se perdre ou cette terrasse où rêver, celle-là, Fougère, on l'achète? Ah, nous en avons tant acheté, des demeures dans la campagne ou des cachettes dans les villes, pour l'amour et pour le silence, et notre solitude à deux! Rêve ou jeu, vois-tu, c'est tout comme, et l'avons-nous joué, rêvé, ce lieu où tu te réfugies, quand Paris t'épuise de gens, de cris, de roues, et d'exigences? Écoute, ce décor d'eaux et d'arbres, ne l'avons-nous pas ensemble combiné, n'est-il pas comme une grande convention que nous nous sommes l'un à l'autre faite, à demi conscients des temps qui vont venir? Cette vie a des bancs où s'asseoir, des chemins plantés, le subterfuge des ponts sur les ruissellements qu'en ce pays choisi l'on appelle les *pleurs.* Ici, lentement, tout ce qui fut s'éclaire à la fois qu'il s'estompe. Il fallait ce décor à te mieux voir en moi. *Il régnait un parfum de grillons et de menthes — Un silence d'oiseaux...* Tout ce qui est parfum te ressemble, et le palpitement des oiseaux, la respiration du feuillage. Ce monde fragile un instant qui nous est soumis, plus que tous les mots de l'homme après tout, est cette lettre que je dis, que je t'écris de tout moi-même, et qui ne sera jamais finie, ah, déchirée avant d'être lue jusqu'au bout sans doute, déchirée un jour comme nous. O miroir où je suis absent à force d'aimer ta présence... miroir qui de toi seule enfin s'emplit, à déborder, de ton visage, où je guette en toi les mouvements ombreux, ces secrets que pour moi vivre n'est qu'à déchiffrer, et le tressaillement parfois de les saisir, ces pensées dont j'ai peur et soif, qu'il me serait pourtant plus sage d'ignorer.

Toi qui m'interdis de t'écrire de ma jalousie, et point pour cela d'être jaloux, as-tu jamais vraiment compris qu'elle est en moi de bien pire qu'un homme, de chaque mouvement de tes rêves, chaque respiration, de ce domaine où je ne pénètre pas ? Est-ce que tu sais combien de fois le jour cette chair intérieure que j'ai de toi crie on dirait d'un couteau, comme il suffit que j'imagine l'au-delà de ton silence, ou l'ellipse de ta parole, pour en ressentir la coupure, cette espèce de coupure dont est le mal profond... Celui qui n'a pas jalousie, est-ce qu'il aime ? Est-ce qu'il aime celui qui n'est point par là dans ce qu'il aime humilié ? J'appelle amour cette jalousie de toute chose, cette humiliation de l'homme à deviner sans cesse dans la femme par quoi elle lui échappe, et attentive qu'elle soit de le lui taire, quoi que ce soit qu'elle lui préfère, dans cette préférence le trahit. Qui aime vraiment d'amour est humilié devant la femme, comme le sont devant leur Dieu ceux qui ont inventé l'amour divin. Qui aime vraiment d'amour, de cet amour qui n'est à la merci ni du temps, ni de l'absence, il mesure sans cesse à l'éclat de la femme son obscurité, sa grossièreté de corps et d'âme, car aimer c'est être blessé par ce qu'on aime, avec une singulière ivresse de l'être sans doute, mais blessé comme est l'infirme par la force, comme l'aveugle d'entendre parler de la lumière, aimer c'est éprouver sa hideur devant la beauté, ses limites devant l'illimité.

Tu crois connaître la part qui fut la mienne à notre vie, et tu veux ignorer ma jalousie ? Il faudrait que je te fasse récit de l'indicible, de cette perpétuelle insomnie d'aimer. En finir avec l'opéra d'aimer, comme cela se raconte, à quoi cela se borne en chansons. Mais non, je ne prétends pas réinventer l'amour, je l'ai cherché, j'ai cru l'atteindre, il s'est dix fois, je dis sans compter dix, entre mes mains brisé. Tu es venue enfin, et je n'ai plus souffert à jamais que de toi. C'était juste avant de te connaître et pour une autre, pour me déprendre d'une autre que j'écrivais ces vers, en ce temps-là je me croyais poète :

> *L'amour salauds l'amour pour vous*
> *C'est d'arriver à coucher ensemble*
> *D'arriver*
> *Et après Ha ha tout l'amour est dans ce*
> *Et après*

Et tu fus l'*Et après* de toute ma vie. Il ne resta rien de l'*Et avant*... L'insomnie d'aimer. Craindre toujours. C'est cela qu'on résume d'un mot, le bonheur. Comme c'est vite dit! Le bonheur, c'est la peur mortelle qu'il contient. Il y a très longtemps quelqu'un m'a raconté l'histoire d'un boxeur, qui ne semblait vivre que pour son art. Pour cet égoïsme de sa force déifiée, cet entraînement, à quoi le plaisir d'être jeune, et le rêve et la flâne, tout quoi! cette femme qu'il avait, semblaient sacrifiés. Il allait de combat en combat, comme tu dirais de poème en poème, on le voyait le matin, à cette heure où les autres dorment, au Bois de Boulogne, avec une corde à sauter, quelque part vers le Pré Catelan... A force de se comparer aux autres hommes, et de primer sur leur violence de toute sa violence à lui, comme un médecin qui passe des concours, comme un joueur d'échecs qui gagne une partie après l'autre, comme si vaincre devant lui multipliait les défis... et regarde-le danser devant son miroir, ses coups portés à l'air, ce piétinement léger comme un meurtre qui se prépare... il devient le premier de sa catégorie, un champion cela s'appelle, et d'abord c'était un gars du coin qui l'avait empêché de dormir, il en avait fait de la bouillie, un autre, après, d'un peu plus loin, puis ceux déjà dont les journaux disaient la gloire, un après l'autre, il se mesurait sans arrêt, avec ce cri d'être meilleur, le poing qu'on montre avec le gant à tout le monde au bout du combat, mais ce n'est jamais fini, il faut se comparer encore. Sa femme l'attendait, de pays en pays. Enfin vint le jour qu'il fut champion du monde. Elle lui dit, très doucement, dans le triomphe, c'est assez. Mais lui, la regardant, lui demanda : « Alors, tu ne m'aimes plus ? » Il s'agissait maintenant de défendre le titre. Il le garda longtemps, comme un conquérant heureux, traversant les contrées, qui en fait son empire. Un jour, il y eut un homme plus fort que lui. Ce fut la fin. Mais personne pourtant n'eut jamais la clef de sa tragédie. Il n'avait gaspillé sa vie et sa force qu'à cause de cette femme à côté de lui : il l'aimait d'une jalousie admirable et sans limite. Elle était presque aussi belle que toi. Il ne pouvait pas supporter qu'elle pensât, qu'elle ne fît qu'un instant de penser, qu'un autre homme pouvait être plus fort que lui. C'était ce qui l'avait mené hors de lui-même, depuis un jour lointain, un jour d'avant elle, où un type quelconque l'avait jeté à terre d'une chiquenaude, car il était faible, au départ. Il ne supportait pas qu'un autre pût dire je suis plus fort que l'homme de cette femme, comprenez-vous. Et qu'elle dût penser que oui. Qui aurait jamais cru que cette carrière dans les phares et les clameurs, ce visage martelé, le sang du tapis, les challenges qui ne laissent place à vivre, cette guerre sans respiration ni répit, tout cela n'était que l'amour d'elle, la douleur à ses yeux de passer pour moindre qu'un noir de l'Alabama, qu'un cogneur de Sydney, une brute de Patagonie ? Et quand il eut perdu le titre, il ne put supporter l'idée de paraître ainsi, diminué, devant sa femme et, sortant des cordes, comme elle venait au-devant de lui, se tua. Imbécile qui croirait que ce fût déception de la gloire ! Je ne sais s'il avait les yeux bleus ou noirs.

Pourquoi souris-tu de mon histoire, Fougère, est-ce que ce n'est pas toi qui m'as fait lire ces lignes coupées comme la respiration d'un géant :

> ...*Aimer*
>   *c'est*
>   *courir au fond*
> *de la cour,*
>   *et jusqu'au soir des vers luisants*
> *briller de la hache*
>   *casser des troncs,*
> *jouant*
>   *de sa propre*
>   *puissance.*
> *Aimer, c'est des draps*
>   *en loques d'insomnies*
> *s'arracher,*
>   *jaloux de Copernic,*
> *lui,*
>   *et non le mari d'une Marie,*
> *étant*
>   *le rival*
>   *maudit* [1]...

et n'est-ce pas toi qui aurais voulu qu'on en fît une chanson ? Dire qu'il y a des gens qui voient subsistance de la bête dans la jalousie, et ne comprennent point qu'être jaloux est le propre de l'homme, différent de cette jalousie bestiale, laquelle n'est qu'un sentiment de propriétaire lésé sur son champ, comme sont différents les yeux de l'homme des yeux du loup ! Et j'ai haine de tous ceux qui firent du jaloux le ridicule, à commencer par Shakespeare, et j'éprouve au théâtre une honte

---

1. Vladimir Maïakovski. *Lettre de Paris au Camarade Kostrov sur l'essence même de l'amour* (1928), traduction d'Elsa Triolet.

sans nom quand les gens dans la salle sont pris de ce gros rire à voir l'homme trompé, malheureux, qui l'apprend. Je dis qu'il n'y a rien de plus ignoble, de plus bas que cette démagogie du cocu, qui fait le succès des comédies. Je dis qu'il n'y a rien de plus haut, de plus noble en nous que cette jalousie, dont je prie qu'on m'épargne caricature, ou je vais sangloter devant vous. Je dis que l'homme n'est homme à la fin que s'il atteint ce sommet de lui-même, être jaloux, constamment, totalement, par chaque souffle et chaque arrêt du souffle, à tort ou à raison, pareillement jaloux. A tort ou à raison, que dis-je ? c'est toujours à raison, même si c'est à tort. Tort ou raison, la différence au plus n'est que du degré de la chose. Et tant pis pour l'imbécile heureux traînant son écuelle. Ta femme t'est fidèle au sens du dictionnaire, sans doute, mais tremble : dans son miroir, tu ne sais pas de quoi elle peut être elle-même miroir. Et ne me dis pas qu'elle jette des cris quand tu l'as dans les bras, toutes les femmes de la terre... Fou qui tranquillement croit jamais être aimé !

Vous demandez qui parle, ou moi, ou lui. Anthoine ou l'autre, la première ou la troisième personne, l'acteur ou le témoin, l'homme ou le scribe, celui qui ne se voit plus dans le miroir ou celui qui a choisi d'être miroir de cet homme, et comment distinguer, par rapport à Fougère même, les sentiments de l'un ou l'autre envers elle, lui ou moi, à quel détail reconnaître Sosie ? A ce qu'il éternue ? Ou renifle. Est-ce que je sais qui je suis, on n'a pris ni l'empreinte de mes pouces ni l'odeur de mon âme, et tout ceci n'est qu'un peu d'encre, un gribouillis sur le papier, je ne crois pas aux graphologues, toutes les lettres sont anonymes, l'écriture, disent-ils, les pleins, les boucles, les déliés, ah lala ! Est-on jamais sûr de l'écriture même ? Et que l'expert scrute le manuscrit, cela ne nous apprendra rien qu'au plus la main du copiste. Dans cette lettre à toi, Fougère, il n'y a que mirage, et nul ne sait qui s'est miré. Entre l'imaginaire et qui l'imagine, il n'y a pas à se perdre qu'ici. Tu peux reprendre Pouchkine : dans ce chapitre qui s'appelle *Le Voyage d'Onéguine,* comment ne pas voir que la confusion est complète entre Alexandre Serguéiévitch et son héros, désormais le poète dit *je,* et le voyage continue en son nom, pour se rattraper feignant que trois ans plus tard, sur ses traces, dans ces parages voyageur, Onéguine se soit souvenu de lui... Mais, dans tout ce qui suit (*Je vivais alors dans Odessa poussiéreuse...*), Onéguine est parfaitement oublié, et c'est Pouchkine au lieu d'Eugène qui mange les huîtres de la mer Noire. Toutes les précautions oratoires, tout ce qui était fait pour distinguer l'auteur de sa créature, pour nous persuader de la dualité de l'homme et de l'image, cette confusion dans ces fragments que l'auteur (pour des raisons de censure préalable) avait retirés de son poème, mais qu'il a tenu cependant à voir figurer en annexe à *Eugène Onéguine,* cette confusion vient ici les jeter par terre. Alexandre pouvait bien avoir dit adieu à Eugène aux dernières lignes du poème, il ne l'y appelle pas moins : мой спутник странный, entendez « mon étrange compagnon de voyage », tout comme s'il parlait à son ombre même. *The Travelling Companion,* devait appeler R. L. Stevenson une nouvelle qu'il déchira, quand il eut écrit *The Strange Case of Dr. Jekyll and Mr Hyde...* Pouchkine dit aussi qu'entreprenant son œuvre il n'apercevait pas clairement l'horizon de son roman сквозь магический кристал « à travers le cristal magique ». Me pardonneras-tu, Fougère, d'écrire, de t'écrire avec même confusion ? *Bienheureux,* dit pour finir *Eugène Onéguine* Alexandre Serguéiévitch, *qui la fête de la vie tôt quitta, sans boire jusqu'à la lie le verre plein de vin, qui n'a point lu jusqu'au bout son roman, et soudain sut s'en détacher, comme moi de mon Onéguine.* Je ne suis point un bienheureux, et l'on voit bien que, par *roman,* si ceci signifie quelque chose, Pouchkine voulait dire *sa vie.* Ma vie, je ne puis m'en arracher comme d'une ombre, ce qui est facile encore si le diable s'en mêle ; et mon image si je l'avais, je pourrais sans peine la brouiller, mais ce point où j'arriverai de mon *roman* sera son terme et le mien, il ne m'appartient pas de l'achever sans m'achever, comme on dit d'un mourant qui s'obstine. Ma vie et mon roman, c'est toi, tu le sais bien, pardonne-moi de faire jouer sans cesse pour te mieux voir la lumière et l'ombre dans le cristal magique, de faire *jalousement* jouer autour de toi l'ombre et la lumière. Et peut-être que je ne distingue pas clairement l'horizon de nous-mêmes, mais c'est cet horizon de nous. Ne vois-tu pas qu'à compliquer ainsi du moins ton image, je suis là comme un désespéré qui t'arrache à l'avenir, qui te saisit dans ses mains pour t'élever de ses dernières forces au-dessus de la mer, et qu'importe à l'heure du naufrage le nom du naufragé, ne vois-tu pas que comme de la pire de tes pensées, mon amour, je suis jaloux, abominablement jaloux de la mort?

Et, pour en revenir à l'apologue du boxeur, imaginez-en bien la scène finale, je ne sais dans quelle salle gigantesque dont la grossière broderie des poutrelles d'acier accuse la date, au milieu des sifflets yankees, le champagne frappé, des cris, le ring abandonné, les serviettes, l'éponge, cette craie atroce des lumières croisées, le triomphe de bras où saigne encore le vainqueur pareil à une figue éclatée, comme s'échappe du tumulte le roi fait mat, ce n'est plus rien qu'un esclave nu pour ceux-là qui épaulèrent sa première marche, les yeux déjà vers l'autre, dont le nom se hurle aux radios des quatre coins du monde, imagine-le, ce vaincu, vers qui ta pitié se fait l'impassibilité d'un visage, avançant, lui, lourd des coups, dans la meurtrissure de toute sa vie, et l'âme ne peut plus supporter d'être contenue ainsi qu'un sanglot par cette chair humiliée, imagine-le, imagine que tu vas à sa rencontre, que tu sais à suffisance en lui cette douleur pour y donner l'accueil de la femme, de cette tendresse qui n'a mesure, un refuge où, mieux que dans les mains le visage, se dissimule l'homme entre la caresse et le sanglot, et regarde-le, comme il est seul le temps de t'atteindre, ce désespoir de muscle et de sueur, regarde-le, qui toute la vie a contre d'autres abattu le doute toujours renaissant qu'il avait de ton amour pour lui, qui toute la vie à coups de poing voulut prouver que tu ne lui étais pas mensonge, toute la vie, ce fruit de vous deux partagé... comment aura-t-il donc dissimulé l'arme, et tout le monde avait trop la tête ailleurs pour la voir, je ne sais sous quel linge autour, et d'ailleurs qui se souciait de ce qu'il emportait ainsi, dans l'enthousiasme d'autrui, n'ayant point passé les manches du peignoir à raies blanches et grises que tu lui avais acheté quelque part de l'autre côté du globe... personne, exceptée toi, n'entend le coup de feu, n'en a vu la lueur, et tu peux crier, crier, tout se confond avec le bruit majeur de sa défaite, tous les yeux détournés vers la royauté nouvelle, ô mon amour, et tu serais ainsi tombée à genoux au bord de ce gouffre, une seule pensée en toi peut-être, de comprendre qu'il avait donc prévu l'horreur, pour avoir ainsi dans la poche du peignoir par avance caché le revolver, de comprendre à cela qu'il s'agissait d'une longue histoire, un cauchemar d'années, une peur de tous les instants de l'existence, un épouvantable pari tenu... Et hier encore, alors qu'il ne semblait songer qu'à sa forme avant le combat, à sa force, à l'art de porter et parer les coups, il était donc arpenté de cette pensée tue, hanté de ce fantôme qui lui a glissé dans la poche un objet noir et froid, ce matin, tout ce jour, et tout à l'heure dans la voiture, avec cette voix tranquille parlant à son manager, impossible maintenant de te rappeler cette phrase fugitive, dite avant de monter sur le ring, qui t'avait paru bizarre... tu ne t'en souviens pas... on a tort de ne pas faire attention à chaque mot de qui vous aime, aucun n'est indifférent, le plus banal, un mot de hasard, semble-t-il, il n'y a pas de mot si fortuit que sur lui ne se joue la vie, ah, prends garde. Tout ceci, comme on parle en dormant, on parle toujours en dormant, on ne fait pas exprès de dire la vérité, la vérité vous monte aux lèvres, écume, écume de la vie : de quoi s'agit-il, ce peignoir, ce passé, de qui, ce boxeur, sa femme, inventions! Fougère, c'est toi que je vois devant cet amant que je te donne, n'ayant plus de moi même image, c'est dans tes yeux que je lis le dégoût de moi, de ce qu'il est advenu de moi par ma main, c'est dans ta mémoire que je demeure cette chose affreuse de cervelle et de sang... Ainsi, je t'aurai fait cela qui est pis qu'à l'Othello tuer sa Desdémone, j'aurai pour le remenant de ta vie inscrit en toi cette cruauté de ne plus me voir autrement. Ainsi j'aurai d'un geste anéanti ce qui fut peut-être en toi comme j'eus parfois faiblesse à croire, pour n'y laisser que ce massacre de la face humaine, la bête sans âme à tes pieds.

Parfois quand je me demande ce que j'ai à continuer ainsi de vivre, ce que j'attends du lendemain, ce que de moi-même j'espère, et je me pendrais bien au premier clou venu, c'est de te voir devant cette abomination de moi-même pourtant qui toujours m'en retient. Je ne survis que de t'éviter ce spectacle, et comment, comment être sûr qu'on t'épargnera, que tu m'épargneras de connaître sur moi la grimace dernière de mourir? Tout homme qui laisse après lui ce visage, n'est-il point par là même un vaincu, de qui n'importe quel vaurien vivant triomphe? Ah, bien plus que de la mort, c'est de la vie au-delà de nous que j'ai jalousie. Je sais que tant que je serai pourriture c'est ce goût torturant qu'en moi trouveront encore les vers. Et même enfin poudre, poussière dispersée... ni la terre sur moi ni le vent n'y sauraient anéantir cette peste dont une rafale suffira pour porter germe après moi dans les siècles des siècles, et contaminer l'avenir de ce fléau, à qui, du moins, s'il est à défaut d'un Dieu une quelconque justice, je vous supplie de donner un jour, qui que vous soyez, que vous serez, dont dépendront alors les mots, au lieu de *jalousie*, le déplorable nom dont j'étais appelé.

Car, par ce sentiment dans chaque homme plus tard, c'est cet amour de toi que je fais immortel, qu'en chaque homme plus tard à la mal heure d'aimer se lève ton image au miroir de mon nom. Ton image, entends-tu, dont soit comme je fus tout autre à son tour aveugle de lui-même, et pas une eau courante, une mare, un couteau, ne puisse être vide d'elle à ces enfants d'alors qui naîtront à l'amour. Ton image après moi dont j'aurai sans yeux, sans mains, sans âme jalousie en chaque être à désirer la fin du monde.

А где, бишь, мой рассказ несвязный? dit Pouchkine.

« Extraordinaire, — interrompt Ingeborg, avant même que j'aie traduit ce vers d'*Onéguine*, — ce que vous pouvez avoir tous les deux la même écriture... tout de même, tout de même, j'aimerais savoir qui de vous deux m'écrit, bien qu'Anthoine ne soit pas jaloux, et que j'aie tendance à croire que cette écriture-ci a les yeux bleus... »

LE MIROIR BROT

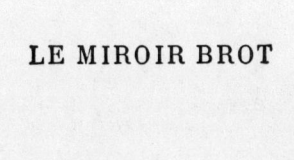

I

Mais où donc mon récit s'embrouille... Ou se perd. Ou se casse. Comme un chemin, comme un fil. Se défait aussi bien. Se délie. Où en est mon récit, que rien ne tient ensemble. Sinon l'amour de toi. Sinon ces pas de l'ombre. Mon récit sans liens, sans trame, sans dessin, on traduit *décousu*, mais quelle aiguille, quelle main passa jamais le coudre ? Ce pourrait-être non-cousu. Discontinu ? Non-lié serait plus juste. J'essaye de m'imaginer comment dirait Fougère : désordonné peut-être. Et tout à coup, dans cet univers comme une décharge au sortir d'une agglomération, bouts de tuyaux, vieux souliers, boîtes de conserves, mâchefer, hypothèses d'objets, poterie cassée, ardoises, voilà que je me souviens tout à coup, avec la lumière sur le tranchant des morceaux de verre, le tain troué, d'un autre miroir qui en surgit étrangement aujourd'hui, parmi les ruines du temps, tel qu'il fut alors dans le décor banal d'un Paris que rien n'avait encore ébranlé et où l'on n'appelait guère *monstres* que les phénomènes de Barnum, les chimères et les dragons, faute d'avoir encore eu à regarder face à face le vrai monstre humain, celui qui a de si bons yeux, le teint clair, et sentimental avec ça, à tout bout de champ de sa poche tirant la photo de ses enfants, adorables d'innocence.

C'était bien avant que j'eusse fait connaissance d'Anthoine Célèbre, et je n'avais pas idée qu'il pût

87

un jour exister une femme comme Ingeborg d'Usher
ni même qui en valût la cheville. J'étais à l'âge des
rencontres ; qu'une fille veuille de moi, Alfred, m'était
assez merveilleux pour oublier la précédente, et me
donner sentiment d'un voyage, pas seulement pour
son corps, le plaisir, mais sa vie, le roman qu'elle était
avec les siens, un mari ou un amant, son monde, un
métier même. Plus encore qu'une aventure physique,
je cherchais dans ses bras la porte d'un jardin, d'une
société, d'une façon d'être. Tout m'était découverte
dans les femmes d'un monde différent, d'un *progrès*
sur l'univers qui m'avait été donné, naissant, là où
j'étais né. D'une digression au moins, d'une perfection
physique, du soin merveilleux qu'elles apportaient à
leur corps, à leurs vêtements, à tout ce qui les touchait,
tout ce dans quoi elles vivaient et m'apprenaient à
vivre. Elles étaient propres comme l'avenir, nettes de
cette netteté qu'ont parfois les songes. Je ne puis,
je ne puis y repenser sans cette gratitude, cet émerveillement premiers, qui font qu'à parler d'elles je me laisse
entraîner, égarer, détourner de mon objet. Que dis-je?
comme si, même sous autre visage, ce n'était pas mon
objet même! *Toutes les femmes de ma vie*..., c'est trop
court pour être chanté. Mais il ne s'agit pas de moi,
ni de comment finit ce vagabondage, c'était seulement
pour dire que je n'avais pas vingt-trois ans. J'attendais sur cette plage de Bretagne une amie qui s'était
ménagé quelques jours d'évasion pour m'y rejoindre.
Elle tardait un peu, et déjà je m'étais deux ou trois
fois surpris, au restaurant, sur la digue, à rêver vers
des passantes. Les bains de mer sont un dérivatif à
ces songeries-là. En ce temps, j'aimais nager, surtout
lorsqu'il y avait de hautes vagues avec le soleil. L'odeur
sur moi du sel, les petits éclats roux du mica qui s'at-
tachent à la peau quand au sortir de l'eau on traîne
sur le sable, une merveilleuse paresse, et le singulier
sentiment de puissance que des passantes peuvent vous
donner avec cette désinvolture lente qu'elles ont à

regarder les garçons quand ils sont par terre, et qu'on sait, on sait! qu'il suffirait d'un geste, de bouger à peine, pour empêcher ces ombres légères de s'éloigner, de partir, mais on demeure immobile, distrait, avec ce rire intérieur qui gonfle un peu les narines... et donc, puisque ce sont passantes, elles passent. Je vous dis qu'il ne s'agit pas de moi : pour ce qui me concerne donc, j'attendais une amie en Bretagne et je perdais mon temps entre l'hôtel, les dunes et la mer. Il faisait juste comme j'aime : un soleil à vous rendre noir sur le sable blanc et, dans ces jours de hautes marées, des montagnes d'eau sombre qui brisaient à la cime leurs gifles d'écume, je piquais dedans ou je sautais pour devancer la cassure du flot. Mon Dieu, que la mer a de beaux bras pour y attraper les hommes! Je ne connaissais personne dans ce lieu de villégiature : à peine avais-je échangé trois mots avec un jeune gandin qui m'avait demandé mon journal, salué les dames à la table voisine quand je quittais la mienne. Mais il ne s'agit pas de moi, je vous dis. Simplement ce jour-là le courant, sans que j'y prisse garde, m'avait déporté plus loin du bord que je ne m'en étais aperçu, je vis en me retournant que les derniers nageurs moutonnaient à fichue distance vers la grève et, voulant revenir, cela me prit quelque temps à comprendre que j'avais beau y aller de toutes mes forces je n'avançais pas, et peut-être légèrement reculais. Je redoublai assez vainement d'efforts, et décidai de me déporter vers la pointe qui fermait la crique à l'est, utilisant en partie la violence du courant, quitte à m'éloigner plus encore de la plage et à tomber là-bas dans les rochers. Enfin, puisqu'il ne s'agit pas de moi, c'est trop de mots à dire l'essentiel : qu'étant au bord de la mer attendant une amie, j'ai failli me noyer et que j'étais à bout de souffle quand un nageur qui, de loin, avait compris mon épuisement, m'ayant rejoint, me tira sur cette part sauvage de la rive où je m'écorchai assez fort un genou, pataugeant, la tête qui chavire, avec une incroyable faiblesse de tout le corps, juste comme des gens qui avaient de là-haut, cette maison isolée, suivi le sauvetage, dégringolèrent vers le bord, deux femmes et un homme, clapotant dans les interstices des rochers, avec des peignoirs et de grands gestes.

Il faut croire que j'avais tourné de l'œil. Je me retrouvai dans un lit, une chambre aux jalousies baissées d'où venait une lumière rayée sur toute chose, j'étais nu, et une personne d'une quarantaine d'années, pleine de taches de rousseur, me frictionnait avec de l'alcool de menthe, il y avait une porte ouverte, des voix et des rires dans la pièce voisine où il faisait un grand soleil, et je rougis quand je rencontrai les yeux de la dame, qui s'écria en italien mêlé d'anglais que j'étais vivant puisque j'avais rougi : « *And why did he blush ?* » demanda avec un fort accent français quelqu'un qui me parut, dans le cadre de la porte, tout aussi peu vêtu que moi. Un garçon bien râblé, d'assez petite taille, de ce genre qui plaît d'autant plus aux femmes qu'avec lui, cela ne semblait pas tirer à conséquence. « *Be careful, you naughty little shrimp !* » s'exclama la dame en jouant des coudes, ce qui supposa que la sale petite crevette avait dû se livrer dans son dos à une mimique incompatible avec les soins médicaux à me donner. Pour autant que j'en voyais la musculature, ça devait être du bouquet. En fait, c'était mon sauveteur. Précisément le type à qui j'avais prêté mon journal. Au plus court, la dame anglaise, mariée à un comte italien, couchait comme on dit avec ma providence, qui s'appelait Christian, avait pris comme moi pension à l'Hôtel des Bains et retrouvé ici par une heureuse coïncidence la comtesse R... qui s'y était fait bâtir sur le promontoire des rochers, le plus loin possible des villas et des cabines, dans une propriété de pins et de tamaris étiolés, un très confortable perchoir de ce style colonial dont étaient alors pareillement affligés le Kenya ou le Cachemire. De toute façon, je ne pouvais pas chiper sa maîtresse à un homme qui venait de me sauver la vie, bien que l'époux de cette dame me regardât déjà tout à fait de travers et que, pour elle, elle ne semblât pas tout à fait étrangère à l'idée que je pourrais devenir un monstre d'ingratitude. Cela me fut épargné de justesse par l'arrivée de... mais son nom n'a pas à figurer ici.

Tout cela pour vous expliquer comment j'ai fait la connaissance de Christian Fustel-Schmidt, de la famille des verriers lorrains qui s'appellent ainsi, mais d'une branche non industrielle, un jeune homme à peu près dans mes eaux pour ce qui est de l'âge, avec sur moi cet avantage de recevoir à chaque fin de mois de Monsieur son père, de quoi abreuver sa Citroën, s'habiller rue Royale, et ne pas regarder la carte affichée avant d'entrer dans un restaurant. Pour les cravates, la Comtesse, alors, y suffisait. Il eût été de mon caractère de ne jamais revoir quelqu'un qui s'était ainsi mêlé de mon destin, mais, outre que le hasard se mit de la partie, je soupçonne Christian d'y avoir apporté quelque complaisance : cela ne lui déplaisait pas de m'offrir à dîner dans un endroit avec de la musique et de se dire, celui-là, si je ne m'étais pas trouvé dans le bouillon... Enfin on ne peut rien imaginer de plus conventionnel que les rapports qui s'étaient établis entre nous, si ce n'est Christian lui-même. Il m'apprenait à conduire, le dimanche.

Il m'avait donc pris en affection pour cette vie qu'il m'avait sauvée. Qu'il se passât quelque chose dans la sienne, il lui semblait urgent de m'en aviser, comme par exemple quand il décida de ne plus revoir la Comtesse. « Si le cœur t'en dit, maintenant... », ajouta-t-il, car d'emblée, on se tutoie entre gens qui ont un lien pareil. Le cœur ne m'en disait pas, parce que, à la mer, si à la rigueur... et puis, moi, je n'étais pas ébloui comme Christian par les relations de cette dame, les duchesses de sang royal, les virtuoses internationaux, les champions de polo : je voyais plutôt ses seins, qui ne m'emballaient guère, assez exigeant sur ce chapitre à l'âge que j'avais. Encore une fois, il ne s'agit ni de mes goûts, ni de moi. Ceux de Christian, de goûts, ne le distinguaient en rien de ses contemporains : il lisait les mêmes journaux, riait aux mêmes spectacles, mangeait aux mêmes restaurants que les quelques milliers de jeunes hommes qu'on croise dans les *lobby* des grands hôtels, surprend dans un bar près de l'Opéra à faire les mots croisés du *Times*, découvre à se brunir le dos sur les planches de Deauville ou à perdre, en passant, un billet de mille à la roulette du Sporting à Monte-Carlo, ou à la boule de Dieppe. Si on m'avait dit, qu'est-ce que c'est qu'un homme sans mystère, eh bien, j'aurais tout de suite répondu Christian Fustel-Schmidt.

Il a fallu qu'il me prête sa garçonnière pour que nous ayons cette conversation. Pourquoi il me l'avait prêtée, ne pourrait à la rigueur intéresser que le mari... et encore, pas sûr. Et je me demande ce qu'il m'a pris de demander à Christian pourquoi il y avait mis une glace en pied, à trois faces : cela n'avait rien d'extraordinaire, une femme aime sans doute à se voir, après. C'était un de ces miroirs Brot comme on en a fait au début du siècle, avec l'envers des volets en cuir colorié, le couchant sur des iris, dans un cadre d'acajou découpé qui venait mordre sur le sujet avec des boucles modern style. Rien de bien intéressant, sauf que le miroir trônait en plein milieu de la pièce, comme si on avait été chez une couturière, avec un éclairage compliqué. On se prenait le pied dans le fil électrique qui traînait derrière. Il n'est pas vraiment de mon genre de faire des remarques polissonnes, vous savez, mais cette fois, je me demande bien pourquoi, je n'avais pas pu m'en empêcher. D'abord, les garçonnières, c'est une drôle de chose en soi, j'avais l'impression d'être dans l'une des dernières, comme quelqu'un qui se promènerait aujourd'hui en vélocipède sur les Champs-Élysées.

Peut-être avait-il un peu bu, Christian, ayant ouvert cette bouteille de Mumm qu'il avait eu l'attention de me laisser en évidence *pour la dame,* comme il disait, mais ni *la dame* ni moi ne sablions le champagne à cette heure-là. Alors quand il l'avait retrouvée... ça vaut bien le whisky.

« Tu ne t'es pas regardé dedans ? » demanda-t-il, avec un clin d'œil explicite vers le miroir Brot. La question me parut assez déplacée, il ne m'avait pas prêté sa garçonnière pour y venir faire mes prières, non ? Mais je ne m'y étais pas regardé : *la dame* et moi, les glaces, pas plus que le champagne extra-dry... « Ah ? — dit-il, — tu ne t'y es pas regardé ? » Non, je ne m'y étais pas regardé. C'est drôle, ça le rendait rêveur. « Eh bien, regarde-toi ! » s'écria-t-il, avec une voix que je ne lui connaissais pas, l'air de jouer le tout pour le tout. Il avait ouvert le miroir, jeté les volets de part et d'autre, s'en écartant avec brusquerie, et me poussait par les épaules au foyer triple du miroir. Il avait allumé les lampes tournées vers le sujet, et je me trouvai soudain comme seul entre ces images de moi-même, dans cet espace éclairé, au milieu d'un univers sombre, où le lit, les tentures, les coussins ne semblaient plus qu'un décor de théâtre, et moi devant moi-même au milieu, comme dans un confessionnal, où j'eusse aussi été le prêtre.

Il y eut un très long silence. Je me sentais très mal à l'aise. Naturellement, d'abord je m'étais regardé : au fond, à droite, à gauche... et puis quoi ? à gauche, à droite, au fond... je n'aime guère mon aspect physique, mais je le connais. Le miroir n'avait pas grand' chose à m'apprendre. Il me sembla qu'il fallait en dire un mot aimable, les glaces sont en bon état, par exemple.

« C'est tout ce que tu trouves ? » fit Christian. Évidemment, je le désappointais. Mais qu'eût-il donc voulu que je dise ? Que le miroir faisait ressemblant ? Parce que pour ce qui était de moi, c'était bien moi. Christian avait une voix que je ne lui connaissais pas :

« Mais t'es-tu bien regardé ? » Je m'étais bien regardé. Son insistance devenait gênante : « Regarde-toi à droite, là... » Je sais ce que c'est que ma droite, puis il a voulu à gauche... Je ne remarque rien ? Que voulait-il que je remarque ?

Il s'était placé derrière moi, de façon à me voir, par-dessus l'épaule, à peu près comme je me voyais. Bon. Là tourne-toi, un peu... de l'autre côté... Tout d'un coup, il m'écarta de violence, me repoussant, et se plaça, seul, dans la lumière. Son visage exprimait une sorte d'inquiétude. Il ne se ressemblait plus. Puis il soupira : « C'est comme toujours ! » et ferma rapidement les volets, se retournant, face à moi, les bras en arrière comme pour qu'on ne pût rouvrir le triptyque dans son dos. Bien sûr, il avait bu. Je ne songeai pas lui demander des explications. Ni même par la suite, alors qu'il faisait en passant allusion à ce qu'il appelait *la scène du miroir*, manifestement pour provoquer quelque question de ma part. Je ne sais trop ce qui m'avait chiffonné dans cette comédie, mais je m'étais mis à voir Christian moins souvent. Lui-même semblait me fuir.

C'est bien plus tard, dans les années 30, quand j'avais déjà rencontré — ou faut-il dire que je l'avais déjà inventé ? — cet Anthoine, et qu'un soir, je ne sais dans quel mouvement de confiance ou peut-être simplement n'en pouvant plus de cacher son secret, *même à Fougère*, parce qu'il lui fallait à tout prix raconter à quelqu'un, n'importe, qu'il avait perdu son image, et à qui l'aurait-il mieux qu'à moi-même, ou qu'à lui-même, confié ? il me le confia... c'est-à-dire... les rapports entre Anthoine et moi, en dehors de Fougère, commençaient à devenir complexes, d'abord je ne le *voyais* jamais en dehors d'elle, puis, peu à peu, j'avais *inventé* de le voir sans elle... enfin, ce soir-là, *nous* avions été à Luna-Park, oui, parfaitement à Luna-Park, où il y avait un labyrinthe de glaces, si bien que j'avais fini par m'alarmer de n'y apercevoir nulle part mon compagnon, de me voir seul, multiplié, mais seul, dans la complexité des miroirs, et au sortir, il m'avait avoué, il lui avait fallu m'avouer, eh bien oui, c'est comme ça... et je nous revois déambulant avenue de la Grande-Armée, et puis autour de l'Étoile, Anthoine parlait, parlait, parlait... c'est de ce soir-là, plus tard, que l'idée m'est venue que, peut-être, sans doute, évidemment, Christian, mais évidemment, évidemment! Et même c'était cette idée qui m'avait fait assez vite avaler la confidence d'Anthoine, son invraisemblance. En général, les hommes sans image devaient garder pour eux leur difformité : est-ce qu'un bossu qui le pourrait ne cacherait pas sa bosse ? Christian avait été sur le bord des aveux, puis il avait fait machine arrière, refermé le miroir à trois faces. Je demandai à Anthoine, je ne pus m'empêcher de demander à Anthoine : « Et c'est très douloureux... d'avoir perdu son image ? » Il eut l'air de réfléchir et se détourna pour répondre : « Cela dépend des moments : parfois, c'est atroce... » Je n'osai le questionner davantage. Mais la découverte de l'existence des hommes sans image me travaillait, d'abord parce qu'elle bouleversait mes élémentaires notions de physique... et puis aussi, parce qu'il s'agissait de gens que je connaissais : Anthoine, qui ne pouvait pas me mentir, enfin pas un charlatan, quelqu'un qui aurait voulu se faire par là valoir à mes yeux... et puis vraisemblablement l'homme à qui je devais la vie. Je me mis à penser que de savoir, Christian, que j'avais la clef de « la scène du miroir », serait de nature à rendre à nos rapports leur caractère de confiance, et je me pris à rechercher mon ami, qui ces derniers temps paraissait n'être jamais chez lui. Le téléphone ne répondait plus, les lettres restaient sans réponse.

Puis, il faut le dire, j'avais curiosité d'une chose que m'avait racontée Mme d'Usher. C'était qu'un metteur en scène russe, qui était son propre producer, une sorte de maniaque, jetant les millions par les fenêtres, où les pêchait-il ? avait décidé de monter *Othello* au cinéma, et il avait engagé le Tout-Paris pour faire une apparition ici et là, dans une fête chez les Doges à Venise, une orgie à Famagouste, il avait décidé de déshabiller le faubourg Saint-Germain, et il y parvenait. Au moins pour les épaules : Sobatchkovski, son nom, si je me souviens bien.

Ingeborg était payée un pont d'or, rien que pour chanter la romance du dernier acte *Al pie d'un salice*... Cela se tournait dans les studios des Buttes-Chaumont. Anthoine avait exigé qu'on ne fît qu'enregistrer la voix de Fougère. Ou je fais un malheur, disait-il. Le producteur était un ennemi du réalisme : il craignit qu'*Othello* fût joué au naturel et céda. D'ailleurs tout le film était conçu pour qu'on ne vît Desdémone que morte. Le reste du temps, les hommes à l'écran la regardaient passer à la cantonade, mais les spectateurs ne l'apercevaient point. La voix d'Ingeborg était l'extrême concession faite aux exigences du public. On ne pouvait pas se douter après ça que sur le générique il y aurait écrit dans un cadre de fougères en lettres de feu présentées à bout de bras par des femmes nues que des cygnes taquinaient du bec :

INGEBORG D'USHER
du « Metropolitan Opera »
dans le rôle de
DESDÉMONE

Le pont d'or se remboursait ainsi, et quand on avait demandé au producteur pour quoi diantre il avait défini Mme d'Usher par le *Metropolitan* où elle avait en tout et pour tout chanté *Louise* une seule fois, devant un public déçu de ne pas y entendre Maurice Chevalier... il avait répondu que commercialement il avait besoin du Metropolitan, afin qu'on oubliât l'absence de la cantatrice et discutât d'autre chose dans les journaux. Mais tout cela n'aurait rien à faire avec notre histoire, n'était qu'Ingeborg ayant eu l'envie de se promener dans le parc y avait aperçu *au pied d'un saule* un spectacle qui n'eût peut-être pas fait recette même agrémenté des Folies-Bergère au grand complet pour le présenter de leurs naïades, mais qui avait suffoqué la chanteuse. Christian, habillé comme un ouvrier, à genoux dans la poussière, faisait marcher un petit train en fer-blanc en imitant le bruit de la locomotive, devant une fillette de trois à quatre ans, sous les yeux d'une assez jolie femme brune, apparemment enceinte, qui tricotait des brassières sur une chaise du jardin. Je demandai à Ingeborg pourquoi elle n'avait pas parlé à Fustel-Schmidt, moi que le cherchais depuis six semaines! Elle me répondit qu'elle avait craint d'être indiscrète. Ce qui lui ressemble, mais n'arrangeait rien.

Elle devait avoir rêvé. Christian réapparut ces jours-là, et m'invita chez Véfour. Il revenait d'Italie, plus élégant que jamais, ayant ramené une Fiat, parce que la Citron, disait-il, cela allait tout au plus pour faire ses courses. Il me raconta tant de choses de Venise et de Sienne, de la *Scala* où il avait entendu chanter *Othello*... « J'adore Verdi, je pourrais voir vingt fois de suite *Othello* ou *Falstaff*... » qu'en définitive il me parut impossible de lui demander ce qu'il faisait aux Buttes-Chaumont quand Ingeborg l'avait aperçu à quatre pattes. Après tout, c'est sa vie privée... dit Anthoine, et on en resta là.

Mais moi quelque chose m'avait troublé : pas les Buttes-Chaumont, mais Milan, la *Scala*... Une remarque si particulière, *Othello* : je n'avais pourtant jamais raconté ce moment de ma vie à Christian, comment pouvait-il l'avoir inventé? Parce que, quant à ce qui y est de croire que c'était là pure coïncidence! La vie ne se répète pas. C'était comme s'il parlait à ma place, s'il se substituait à moi. Pas un être vivant ne pouvait dire ces quelques phrases, moi excepté, surtout pas Christian! Est-ce que ça lui ressemble? Moi, *Othello*, je pouvais expliquer pourquoi, cette halte à Milan, au retour de Venise, de l'aventure de Venise... ce n'est pas le lieu de le raconter. Enfin, tout se passe comme si j'avais inventé Christian, de toutes pièces, et les paroles qui lui viennent où pourait-il les prendre, en moi sinon, dans ma bouche, ma gorge, mon sang... Comme si Christian n'était que l'image de deux sous de ma mémoire, une sorte d'Épinal d'un jeune homme d'autrefois, embelli naturellement embelli, *le bouquet!* tous les héros de l'Histoire pour l'Épinal sont des jeunes premiers et sans doute que je l'ai fait de cela plus petit que moi, à cause d'un vers, un vers et demi, de Musset qui me travaillait aux jours adolescents, quand les autres, au lycée, m'appelaient l'asperge :

> ... *On eût dit que sa mère*
> *L'avait fait plus petit afin de le mieux faire...*

Si Christian, tout simplement, n'existait pas?

Toujours est-il qu'il passa encore deux ou trois ans, ou plus, sans que Fustel-Schmidt soufflât mot de ce qu'avait surpris Ingeborg. La gosse savait lire et écrire et son jeune frère devait déjà commencer à perdre ses dents de lait, si ce n'était pas une petite sœur.

J'avais envoyé mon dernier roman à Christian, tout au moins pour la forme, car il ne lisait jamais les livres, et quand je lui en faisais reproche il disait : « Dis donc, est-ce que tu crois que j'ai le temps de lire! » Mais cette fois, à cause de tout ce foin autour du bouquin, quand j'avais eu le Prix Arsène Houssaye, sans doute, il semblait l'avoir au moins parcouru. Il me fit même une ou deux remarques assez adroites, sur des détails qu'il avait dû piquer comme ça au petit bonheur, sembla beaucoup s'intéresser à Carlotta (c'en est l'héroïne, bien que le mot ne lui convienne guère) et tout d'un coup dévoila ses batteries. C'était ce passage qui l'avait frappé où le vieux Joseph Quesnel... attendez que je cherche dans le livre, une scène entre Quesnel et Joris... où le banquier dit au Hollandais : *Voilà. Nous sommes ici et nous bavardons. Et tout vous a des airs d'importance. Mais vous êtes pressé. Votre tête est ailleurs. Vous êtes plus jeune que moi. On vous attend. Ne protestez pas. Le soin que vous donnez à votre toilette n'est pas seulement destiné aux ambassades. Allons donc! Vous êtes peut-être heureux. Ou malheureux. Moi, je vous parle. Mes lèvres vont. J'ai aussi mes lumières et mes ombres...*

Mais Christian n'avait pas besoin du livre, il savait ces phrases-là par cœur : *... J'ai aussi avec moi tout un monde muet. Le gouvernement, les affaires, les chiffres, tout cela n'est qu'un décor menteur. Je pense à ce que je ne dis pas. Nous cachons tous deux une réalité probablement semblable. Ne m'interrompez pas : pour un instant je suis en veine d'être sincère...* Christian, lui, s'était arrêté : « Tu te souviens, la suite ? Je ne m'étais pas fait de toi l'idée que ces choses-là... Au fond, je ne te croyais guère psychologue. C'est la suite, trois ou quatre lignes... *Nous sommes comme les autres des êtres doubles. Nous vivons à une époque historique qui se caractérisera peut-être un jour par là : le temps des hommes-doubles. J'ai fait toujours deux parts de ma vie...* »

Le ton qu'il avait mis à réciter ce passage, le fait de l'avoir ainsi, sans faute, retenu m'assurèrent que l'heure des confidences avait sonné. Je voulais laisser venir les choses, une question hasardée, ou montrer simplement que je pouvais avoir idée, pour ce que m'en avait raconté Ingeborg, d'une seconde vie qu'il menait, toute démarche prématurée de ma part pouvait détourner mon Christian de s'ouvrir à moi, quand pour un instant il était en veine d'être sincère. Toutefois, comme il insistait un peu lourdement sur le fait que sans ces lignes-là il ne m'eût jamais cru capable de pénétrer si profond dans ce qui était sa propre psychologie, j'avoue que je m'en sentis assez vexé, et que je ne pus me retenir de lui montrer à quel point il se gourait touchant ma finesse d'esprit. Car, enfin, il faut s'entendre sur les mots : les gens qui mènent double vie ne manquent pas dans notre siècle, mais si l'on prend la chose au sens banal, un homme qui a deux ménages, le héros de *Back Street* ou ses semblables, il s'agit d'une espèce assez vulgaire de duplicité, qui a tout à fait cessé, pour le romancier, d'avoir le moindre intérêt. Le cas de Joseph Quesnel est tout autre : il n'a pas clivé habilement sa vie entre un petit hôtel à Neuilly-Saint-James et un appartement à La Muette, rapidement meublé pour une donzelle à son goût. Cela, c'était bon pour une autre époque, qui n'avait connu ni l'invasion ni le Mouvement Dada. Non, dans mon livre, Quesnel, sa dualité n'était pas locative, elle se situait en lui-même, dans chacune de ses pensées. Il avait deux manières de considérer toute chose, sans pouvoir jamais en préférer l'une à l'autre, deux conceptions contradictoires et coexistantes, aussi bien devant son verre à dents, que devant l'amour ou la guerre. Il était deux hommes antagonistes et pourtant inséparables. Et sans doute que je percevais en Christian, au-delà peut-être de ce que je croyais pouvoir m'imaginer de sa vie... au-delà, naturellement, au-delà... des traits que j'avais déjà relevés chez d'autres sujets, d'un mal plus singulier, plus intéressant... chez Anthoine, par exemple...

Il m'avait bien semblé voir dans son visage une passagère grimace, mais j'étais résolu à le forcer dans ses retranchements, à l'amener à me confesser enfin, à moi à qui il avait sauvé la vie, ce qu'il m'avait jusqu'ici dissimulé. Ou cru dissimuler. Je revins comme insensiblement à « la scène du miroir » pour user de son propre vocabulaire, et lui laissai entendre qu'en fait je n'avais pas été aussi dupe que j'en avais l'air, que c'était plus la discrétion que la sottise qu'il lui fallait après tout voir dans le peu d'intérêt que j'avais semblé y porter.

Sur son visage, suivant comme il se tournait, je ne sais, ou comme y tombait la lumière, je voyais tour à tour se peindre une sorte d'inquiétude, de l'amusement ou de l'indifférence. Il m'écoutait poliment, avec de petits frémissements de l'épaule gauche, et soudain se prenait le poignet avec la main droite, comme si sa main *sinistre* allait tout à coup perdre contrôle d'elle-même, et que la dextre voulût l'en prévenir. Je décidai de précipiter les choses, et lui dis ce que je savais des hommes qui ont perdu leur image, et qu'il ne me semblait pas y avoir d'autre explication de son comportement dans « la scène du miroir » que par le fait qu'il fût affligé de cette anomalie, ou de quelque autre très voisine.

Il sourit alors, comme on respire après avoir eu peur, m'offrit une cigarette turque, dans un paquetage pour l'importation en Allemagne, qui devait sentir la rose à s'en boucher le nez. Il avait oublié que je ne fumais pas. Il se contenta ce jour-là de me dire que je faisais fausse route, qu'il n'avait en fait aucune idée qu'il existât des gens qui ont perdu leur image et, oh comme c'était intéressant! mais ce n'était pas, ce n'était malheureusement pas son cas, cela lui aurait plu, vraiment plu, mais non, vraiment. Avait-il cessé d'être en veine de sincérité? J'avais tendance à le croire parce que, malgré une certaine froideur narquoise, mon Christian avait brusquement des réflexes inattendus dans la conversation qui ne correspondaient pas à sa conversation. Je résolus d'attendre un moment plus propice aux confidences, et même à les provoquer.

II

Mais plus je me remémorais « la scène du miroir », et plus il me semblait que dans ses détails, surtout cette façon de me mettre devant le miroir, et de le regarder de derrière moi, l'attitude de Christian ne pouvait guère s'expliquer que par une sorte de vérification, tout d'abord du fait que, moi, je me voyais bien dans la glace, que j'avais conservé mon image, puis ensuite que, pour lui, rien n'était changé, qu'il n'y avait toujours pas de reflet. Cela ressemblait en tout cas à cet épisode du récit d'Anthoine Célèbre, quand Ingeborg avait failli saisir le secret de son amant. Enfin, pas tout à fait, c'était à l'inverse, mais revient du pareil au même. Sans lui dire pourquoi, je m'attachai à tirer d'Anthoine sur son mal des précisions qu'il ne m'avait pas spontanément fournies. Je m'armais ainsi pour une seconde expérience avec Christian.

A quelque temps de là, celui-ci sembla vouloir m'en procurer lui-même l'occasion. Il était revenu sur mon roman, où pour lui l'intérêt résidait surtout dans cette conception de l'homme-double : ce passage plus loin quand Grésendange parle avec sa femme au lit. *Tu sais comme Joseph Quesnel dit toujours... les hommes-doubles... que nous sommes aujourd'hui des hommes-doubles... L'un qui a une fonction dans la Société, l'autre qui n'a rien à voir avec celui-ci, parfois qui le déteste, qui est contradictoire avec lui... l'homme quoi!*

Bon. Il m'irritait. C'est moi qui ai écrit cela, et lui est là qui me cite à moi-même. Dans ce livre que j'ai achevé le 10 juin 1936, en mer Baltique, *à bord du Félix-Dzerjinski*... c'est-à-dire juste avant la mort de Gorki. Ah, je t'y prends. Tu n'as pu faire autrement que de te *donner*, hein? pauvre petit homme double à la noix! Alors qui est-ce, qui a perdu son image, Anthoine ou toi? Les soirs à bord du *Félix-Dzerjinski* quand tu ne savais rien d'autre de la vie que ce qu'en dit l'accordéon... Tu peux bien tricher sur la perspective et les personnes, attribuer à Pierre ou Paul ce qui t'appartient, agiter devant toi le fantoche d'Anthoine, mais tu n'irais pas jusqu'à lui faire définitivement cadeau de ta littérature, avoue-le, avoue-le donc que, même si tu t'appliques à l'appeler Ingeborg ou Mme d'Usher, pendant que tu y es, tu es amoureux de Fougère, avoue-le, comme Anthoine, comme d'autres, Christian tout à l'heure, comme tout le monde. Fougère, qui aime-t-elle? Cela te fait frémir à penser. Tu as préféré décider une fois pour toutes qu'elle n'aime personne. Tu as préféré qu'elle n'aime personne. Tant pis pour toi, c'est moins cher encore que si c'était un autre, il te paraît maintenant que d'imaginer seulement que Fougère peut aimer un homme, cela tient du blasphème, du sacrilège. Cela en tient. Mais le blasphème, le sacrilège, ça existe. Alors... Non, assez de perversité. Et Anthoine? Voyons, est-ce que Fougère aime Anthoine? Tu l'as mise une fois pour toutes dans ses bras, simplement, comme une espèce de garantie contre les autres. Tu as décidé que d'Anthoine, du moins, tu ne pouvais pas être jaloux. Il te ressemble. Aux yeux près. Il te ressemble trop. C'est *comme si* c'était toi, toi à qui Fougère a décidé, elle, une fois pour toutes, une fois pour toutes aussi, de trouver les yeux noirs. Alors, ce serait de ce *détail* que tu serais jaloux? on n'est pas jaloux d'un détail. Rappelle-toi ce qu'Anthoine pense de la question : Fougère, dit-il, m'aime, bien sûr. Mais elle aime *une image* de moi... Et aussi : tant que je collerai à cette *image* de moi qu'elle s'est faite, je n'ai presque rien à craindre. *Presque rien*, qu'il dit, Anthoine : il est modeste, ou tout au moins pas très rassuré. Toi, tu ne sais même plus ce que tu préfères : qu'elle soit fidèle à cette image d'Anthoine ou qu'elle puisse ne pas lui être fidèle... Ce qui n'était qu'un jeu, cette diable d'habitude de faire de tout un jeu entre vous, d'abord tourne facilement à la torture. Quel est le pire à penser, qu'elle puisse être fidèle, qu'elle puisse être infidèle? On ne peut pas se rassurer quand on aime. On ne peut pas choisir. On ne peut qu'être jaloux. *Jaloux comme un chien jaloux*, comme dit l'autre, même si ça ne plaît pas à Jean Paulhan. Jaloux quand elle chante de tous ceux qui l'entendent, et pourtant tu voudrais que tout le monde l'entende. Et dans la nuit de juin ce que tu aurais en tout cas voulu, toi, qu'elle chante, n'importe quoi, mais qu'elle chante! Par exemple : *Ma mère avait une servante — Qui s'appelait Barbara*... et qui est jaloux, Othello, Anthoine? Ou toi, si je t'arrache l'un après l'autre tes masques... tout le monde est jaloux de Fougère, Christian, je m'en fous, qu'il aille se faire...

Il parlait, Christian. Il était sur une pente où on ne l'arrêterait plus. Il disait que le système de Stevenson... Stevenson? Quel Stevenson? Robert-Louis, idiot. Bon, qu'est-ce qu'il vient encore faire dans cette histoire, celui-là? Enfin, Christian, le système du Dr Jekyll et Mr Hyde lui semblait une étape intéressante, pour la connaissance des abîmes de l'homme, mais rien de plus qu'une étape, rien de plus. Le dédoublement entre le philanthrope et le monstre suppose une idée assez élémentaire des clivages qui se font dans la personnalité. C'es simplement la rupture entre deux pôles : d'un même individu, le mal et le bien s'incarnant n'en font deux que pour ceux qui n'auront pas suivi Mr Hyde rentrant chez le Dr Jekyll, et finalement si Hyde se faisait prendre il n'y aurait plus de Dr Jekyll, aux yeux des autres, de la justice, le mal l'emporte, il existe seul. Stevenson, lui, ça revient au même, a fait gagner le monstre sur le philanthrope : le Dr Jekyll s'efface au profit de Mr Hyde. Pourquoi ? L'histoire, c'est le courant entre les deux pôles, l'invention de l'histoire, c'est un peu comme celle du courant électrique : bien sûr, nos connaissances se trouvent changées par l'invention du courant électrique, mais ce n'est que le point de départ de la découverte... il faut aller au delà... toujours au delà... trouver le terme qui maintient l'équilibre, empêche la destruction de la pile, transformer le courant de façon à ce qu'il ne suffise pas du premier policeman venu qui mettra la main au collet de Mr Hyde pour que l'histoire s'arrête. C'est Stevenson qui a eu la première vue sur la duplicité de l'homme, et certes c'était là une vue géniale. Une vue géniale, sous cette forme consciente, consciemment élaborée, d'autant qu'en faisant triompher le mal à la fin, Hyde seul survivant de l'homme double, lâché dans la nature, Robert-Louis peut bien hypocritement se demander si son personnage va finir ou non sur l'échafaud, l'auteur prolonge l'histoire, par là même... et ainsi est proclamée la précellence du mal sur le bien, le mal qui est le jeune Hyde du vieux Jekyll, comme l'amant de Marguerite, Heinrich sorti du Dr Faust... comme le couple Macbeth, où le bien est faiblement représenté par Monsieur, sa résistance à Madame, laquelle cependant, étant le mal, ne peut pas ne pas l'emporter sur le bien, son époux... Mais si on s'en tient là, si on ne va pas plus loin... Shakespeare, Gœthe ou Stevenson... Christian, lui, voyait dans les idées de Joseph Quesnel un pas en avant, c'est qu'ici la duplicité humaine n'avait plus besoin de ce mythe enfantin du dédoublement corporel, de la personne en deux apparences, un personnage olympien et un personnage infernal, le visage de la bonté et la grimace du crime. Chez Stevenson, cela va jusqu'à inventer à ses deux bonshommes une apparence physique si parfaitement différenciée que Mr Hyde rencontré dans la rue ne sera jamais pris pour le Dr Jekyll. Ni chez celui-ci, par ses domestiques, leur patron pour Hyde. Tout ce que nous saurons de cette différence, c'est qu'Edward Hyde est plus petit, plus mince et plus jeune que Henry Jekyll, moins robuste et moins développé, sa main par exemple n'est pas la main large et ferme du Docteur, professionnellement renforcée... ajoutons à cela je ne sais quel sentiment diabolique que donne son approche, c'est à peu près tout ce qui nous est décrit de Mr Hyde. L'auteur n'a pas songé, par exemple, à le doter de traits physiologiques distinctifs, comme l'habitude d'éternuer, ou celle de renifler... Mais, de ce genre de spécification, tu ne t'es pas non plus soucié avec Quesnel. Lui, n'en avait pas besoin. Avec Quesnel, la division se fait *dans les idées*, et chez lui, chez nous, les gens de cette époque des hommes-doubles, le bien et le mal n'ont pas besoin de s'incarner sous des aspects symboliques, ils coexistent dans un même homme comme une alternative de l'âme, et celui-là qui hait la guerre pourtant *honnêtement* fait les gestes qui la déchaînent. Tu me suis?

Plus ou moins. Je le suivais plus ou moins, bien qu'il ne fît *grosso modo* que répéter ce que j'avais écrit, après tout. Je le suivais plus ou moins, parce que je cherchais à saisir où il me menait, ce qu'il gardait dans sa manche, ce qu'il voyait, lui au delà une fois de plus, naturellement au delà. Je lui fis remarquer que, la conception des hommes-doubles dans mon roman, il était parfaitement abusif, si flatteur que ce fût au visage, de l'attribuer à l'auteur. Ce n'était qu'une *idée de personnage*, je ne sais si je me fais bien comprendre. Si, si. Et de quel personnage, poursuivais-je... de quel personnage! Joseph Quesnel, un banquier. Dans sa façon de prendre les choses, Christian, il semblait oublier cela. Je le lui dis clairement : « Tu prends les choses comme tu les vois dans ton système, toi, Christian Fustel-Schmidt, de la tribu des grands verriers lorrains... Mais là-dedans, qu'est-ce que tu fais de la question des classes? » Il haussa les épaules. Et poursuivit son petit discours. Remarquez, il faut prendre les gens pour ce qu'ils sont. Christian, lui, n'est pas marxiste. Il serait absurde d'exiger de lui qu'il tînt des propos conformes au marxisme. Pas de chance d'ailleurs. Il poursuivait donc son exposé. Il disait que si deux forces, l'une positive, l'autre négative, du fait de leur coexistence, donnent naissance à un courant, cela tient à ce que les pôles en ont été écartés, que quelqu'un, tu me comprends? *quelqu'un* les tient écartés. Ce que Stevenson n'a pas vu, ni toi non plus d'ailleurs, c'est le tiers personnage, l'arbitre entre le bien et le mal, qui de temps en temps s'endort, et le mal sur le bien l'emporte, ou l'inverse. Le médiateur. La troisième incarnation intérieure de l'homme. L'Indifférent, comprends-tu? L'Indifférent. Pour celui qui inventa le couple Jekyll-Hyde, la rupture tient à l'intervention d'une substance chimique dont l'effet sur l'organisme humain est d'en partager les natures, la bonne et la mauvaise. En 1885, quand il écrit l'histoire du Dr Jekyll et Mr Hyde, ni la science ni la philosophie ne pouvaient encore lui permettre d'imaginer autre chose que les philtres, la magie ancienne, ici nommée *drogue*. Robert-Louis n'a pas songé que la dissociation de la personnalité puisse se faire sans l'introduction d'un poison, d'un révulsif... il n'a pas songé que la coexistence du bien et du mal peut permettre leur séparation absolue, c'est-à-dire que, par un moyen physique si l'on pratique cette dissociation, Hyde et Jekyll pourront avoir chacun une vie indépendante, que l'apparition de Hyde ne suppose aucunement la disparition de Jekyll... Tu me suis? Mais que cela suppose *le troisième homme*...

Et moi, je ne sais pourquoi pris de la démangeaison de faire de l'esprit : mais alors, mon cher, ton homme double... si c'est comme ça... il est devenu un homme triple?

Eh bien, il ne s'est pas fâché, l'autre. Au contraire, il m'a pris par l'épaule, et il m'a secoué. Il était émerveillé de ce que j'étais intelligent. Ah, écoute, Christian, je te prie de ne pas te payer ma gueule. Il ne se la payait pas. Il me trouvait très, mais alors là, *très* intelligent. Le secret du petit Fustel-Schmidt, c'était que bien loin d'avoir perdu son image, il s'en était découvert trois. Parfaitement. Il était un homme triple, et pour mettre la chose en évidence, il suffisait du miroir Brot. Le hasard... tant que Christian n'avait pas été amené à y *réfléchir* — ah, tu as le mot pour rire! — devant le miroir à trois faces, la complexité de sa nature, sa pluralité, ne se présentaient à ses yeux que comme un mélange bizarre, en lui, de tendances, lesquelles, suivant son humeur, l'emportaient diversement l'une sur les autres. Il décrivait cet état *d'avant*, comme une sorte d'enfance, où préexistent les facultés, les sentiments de l'âge adulte, mais sans que leur signification soit encore objet de conscience. La méchanceté naturelle, par exemple, de l'enfant, comment dire? S'il arrache les ailes d'une mouche, puis soudain s'apitoie sur la victime et va voler en cachette de la teinture d'iode pour la soigner... tu ne reconnaîtrais pas là Mr Hyde et le Dr Jekyll, et pourtant! Tant que je n'en étais pas arrivé à différencier mes trois images, tant que je n'avais pas compris qu'il y avait en moi trois états de conscience, trois personnages, trois caractères, ils dormaient en quelque sorte en moi comme chez l'impubère les éléments de la sexualité, déjà décelables pour le psychologue, mais que le sujet n'éprouve en lui que vaguement, sans pouvoir leur donner sens.

Le miroir à trois faces avait agi comme une machine à diviser les composantes de Christian, un démultiplicateur des traits, un appareil à démêler les esquisses superposées, à pratiquer sur l'image complexe le travail inverse de celui par quoi l'on arrive au portrait-robot d'un homme vu par plusieurs personnes, à la résultante abstraite par quoi l'on prétend figurer le Français-type, par exemple. Cette machine à refléter avait révélé à ce garçon bien habillé le mystère de sa Trinité humaine. Ce mystère-là, l'expliquer n'était pas plus facile que quand il s'agissait de la divinité. Mais du moins, devant les trois glaces, l'existence du phénomène se trouvait-elle constatable, contrôlable. L'homme auquel j'avais eu affaire ressemblait au personnage qu'on voyait dans le panneau médian, de face, celui que Christian appelait *l'Indifférent*. C'était aussi la représentation qu'il se faisait généralement de lui-même, l'image que lui avaient montrée de lui les miroirs simples, ceux dans lesquels on se regarde pour voir si on a les dents propres, ce que c'est que ce bouton au coin du nez, enfin trouver réponse aux questions ingénues du visage, quand on ne s'est pas encore avisé que les glaces peuvent aussi refléter l'âme. C'était cette image-là qu'avait perdue Anthoine et que nous avons tous, au moins que nous sommes tous supposés avoir. Elle se constitue de l'équilibre du Dr Jekyll et de Mr Hyde, elle exprime cet étrange phénomène mathématique qui contredit nos connaissances élémentaires, instinctives, suivant lesquelles un plus un égalent deux, alors qu'en réalité il y a dans la somme d'un et un quelque chose qui n'existe ni dans l'un ni dans l'autre, le *plus* sans doute, et qui veut qu'un plus un fassent trois, de sorte que de l'opposition de Jekyll et de Hyde naît l'Indifférent. L'Indifférent que Stevenson n'avait pas vu passer dans les brumes de Londres, ou d'Édimbourg, entre la morale du crime et celle des temps victoriens. Tu saisis?

Je saisissais sans saisir, mais je grillais de voir par moi-même les composantes du Christian que je connaissais, c'est-à-dire d'assister à la démonstration par le miroir à trois faces du triple caractère, dont l'Indifférent n'était que le fléau entre les plateaux de la balance. Mon ami ne semblait pas très pressé de m'en donner spectacle : que craignait-il, et était-ce bien de la crainte, ou le goût de garder secrètes ses images complémentaires? Toujours est-il que, lorsqu'il comprit de quelle curiosité j'étais habité, il me sembla battre en-retraite, dit qu'il avait fait transporter le miroir Brot dans une maison de famille qu'il avait en province, non, non, il n'était plus dans la garçonnière de l'avenue de Friedland... Enfin son comportement était devenu assez bizarre, fuyant, avais-je toujours bien l'Indifférent devant moi ? Je me sentais tout de même maintenant autorisé à poser à Christian des questions qui allaient de soi après les confidences qu'il venait de me faire. Elles n'eurent pour effet que d'aggraver ce mouvement de retrait chez lui, que je ne pouvais m'empêcher de comparer à la preuve de vie que donne l'huître à qui va la manger, lorsqu'il lui met un peu de citron sur les bords. Peut-être est-ce le secret de la fabrication des perles que l'huître essaye de me dérober, mais Christian ?

En tout cas, quelque chose avait changé dans son langage : ainsi l'un des facteurs d'exposition de son cas, dont l'emploi répété n'avait pas pu ne pas me frapper, je veux dire les références réitérées au Dr Jekyll et à Mr Hyde, avaient totalement disparu de nos conversations, et une ou deux fois j'avais eu le sentiment que même le fait de m'y reporter, même en passant, était accueilli par mon interlocuteur comme une sorte de faute de goût, je ne sais, sans le dire bien sûr, mais cela se sentait qu'il pensait qu'il y a des choses qu'on peut exprimer sur soi-même, alors que c'est manque de tact à un autre de les reprendre. Je cessai donc de parler de MM. Hyde et Jekyll. Sans doute lui déplaisait-il que je pense à ce qui était un morceau de lui comme à un monstre, un criminel : n'avait-il pas essayé d'abord de me faire entendre que cette façon un peu sommaire de distinguer dans l'être humain son côté solaire de son côté ténèbres ne devait guère être considérée que comme un raccourci métaphorique, qu'en réalité l'opposition primitive du Bien et du Mal dans l'homme ne répondait pas vraiment aux faits, si elle permettait une vue approchée de l'esprit humain...

N'est-ce pas une conception schématique de l'homme, comme dans ces romans que même lui, Christian, me faisait l'honneur de se refuser à considérer comme réalistes ? de ces romans où les personnages sont tout bons ou tout méchants ? Je l'interrompis pour lui demander précision. Il entendait que l'homme dédoublé, détriplé, comme on voudra, peut présenter dans ses diverses instances des caractères mineurs qui sont aussi comme des reflets des autres : ainsi, il n'y a pas d'incarnation du Bien qui ne contienne un certain pourcentage de Mal, et réciproquement. Ou si je préférais, pour nous en tenir à l'image théologique, le Fils de Dieu est toujours un petit peu son propre père, un petit peu le Saint-Esprit. Je lui dis que cette comparaison sentait le fagot, et lui avec des yeux d'innocence : « Allons bon, tu vas encore me dire que ce n'est pas marxiste! » Mais non, je voulais dire par là que si la *machine* avait bien fonctionné pour séparer les personnalités, comme le van qui lave l'or du sable... A son tour, il me coupa : est-ce que je ne comprenais pas que la nature humaine ne peut se manier comme la simple matière, n'est pas objet de tractations chimiques, quoi! Bon, je me faisais traiter de matérialiste vulgaire, maintenant! Christian sourit : « Je parle au romancier, — dit-il, — et non pas à l'homme de parti... » Ce sur quoi j'aurais dû remettre les choses au point, évidemment, dire que la nature humaine, bien sûr, ne permettait pas plus la séparation du romancier et de ce que tu appelles l'homme de parti... et cætera, mais je n'en ai rien fait. Je me suis borné à dire qu'il ne fallait tout de même pas me confondre avec Anthoine, ce qui était de ma part une manière de lâcheté. Christian reprit donc son raisonnement sur la complexité des reflets, ajoutant diverses choses fort brillantes que j'ai malheureusement oubliées, pour en revenir à R.-L. S., qui en avait pris pour son grade en matière de schématisme. Christian s'excusait disant que pas seulement Robert-Louis... ou Charles Lamb... ou John Bunyan... (qu'est-ce que c'est que cette érudition anglo-saxonne?), mais enfin tous les penseurs aventureux ont toujours été tentés par les oppositions violentes, alors que la nature procède par touches, par nuances... Il était fort compréhensible qu'un conteur, un romancier ne pouvait s'attacher à découvrir chez un personnage que l'extrême, les extrêmes : quel intérêt aurions-nous pour la dualité Jekyll-Hyde, si l'un et l'autre n'étaient par exemple qu'un petit-bourgeois acariâtre et un petit-bourgeois complaisant? L'art demande des couleurs tranchées. Mais la vie? Enfin Christian minimisait manifestement ses personnages latéraux, si je puis dire. En tout cas, il ne se hâtait guère de me les montrer. Il ignorait, il est vrai, que j'eusse sur l'un d'eux des aperçus indirects, par ce que Fougère m'en avait conté. Mais ce personnage humble qui jouait avec les petites filles aux Buttes-Chaumont, cela pouvait tout autant être Jekyll que Hyde... Je finis par si bien m'impatienter du tour des choses que, voulant en précipiter le cours, je lui laissai comprendre que j'avais eu par un tiers certains découverts sur l'une de ses personnalités.

Il en fut soudainement comme frappé. Nous prenions un verre au Fouquet's. C'était à l'époque de Munich. Il y avait une grande agitation au bar, autour de Raimu. Des éclats de voix. La France avait dû se regarder dans un miroir Brot. Ces gens de cinéma, ces parieurs d'Auteuil, ces coureurs d'auto, se trouvaient brusquement séparés en clans de clameurs. Le soleil de septembre justifiait encore la tente sur la terrasse. On se précipitait sur les crieurs de journaux, à l'inverse de l'habitude.

Fustel-Schmidt qui, jusque-là, ne semblait pas autrement agité par les problèmes de politique extérieure, se mit tout à coup à parler de la Tchécoslovaquie, des Allemands des Sudètes, du chancelier Hitler... Il y avait un grand désordre dans ses propos, pleins d'interrogations contradictoires. Je pensai d'abord qu'il voulait détourner la conversation, mais on ne feint pas comme cela la peur. A vrai dire, j'avais simplement devant moi le lecteur de *L'Œuvre*, qui ne sait plus à quel saint se vouer parce que dans son journal les thèses opposées voisinent, sans qu'aucun médiateur tienne entre elles balance. Tout se passait comme si l'Indifférent eût perdu tout pouvoir : le visage que je voyais n'était plus celui de Christian, mais tantôt de l'un, tantôt de l'autre de ses hôtes secrets. Je remarquai pour la première fois, chez ce garçon que je croyais bien connaître, l'étrange disparité de ses deux profils ; et, suivant comme il se tournait, Christian me montrait deux antagonistes, entre lesquels semblait se poursuivre même dispute qu'au bar. Je lui proposai de faire quelques pas sur les Champs-Élysées.

L'air lui fit du bien. Il avait retrouvé son expression distraite, il me dit qu'il venait d'acheter une Bugatti, parla boxe, s'arrêta devant une chemiserie pour regarder les sweaters. Puis, tout d'un coup, il tourna vers moi, j'étais à sa gauche, un profil d'aigle que je ne lui connaissais pas : l'œil, de ce côté-là, était devenu rond et comme exorbité. D'une voix changée, assez basse, rauque, il demanda : « Et peut-on savoir, qui, vraiment *qui*, t'a renseigné sur ma vie privée ? » Je lui fis observer que personne ne m'avait renseigné, ce qui s'appelle renseigné, sur sa vie privée. Se trouver aux Buttes-Chaumont à quatre pattes, pour jouer avec une petite fille... Je sentis sa poigne sur mon bras : « Et qui, qui donc t'a dit, a prétendu ?... » Je déteste qu'on me prenne par le bras. Je me suis secoué. Il n'y avait pas de quoi crier, non ? Ça peut arriver à n'importe qui. Les Buttes-Chaumont, j'y ai beaucoup été dans ma jeunesse, même j'ai écrit là-dessus, si tu lisais mes livres... Il ne me lâchait pas. J'allais avoir des bleus, cela me vaudrait des plaisanteries. Pour en finir, je lui dis de ne pas faire l'idiot, il avait parlé de cancans, il n'y avait pas eu de cancans, simplement Mme d'Usher sortait des studios à côté, elle avait dit ça tout naturellement (vous savez ? j'ai aperçu votre ami...), pourquoi ne l'aurait-elle pas dit ? Il aurait fallu qu'elle se livre à des suppositions, pour songer à ne pas le dire.

Il avait ricané. Cela aussi, c'était inusuel. Je ne l'avais jamais entendu ricaner, depuis dix-huit ans que je le connaissais. Qu'avais-je eu besoin de lui parler d'Ingeborg ? Je m'en serais battu. Cela m'avait échappé. J'avais le désagréable sentiment d'avoir trahi Fougère, d'avoir attiré sur elle l'attention, non point de Christian, mais de cet oiseau de proie dont j'entrevoyais parfois le profil inquiétant.

III

Aussi quand Anthoine, — c'était juste après que nous venions d'assister au triomphe de Daladier et de Georges Bonnet à l'Étoile, et nous avions failli nous faire écharper pour une phrase imprudente que j'avais prononcée un peu trop fort, — me dit, votre petit ami, là, vous savez? Schmidt je ne sais plus... nous ne pouvons plus faire un pas sans tomber dessus... j'en eus comme froid dans le dos. Si c'était le monstre qui avait gagné dans tout ça? Je devrais tout raconter à Anthoine, peut-être, mais lui : « Oh, cela fait déjà quelque temps qu'il est amoureux d'Ingeborg... Remarquez, il est commode, surtout sa Bugatti. Puis avec son visage passe-partout... » Sa phrase avait été coupée par une bande d'énergumènes, qui se tenaient par le bras, barrant le trottoir, il avait fallu se rejeter de côté, nous doublant de par derrière, et chantant : « *C'est Dalade, c'est Dalade. — C'est Daladier qu'il nous faut — oh oh oh oh!* » Je le connaissais, Anthoine. Comme si je l'avais fait, n'est-ce pas? Il prenait des airs de malin, mais il était jaloux. Ainsi Fougère sortait avec Christian. Pourvu toujours que ce soit bien Christian! C'est à elle qu'il me fallait parler. Elle a ri. Bien sûr, il est amoureux de moi, ce petit. Et après? Vous n'allez pas me faire une scène de jalousie, *vous*? Cette façon de souligner de la voix le vouvoiement, histoire de me dire, Anthoine encore passerait, et il n'est pas jaloux, mais *vous*?

Ingeborg! Elle éclata de rire. Alors ça, c'est le comble.
Mon histoire de miroir Brot l'a beaucoup amusée. Mais dites donc, mais dites donc, moi qui le prenais pour un petit freluquet, ce Christian! Il faudra que je lui demande à voir sa garçonnière... c'est meublé quoi, chez lui? D'après sa tête, du Mappin and Webb... Puisque je vous dis, Ingeborg, que ce miroir Brot n'y est plus! Alors, là, elle riait franchement. Calmez-vous, je n'irais pas dans sa garçonnière! Pour vous. Parce qu'Anthoine, vous savez ce qu'il s'en fiche! Vous croyez? Alors royalement, mon ami, royalement : Anthoine, s'il ne s'agit pas de sa littérature, je peux bien faire ce que je veux, je vous l'ai dit cent fois, il n'y a pas moins jaloux, je peux sortir avec la terre entière... remarquez, j'aime autant ça, les jaloux il n'y a rien que j'aie autant en horreur.

Pourquoi me dit-elle ça? Pour me blesser? Parce qu'entre nous, si, contre toute évidence, il est admis qu'Anthoine n'est pas jaloux pour un centime, que ce n'est chez lui qu'un prétexte à littérature, il est tout de même convenu que, moi, je suis jaloux comme on ne l'est pas. Pourquoi me dit-elle ça? Quand il faut bien au moins que je sois jaloux d'Anthoine et ses yeux noirs, puisqu'il est entendu quand elle me parle, qu'elle vient de sortir des bras d'Anthoine, alors que moi, jamais, jamais... oh l'affreux jeu entre nous, auquel nous jouons depuis, depuis toujours, ce toujours de nous... Pourquoi me dit-elle ça? Sans doute parce qu'elle le pense, et si elle le pense... Tu ne le penses pas, Fougère? « Qu'est-ce que c'est que ça, — dit-elle. — Vous me tutoyez maintenant? Et ce nom, d'où le sortez-vous, ce nom-là? Ma parole, vous vous prenez pour Anthoine! » Je ne peux plus jouer, est-ce qu'elle ne voit pas que je ne puis plus jouer? Anthoine ou pas, nous sommes jaloux. Je vous dis, *Alfred*, qu'Anthoine n'est pas jaloux. Peut-être qu'elle le pense...

Puisqu'elle le pense... Mais ce n'est pas une question de jalousie, c'est une question de danger. Christian, vous ne l'avez jamais vu de profil? Du côté gauche? Du côté gauche ou droit, vous m'en demandez trop, mais si, je l'ai vu de profil et même que j'ai remarqué que de profil il perdait cette insignifiance qu'il a de face, il a tout de suite l'air plus intelligent.

Bon. Je suis tranquille. Fougère fait celle qui n'a rien entendu. Avec moi, d'ailleurs, elle peut le prendre comme une part du jeu. C'est pourquoi ce ne pourrait être Anthoine... avec Anthoine, tout de suite, tout tourne au sérieux... les yeux noirs... Elle fait donc celle qui n'a rien entendu. Mais maintenant, ne serait-ce que par curiosité. Et puis, puisqu'il n'y aura pas la guerre, il faut bien passer le temps à quelque chose.

A vrai dire, je sais bien ce que cela signifie tout cela. Il y a des fleurs tous les jours chez Fougère, d'un tas de gens. Un tas de gens lui a toujours envoyé des fleurs. Tant que ce ne sont pas des orchidées, ce n'est pas grave. Christian fait partie du tas, s s fleurs aussi. Mais c'est vrai qu'elle le voit beaucoup. Beaucoup plus. Et pas du tout à cause de la Bugatti. C'est de ma faute. Purement de ma faute. Je l'ai intéressée à ce garçon avec mes histoires. Mon Dieu, pourvu que ça ne tourne pas mal. D'une façon ou de l'autre. Je me force maintenant à multiplier les raisons de voir Fustel-Schmidt. Lui, a pris le genre de me traiter comme un raseur, poliment, mais comme un raseur. Je fais celui qui ne s'en aperçoit pas. Je le surveille. Je les surveille.

Et puis voici qu'un jour Christian m'a dit : « Ah, à propos, toi qui t'intéressais... Tu sais, je l'ai fait revenir de province, ma glace à trois faces. Je m'ennuyais d'elle, d'une certaine façon. Ça manque, dans une garçonnière. Et puis, une femme qui en avait entendu parler... » Le cœur m'en a sauté. Décidément, je ne me contrôle plus, ça m'a échappé : « Ingeborg? » Il m'a regardé, de face, avec sa gueule d'indifférent : « Dis donc, pour qui me prends-tu, des fois? » Nous passions devant un fleuriste. Moi, je suis resté dehors. J'ai vu qu'il choisissait des orchidées. Il était tourné de son côté oiseau de proie.

C'est très compréhensible que Fougère cherche à en savoir plus long sur la triple vie de Christian. Elle a une terrible curiosité des gens. Comment les choses se passent en eux. Ce dont ils ont l'air et puis ce qu'ils sont vraiment, au fond, derrière les branches. Si elle n'était pas comme ça, comment se pourrait-il qu'elle chantât comme elle chante? Vous pouvez dire encore, pour certains musiciens, que c'est la musique : mais quand on lui fait chanter du Massenet, et que ça devient beau, vous comprenez, tout simplement beau! Le mystère avec cette femme n'est pas dans un jeu de miroirs, la complexité des reflets. C'est bien autre chose. Quand elle chante, c'est l'âme qu'on entend, et pas seulement la sienne... une âme qu'elle invente peut-être, attribue à la Tosca ou à Manon, mais... c'est cela, son art. Une connaissance profonde des êtres humains, une science de l'homme, de la femme. Quand j'étais enfant, on me menait souvent à l'Opéra, à l'Opéra-Comique : la famille avait des billets par je ne sais plus qui. J'avais des passions pour les cantatrices : Mary Garden, Lina Cavalieri, surtout Mme Litvine! Quand j'entendais Mme Litvine, il me semblait entrer dans une sorte de paradis, néanmoins il y a entre ces deux vertiges, d'alors et d'aujourd'hui, la distance du conte de fées au roman. Je me rappelle comme je suppliais, quand j'avais vu le nom de Félia Litvine sur l'affiche, pour qu'on me mène au spectacle ou au concert, je pleurais qu'on me le refusât. Toutefois, peut-on comparer cette *prima donna* et Ingeborg d'Usher? La première ne me procurait que le plaisir, ce plaisir de l'enfance qui est comme une forêt sombre d'oiseaux et de fleurs, mais Ingeborg! C'est à l'entendre que j'ai pris conscience d'être un homme.

Je vous parlerai peut-être aussi d'une autre sorte d'émotion que le chant m'a donnée, c'était l'année où Christian m'a sauvé des eaux... Ce qui me force à découvrir un autre côté de ma vie, alors que je m'étais promis de le laisser en dehors du *Roman de Fougère*, parce qu'il s'agit là d'un monde étrange de rapports, lesquels exigeraient des explications sans fin. Mais peut-être avez-vous entendu parler du Mouvement Dada ? En ce cas, nous supposerons acquises les données mêmes de l'anecdote : cela se passait à la Salle Pleyel, et mes amis et moi nous y donnions spectacle de provocation. La chose est racontée ailleurs, je n'y reviendrai pas. Le public avait dans l'abord décidé d'accueillir les numéros avec des applaudissements ironiques, mais peu à peu l'irritation l'emporta sur les résolutions prises. Déjà des sifflets partaient par-ci par-là, le comble fut quand parut Hania Routchine. C'était, je crois, une idée de Francis Picabia, que de mêler le chant de concert, sous sa forme traditionnelle, à notre philosophie. La cantatrice était une jeune femme habillée à son habitude, il me semble d'une robe du soir jaune, avec les bras et les épaules nus. Elle n'avait pas conscience d'où elle était menée, et que pouvait-elle y comprendre, quand elle se mit à chanter la *Chanson perpétuelle*, de Charles Cros, musique de Duparc : *Bois fris-sonnants — cieux é-toilés... Mon bien-aimé — s'en est — allé... Emportant mon — cœur désolé...* et que se déchaîna la tempête accumulée, éclatante, ah non, c'est trop, pas ça, pas ça ! Le cristal se brisa dans une tornade de sanglots et de larmes. Moi, garnement que je fusse, il advint qu'au milieu des sarcasmes de mes camarades, je sentis soudain s'élever en moi une fantastique tendresse, une révolte contre cette insulte à la femme, à la musique faite femme : je n'ai jamais pu supporter, il est vrai, de voir pleurer une femme. J'avais sauté sur la scène, j'entraînais, j'emportais avec moi la cantatrice éperdue. Et tant pis pour ce qu'ils allaient penser, eux autres ! Dans la coulisse, je m'étais mis à genoux devant cette douleur à qui rien ne pouvait s'expliquer, je lui tapais doucement dans les mains, je baisais respectueusement ses doigts... Mais personne ne pouvait savoir que ce qui me bouleversait était d'avoir, rien que pour un tercet de la chanson, senti si merveilleusement prendre corps cet inégalable son de l'âme, qui est Cros, pour qui j'ai toute la vie gardé une manière de religion. C'est peut-être de ce jour que j'ai pris sens du mariage profond des paroles et de la musique, de ce mystère d'alliage, dont par la suite l'achèvement devait m'apparaître avec Fougère. Le désarroi d'Hania Routchine m'était comme une prophétie. Il y avait sans doute que je la trouvais belle. Inaccessible d'ailleurs. Et je me révoltais qu'une femme si parfaitement féminine n'en eût pas imposé à cette salle de brutes, qui était Paris. Mes amis me pardonnèrent ma sentimentalité, si peu conforme avec l'esprit Dada, pour une phrase échappée devant leurs railleries, l'explication qui me montait aux lèvres : comment, comment ne pas consoler une femme qui ressemble si exactement à une feuille de saule [1]? Ah, s'ils avaient deviné ce que mesurait déjà d'éloignement, pour ma part, ce vertige, s'ils s'étaient doutés qu'un jour d'aimer Fougère me donnerait à mes propres yeux plein droit de m'arracher à leurs vetos, leurs lois baroques! Ingeborg, oui, de semblables instants aussi me furent primevères de toi... ce trouble, comme une modulation des sentiments d'enfance... Mais l'homme, l'homme qui se mesure à la conscience de la volupté, s'il se trouve entraîné soudain plus loin, plus fort, dans un inconnu qu'aucune femme, aucun art n'a pu lui donner, perd pied comme dans la mer, et que personne cette fois ne vienne le sauver, que la vague le roule, l'emporte, maudit qui le ramènerait à la rive! O secrète fougère qui s'épanouit dans mon sang, mystérieuse dentelle de l'âme, battements du cœur. Je l'écoute, je t'écoute et dans moi se fait ce silence de moi-même. Comment vous faire comprendre ce qui se passe? Ce déconcertement de ce que je suis, de ce que j'étais jusqu'alors... Elle chante, et on ne comprend pas pourquoi ça vous prend,

---

1. Me relisant, je comprends ici quelque chose d'étrange : cette indulgence trahissait, chez ceux d'entre nous qui l'éprouvèrent envers moi, la contradiction latente entre l'esprit Dada et le Surréalisme. Mais à quoi cela m'entraînerait-il de le développer!

ça vous emporte, ça vous démolit... Il ne suffit pas de savoir placer sa voix, d'avoir une voix, le sens musical, du goût, de l'expression. Fichez-moi la paix. Quand elle chante, elle me déchire. Je sais bien alors que tout ce que j'écris, il y a des feux de bois qui se perdent. Rien ne compte plus que le vertige : être un homme, c'est pouvoir infiniment tomber.

Et voyez-vous, Anthoine bien sûr, Christian, qui sait, pour eux, c'est la même chose, dès que son chant commence. C'est pourquoi, malgré tout, il y a entre nous une sorte de complicité. Nous n'avons pas besoin de nous parler. Ouvrez la radio ou si nous sommes l'un dans une loge, l'autre au parterre. Nous pouvons toujours y aller avec des petits trucs sur le papier, des phrases. Dès qu'on entend sa voix... cela vient du fond de l'abîme, c'est le vent dans les grands arbres, tout ce qui passe la mesure, la douleur... Les hommes peuvent s'opposer, se haïr, tout à coup leur guerre tombe : Fougère chante. Il n'est plus question de chercher à lui plaire, de prendre avantage sur un autre, je l'entends. Ce cri d'elle entre en moi, m'envahit, m'occupe. Je suis sa proie. Je l'aime comme s'éprend la montagne sans voix au loin de quelqu'un d'invisible qui la fait écho. Je viens tou d'un coup de comprendre quelque chose d'extraordinaire : l'homme triple... mais c'est nous, quand elle chante, Anthoine, Christian, moi. Nous croyions être trois hommes différents, trois ennemis parfois, et puis nous ne sommes que les aspects d'un même être, qui est amour de Fougère. Lequel de nous est le Dr Jekyll, lequel est Mr Hyde ? Lequel est l'Indifférent ? Je perds la tête. Et d'autant que l'un d'entre nous est peut-être non point l'un, mais une foule, la foule des Christian.

Anthoine nous a menés avec des airs de cachotterie, Christian et moi, à une pré-présentation d'*Othello*. On imagine mal qu'il ait fallu deux ans, le film fait, pour le distribuer comme on dit. C'est comme ça, le cinéma, paraît-il. Je déteste ces spectacles clandestins, dans une salle minuscule ou l'on est mangé par des fauteuils carrés, et c'est toujours comme si le film n'avait pas de succès : en dehors de soi, il n'y a guère là que le représentant de la firme, et deux ou trois personnages, on ne sait pas qui c'est, ce qu'Anthoine appelle les cousines ou les beaux-frères. On a beau être exactement à l'heure, le jeune homme un peu chauve qui vous attend en estafette à la porte, ou sur le palier, a toujours l'air dans un état d'impatience mortelle, et quand on pointe il signifie qu'il vous a reconnus par un mouvement de tête, un soupir échappé, une sorte de *Ah, enfin!* muet, le technicien dans sa cabine manie des boîtes en fer et vous regarde sévèrement, en alternance avec sa montre-bracelet. Il allait falloir ingurgiter le navet, ça ne pouvait qu'être un navet jusqu'au moment où s'élèverait la voix divine : *Ma mère avait une servante...* C'était un navet, mais un navet sculpté, du genre monumental. Il y a quelque chose de curieux dans le cas de ce metteur en scène, comment ai-je dit ? Sobatchkovski, oui, c'est ça, dont j'avais vu le premier film il y avait de cela des années, dans un ciné-club à Montmartre, une rue qui grimpe. C'était tout à fait hors série, un peu noir, mais avec une sorte de fraîcheur. Un élève d'Eisenstein, disait-on. Il n'avait jamais rien sorti de propre par la suite, enfin, si, du boulot quoi! On disait que là-bas on ne le laissait pas faire. D'ailleurs, c'est bien connu, ils ne laissent pas faire les gens. Puis il y avait eu cet énorme machin historique, avec des chevaliers, des forêts, du soleil dans la brume... ça ne m'avait pas emballé. Tout d'un coup il était devenu un grand homme dans son pays. Les revues cinématographiques ne parlaient que de ça, à Paris comme à Londres. Une compagnie américaine avait invité Sobatchkovski comme consultant, pour un film d'après Tourguéniev, bizarrement qui se tournait à Rome. On avait longtemps tergiversé à le laisser partir, c'était alors sans précédent. Puis, quand déjà les extérieurs étaient finis, de petites notes aigres-douces avaient paru ici et là dans les journaux, voilà que contrairement à toute attente le metteur en scène avait reçu son visa, il ne pourrait plus guère agir que sur l'architecture des décors, le choix du mobilier, mais son arrivée quasi officielle avait été une sensation. Le film était détestable, qu'y pouvait notre homme, pour deux ou trois conseils qu'il avait encore pu donner? Comme il devait rentrer en Russie, on lui avait proposé un sujet à tourner, à Bruxelles, je crois, des Américains encore. Mais il était rappelé chez lui, c'était à choisir. Sur un coup de tête, il était resté à l'étranger : il ne pouvait pas manquer cette occasion de donner enfin sa mesure. Cette fois, ce n'était pas la censure soviétique : l'échec venait peut-être de ce que la contrainte d'ici était d'une forme à laquelle il n'était pas habitué. Il ne pouvait plus retourner à Moscou, ou ne voulait plus. Il s'obstinait. Des années avaient passé, on ne sait comment, sans qu'on lui confiât du travail. Brusquement, il était réapparu, marié à de l'argent sans doute, qui avait fait appel de fonds, des disponibilités fabuleuses. D'où l'*Othello*.

Sobatchkovski avait pris ses distances avec Shakespeare, le résultat en était singulier : cela faisait à la fois Wagner et Gustave Doré, à quoi on aurait ajouté les Gertrud Hoffmann Girls, Harry Pilcer, la Loïe Füller et les fêtes persanes de Poiret en 1912. C'était consternant de laideurs et de draperies, mais ça ne ressemblait ni aux débuts prometteurs de Sobatchka, comme l'appelaient les émigrés de Hollywood, ni à l'académisme qu'on lui avait reproché par la suite. C'était comme une troisième manière... tiens, une troisième? Cela tournait à la manie, je m'étais mis à penser qu'en réalité il y avait trois hommes en ce personnage chauve, à monocle, le jeune homme impétueux du premier film, un garçon tout bouclé qui jouait de la guitare, l'indifférent adapté à la société où il vivait, gras et blafard, avec ses pantalons larges du bas, et ma parole, le monstre à monocle qu'on ne connaissait pas en lui, parce que ce n'était pas seulement le baroque des palais, les éclairages déments, une Californie parodique et la sensualité à la Pierre Louÿs, mais il y avait dans cette dernière production je ne sais quelle perversité profonde, quelle équivoque persistante des gestes, quelles insinuations jamais menées à bout... enfin, *Othello* révélait, avec le désespoir de vieillir, le troisième homme, celui qui tue les bonnes à la sortie du cinéma, vole les chaussures la nuit aux portes des clients dans les palaces, met le feu aux moissons pour le plaisir. Je ne pouvais plus rien voir autrement, je voulais le dire à Christian, tout m'apparaissait dans la lumière du miroir Brot, mais la présence d'Anthoine me retint. Celui-ci saisissait bien que, tout en ne cachant pas les haut-le-cœur que j'avais du film, je n'en disais pas tout à fait librement mon opinion. Il se méprit sur les raisons de cette retenue, et probablement s'imagina que Fougère avait bavardé, m'avait dit qu'en réalité, bien qu'il n'eût pas voulu le signer, le scénario était de lui. Alors, *jouant beau jeu*, il fit mine de nous mettre tous les deux dans la confidence, nous demandant notre parole de n'en rien dire ailleurs...

Sobatchkovski, disait-il, était un homme fini. Peut-être les drogues, plus vraisemblablement la boisson. Bien qu'il le sût d'avance, *Othello*, c'était pour lui, Anthoine, une tentation trop forte. Toute l'idée du film était sortie d'une rencontre avec le metteur en scène, aux *Petits lits blancs*, où on s'embêtait à cent sous de l'heure, et n'était que Fougère ne pouvait refuser d'y chanter... Il s'agissait à la fois de donner plus d'importance au cadre historique, Venise quand elle est sur le point d'être attaquée par les Turcs, de perdre la maîtrise de la Méditerranée orientale, et vous voyez tout ce que cela signifie, la route des Indes, les épices, le cuivre... quand elle est à ce point où les Doges n'osant confier leurs armées à un patricien quelconque, dans la crainte de lui donner prestige, vont chercher leurs généraux chez les Barbares, des

Albanais, des Mongols, des Éthiopiens, et qu'est-ce que c'est qu'Othello ? Un nègre, si on veut, plutôt un Arabe apostat... et puis les îles, l'antiquité grecque et les souvenirs récents des Croisades, l'affrontement des civilisations dans les îles de l'Archipel, les dieux anciens aux prises avec les passions nouvelles... l'homme sans frein rusant entre Jésus et Mahomet...

Je connais Anthoine sur le bout du doigt : quand il tient un thème, on ne l'arrête plus.

Naturellement, il se foutait de l'Archipel comme de ses dents de sagesse. Mais le film devait être, là-dedans, le décor, un discours sur la jalousie et rien d'autre. Pas la jalousie shakespearienne, qu'est-ce que nous avons à faire avec les sentiments élisabéthains, je vous prie ? mais la jalousie moderne, dans un monde où la femme... je ne développe pas. Se servir du poncif Othello pour parler de soi, Paris en 1938, la fête au bord du gouffre, les bandes de tueurs et l'Exposition internationale, les marchandages à la guerre, l'amour dans un pays qui va mourir, les lâchetés et l'agio, l'Espagne au fond qui brûle... et vers la fin, la voix de Fougère, de Fougère qu'on ne verra pas, mais en qui se traduit toute la prescience de ce qui va venir, la douleur d'un monde... « Et puis, vous voyez ce qu'il en a fait, ce bougre ! Là-dessus, comme j'étais là, imbécile que je peux être, à discuter aux pièces, à dire Chypre, mais voyons donc, c'est Vénus tout entière... et je ne sais quoi pour rattraper mon Sobatchkovski par les basques de ses plus bas instincts, proposant, je ne sais pas moi, un petit sketch avec Mélusine qui se change en boa constrictor parce que son Lusignan d'époux l'a surprise en train d'accoucher d'un fils cyclope à bec de lièvre... enfin des folies ! voilà que je m'aperçois qu'inutile de songer à donner au tout ce caractère antifasciste que je mijotais, puisque les fameux commanditaires, c'était la Tobis Klangfilm, la U. F. A., enfin Gœbbels en personne ! Trop tard pour vraiment se tirer des pieds, j'ai refusé de signer, j'ai brisé avec le Sobatchka... ça ne l'a pas empêché, vous avez vu, cette cochonnerie avec Ingeborg? Non, mais il la prend pour qui, les Dolly sisters? Il s'est donné l'élégance de me faire signe pour cette présentation en catimini, avec un petit mot disant que je n'avais pas à craindre de le rencontrer. Je n'ai pas voulu que Foug... qu'Ingeborg tombe là-dessus Dieu sait sur quoi! avant que je sache de quoi il retourne. Alors, je vous ai emmenés, comme de vieux amis, qui auront le tact de n'en pas souffler mot à ma femme, hein? c'est promis? »

En fait de tact, Anthoine... mais est-ce que je compte, n'est-ce pas? Il nous a serré la main et nous a laissés ensemble, Christian et moi. Moi, je me doutais, évidemment. Mais quand on est mis en face de la chose...

Dans celle-ci, d'histoire, il y a quelque chose qui cloche : comment se fait-il que Christian nous connaisse tous les deux, Anthoine et moi, qu'il nous distingue, qu'il nous rencontre *ensemble*, et alors nous parle *séparément*? Ce qui fait de lui un être aussi peu réel que *nous*, une invention romanesque...

Est-ce que, par hasard, j'aurais *aussi* inventé Christian? inventé Christian il y a seize ans sonnés, sur le point de me noyer, comme on entend les cloches, est-ce que par hasard je l'aurais inventé *pour survivre*, ce sauveteur, et à quoi? Ou si c'était Christian, lui, qui m'a inventé dans l'écume, qui m'a sauvé pour les besoins de la cause? Tout cela n'explique pas Anthoine.

IV

L'avenue de Friedland n'était pas loin, Christian me dit : « Viens chez moi, mon whisky est meilleur que celui du Fouquet's... » C'est drôle, un type qui, après dix-huit ans bien tassés, a toujours la même garçonnière. Ce n'était pas du tout meublé Mappin and Webb, il avait tout fait refaire par Jean Frank. Le foutoir était une pièce en paille, comme un intérieur de boîte d'allumettes, avec des sièges en fer et des lampes de Giacometti. Je me représente. D'habitude, Christian choisit les femmes un peu grasses.

Là-dedans le miroir Brot, avec sa dégaine 1900, planté en plein cœur comme toujours, avait l'air de sortir de la rue Sainte-Apolline.

« Inutile de te faire languir, — dit Christian, — c'est pour ça que tu es venu? Alors... » Et d'un geste qui tenait du destin, il ouvrit, droite, gauche, les panneaux du miroir.

Nous restions figés devant, à une certaine distance, un peu de côté chacun, comme craignant d'usurper à l'autre son tour d'interroger le Sphinx. « Allons, — dit Christian, — tu veux une leçon sur la façon de s'en servir? » Et il m'avait poussé d'un mouvement d'épaules, franchissant la distance sur la moquette noire, le voilà entre les volets de lumière, comme chez le radiographe, et ça me donnait ce sentiment d'indécence qu'il y aurait eu à lui voir la rate et l'intestin grêle.

Il est d'un gabarit tout autre qu'Anthoine et moi : si ce n'était pas dans la devanture d'un tailleur du boulevard Bonne-Nouvelle, où avais-je déjà vu ce modèle d'homme râblé, châtain, le teint clair, avant même Christian ? Un petit mec comme ça, qui mettait sa tête de côté, et avait toujours l'air de faire du charme. Un peu moins net que Christian, peut-être, avec un rien de méridional. Ah, oui. Je me souviens. Je le revoyais aussi, Christian, à travers des vitres, achetant les orchidées. L'œil gauche sur les orchidées. Cela me fit mal. Que s'était-il passé entre eux ?

Christian, ayant on ne peut plus sérieusement salué l'une après l'autre ses trois images, avait immobilisé trop perpendiculaires les feuillets de côté pour que je puisse apercevoir, et mal encore parce qu'il y faisait écran, autre image que celle du milieu...

« Je ne sais pas, après tout, si je peux te laisser entrer dans la danse. Après tout, on connaît un homme depuis... ça fait combien ? on va au cinéma ensemble, on se prend un whisky, et puis ? De là, sous le prétexte que je t'ai repêché au large de quelque Perros, à t'ouvrir mon âme, notre âme! Notre âme divisée en trois pour les commodités de la conversation... Juste parce que, de temps en temps, ton scepticisme me porte sur les nerfs, espèce de mufle. »

Je me taisais, je lui laissais passer sa crise. Ainsi, c'était de ça, de ce psychopathe, qu'elle s'était toquée, Ingeborg... Je pensais cela comme on boit sans ciller une chose de feu, en public, pour faire l'homme. Je me gargarisais de mépris. Ce petit cabotin de province et ses effets de glaces. Il avait ramené les volets derrière lui.

« En attendant, — dis-je, — ton âme, tu la refermes plutôt... »

Je voyais ses mains, les pouces en dedans, repliés vers les glaces, les autres doigts écartés palpant le bord de bois, le cuir repoussé... Des mains, à qui appartenaient-elles des trois, je ne les lui avais jamais vues, violentes, les veines gonflées, leur écriture bleue, une lettre différente au dos de la droite et au dos de la gauche... comme la lumière était enfermée dans le paravent à se voir, mon Christian, si c'était toujours lui, n'en prenait qu'une pincée dans ses cheveux clairs, il était à contre-jour pour le reste, son visage ne me disait rien, sombre entre les épaules remontées, qui singeaient le lutteur aux aguets. Et je lui dis : « D'ailleurs, qu'est-ce qu'elle me fait, ton âme ? ton triple ban d'âme ! Pas plus que ton ventre, ou tes... » Je devenais grossier, mais il m'agaçait avec son charlatanisme. Et puis derrière lui, ses abîmes, ils pouvaient bien se... moi, je ne voyais au-delà de lui qu'une ombre, une autre, un autre gouffre, où j'entendais rouler ce rire frais, Fougère, Ingeborg... oh, ne te moque pas de moi ! Ce n'est pas moi qui ai monté cette comédie, mais ton petit maquereau de la place Stanislas, ce fils de famille qui croyait conquérir Paris il n'y a pas si longtemps, et que voilà réduit à des simagrées genre Robert Houdin, Allan Kardec... Je n'étais pas dupe, j'allais lui montrer que je n'étais pas dupe :

« Il ne faudrait pas, mon cher, que tu t'imagines avoir inventé le Pérou, parce que tu as ajouté une corde à l'homme double, ou du moins à t'en croire. Le progrès n'est pas bien grand, de deux à trois, cela ne te permet pas d'étendre beaucoup les accords de ta musiquette... Cette légèreté avec laquelle tu parles de Robert-Louis. Si au lieu de trois feuillets, ton miroir, il en avait quatre ? biseautés même, ça ne te coûterait pas cher d'ajouter une charnière... alors, ton équipe elle serait à quatre faces, hein ? Et ainsi de suite. Et quand tu serais dix ou vingt, en chicane ou en rond, qu'est-ce que ça nous apprendrait, quand avec un seul cœur, mon petit, on a déjà le vertige... »

Je lui en ai dit, je lui en ai dit, j'ai oublié. J'ai l'air bête, comme ça, mais j'étais arrivé à mes fins : je l'avais mis hors de lui. Les paroles, ça vaut le whisky. Tiens, au fait, où est-ce qu'il est, ce whisky qu'il

m'avait promis ? J'avais donc mis Christian hors de lui.
« Ton cœur! Tu me fais rigoler avec ton cœur! Et ça se dit romancier! Pas étonnant si tes petites histoires en sont restées à Murger... Et il est là à défendre la psychologie pleine, parce que trois dimensions, il trouve ça un peu limité : tu ne m'as pas regardé, tu crois que je ne lis pas dans toi, que je ne vois pas où tu veux en venir, avec tes gros sabots, ce genre ficelle ? Le fait que ta psychologie, à toi, tu peux parler du cœur pour avoir l'air profond, elle se réduit à peu de chose : tout ce que tu dis, ce que tu penses, ce que tu écris, s'explique par une seule donnée, tes bonshommes et toi vous n'avez à votre disposition qu'un pauvre ressort bien usé : la jalousie. Tu n'es qu'un jaloux, et pas seulement pour ce qui touche Ingeborg, comme tu voudrais nous le faire croire, parce qu'être jaloux d'une femme dans ton système ça fait noble. Pouah! Tu te plains de ce que je ne lis pas tes livres ? je ne vais tout de même pas m'appuyer tes jérémiades, et ces constructions maladroites que tu appelles tes romans, qui ne sont au bout du compte que des plaidoyers pour la jalousie... oh, n'écarquille pas les yeux comme ça, ne te démanche pas la glotte! Je les ai lus, tes romans, au moins deux, et tu ne peux pas me bluffer, moi : je vois comment c'est fait, à l'endroit, à l'envers. Tu n'en sais peut-être rien, parce qu'au fond, un type primitif comme toi, avec un système, comment tu appelles ça ? *le marxisme*, non, mais permettez-moi de rigoler un brin. Tu l'as lu, *Le Capital* ? Pas moi, et je m'en vante. Mais enfin, ça ne m'empêche pas de juger. Et si je ne l'ai pas lu, je te dis que tes histoires à toi, je me les suis envoyées, l'autre été, en vacances. J'étais retourné à, disons Perros... oui, enfin, *l'un de nous* était retourné à quelque chose comme Perros... Je te répète que je sais de quoi c'est fait, tes romans. On dit la jalousie, quand il s'agit du grand amour, Pyrame et Thisbé, Werther, Othello... mais tout ça, c'est de l'envie, de la basse envie : de la femme des

autres, de la femme qui te trouve moche, des hommes qui l'ont, et puis on généralise, on est jaloux d'un appartement, d'une maison de campagne, de la fortune comme du bonheur, de fil en aiguille, c'est la société qu'on met en jeu, et puis comme on ne peut pas avouer qu'au fond c'est une mentalité de voleur qu'on a, la tentation de prendre dans la poche d'autrui son briquet ou sa maîtresse, alors on transforme tout ça avec des mots, des tentures pour cacher la lèpre des murs, des belles paroles, la générosité, la grandeur d'âme, les ouvriers, le peuple... hein? Tu croyais que ça ne se voyait pas? Mais tout le monde le sait, tous les gens te regardent et rigolent! Tu es un grotesque, mon ami, un grotesque. J'ai tiré un grotesque de l'eau salée, il n'y a pas de quoi se vanter... »

Dix-huit ans et le pouce, je vous dis, qu'il me le reproche, son sauvetage. J'aurais pu prendre tout très mal, mais le fait qu'il remette ça sur ses exploits de crawl, les choses se retrouvent à leur place. Sauf qu'il y a un peu trop de véhémence à sa sortie : ça ne doit pas aller si bien que tout ça entre Fougère et lui. Si j'étais rosse, je lui dirais... parce qu'Anthoine, il me l'a racontée, lui, la chaise : c'était avant-hier, je ne sais même plus ce qui s'était passé entre eux. Fougère était malheureuse. Est-ce que vous croyez qu'elle n'est jamais malheureuse? Un article sur ce récital qu'elle avait donné. Ou n'importe. *Les gens sont méchants, ma petite...* Oh, ma pauvre Ingeborg, si belle, si bouleversante, et qui ne peut pas se faire à la dureté du monde, à l'injustice, à la calomnie... pour un rien, tout est à nouveau en cause, et d'ailleurs est-ce qu'elle a jamais cru que quelqu'un l'aimait? Ni Anthoine, ni les autres. Contre l'évidence. Il n'y a pas d'évidence, jamais, pour une femme, il n'y a pas d'évidence pour des yeux pareils. Bon, je parlais d'autre chose, et d'ailleurs c'était Anthoine qui était malheureux ce matin-là. Probablement que le film l'avait fait repenser à trop de trucs, des souvenirs, des larmes mal digérées,

des disputes (ce n'est pas le mot, on n'en finirait plus).
Probablement qu'à force d'en revenir à *Othello*, enfin
si ce n'était pas d'un mouchoir qu'il s'agissait ou de
ferrets comme dans *Les Trois Mousquetaires*, je ne
sais quelle preuve il avait vue, ou cru voir, ou inventée,
entre les mains de Cassio, je veux dire de Christian.
Et il lui suffisait d'un Christian pour souffrir. Alors,
Fougère éclatant de rire : « Christian! Non, mais
tu es trop drôle! Voilà que tu es jaloux de Christian!
— Et pourquoi, — dit Anthoine, — à supposer que je
sois jaloux, ne serais-je pas jaloux de Christian?
Qu'est-ce qu'il y a de comique à cela? — De comique?
Mais, mon chéri, tu ne l'as pas regardé, des fois? Ce
serait d'Alfred, encore... bien que... Être jaloux de
Christian, tiens, tu me fâches, autant être jaloux de
cette chaise! » C'était une petite chaise Biedermeyer,
dont il faut avouer qu'elle avait déjà été réparée une
fois, Fougère l'a prise à bout de bras, la soulevant et
la reposant un peu fort, crac, le dossier lui reste à la
main. Anthoine a pris les morceaux, et les a jetés
dans la pièce voisine, il ne semblait pas du tout sensible
à l'humour de la situation. Il a dit : « D'abord, on peut
aussi bien être jaloux d'une chaise, de cette chaise...
et puis tu détournes la conversation : est-ce que tu
crois que je ne sais pas ce que tu lui trouves à ce joueur
de tennis qui manque d'allonge? Si la chaise que tu
viens de casser avec tant d'à-propos ressemblait
autant à Jérôme que ton Christian le fait, je ne vois
pas pourquoi je n'en serais pas jaloux, de cette chaise! »
Ce que Fougère a bien pu répondre alors, est sans
conséquence, après tout. Mais que Christian ressemblait
à Jérôme, c'était vrai, comme deux gouttes d'huile
sur le feu. Cela me poursuivait d'ailleurs, depuis qu'Anthoine me l'avait fait remarquer ou que je l'avais fait
remarquer à Anthoine, je ne sais plus. Christian ressemblait insupportablement à Jérôme. En plus net,
les traits avaient pu s'accuser depuis le temps, et puis
Jérôme, alors, n'était pas très riche, moins bien tenu.

C'est ce que je pensais tout à l'heure, et peut-être aussi une teinte d'accent, presque effacée, chez Jérôme... il était de quelque part en Corrèze ou plus bas, tandis qu'il y avait sur Christian ce côté papier glacé des Lorrains. A part ça... Jérôme, c'était il y a longtemps, avant Anthoine naturellement, avant Anthoine... Il y avait bien eu des femmes dans sa vie à lui, Anthoine, avant Fougère. Mais si ça lui était désagréable, à elle, c'était son affaire. Anthoine a beau jouer l'esprit fort, prendre toujours le parti des femmes, il n'est pas très sûr, au fin fond, que cela soit pour lui de la même importance, de la même importance qu'un homme ait aimé une femme autrefois, avant, ou qu'il y ait eu dans la vie d'une femme quelque chose qui avait compté. D'ailleurs, il affirmait que, lui, quand il avait cru aimer, avant, c'était forcément une illusion, une erreur, le désir d'aimer, pas l'amour. Tandis que Fougère... Il se rappellera toujours la première fois qu'elle lui a parlé de Jérôme. C'est là. Il n'y a rien à y faire. Comme un coup de couteau, dont la plaie ne s'est jamais tout à fait refermée. Oh, dans le passé de Fougère, il n'y a pas que de Jérôme qu'il soit jaloux! Il y a aussi le premier, ce garçon brun, quand elle avait, quoi, quinze ans, pas même... Il est mort, ça fait déjà un bail, loin, mal, comme Micha peut-être. J'ai entendu Fougère en parler, irréparablement, quand j'y pense j'ai envie de me foutre par la fenêtre... une histoire d'enfants, hein, ça n'y change rien, c'est justement, rien, rien, ne fera jamais qu'il n'y ait pas eu d'abord ce vertige... irréparablement... Remarquez, elle aurait pu, m'en ayant parlé, n'en pas souffler mot à Anthoine. Et puis, naturellement, elle n'a pu s'en empêcher. Elle dit qu'il s'en tamponne. Je sais mieux qu'elle. Quant à Jérôme... Moi, pour l'instant, je souffre, littéralement je souffre de ne pas dire à Christian, à propos de la chaise... de ne pas dire lâchement à Christian qu'Ingeborg... « Autant être jaloux de cette chaise... » Je ne le dis pas, c'est ça qui me ronge. Tout d'un coup je me pose la question : et Anthoine, est-ce que je suis jaloux d'Anthoine ? C'est drôle, je ne me l'étais jamais posée. D'abord Anthoine me ressemble. En un peu mieux. Ce qui n'est pas dire grand'chose. Je suis plutôt moche. Mais enfin nous sommes plus grands que Christian, moins cabotins, en tout cas. Et puis, plus intelligents peut-être. Il y a tout de même chez Christian des régions obscures, de l'existence desquelles je ne me suis très longtemps pas douté. Cet air d'habitué des bars, cette façon de porter les knickerbockers comme si on était toujours sur le point de se rendre à La Boulie, ça trompe d'abord. Il a tout de même dit, tout à l'heure, dans sa colère, quelque chose qui visait juste et loin. A propos de mes romans. C'est vrai qu'ils sont pleins d'histoires de jaloux. C'est vrai aussi que c'est toujours ce qui *vient* le mieux dans ce que j'écris. Peut-être est-ce là ce qui explique l'amitié que j'ai pour Anthoine, bien qu'il soit entendu qu'il est le mari de Fougère [1]. Pourquoi *bien que ?* Est-ce que, s'il n'était pas le mari de Fougère, je m'intéresserais vraiment à lui ? Sa jalousie, je la partage, je m'y regarde comme dans un miroir. Hein ? qu'est-ce que je viens de me laisser aller à... Après tout, lui et moi, est-ce que nous sommes deux personnages ou un seul ? Où est-ce que j'ai diable lu ça, c'est de l'anglais, *a fellow who was two fellows*... un copain qui était deux copains... Mais tout ça me ramène à Christian, au miroir Brot. Être jaloux de Christian... autant dire être jaloux d'une catégorie.

Christian venait de me faire un grand discours dont je n'avais pas pipé une syllabe, tout à mes propres brumes. Il avait dû s'en rendre compte, il s'est arrêté pile, et puis il a rejeté les glaces avec fureur, et crié plus que dit :

---

1. Fougère a donné existence légale à Anthoine au lendemain de Munich : craignant, s'il y avait la guerre, de ne pas pouvoir lui porter des paquets en prison.

« Et puis merde, regarde, au bout du compte ! » Ça faisait Michel Strogoff à ne plus savoir où se mettre.

Je les voyais maintenant, les trois Christian, et ils ne se ressemblaient pas. L'un avec son genre apôtre, l'œil comme égaré, très bleu, le visage jeune encore marqué par je ne sais quoi de la vie, et dans tout le comportement un air de pauvreté qui l'emportait, le personnage qu'Ingeborg avait surpris aux Buttes-Chaumont, selon toute apparence ; de celui-ci mon regard passait par le Christian que je connaissais, qui n'a jamais eu à se préoccuper du lendemain, un sportif admirablement soigné, dans son corps et ses vêtements, le visage sans rides, fait de lait et de porridge ; et puis, je ne sais pas ce que cela signifie, il me semble que l'œil vers l'autre, le troisième, a quelque chose de douteux, de noir... nom de Dieu, je n'avais jamais remarqué que Christian était comme un chien vairon ! j'avais passé au tiers larron, qui avait les cheveux un peu plus longs, une mèche défaite, des sursauts dans le visage, une nervosité de l'épaule, ce bec de corbin déjà entrevu, le côté rapace ou quoi ? avait-il donc, Fustel-Schmidt, inégalement ouvert les feux, allumé les lampes qui éclairaient l'homme debout devant les glaces, de telle sorte que le type de gauche en semblât l'ombre ? Non. L'éclairage était égal. Je me mis invinciblement à penser qu'à l'inverse de toute vraisemblance, *l'image*, c'était non pas dans une glace ou l'autre les trois aspects de Christian, mais là, comme un résultat stéréoscopique, le fantôme unique formé de trois reflets superposés : je ne sais pas, si j'exprime bien ce que je veux dire... qu'il y avait trois Christian *réels* dans les glaces, et leur image au milieu, leur image nodale formée de la convergence dans le vide de leurs trois reflets, c'est-à-dire que brusquement le monde tout entier, je le voyais comme cela, le résultat d'un jeu de miroirs, l'interférence de sources lumineuses situées de l'autre côté des glaces. Et soudain la chose s'amplifia, jusqu'à l'angoisse, parce que je m'étais inconsciemment rapproché et que Christian, enfin le fantôme qui passe

pour Christian, jouait avec les volets, en faisant varier
l'angle avec le fond fixe, l'angle prolongé des deux ailes
entre elles, et les images, c'est-à-dire non, les Christian
réels des miroirs, se multipliaient et se démultipliaient,
dans la perspective à tout instant changeante, en de
longues files variables pliant comme les charnières, et
qui alternaient, selon un ordre de succession dont la
loi m'échappait, les profils et la face de l'homme virtuel
en des combinaisons, me semblait-il infinies, parce que
le reflet de droite dans un miroir de gauche revenait
miré par une autre glace se placer à l'envers d'un profil
de gauche, par exemple, et que ce double régiment de
Christian et Cie, comme un music-hall complexe, s'éclairait de toutes les possibilités de composition de trois
images cent fois répétées, semblables et dissemblables,
à en avoir le tournis. Et, comme le fantôme en relief
tournait un peu sa statue, les bonshommes dans la série
des niches de glaces se trouvaient les uns de face, les
autres fesse à fesse, ou se suivant comme pour aller
prendre un billet de cinéma. Christian faisait respirer
la machine, et les figurines ne se répondaient plus tout à
fait de même, c'était un ballet dont les danseurs avaient
un air de famille, série ange, série démon, série calicot.
Il suffisait pour cela, soit dans l'homme central, soit
dans les volets, de faire varier la dissymétrie, d'introduire un élément différent de dissymétrie. S'il fallait être
jaloux de tous les Christian!

« Et toi, — dit la voix unique, parlée par cent bouches, — qui avais l'ingénieuse idée d'ajouter d'autres
panneaux à mon Musée Grévin, histoire d'être moins
primitif... c'était ça ton idée ou quoi? Tu n'avais pas
un instant songé, du point de vue mathématique au
nombre de combinaisons auxquelles on aboutit avec
trois sujets qui se présentent de dos, de face, de profil,
de trois-quarts, et les glissements qui se font de reflet à
reflet : après quoi, ça se dit romancier! Une misère.
Et naturellement tu prends contre moi la défense de
ton devancier, le cher Robert-Louis Stevenson! Est-ce

que tu l'as lu seulement? Autrement qu'en diagonale? Qu'est-ce qu'il fait dire au malheureux Jekyll, qui n'a encore trouvé que le secret de se dédoubler, qu'est-ce qu'il dit lui-même sous le masque de Jekyll : *Others will follow, others will outstrip me in the same lines...* D'autres suivront, d'autres me dépasseront dans les mêmes domaines... *and I hazard to guess...* entends bien ça, il en faisait le pari... *that man will be ultimately known for a mere polity of multifarious, incongruous and independent denizens...* il prophétisait que l'Homme serait tenu au bout du compte pour une pure et simple communauté de citoyens polymorphes, discors et indépendants... Eh bien... »

J'étais trop sous le coup du spectacle, dans lequel je venais de m'insérer, étriplé moi aussi, sans avoir encore, dans cette sorte de rue de Rivoli, possibilité de me reconnaître sous les arcades, alternant avec la série Christian, m'y mêlant à ne plus savoir où j'en étais, bien trop sous le coup du spectacle, pour m'y reconnaître à coup sûr et démêler *lequel de moi* j'avais devant les yeux, ici Caïn, ici Abel, ou le troisième, l'arbitre, en qui tout le mal et tout le bien se confondent, s'équilibrent, se répondent dans la seule lumière d'Ingeborg d'Usher, dans les sentiments qu'elle fait naître, et cette musique d'éclairs entre les yeux des hommes, comme un duel à mill. et mille...

« Si un et un font trois, — dit narquoisement le speaker Christian, qui a l'air de distribuer des prospectus pour soupers au champagne place du Tertre, — que font mille et mille un par un, deux, trois, ensemble et séparément? »

Je ne suis pas fait pour les fantasmagories. Je veux bien qu'on exige de moi si je raconte l'histoire d'une dame de province qui rêve de Paris, tout aussi bien que celle d'un jeune homme qui a perdu l'adresse de cette demeure en Sologne où il avait aperçu par hasard une jeune fille à son goût, que je le fasse en montrant mes personnages comme des polyèdres qui ont tant de facettes à l'âme que le soleil s'y perd. Mais il ne faudrait pas s'imaginer que je vais me laisser éblouir moi-même par ce scintillement organisé, au point d'en avoir les yeux qui papillotent, les oreilles qui tintent, le cœur qui ne sait plus ce qu'il fait. Et puis ce n'est pas un, ni deux ni trois ni cent Fustel-Schmidt qui va ou vont me faire perdre l'équilibre et m'apprendre mon métier, sous le prétexte que Proust ou Joyce, et d'ailleurs pourquoi pas Musil pendant qu'on y est (ceci soit dit au moins en souvenir de Josef Roth, puisque, dans ce temps-là, qui, lui et moi mis à part, se souciait en France de Robert Musil, dont aujourd'hui, après un quart de siècle pile, la mode se met dans les têtes pensantes) ? Anthoine Célèbre prétend que le réalisme réside en ce que même les fantômes aient grand soin, quand ils marchent sur les toits, de ne pas en casser les ardoises avec leurs chaînes traditionnelles. Je tapai donc sur l'épaule du Christian central, une bonne épaule, en chair et en os, bien rebondie (le bouquet!) et lui coupant ses développements qui menaçaient de s'étendre, je lui dis : « Tu ferais mieux de fermer tes volets, parce que si tu dois nous le verser à tous, ce whisky, on n'en aura pas chacun besef... »

V

Une plaisanterie en amène une autre, et c'est comme
ça que Christian fit marcher la radio, et que nous apprîmes que le Reichskanzler Adolf Hitler avait couché au
Hradcin parce que ce soir-là il se contentait de Prague.
Le whisky de Christian, c'était de l'irlandais, et vous je
ne sais pas, mais moi je n'aime pas ça. Quant à lui, il
était parfaitement assuré qu'à côté de son Joyce toutes
les variétés de scotch étaient de la bibine, et le deuxième
verre ayant fait rentrer dans l'ordre ses aspects n° 2 et
n° 3, il se mit à me raconter comment il avait été consulter chez un praticien de première bourre pour ce qui
était de ces façons qui l'avaient pris de se cliver pis que
du gypse dès qu'il se trouvait en sandwich entre des
glaces articulées. L'homme de l'art, après lui avoir
regardé les gencives pour savoir l'âge du cheval, et
l'avoir dépouillé de son slip parce qu'on ne sait plus à
qui on a à faire de nos jours, l'avait prié de se rhabiller,
sur le ton de quelqu'un qui est plutôt choqué de ce
qu'on vient de lui montrer, lui dit que son cas commençait à devenir banal, c'était comme, et pour anticiper,
je dirais aujourd'hui les effondrements de ménisques ou
les becs de perroquet aux vertèbres : ce sont de ces
maladies qu'on ne connaît pas, puis il y a eu une
communication scientifique en Scandinavie, un cas à
Melbourne, la presse s'y met, on en trouve vous diriez
des trèfles à quatre feuilles. Donc, les trois reflets, ça se

disait ainsi presque comme s'il s'agissait d'un gibus,
étant devenus d'observation courante, après de vives
polémiques, des accusations de faux scientifique, etc.,
peut-être pas encore dans le public, mais dans les
milieux spécialisés on tenait au moins pour une hypothèse
provisoire valable la théorie d'un auteur japonais suivant laquelle les personnalités secondaires étaient en
réalité des jumeaux de l'homme vivant, mais qui pour
une raison ou une autre étaient demeurés à l'état embryon-
naire. Vous savez, disait l'éminent praticien, on en
trouve comme ça, quand ils sont déjà suffisamment
avancés, dans des tumeurs qui deviennent facilement
malignes, ce sont les cancérologues qui ont attiré notre
attention, souvent même le germe ne vient pas du père,
c'est un héritage de la génération précédente qui se fait
du côté maternel, si bien que le sujet en présente non
seulement sous la forme de seins supplémentaires,
c'est-à-dire de petits grains sur la ligne mammaire, mais
n'importe où, dans l'aisselle, dans la bouche, l'ovaire
ou le testicule, souvent constituant une sorte de noisette
susceptible de prendre des proportions, et qui contient
non pas un petit frère ou une petite sœur du patient
mais un oncle, une tante... c'est intéressant, pas vrai ?
Les psychologues en sont fous. Je veux dire pas des
tumeurs embryonnaires, cela c'est déjà vulgaire, connu,
archiconnu, mais des tumeurs psychiques, si j'ose dire,
du développement de personnalités marginales, qui
expliquent ou pourraient expliquer toute sorte de choses
jusqu'à ce jour demeurées déroutantes, par exemple,
souvent, les différences d'âge entre ces personnalités.
Différences d'âge, on dit différences d'âge par défaut de
vocabulaire : parce qu'il ne s'agit pas du fait qu'un
bébé pourrait avoir un reflet vieillard ou inversement...
mais qu'un reflet, normalement constitué, n'appartient
pas à l'époque de la personnalité dominante, vous
saisissez ? non... eh bien, vous voilà devant un moi (un
vous), un homme de 1939, avec tous les concepts que le
développement de la société et des sciences contempo-

raines vous a permis d'acquérir, et puis vous avez un reflet marginal qui n'a encore ni l'électricité ni le téléphone, et je ne parle pas de l'aviation! Il ne sait pas des choses que vous savez, parce qu'il a l'âge qu'il aurait dû avoir si votre grand'mère en avait accouché. Vous voyez ça d'ici? Cela complique considérablement la conversation entre les *aspects*, c'est ainsi qu'on dit, d'un homme. Il ne vient naturellement pas à l'idée de l'aspect majeur, c'est-à-dire A, d'expliquer à A′ ou A″ le décalage qui existe entre eux, et de leur faire suivre des cours du soir, afin d'aider à la réunification de leur personnalité collective. C'est où le médecin intervient, car jusqu'à présent, malgré des propositions intéressantes, les chirurgiens n'ont pas tenté l'ablation des personnalités latérales, l'amputation d'un oncle ou d'une tante. Des considérations d'ordre religieux ont gravement entravé les expériences dans une série de pays, où la majorité catholique est parvenue à donner valeur légale aux obstacles dogmatiques, comme en matière d'avortement. Cependant la discussion est ouverte dans les cercles les plus éclairés du monde ecclésiastique pour savoir si les reflets peuvent être considérés comme des créatures distinctes, qu'il serait donc criminel devant Dieu de supprimer, ou comme de simples *membres* de la personnalité envisagée. L'hypothèse qui tend à prévaloir s'appuie assez étrangement de la part d'hommes de Dieu sur une donnée matérialiste, qui voudrait que les reflets ne soient jamais *premiers* à ce qu'ils reflètent, qu'ils n'aient de réalité que dans la matière de quoi le reflet est seulement l'image. Ce que cela signifierait en passant pour l'art du romancier... Mais, sans nous lancer dans tout cela, et pour nous en tenir à la pratique médicale immédiate, au point où nous en sommes, la cure se réduit à la rééducation gnostique. Il s'agit, au moins pour ce qui est des connaissances, de ramener les reflets à l'unisson, parce que la discordance entre A et A′, A et A″, ou (ce qui est plus malaisé à soigner) entre A′ et A″, peut être génératrice de psychoses sur lesquel-

les jusqu'à présent nous sommes sans aucune prise.
Enfin, à en croire cette sommité, la découverte par la
science d'un phénomène que les malades, dans le passé,
avaient sans doute toujours dissimulé aux médecins
était de nature à jeter un jour entièrement nouveau
sur la somatique humaine, comme sur un très grand
nombre de cas psychopathologiques. « Cette dissimulation de la part des patients, qui tient sans doute pour
une part à ce qu'ils n'imaginent point que le fait qu'ils
cachent relève de la médecine, a eu pour effet de maintenir celle-ci, — disait le professeur Y..., — au niveau
de l'art vétérinaire, c'est-à-dire de ne guère permettre
autre chose que des soins empiriques, sur des hypothèses
fantaisistes, basées sur des symptômes adventices que
le malade consentait à nous livrer... » Christian, qui
avait l'esprit plus vif que je n'aurais cru, et pour ma
part je n'aurais jamais pensé tout seul, avec cette rapidité, à une chose pareille, avait demandé à son interlocuteur si l'on ne s'était pas préoccupé des incidences que,
non seulement les différences de génération entre les
reflets, mais des différences de sexe entre eux pouvaient
amener dans les échanges entre A, A' et A", dans la
constitution même de la personnalité visible, il voulait
dire *tangible*, je pense. Le médecin sans vraiment lui
répondre, et suivant sans doute ses propres préoccupations, avait dit alors que l'homosexualité ou l'hétéro-
sexualité des reflets n'étaient que des facteurs entre
autres du problème, mais qui déjà permettaient d'entre-
voir une révision de la psychologie de Siegmund Freud,
d'éclairer certains points demeurés obscurs dans l'expé-
rimentation psychanalytique, que les rapports entre
l'être humain et ses reflets, sans oublier les rapports
des reflets entre eux, pouvaient suivant les cas, sexuel-
lement, ne pas dépasser les simples rapports familiaux,
de l'inceste à l'indifférence, mais aussi devenir des
éléments fondamentaux de la personnalité, expliquant
les malformations intellectuelles, les vices, voire le
génie... La question se posait aussi de savoir si des

phénomènes semblables pouvaient exister dans les séries animales, mais on n'était pas encore parvenu à en déceler la preuve, et les expériences d'un professeur d'Oxford sur les fourmis qui tendaient à prouver que celles-ci souffraient *toutes* de dédoublement de la personnalité demeuraient fort douteuses. Encore qu'on ne pouvait pas ne pas apercevoir que dans le cas où cela se confirmerait, cela risquerait de déborder par ses conséquences la médecine et la zoologie en général : parce que, si les fourmis se trouvaient seules à présenter ces phénomènes dont l'existence est aujourd'hui démontrée dans l'espèce humaine, il ne serait pas possible d'ignorer la coïncidence de cette constatation avec celle de l'organisation sociale des fourmis, étrangement voisine des formes supérieures de la vie chez l'homme. Mais ceci était encore, plus que de celui de la science, du domaine de la science-fiction... « De toute façon, — dis-je, — il restera, dans le match intellectuel entre la fourmi et l'homme, à démontrer que la fourmi n'est pas seulement susceptible d'avoir des personnalités-reflets, mais aussi capable de s'en inventer. J'entends par là que, science-fiction ou fiction tout court, le problème principal, pour l'égalité de l'homme et de la fourmi, demeurera de savoir si celle-ci est ou non munie du concept *roman*, si elle est capable de créer des fourmis imaginaires... »

J'avais interrompu Christian avec quelque agacement, moins pour le désarçonner d'une boutade, que pour lui clore le bec.

C'est que, pour ma part, malgré l'intérêt de tout cela pour le romancier, malgré la découverte que je venais de faire, mais que je n'ai pas eu encore le temps de souligner, Christian ne cessant de parler une fois mis sur le sujet, la découverte de ce que moi-même j'appartenais, sans l'avoir jamais su, au monde des hommes-triples, ce qui ouvrait devant moi de remarquables perspectives dans mon art, j'étais tout autrement remué à l'idée que peut-être, peut-être un cas comme celui d'Anthoine

Célèbre, après tout infiniment moins compliqué, du moins à première vue, pouvait devenir curable. J'avais encore dans l'oreille la réponse d'Anthoine quand je lui avais demandé si c'était parfois douloureux d'avoir perdu son image, son ton de voix pour dire *parfois, c'est atroce*... Si le cas d'Anthoine est curable, peut-être alors, la dissociation qui s'est produite en lui, *qui s'est produite en nous*, est-elle réductible... peut-être Fougère un jour va-t-elle cesser de jouer de nous, de nous opposer, peut-être y aura-t-il « réunification » de nos yeux, peut-être la vie redeviendra-t-elle simple, et transparente, avec la fin des hommes-doubles, les temps comme les yeux changés... Si le cas d'Anthoine est curable... Aussi avais-je le vague espoir que Christian ne m'ait pas tout à fait tenu parole, et qu'il ait parlé de la perte d'image à son spécialiste, c'était peut-être déjà quelque chose, sans qu'Anthoine ou moi nous l'eussions su, de parfaitement classé, à ce niveau expérimental de la médecine moderne. Eh bien, non imaginez-vous ! *Non*, je veux dire que ledit spécialiste était tombé de son haut, personne à sa connaissance n'avait jamais entendu parler de ce que, parce qu'il fallait tout de suite un mot pour appréhender le concept, il inventa sur-le-champ d'appeler un *schlemihlisme* d'un genre nouveau.

Naturellement, Christian n'y avait pas tenu : il avait posé la question, puisque la consultation avait lieu après que je lui ai parlé du cas Anthoine. Mais, à l'en croire, il ne m'avait pas à proprement parler manqué de parole, parce qu'il s'était cantonné dans les généralités, n'avait nommé personne, se référant au cas de quelqu'un qu'il avait rencontré en Suisse, au cours d'une villégiature, et que l'atmosphère des glaciers, vous comprenez, l'air des hauteurs, l'isolement, avaient incité aux confidences. Bien sûr, le professeur terriblement excité l'avait pressé d'essayer de se rappeler, de regarder dans ses vieux carnets, peut-être Christian pourrait-il retrouver une adresse, un numéro de téléphone, la piste de cet ami de rencontre, ce serait si important, pour la science, cela permettrait peut-être certaines expériences... qui pourraient aboutir à dépister les monstres mentaux, à inventer une sorte de vaccination de l'esprit contre l'anomalie, que sais-je ? Mais Christian, s'il n'avait pas prononcé le nom d'Anthoine, ce n'était pas seulement parce qu'il m'avait juré le secret : c'était à cause d'Ingeborg. Vous imaginez ce que ce serait dans sa vie, si tous les médecins du monde tombaient sur son mari, le soumettaient à tous les tests, les examens, les expériences de la psychopathologie expérimentale moderne! On les entend d'ici, parlant de la maladie d'Anthoine Célèbre, bien que d'habitude ce soit plutôt le médecin que le malade qui donne son nom clinique à une affection nouvellement décelée... sans doute un peu pour des raisons d'orgueil professionnel... d'habitude évidemment, le malade, son nom ne dirait rien à personne, et puis sa maladie appartient au médecin, qui en fait le diagnostic, la suit, l'étudie, le malade n'est plus rien, c'est la maladie du médecin, à lui en vient la gloire! Mais il ne faudrait qu'une fois, un savant modeste ça peut se trouver, et qui aurait idée que du point de vue de la *réclame*, c'est-à-dire de la portée de la découverte, y attacher son nom à lui n'ajouterait rien, tandis que... avec quelqu'un d'aussi connu qu'Anthoine, songez donc, d'autant que ça ne sonne pas mal, le syndrome d'Anthoine Célèbre! Ingeborg ne pourrait plus aller dans un restaurant avec lui, sans que la presse et la radio s'en mêlent, on ne pensait pas encore à la télévision... « Et alors ce syndrome, Monsieur Célèbre ? Savez-vous que l'assassin de la Porte Dorée est très sérieusement suspecté d'être atteint au moins de détérioration de son reflet ? Et Mme d'Usher pourrait peut-être nous dire un mot sur l'effet que ça lui a fait, quand elle a appris... » Tant pis pour la médecine expérimentale !

Oui, on peut d'une certaine façon se représenter, avec un miroir Brot par exemple, la pluralité de l'homme : mais cette atrophie du reflet, ce blanchiment progressif de l'image allant jusqu'à sa disparition, cela, je ne vois pas comment, médicalement ou non, je pourrais diable me l'expliquer... bien que puisqu'il existe des aveugles, il puisse bien y avoir des hommes sans reflet, ou dont le reflet, qui sait, soit imperceptible à l'œil ordinaire? Quelqu'un ne va-t-il pas inventer une machine à percevoir les reflets qui nous sont insensibles, lesquels peut-être, peut-être sont comme la lumière que nous appelons blanche, et tenons pour un vide, tant que nous n'en avons pas matérialisé le spectre, que nous n'y avons pas découvert l'éventail des couleurs?

Et peut-être aussi, pour ceux qui ne voient pas leur image, y aura-t-il un jour moyen de la rendre sensible, de l'enregistrer, de l'agrandir jusqu'à la visibilité, s'il s'agit d'atrophie du reflet, d'éloignement à distance stellaire, ou de la transcrire dans une sorte de Braille, sait-on jamais? peut-être arrivera-t-on, par un perfectionnement de l'emploi des semi-conducteurs, des conducteurs discontinus (c'est presque mon Pouchkine!) ou même des non-conducteurs, à munir le malade d'une sorte nouvelle de transistor à reflets, qui lui permettrait de voir son image, sans en affecter toute la famille, ou de l'entendre, de la toucher même... A ce point d'exploration des choses, j'imagine ce que sera devenu le métier de romancier.

Parce que, de quelque façon que j'envisage l'avenir de la science, étant donné que je suis un homme professionnellement défini, il m'en faut tout de suite, pour comprendre ce que je pense, me le représenter dans ses applications à mon métier, dans ses incidences sur la création, héros ou comparses, des personnages de roman. Tout au moins, cela me semble-t-il ainsi, mais peut-être derrière toutes ces rêveries théoriques se glisse-t-il pour moi une ambition toute autre, celle d'atteindre au-delà de mes propres songes, dans la femme que j'aime, la vie fuyante des reflets, l'objet, terriblement réel, de la jalousie... Je crois à l'extension illimitée des connaissances humaines, mais je sais, je sais que ces connaissances ne feront jamais qu'accroître le domaine de la souffrance, qu'elles pourront éclairer celui-ci, mais ne permettront jamais par exemple, à l'homme d'acquérir la certitude d'être aimé.

C'est pourquoi *savoir* ne me suffira jamais, et jamais ne me dispensera de *mentir*. Mentir est le propre de l'homme. Qui a dit ça? Moi, sans doute. C'est par cette propriété du mensonge qu'il avance, qu'il découvre, qu'il invente, qu'il conquiert... c'est par cette *hypothèse* qu'il se dépasse, qu'il dépasse ce dont il peut témoigner, ce qu'il tient d'autrui ou de l'expérience. Est-ce que la fourmi peut, *sait* mentir? La forme la plus haute du mensonge, c'est le roman, où mentir permet d'atteindre la vérité. Cet imbécile de Christian qui me donne des leçons touchant Robert-Louis Stevenson! Qu'en sait-il, de R.-L. S.? Ce qu'il a bien voulu, lui, nous livrer, et encore dans la mesure où on l'identifie à ses personnages... comme ça nous arrive à tous. Dans *Jekyll*, par exemple, dont Stevenson disait si joliment à Andrew Lang : *I want to write about a fellow who was two fellows*... je veux écrire d'un type qui était deux types... ce qui suppose une préméditation singulière du rêve après lequel, paraît-il, R.-L. S. l'aurait écrit d'un coup, ou tout au moins l'intention de faire passer pour consciente une création d'origine mystérieuse : dans l'un ou l'autre cas, il y a mensonge. Mais Christan a-t-il lu Chesterton qui écrit précisément de Robert-Louis : *Why should he be treated as a liar, because he was not ashamed to be a story teller ?* Et n'ai-je pas le droit de le demander pour moi-même : pourquoi serais-je traité de menteur parce que je n'ai pas honte d'être un conteur d'histoires ?

SECONDE LETTRE A FOUGÈRE OU IL EST QUESTION D'UNE GLACE SANS TAIN

Fougère, dans la Scène I de l'Acte IV, c'est-à-dire après un long développement du drame appelé *Tempête*, William Shakespeare, quand sous le nom de Prospero il vient d'accorder sa fille Miranda à Ferdinand, déclarant que tout ce qui précède n'était qu'épreuve de leur amour, et fait des esprits qu'il commande sous le nom d'Ariel; les simples acteurs d'un Masque, ainsi qu'on nommait ces divertissements donnés aux noces princières, William Shakespeare dit soudain une chose pour quoi nous sommes aujourd'hui près d'oublier tout le reste de ce poème. C'est où il explique à ce nouveau fils qu'il a que le monde même, ses tours coiffées de nuées, ses palais superbes, ses temples solennels, oui, tout ce dont il est héritage, va se dissoudre comme ce spectacle immatériel s'est évanoui sans laisser même une ruine derrière lui, et dit

*... we are such stuff
As dreams are made of, and our little life
Is rounded with a sleep...*

nous sommes de l'étoffe même dont sont faits les rêves, et notre petite vie est entourée d'un sommeil... Fougère, que crois-tu ? que Shakespeare n'a inventé Prospero, Caliban, Ariel, Miranda, Ferdinand, l'île et la tempête, et le monde au loin de ministres et de rois, que pour avoir occasion de dire au quatrième acte de la pièce, comme Calderon, que la vie n'est qu'un songe bref dans la nuit universelle, ou bien... Ou bien qu'ayant inventé Prospero, Sycorax, la grotte et le navire en détresse, le roi de Naples et le duc de Milan, cet auteur en fut conduit par ses créatures à faire dire à son Magicien que nous sommes, et ainsi de suite, de l'étoffe des rêves... Choisisse qui peut! Nous vivons en un temps où la magie a rendu la prédiction de Prospero tangible, et pour demain, non seulement aux princes, croyable le retour au sommeil circonvoisin des plus humbles objets, aussi sommes-nous prêts à penser que c'était là tout ce que par un détour de splendeur a voulu dire, et dit, l'Acteur qui revient à la fin de la pièce, bonnet en main, demander l'indulgence.

Et nous sommes de l'étoffe même dont les rêves sont faits...

Fougère, je t'écris pour m'excuser d'écrire, et peut-être que toutes mes fictions ne sont qu'approche d'une petite phrase à l'Acte IV qu'il m'arrivera de dire, en tout cas c'est à toi qu'elle sera sans nul doute adressée, une phrase pourtant que tout le vaste monde, et cette vie qui me fut donnée avec son visage de Miranda, m'auront dictée, et ne faut-il pas que tu saches, dans cette extrême confusion de toute apparence et de notre âme, que je n'écris point, je t'écris...

Et les rêves sont faits de nous comme nous sommes faits de rêves.

Fougère, qu'est-ce que je sais de toi, ma vie, et de moi que sais-tu? L'homme et la femme, dans les bras l'un de l'autre, auront-ils donc traversé ce rêve d'eux pour retourner au sommeil sans qu'en demeure sur la colline une colonne brisée, un pan de mur au lierre de l'avenir? J'écris, j'écris contre la montre, et dans ma gorge est le désespoir de ton chant, je ne suis que ton chant, ton cri perpétué. Mais périsse après tout ce que nous fûmes si, pendant ce petit rêve de nous, du moins, j'ai su, ce chant, l'entendre, et briser entre nous ce magique mur dont sont les êtres séparés. Ici commence, mon amour, l'histoire de la glace sans tain.

Dans ce livre qui m'a valu la considération de Christian, à cause des hommes-doubles, il y a un petit hôtel boulevard Bineau, à Neuilly, où Carlotta a été mise dans ses meubles par son banquier, celui justement qui dit que nous sommes à l'époque des hommes-doubles. C'est dans le petit salon du rez-de-chaussée que ce garçon qui me ressemble en beau deviendra l'amant de Carlotta, dans le sofa sous la glace sans tain, par laquelle on plonge dans le grand salon, une grotte dix-huitième hantée de fantômes 1900, où l'on ne se doute pas de ce qui passe de l'autre côté du verre. Rien du mobilier n'existait dans l'hôtel du boulevard Bineau à partir de quoi tout ceci s'échafaude. L'hôtel, il vient de mon enfance, d'une histoire que j'ai racontée, en l'appelant *Le Mentir-vrai*. Le vrai, c'est la glace sans tain. Le mentir, qu'il y ait au mur un Bonnard ou un Odilon Redon. Mais aujourd'hui, mon amour, pour nous, je ne garde que la glace sans tain. Que le vrai.

Je ne sais dans quel propos ni quand, pour quelles fins politiques ou par quel égarement des sens, les hommes inventèrent ce subterfuge qui a l'air d'un miroir, et celui qui le regarde n'y voit que sa propre semblance, n'en pouvant de l'œil percer la surface, tandis que ceux-là qui se tiennent derrière sans en être vus peuvent à leur aise le voir et tout ce qui se passe dans la première chambre, apparemment ornée d'un innocent miroir. Je n'en irai pas chercher l'origine, les secrets de fabrication ni l'usage, dans les Encyclopédies. Il me suffit, pour m'en servir, d'un simple objet de métaphore, et c'est à lui que je m'entends borner.

La première métaphore est celle du sommeil et de qui le contemple.

Je te regarde dormir et qu'est-ce que je vois sinon ce corps immobile ou vaguement qu'agite une chose ignorée. Il ne m'est donné de voir en toi que cette image femme de moi-même, tu m'es le mur où mon regard finit. Jamais je ne passerai le seuil de la seconde chambre, où tu rêves. Jamais je ne traverserai le faux miroir qui n'est que l'écran entre moi mis et là-bas où tu es vraiment ce qui se passe. Derrière le miroir sans tain, que dissimules-tu ? Et ne te défends pas de mon extrême jalousie à dire que le phénomène est réversible, si bien que toi non plus tu ne vois de moi que cette apparence, endormie, éveillée, et point ce qui m'habite, et que par conséquent ma métaphore boite, puisque de la seconde chambre on ne voit dans la première qu'une apparence. Je le sais. Mais que soit aveugle qui est de l'autre côté de la glace n'en fait pas moins que de ce côté-ci je meurs de ne point pénétrer son secret. Aussi désespérément voudrais-je, comme un roi qui rend sans besoin son armée pour persuader l'adversaire de mettre ses armes bas, voudrais-je prendre, et je prends les devants, je t'ouvre mes rêves, c'est là ce que j'appelle écrire, et je t'écris, Fougère. Pour rien d'autre que te donner vue au-delà du miroir. Et pour autant qu'il n'est encore objet que de la première métaphore, je brise le verre sans tain, afin que tu puisses plonger dans mes rêves.

La seconde métaphore est celle des mots qu'on dit et de ce que j'entends d'eux.

La conversation des êtres à sa manière aussi fait figure de glace sans tain. Celui qui parle est dans la deuxième chambre, et tend devant son visage le miroir impénétrable des mots. Quand tu dis qu'il fait beau, à quoi donc penses-tu ? J'entends qu'il fait beau, c'est tout. Je n'ai de toi que cette apparence, ce voile. Les mots me sont naïfs, n'ayant que ce sens ordinaire qu'ils ont pour moi. Que me caches-tu sous chaque chose que tu dis ? Comment veux-tu, si cette idée un instant m'effleure, que ne se brouillent mes yeux de tout ce qu'ils ne peuvent voir? Et il me faut pardonner du délire d'interprétation qui de moi s'empare si tu dis qu'il fait beau... car pour que tu sentes nécessité de me dire si peu de chose afin de me cacher ce qui t'importe, n'est-ce pas que ce qui t'habite a raison majeure de m'être dérobé, comme un amant dans une armoire, comme le déchirement d'un plaisir dont je suis exclu, d'une douleur non partagée, d'une vie en dehors de moi, un moment de ce petit songe où tu préfères m'écarter, irrémédiablement que tu auras sans moi vécu, frémi, gémi, que sais-je? mais sans moi. Et ne me dis pas que les mots sont faits pour dire et non pour cacher. De quoi me plaindrais-je précisément, si ce n'était de leur perversion? Le pire avec eux n'est pas le mensonge, car il fait beau quand tu le dis, et la vérité peut-être pourtant serait de le nier à la face du soleil... Tu le sais, et le miroir sans tain des mots, nul mieux que toi n'en connais la nature, qui appelles ce qu'ils ne disent pas *l'arrière-texte*. L'arrière-texte est la chambre seconde où je ne puis entrer. Mais je nourris cette fièvre de mon sang, à croire que si je te jetais les clefs de mon âme, peut-être, alors, me laisserais-tu voir dans la tienne, et serait le miroir qui t'abrite brisé.

La troisième métaphore est celle de la vie.

A quoi bon s'expliquer de cela, si n'est la vie autre étoffe que des rêves? si le sommeil de toutes parts m'entoure, et toi, sans que de nous, dans un parc oublié, un banc où tu t'assis demeure? La troisième métaphore est celle de la mort. Dérisoire comme les cérémonies. Comme un miroir sans tain quand, dans la chambre claire, il n'y a plus personne. Comme une parole sans oreille, un amour d'absence, un désert de parfums.

Car nous sommes de la soie étrange dont les rêves sont faits. Soulève ce rideau qui obscurcissait le miroir, que j'y voie à défaut de toute autre lumière, au moins pour un instant, nos visages mêlés. Ici, j'ouvrirai devant toi la porte de mes rêves, pour toi je trahirai ce que je n'ai pas dit.

Il fait beau, mon amour, dans les rêves, les mots et la mort. Et la vie? Il fait beau, mon amour, il fait beau dans la vie. Il fait beau dans l'amour. Il n'est parole qu'il fait beau, les yeux ouverts, les yeux fermés, même à cet homme de blessure que je suis, que je fus tout le temps d'avant toi, et le temps de t'aimer. Si beau, si bleu, si pur et si profond que c'en est à se perdre, à refuser de croire avoir jamais rêvé.

*

Une grande maison à deux corps, assez vide, inconnue et familière, avec trois étages dans un bâtiment haut et étroit, un grenier au-dessus, le second y formant angle, perpendiculaire, large et plus bas d'un palier sous les tuiles foncées, qui constitue le fond d'une cour-terrasse, avec, à sa droite, un mur surmonté d'un grillage de bois bleu délavé, face au premier corps, et sur le grand côté non bâti de la cour, face au second, un appui courant de pierre comme un long balcon à rêver, vers la plage, la mer, ce qu'il peut bien y avoir au-delà, peut-être simplement une prairie, des luzernes... Je sortais de l'édifice du fond, de l'escalier de l'édifice (je souffre d'expliquer tout ça qu'on voit, tout le monde, d'un coup d'œil), je dégringolais précipitamment de cet escalier, de cette demeure mal meublée, aux volets croisés, avec cette ombre que l'été exige. Fougère, avant moi, venait de passer, gagnant *l'annexe*, l'annexe de quoi? enfin ce grenier que je disais où elle est à faire ses comptes. Je lui courais après, dire, laisse donc, laisse donc, ne te fatigue pas, qu'est-ce que tu as à compter? On vient d'arriver, on n'a encore rien dépensé, sauf la fatigue, tu fais peut-être tes comptes de fatigue? Vois-tu, le terrible, c'est de toujours tout prendre du milieu, je viens de traverser, pardon, nous venons de traverser un pays, des campagnes, des lieues et des lieues de campagnes, en se trompant toujours de chemin, des routes obliques, l'autre serait plus courte, voyons, tu ne voulais jamais me croire, tu disais d'un air las que tu ne voulais pas d'expériences, que ça allait tortiller. Je ne sais plus guère si on était à pied, ou en chemin de fer, en auto... peut-être dans un char à bancs avec un cheval. Un pays de propriétés, des forêts qui n'en sont pas, des villages évités... En tout cas, tu avais tout de suite gagné, à peine les bagages portés dans cette chambre sombre, avec des taies blanches sur des sièges de velours usé, tout de suite l'autre corps de l'édifice, le grenier, là-haut, par des marches à jour, on voyait le vide sous ses pieds... comment pouvais-je le savoir puisque moi je n'avais pas dépassé la cour, la porte, le retrait devant la porte, et là, je n'étais pas tombé, non, je m'étais couché, mais sans vraiment le vouloir, comme ça, de tout mon long sur le dos... sur les dalles...

C'était une fatigue mortelle, il fallait bien se mettre sur le dos, toucher le sol, j'étais fatigué de l'idée que tu faisais tes comptes, mais pour aller d'une haleine te dire d'arrêter, que ce n'était pas la peine, j'avais d'abord, un instant au moins, à souffler un peu, là, sur la pierre, la poussière. C'était cela, le milieu, ne plus savoir ni ce qui vient avant, ni ce qui vient après, rien, rien que la fatigue entre les deux, les muscles du dos que l'on sent sur les inégalités du sol, les épaules, les bras à mesurer l'espace, toute l'étendue continuée de soi et du monde... le poids géant des jambes, les pieds bleus de veines...

Alors, brusquement, tout l'espace, terrasse ou que dire, comment, jardin, balcon, le lieu d'entre les murs au bord profond du ciel et de l'invisible mer, s'emplit d'une espèce de bourdonnement vif de la jeunesse, d'un envahissement de je ne sais trop, des danseurs ou quoi, avec une fille au centre, pas très belle, pas très singulière, sauf ce pouf de cheveux noirs comme on les fait maintenant saillir, sur la tête et le décolleté, cela branle de gauche et de droite, les bras nus, le jaillissement pâle de la chair, d'une sorte de corset d'aujourd'hui... qu'est-ce que c'est que ce ballet? Pas de la danse, du carnaval, ou simplement le mois d'août qui veut ça, tous ces enfants, ces joueurs de chistera ou de tennis, ces types de cuir qui ont laissé leur moto derrière le mur, les nageurs avant ou après le bain... La fille avait l'air d'ordonner leur défilé, ils s'étaient rangés autour d'elle, peut-être une quarantaine, à se trémousser, ou plus... Quelqu'un me parlait, me disait, pourquoi ne pas se joindre à eux, et moi, ce n'est plus de mon âge. Vous voulez rire? disait la voix, quel âge avez-vous donc? L'âge d'être fatigué en tout cas, d'être contre la terre, déjà presque nu pour elle, la carcasse, la chair... Et je me demandais en effet l'âge que je pouvais bien avoir, j'avais oublié, j'étais jeune encore, en tout cas hier, avant-hier, mais pas jeune comme ceux-là, ce type qui a passé à côté de moi et rejoint les autres d'un saut dans l'air, comme un oiseau, les ciseaux bondissant haut au-dessus de ces gueules de soleil... et ce que je voyais bien sans voir ce qu'ils faisaient ou pouvaient faire, tous, qui n'était pas de mon temps, tomber du ciel en parachute, plonger avec un casque et un trident, pêcher le congre au cœur de la mer, s'accrocher à des bolides sur la rade, le ski nautique, les hors-bords... est-ce que je sais? Moi, j'étais là par terre, à me dire je suis jeune encore, jeune, mais autrement, comme on l'était voilà... voilà... Parce qu'il n'y a aucun moyen de fixer approximativement l'époque où on est, même pas à lire ce vieux journal qu'un coup de vent a rapproché de moi, déchiré, où il y a des meurtres, des accidents, des sports, la date d'août, mais de quelle année? Pas moyen, pas une guerre, un événement reconnaissable, pour fixer les coordonnées du siècle... un nom qui soit du vocabulaire de ma mémoire... Jamais je ne pourrai les suivre, danser avec eux, enjamber sans tremplin les têtes, filer sur l'eau derrière un canot automobile... est-ce que seulement je sais toujours nager ? Je dois savoir, je dois savoir, mais il faudrait d'abord se lever, se tenir debout, faire le mur, joindre la mer, sous les rires de tous ces gens-là, qui sont de ce jeu clair où je n'ai point de place, et Dieu sait ce qu'ils ont dans le crâne, à quoi ils se reconnaissent entre eux ! J'ai pensé de moi tout à coup avec horreur : *Gulliver chez les jeunes gens...* et pourtant la voix, quelqu'un que je ne voyais pas, du seuil de la maison, du vestibule au moins, me répétait que j'étais jeune encore... d'abord j'étais prêt à croire le personnage invisible, d'ailleurs je me sentais vraiment jeune, je me sens toujours jeune, mais il y avait cet *encore* : on dit *jeune encore*, on vous dit *jeune encore*, et ça y est, c'est fichu, on est vieux, de tout cet encore-là, ce petit mot qui est comme le test dont j'ai toute la vie attendu la vérité sur moi-même, vous savez, on se pince la peau sur le dos de la main, et si elle traîne à se remettre en place, alors c'est qu'on est un vieillard... je n'ai pas eu un matin, depuis l'âge de trente ans, où je n'ai regardé, vérifié, d'abord c'était une plaisanterie, puis elle a fait long feu, c'est devenu sérieux, c'est devenu tragique... Si je m'écoutais pourtant, je mesure la terre, des épaules, des reins, des cuisses, je la domine de mon corps, je suis vivant... jeune, jeune...

Qu'est-ce qu'il y avait avant, qu'est-ce qu'il y avait après, je ne sais pas, je ne peux pas le savoir. Sauf que Fougère était dans le grenier. Rien ne peut expliquer pourquoi, sans même déballer ses valises, y pêchant ses petites pantoufles jaunes seulement, elle a couru comme cela par les deux escaliers, l'escalier de pierre pour descendre, et pour monter dans l'à-jour des planches l'escalier de bois, jusqu'au grenier où rien n'est peint, tout s'érafle, il tombe une fine sciure du plafond. Est-ce qu'elle avait rendez-vous, avec qui, personne, un souvenir peut-être, pourtant elle n'est jamais venue ici, du moins je le croyais, une ombre, une trace de pas, la buée d'une bouche sur un bout de métal, un calendrier avec une date marquée en rouge... est-ce qu'elle m'a fui, est-ce qu'elle commence une autre vie sans moi, je n'aurais pas dû insister pour que nous prenions cette route sombre, où nous nous sommes enfoncés, il a fallu revenir sur ses pas, personne à qui demander, des écriteaux effacés, brisés, en langue étrangère. Je ne peux pas me relever, aller courir à elle, la surprendre où cela se détourne de moi, la prendre dans mes bras, lui dire : folle, folle... mais c'est plutôt moi, le fou... d'ici je ne peux pas comprendre ce qui se passe dans le grenier, ses pas sur les planches, un objet qui tombe, un meuble hors d'usage qu'on écarte, un carton qui s'ouvre et c'est une pluie de vieilles cartes-postales, la vie des autres, bons baisers de Sicile ou les quatre nègres qui mangent des tranches de pastèque, que cherche-t-elle, Fougère, quelle porte de sortie ? Je ne peux pas me lever, j'attends sur le plancher que le temps vienne me disséquer, la peau d'abord, avec toutes les précautions possibles, qu'on fixe avec des érignes, et il n'aura pas de mal avec la graisse jaune vite dessous raclée pour voir par transparence les pensées de mon sang et de mes nerfs, les stries des muscles, la nacre d'aponévrose... le temps a les doigts fins, le scalpel merveilleux, et jamais ne se hâte, on ne sait jamais où commence le souffrir qu'il vous fait, aucun vent ne lui enlève la poussière qu'il creuse, s'il se trompe on n'en saura rien, tout ce qu'il dessine passera pour chef-d'œuvre, il ne se répète point, chaque blessure est invention, chaque chemin tracé dans l'homme, chaque fossé, chaque détour d'acier... habile ouvrier qui ne se perd nulle part, qui suit les fils de la dentelle intérieure sans les rompre, démêle les voies de la vie et de la mort, l'itinéraire de la volonté comme celui de la fureur, les anastomoses du mal et du bien, le lieu des passions, les capillaires du feu, l'école buissonnière des larmes, artisan qui pour chaque

chose de chair ou d'os a ce nom dont il la salue et l'être
est expliqué par comment il se défait, ses ravages
secrets, ses durcissements, ses atrophies. Mon Dieu,
dépêchez-vous, satisfaites votre curiosité de mon ventre,
de mes organes, afin de me recoudre avant que Fougère
descende, et me dise seulement à voir ces sutures gros-
sières de mon tronc, mes bras et mon cou, mais qu'est-ce
que tu t'es encore fait? sans comprendre, te voilà
joli, on ne peut pas te quitter un instant.

Tout d'un coup, là-haut, qu'est-ce qui se passe?
Elle a laissé derrière elle sans doute ouvertes les portes
contrariées, que je devine venir ainsi qu'un enfant
qui tient sur ses bras trop de choses à dire et qui, passant de pièce en pièce, prenant garde à ne rien accrocher ni heurter les chambranles, court avec sa charge,
du pied évitant que le battant ne claque, ou le bouscule,
dans la chicane des étages, la claire-voie de l'escalier,
je devine venir le chant qui commence et cherche
l'issue, se reprend, se corrige, enfle et se tempère,
d'abord banal, murmure, écho vague, accompagnement
à peine d'un pas que rien ne presse, on dirait une musique d'osier, un songe d'avant que l'oiseau s'éveille,
une mémoire peut-être en train de se trahir, comme
en prévision de l'orchestre un instrument s'accorde,
et puis cela se fait harmonie à moi-même, cela croît,
me surprend à la façon des douleurs, dont je ne suis,
dès que j'y consens, plus le maître, m'envahit comme
une armée surnaturelle, m'arrache à ma chimère
pour une étrange dictée de toi, une aventure où je n'ai
part que d'entendre, droit que de ce bouleversement
à suivre l'imprévisible, une ivresse où savoir suppose
oublier tout le reste, et me voilà mené, garnement,
par l'oreille, mené hors de moi, à travers des chambres
de ma tête qui ne s'étaient jamais ouvertes à personne,
mené dans un monde inventé qui me fait paraître
l'autre fragile et fané, mené parmi des êtres qui me
rendent imaginaire, un entrelacement de pensées qui
ressemble à des amants soudain jetés l'un à l'autre,

et je sais au muet de ma gorge, à l'étonnement de mes bras, à l'égaré de mon cœur, cette suspension du souffle, cette soif d'après, cette peur de la brisure, de l'arrêt, du silence de n'importe quelle respiration revenu, je sais que j'étais né pour être là, pour recevoir cette confidence infinie, que j'ai appris à tenir sur mes pieds, à marcher pour aller vers cette minute, et mon corps s'est formé, ce qui me tient lieu d'âme, et j'ai voyagé par les pays passés, par les hommes effrayants, les idées sublimes, j'ai traversé l'orage et la maladie, j'ai mille fois failli brûler, tomber à rien, éclater de malheur, me déchirer de mes propres mains, il y a eu la guerre et la famine, il y a eu la calomnie et le couteau, on m'a mille fois écrasé les doigts, brisé les dents, craché au visage, tout cela, tout cela, et tout ce qui fait trop mal à raconter avec les mots approximatifs, pour cette minute au bas de l'escalier à t'écouter, Fougère, à n'être rien que d'écouter ta voix... Et moi, avec mes romans, les pauvres, où je m'émerveille d'une glace sans tain, d'une confusion des sources...

Qu'est le jonc, suivant les doigts qui le plient... ta bouche fait de tout panier, barque, bouquet, panique, il y a le parfum léger de ta langue sur la phrase simple, un instant rompue, aussitôt reprise, renouée ainsi qu'un tablier où tombent de partout les fleurs. O mélodie à en mourir qui rend la mer jalouse! Où suis-je, il n'y a plus de place à ce grand corps brûlé d'âge et de soif qui était moi, si j'en ai souvenance, qui ne suis plus que ce rideau dans la fenêtre de ce que tu chantes, soulevé, retombant, traversé de ta musique, je ne suis plus que cette pâleur au crayon des mots dont il ne reste déjà que quelques lettres bientôt effacées, je ne suis plus que le sillage, entre le silence et le cri, de ce parler qui se déroule et ne cesse de me déconcerter... Je n'ai pas choisi d'être, je n'ai pas choisi d'avoir mal, je n'ai pas choisi l'heure et le rivage. Ce sang, ni ce désir!

Qu'ai-je dit, Fougère? Tu l'as peut-être entendu...

qu'ai-je dit! Tu l'as bien entendu : il y a eu la guerre, il y a eu la guerre!

*

Quelle différence entre rêver et se souvenir ? C'était bien avant la guerre... cette guerre dont on dit maintenant la guerre...
Je ne savais rien de cette femme, un ami m'avait dit une femme, en ce temps-là je n'écoutais jamais ce que les lèvres d'un autre y ajoutent, c'était un temps de moi qui ne me laissait pas celui de choisir, dans cette perspective où j'étais, une femme, avais-je seulement loisir de me refuser une tentation, la suivante, qui sait, la dernière. Tu ne peux rien y comprendre, il faudrait dans ce soir-là que toute ma vie à rebours repasse, toute ma folie et ce que j'avais laissé s'enfuir, gâché, perdu, pleuré, pleuré... Comment te le raconter, ce soir, *de ma place* ? Tout t'y paraîtrait insignifiant, quelconque, tu dirais ce n'était donc que cela pour lui : quand rien, pas une paille brisée, le verre qu'on repose, les battants d'acajou ballant soudain pour quelqu'un qui fait une apparition, du café voisin dans le bar, pas un détail d'insignifiance, jusqu'à cet étrange vide à cinq heures d'un lieu tous les autres jours de bousculade... rien qui ne prenne forme et sens d'événement, pour moi, qui ne soit commencement et suite, prolongement vers toute ma vie, ce qui fut ce qui va être, on entre on sort, rien qui ne soit face du destin. Je ne sais pas, c'était peut-être un rêve, encore un rêve. Avec les signes d'incohérence et de rigueur mêlés des rêves. Comment raconter un rêve du milieu ?
Cet ami m'avait dit une femme, je ne peux même pas dire que c'était l'étrange nom qu'elle porte, et qui ne me chantait rien de plus qu'une femme, l'avais-je même entendu, par quoi j'avais répondu oui, cinq heures,

demain ou après-demain, mardi, il me semble, et d'ailleurs cet ami-là, je n'écoutais jamais ses paroles que pour le pittoresque, il mentait comme on respire, ou plutôt l'inverse, il respirait comme on ment, personne ne lui en voulait ; sauf peut-être cette amie à moi qui l'avait épousé, et qui en était lasse cette année-là, cela je l'ignorais. Voilà, on se met à raconter, et c'est difficile, une histoire du milieu, les détails affluent qu'il faut expliquer avec toute l'aventure du monde, de Noé à comment l'appelleras-tu le dernier survivant de notre apocalypse ? et puis il s'introduit par les battants brutaux du café, le tambour de verre de la rue, que sais-je ? un quidam, et je ne peux pas me retenir d'expliquer son mariage, un voyage en Hollande, s'il buvait du gin-fizz ou du mandarin... cet ami qui m'avait dit une femme. Je me perds dans le milieu, comprends-tu, comme dans une étoile, parce qu'une étoile, elle ne sait pas, elle, qu'elle a cinq rayons... de quels côtés sont-ils, les rayons : il faut, pour les voir, la distance.

On ne peut rien raconter. On croit savoir ce qu'on raconte, puis quand on le regarde en face, alors ça brille, ça rayonne, ça éblouit. Ce que c'est mal foutu, les étoiles! Ça a de petits bras, qui tremblent, des pattes trapues, inégales, qui font soudain le grand écart, un genou plié, la couleur y est mal mise, elle bave, c'est tout le temps comme si une mouche noire qu'on n'attendait pas, se mettait à se promener sur une feuille de papier blanc. On ne peut rien raconter du milieu. Moi, le reste, je le sais, mais qui m'écoute ? mais toi... Je te l'ai dit bien sûr, cent fois, par la suite, par bribes, par sanglots, quand on ne dormait pas, les longues nuits, les courts instants. Qu'est-ce que je sais de quoi tout cela pouvait, pour toi, alors, avoir un cœur ? Il a passé des années et des années, et tout ce que tu m'en as avoué c'était que j'avais le veston court, un pantalon sombre et luisant comme un piano sur les fesses. Tu ris ? ah, ne ris pas.

Toute la place perdue vers le plafond, c'était haut,

cette baraque, étroit et profond, la présence du barman, en ce temps-là il n'y avait pas même une radio en sourdine à côté du barman, le personnage de silence et de gestes lents du barman, il a toujours encore un verre à laver, il ne fait même pas des mots croisés, lui, c'est pire que les chauffeurs, il n'attend rien, personne, je me le rappelle merveilleusement, cet être pâle, comme un légume élevé aux lumières, sa bouche mauve, avec des épaules à jeter les ivrognes dehors... pas plus important que le désordre des cendriers-réclame sur les tables, la moleskine verte, et les hauts tabourets sur quoi personne n'est assis, comme des faucheux en vacances. Il faudrait que je ne parle que de moi. Toute la vie, j'aurai été pour moi-même dans une gare, la salle d'attente. Cette nervosité des mains. S'il y a des chips, je les grignote. Ou n'importe quoi. Je suis l'homme des gestes machinaux. Le machinal, ce qui le caractérise, c'est la périodicité. Je suis là, je parle par exemple avec quelqu'un, mais les doigts pensent à autre chose, ils se contractent... l'autre regarde mes doigts, et il parie à part soi, va-t-il ou ne va-t-il pas reprendre des chips? Je reprends les chips. Mais enfin, c'est fou, je veux, je veux raconter ce soir-là. Et puis les doigts rêvent. Le barman pousse devant moi des olives. Il ne sait pas que je n'aime pas les olives. Il ne dit rien. Il n'écoute même pas ce qu'on dit. Lassé, lassé de ce qu'on dit. Pour lui, c'est toujours la même chose. Il est en dehors. Il ne comprend rien, ou plutôt il comprend trop bien pour que ce soit intéressant. Il n'est jamais au milieu. Pour lui, les étoiles sont parfaitement dessinées, nettes, régulières. A cinq branches égales. Il n'y a que l'heure sur le cadran, une horloge étroite et haute, une boîte en bois couleur bois, un petit cercueil, en bas le balancier de cuivre sous verre, et puis au-dessus le cadran, l'aiguille qui tourne, l'autre on ne s'en aperçoit pas, il n'y a que l'heure qui compte, à une certaine combinaison des aiguilles on retire la veste de toile blanche et, dans le petit placard, on décroche l'apparence de tout le monde, veston, chapeau. Dans ce temps-là, quand le barman sortait sur le trottoir, il avait toujours un chapeau, l'imperméable encore, c'est affaire du ciel. Merde pour le barman, quand la vie entière se décide, et tu n'en sais rien, moi non plus. Il n'y a rien d'insignifiant. J'avais comme toujours les poches pleines de lettres, les enveloppes qui se rabougrissent aux bords déchirés, une poussière de rapports avec le monde, des indifférents, et pas des indifférents. La main qu'on plonge dans sa poche joue à mettre en loques sans voir, peut-être justement cette lettre si longtemps attendue, ou bien non, c'est une note, ou des vers griffonnés, tant pis, je ne pourrai plus les lire. Un bout de ficelle, un taille-crayon...

Je ne t'aimais pas. Tu t'imagines ? je ne t'aimais pas. Tu me diras, c'est gentil à toi, que je ne t'avais jamais vue, je ne t'avais jamais parlé, je ne savais rien de toi, pas même ton existence, je ne savais même pas que tu chantais, ton nom, rien. Mais tu comprends, tu rencontres un chien : pas que tu le trouves très beau, mais il a un pauvre œil, et tu t'arrêtes, tu lui dis, oh, le beau petit chien! Et tu ne sais pas que son maître, ou enfin un de ses maîtres, parce qu'il en a eus deux, il en a eus, on l'abandonne, un autre le ramasse, qu'est-ce que je disais, ah oui, que tu ne sais pas que son maître, ou enfin, il lui a appris à mordre quand on dit oh, le beau petit chien! Et puis, pour toi, qu'est-ce que j'étais? Tu avais lu un livre de moi, oui, ça c'était ta supériorité dans l'affaire. Même que c'était ce livre lu qui avait fait que quand cet ami à moi t'avait dit qu'il me connaissait, par hasard il ne mentait pas, tu as dit, vous le connaissez, j'aimerais bien le rencontrer, j'ai lu son livre, lequel? il a demandé, eh bien, ce livre, vous savez, ça se passe à la campagne... Il m'a dit, lui, elle adore ce que tu écris. Mais comme il ment toujours. Bien, voyons-la cette femme. D'abord, ça meublait les cinq heures du soir. Comme tu sais, en ce temps-là, je me racontais que j'étais amoureux d'une autre femme, une Allemande. D'ailleurs Allemande comme moi. Je faisais semblant de ne plus en aimer une autre. Une Anglaise. Ce qui était fini et ce qui n'était pas commencé. Tout ce qu'il faudrait expliquer! Ce n'est pas si simple, la vie. On est là, dans un bar, avec les dernières chips, on repousse la soucoupe d'olives... Et puis, il n'y a pas que les lettres à se déchirer dans la poche, toute sorte d'autres rapports, tes amis, ceux qui ont été pendant dix ans tes amis, pas seulement celui-là qui t'a dit une femme, c'est-à-dire que tu ne sais pas encore à quel point, entre eux et toi, tout s'émiette, tu ne sais pas, mais ce que tu sais, c'est que ce n'est plus la même chose, ce n'est plus comme naguère, tu as beau t'en retenir, faire comme si rien n'avait changé. Comment voulez-vous qu'on me comprenne? Il me faudrait tout expliquer, dix, je ne sais pas, quinze garçons de mon âge, chacun ce qu'il a de particulier, son bazar, ses goûts, ses femmes, toute l'histoire littéraire contemporaine, et pourquoi je ne puis plus supporter qu'on me parle d'une certaine façon, et pourtant personne d'autre au monde à comprendre ce que je dis de mille et une choses pires que les nuits. L'habitude et la contradiction. Et dans tout ça, le Dr Jekyll et Mr Hyde, je veux dire, à l'envers, Isidore Ducasse et le comte de Lautréamont... ça, au moins, ça exigerait un développement! N'y comptez pas.

Et puis, il s'agissait bien de ça. Cet ami, que je ne dis pas, après tout, qu'il mente ou non, cet inventeur d'histoires insensées, ce prodigieux bavard qui haïssait, disait-il, la sentimentalité... mais dites donc, vous devenez sentimental? peut-être avait-il fait un calcul, m'amenant cette femme. Il voyait bien comment j'étais. Pour lui, probablement, cela devait se borner à ce qu'il savait de moi : cette chose qui venait de finir. Peut-être même qu'il se livrait à part lui à des assimilations de son propre cas. Je n'en sais rien. Nous avons été des amis. Je n'ai jamais rien su de lui, au fond. Sa femme me disait, moi, j'ai eu confiance en lui, parce qu'il était votre ami. Comme tout est compliqué! Vu du milieu. En tout cas, c'est peut-être bien très gentil à lui de m'amener cette femme. Peut-être a-t-il peur pour moi. Il ne pouvait pourtant pas savoir. Quelquefois on devine. Après, alors, j'avais l'air d'être de l'autre côté, ce sont des choses quand on les rate, on ne recommence pas. Il a prétendu que je m'étais mal conduit avec lui, que cette femme le concernait, allait le concerner, qu'il l'avait amenée pour lui, pas pour moi. Mais comme il mentait toujours. L'idée ne m'en a pas effleuré en tout cas. Qu'il montrait ses belles relations, que je pouvais passer, dans ce cas, comme belle relation, servir de passeport. On me dit, vous devriez voir cette femme, quelle femme? celle que je vous ai dit, qui adore ce que vous écrivez. Il a même ajouté, c'est exactement ce qu'il vous faut, c'est une femme pour vous. Moi, je n'y ai pas prêté attention, il débitait tout le temps des choses comme ça. Si on s'y arrêtait. Mais puisque Raoul tenait. D'ailleurs, à cinq heures du soir. Mardi. C'était un mardi? Ou un autre jour.

Elle avait une toque beige au goût de cette année-là, faisant bonnet, plaquée sur les oreilles, et un manteau de fourrure, d'une fourrure que je ne connaissais pas, brune et blonde, comme rayée, s'ouvrant sur une robe-chemisier noire, et j'ai tout de suite regardé ses jambes. Raoul a fait les présentations : « Ma chère amie, voilà donc Alfred, comme je vous l'avais promis... chez qui vous appréciez tant le sentiment de la Nature... Alfred, Madame Ingeborg d'Usher, dont je vous ai parlé... »

Je t'ai dit *Madame*... pour la seule fois de la vie.

De quoi donc avons-nous pu parler tous les deux, tous les trois? Je n'en ai pas la moindre idée, le moindre souvenir. Il y avait au moins deux conversations : celle qu'on pouvait entendre, et l'autre, ce que tu appelles l'arrière-texte. L'arrière-texte de Raoul, je ne m'en souciais guère. J'étais dans cette période de ma vie où si j'avais ralenti le pas je serais tombé. Je ne pouvais plus rester seul, il me serait arrivé n'importe quoi, j'aurais eu le temps de penser. J'avais inventé d'habiter chez des camarades dont la porte n'était jamais fermée la nuit, on avait de la visite à n'importe quelle heure, des inconnus, des filles. Moi, je traînais après moi tout mon monde, trois, quatre, huit personnes, on se rencontrait avec d'autres, je payais à boire, on changeait de crémerie, je me jetais brusquement à la tête d'une petite, je lui racontais n'importe quoi, tu ne veux pas te marier avec moi? Ça leur faisait peur, c'était trop. Je payais à boire. Il y avait les nuits où j'attendais une lettre d'Italie, qui n'arrivait pas. Il y avait les soirs où j'allais au théâtre avec cette femme qui n'était pas du tout Allemande : tu auras le courage, elle me disait, de venir avec moi, pour voir *La Cousine de Varsovie*? Mais, voyons, tu l'as vue vingt fois, Popesco, dans ce rôle. Justement. Elle est merveilleuse. J'ai envie de rire. Et chaque fois je ris un peu plus. Je te préviens, il faut du courage pour rester à côté de moi, *als ob gar nichts los wäre...* Du courage? Pas besoin de courage, le scandale ça me connaît. Elle riait si fort, elle en avait des larmes, des éclats, la salle protestait, la scène s'arrêtait, Elvire Popesco, un peu déconcertée, mais assez contente, s'était avancée au trou du souffleur... elle, elle riait, riait. Moi, sérieux, comme un pape. Chez Maxim's, à la sortie, tous les deux. Elle y a rencontré des gens. Je suis parti... Ses amis ne sont pas drôles, j'aime mieux quand elle rit. Je ne couchais pas avec elle. J'allais traîner avec d'autres, je payais à boire. Tout de même, quand je lui ai proposé de l'épouser, elle a failli accepter : elle voulait acheter une grande propriété en Normandie, avec ce qu'il faut pour l'élevage, des terres, ça serait plus commode mariée avec un Français... Moi, en revenant de Venise, c'est *Othello* que j'avais été voir, trois quatre, cinq fois. A la Scala. Quelle drôle de forêt c'était Milan, avant d'être détruit, je veux dire avant d'être reconstruit. Puis je m'étais arrêté dans le Midi, *une ville près des écluses...*

169

qu'est-ce que ça peut faire ? Sauf une rencontre, je n'ai jamais plus revu cette femme de deux jours... on chante maintenant cette histoire, c'est devenu une histoire parce que je lui ai mis des rimes toutes les huit syllabes, des boucles d'oreille... Paris, cela a été plus difficile tout de suite. Heureusement qu'il m'était tombé cet argent. Je le faisais valser à vue de nez, j'en aurais assez jusqu'au premier de l'an, d'octobre ce n'est pas si loin. Plus d'argent que je n'en avais eu en tout pour cinq, six ans, l'un dans l'autre. Tu veux du champagne ? Tu as une amie, eh bien, amène-la. Et de fil en aiguille. Toutes les nuits. C'est merveilleux de ne jamais dormir, d'être si fatigué qu'on ne se souvient plus de rien, j'ai fait l'amour avec toi ? Elle en a les larmes aux yeux. Écoute : tu veux te marier avec moi ? Celle-là aussi, ça lui fait peur. Alors fous le camp. Montmartre. Des inconnus, une dame avec tant de bagues qu'on ne lui voit plus les doigts. C'est ma tournée. C'est toujours ma tournée. Ah non, il est sucré, votre champagne! Je le renverse dans le seau à glace. Une très gentille gosse café au lait, quelqu'un lui a dit que j'étais malheureux. Elle avait deux pièces près de Pigalle, avec un tas de cartes-postales et d'éventails aux murs. Je lui ai montré une photo. Une photo tirée argent. Elle s'est mise à pleurer. A pleurer de moi, pour moi, sur moi, mon malheur. Elle m'a dit avec beaucoup de précautions qu'elle avait vu cette photo-là chez quelqu'un. Seulement plus grande. C'est comme ça que j'ai appris. Eh bien oui, — comment si je l'avais toujours su, — maintenant je n'ai plus rien à t'expliquer. Elle avait un ami, drummer. Pour l'instant en tournée. Tu ne veux pas m'épouser ? *Why should I ?* s'écrie-t-elle. Trop tard d'ailleurs. Elle a un mari quelque part, *a white man*, ils ont fini par se séparer, parce que c'était trop difficile à New York, dans les cafés. Du train dont je vais, je ne dépasserai pas le 15 décembre... Bah, je ne suis pas à un Noël près!

De quoi me parlais-tu ? Je n'avais plus qu'une idée.

Qu'il parte, Raoul, mais qu'il parte! Il ne t'a pas amenée
à moi pour écouter la conversation, peut-être ? Ma chance était qu'on l'attendait à dîner. Toi, je ne pouvais
pas tout à coup te prendre les mains. Je ne pouvais
rien imaginer, que la folie. Mais c'est à qui perd gagne.
Si tu allais ne pas vouloir. Chiche : si tu ne veux pas,
ce soir même, coucou la vie! Mais je ne t'aimais pas, je
ne t'aimais pas. Je ne t'ai pas dit que je t'aimais, puisque
je ne t'aimais pas. Alors pourquoi est-ce que j'y tenais
tellement, tellement... Voilà, j'ai toujours su que j'étais
laid, mal fichu, pas intéressant, mais quelques fois une
femme, le temps d'un éclair, m'a fait croire au miracle,
et si toi... Est-ce que tu sais ce que c'était, ce soir-là,
mon arrière-texte à moi? Mon Dieu, comme je voulais
te plaire! Je me disais, si je ne lui plais pas, alors qu'est-
ce que j'ai besoin d'attendre la Noël? ou même le 15
décembre... Tu veux le savoir, ce que c'était que mon
arrière-texte, à moi ?

Je n'ai jamais pu me ressouvenir de cette chambre sur
la Riva degli Schiavoni, ce qui est une façon de parler,
une fois dans l'hôtel, il n'y avait plus ni le quai, ni le
canal di San Marco, ni la foule et les pigeons, le soleil
au loin sur San Giorgio Maggiore... c'était un monde
en soi, par soi et pour soi, comme ils disent, les escaliers,
les couloirs, les murs sombres, tout le haut des pièces
dans les ténèbres, à cause des lampes à hauteur d'homme, avec leur filament de charbon, rouge comme ces
choses qu'on a dans l'œil. Des demi-étages, puis trois
marches, le corridor tournant, de vieilles peintures.
Je ne sais pas ce que je donnerais pour *voir*, ce qui s'appelle voir, les meubles là-dedans, ma chambre. Je pouvais dire ma chambre, j'avais payé d'avance, et cela
allait demeurer à jamais ma chambre. Je n'ai souvenir
que des cabinets à côté. Ils dépassent les possibilités
de la description, par la nudité. C'est extraordinaire,
dans les rêves, il n'y a jamais de pièces basses, c'est
toujours bâti à l'ancienne, cela a dans les sept, huit
mètres de haut, des vestiges de peintures, des papiers

déchirés. Les draps étaient extraordinairement raides, presque jaunes. Peut-être que quelqu'un avait déjà dormi dedans, précautionneusement, à en juger par certains plis. Ce qu'on aurait pu regarder sans fin, c'était le tapis, sur les carreaux froids qui avaient dû être d'une couleur ou d'une autre, une fois dans leur vie. Quand un tapis est à ce point usé, les pieds en rêvent. Si j'avais eu le temps, je me serais représenté tous les pieds nus qui l'avaient foulé, blessé, griffé, jusqu'à la trame grise. Des pieds d'hommes violents, des pieds de vieilles femmes ou de pas tout à fait vieilles, des pieds d'enfant las. Il s'agissait bien de ça. Je n'étais pas même triste, pas même amer, pas même... Quelqu'un qui serait entré dans la chambre, ou qui m'aurait vu par la serrure, jamais il n'aurait pu penser, jamais il n'aurait saisi le sens de cette messe noire, sans en connaître l'arrière-texte... Comme je n'avais pas grand'chose avec moi, ma valise, pas de livre à lire, l'idée du choix, on trouverait ce livre-là et pas un autre, on dirait, on conclurait, ah non... pas de papier non plus, pour le cas où brusquement ça m'aurait pris, c'est plus sûr... ne rien laisser qui s'interprète, seulement bien plier les vêtements, oui, bien plier... la seule cérémonie des vêtements ôtés, pliés. Celui qui entrera dans la pièce, celui qui s'approchera du lit... puis il va courir à la fenêtre, ouvrir, faire entrer l'air, la lumière, crier. Tiens, je n'ai pas regardé sur quoi elle donne, la fenêtre. Le cordon des rideaux est cassé, on ne doit jamais les tirer, si, on peut, à la main, il faut s'y reprendre, à cause de la hauteur, ils sont lourds, avec la doublure en loques : ah, l'espagnolette... Pour l'instant, à travers les vitres, il vient une vague lueur indirecte. Mais, quand j'ouvre, ça se prend dans le rideau mal tiré, les pompons, il y en a qui manquent, comme les dents d'un vieil homme. On ne voit rien, on devine un mur tout proche, à pas un mètre, c'est une courette du genre puits, une sorte de cheminée, à crampons, la lueur vient de quelque chose d'éclairé ailleurs, indirectement, une lueur fausse, d'enseigne, de cinéma... Il n'y a pas de raison, puisque le local est enfoncé comme un clou dans la ville, et *ma* chambre ne donne pas sur le spectacle, elle est ouverte sur l'intestin des choses, avec cette odeur de spaghetti refroidis, un bruit lointain de vaisselle, il fait noir.

Toute la vie j'ai dormi nu. Le pyjama était posé sur la chaise, pour la forme. Pourtant, les draps me dégoûtent un peu. Ils vont me faire de grands traits sur la peau, quant à la sueur de l'autre, c'est bien le moment de faire le difficile.

Ce qui s'agitait, des mains sur moi, laissez-moi, je dormais, je dors. Je n'ai repris une manière de conscience que dans la barque. On m'avait enveloppé avec le drap jaune, une sorte de plaid, cela tournait, tournait. Je voyais l'ombre du gondolier, mais non pas le soleil de septembre. Pourquoi la police? Un milicien, avec sa chemise noire... Une Lancia qui passe nous a terriblement secoués, cela fait des trous d'eau, on bascule, je voudrais vomir, je ne peux pas, j'ai oublié, où en étais-je? est-ce que c'est encore un songe, comme la chambre, les cabinets, la vie? Pourvu qu'ils n'aient pas oublié le pyjama sur la chaise. Impossible de parler. Je me souviens d'une ville dans mon enfance, est-ce que c'était Lyon? Un orage fantastique en été, la nuit à cinq heures de l'après-midi, la voiture découverte avec sa capote et le vent, le vent! le cheval renversé, les roues... quand on m'a porté à l'hôtel, il n'y avait pas de gondolier, pas de barque, pas de milicien... Encore une Lancia, plus près, j'ai l'impression de battre l'air des bras, je bascule, je tombe, je tombe... Mon Dieu, les conversations qu'il va falloir avoir maintenant! S'expliquer. Tout est faux. Ce n'est pas pour les raisons qu'on va croire. Si je dis comment c'était, on hochera les épaules. D'ailleurs, ce n'est pas si certain que tout ça. Oh, vomir, vomir. *Du milieu*, tout a un autre sens. Mais les gens sont comme ils sont, ils veulent comprendre, situer, donner les faits dans l'ordre de succession, Henri II, Charles IX,

Henri III, Henri IV... Qu'est-ce qu'il fait là, ce Charles, au milieu ? Je ne pourrai jamais m'expliquer. Ils n'ont pas vu la chambre, le tapis, la fenêtre, la nuit en haut, tout cet espace à chauves-souris vers le plafond... Cela aurait été tellement plus simple s'il n'y avait plus eu besoin de parler, de s'excuser, de mentir, de rendre les choses faciles à autrui, de faire qu'on passe à un autre sujet de conversation. Le rêve maintenant qui commence, que je ne peux pas éviter... encore une fois je n'ai pas pu passer mon baccalauréat, recalé, mon petit, recalé... il faut vivre.

Fougère, l'arrière-texte, tu sais, cette autre chambre que je n'ai pas besoin de te décrire, l'arrière-texte dans la douceur à crier de tes bras, est-ce que tu savais seulement, de quoi il parlait, il me parlait à l'oreille, tout le temps, tout le temps ? Oh non, mon amour, ce n'était plus de cette femme. L'arrière-texte de toute la vie, Fougère, c'est uniquement la mort. Tu ne savais pas, quand tu m'as pris dans tes bras, que je voulais mourir. Je ne savais pas que j'allais vivre.

Tu ne m'as pas dit qu'il faisait beau. Faisait-il beau ? J'en doute. En tout cas, tu ne me l'as pas dit. Moi, j'insistais pour dire il pleut. Et pleuvait-il ? On s'éveillait, c'était le soir, ou presque, il faisait gris. L'eau sur le corps, et ta parole. Rase-toi un peu mieux, veux-tu. Moi, je parlais pour que tu saches. Toi, tu disais, que disais-tu ? Un café-crème. Viens danser, mon petit. Et je faisais semblant. *All alone at the telephone* ou *Tea for two — and me for you — and you for me — alone*... Un petit monde fait de l'étoffe des rêves, et les gens s'en allaient pour tourner autre part, et le sommeil d'autrui tout autour jusqu'à l'aube, on ne saura jamais s'il faisait beau dehors, le temps dansait, le temps qui passe et nos histoires, le temps comme un miroir sans tain, et que pensait l'amour des amants incertains ?

*

Il paraît, Fougère, que ceci est une lettre. Une lettre ne finit pas sur une anecdote : il faut pour la conclure, une morale ou une formule de politesse, ou plutôt une morale et une formule de politesse.

Un jour, c'est dans la mémoire que pour s'expliquer l'inexplicable on découvre un miroir de Venise, accroché là dans le décor d'un petit restaurant près des Halles, un autre... mais laissons en dehors de tout cela Christian et son miroir Brot, c'est pourtant à cause de lui, que j'ai relu cet autre miroir de moi-même, le roman que j'ai fini d'écrire en juin 1936 et que je vois aujourd'hui avec des yeux différents. Là, entre le petit et le grand salon de la maison où son banquier vient d'installer Carlotta, se trouve l'objet de métaphore, autour duquel cette lettre tourne. Il se tient comme un grand œil vide dans ce lieu de meubles imaginaires, au fond d'un hôtel de Neuilly qui vient de mon enfance et où j'ai introduit mes fantômes (comme plus tard, dans un autre roman, ce château dans les montagnes qui est devenu par la suite un sanatorium pour les tuberculeux, où j'ai fait tourner ma foule inventée). J'interroge ces lieux de fixation, pour en savoir sur mon compte ce que ne me livrent pas les honnêtes miroirs. D'eux et de moi sont nés des personnages arbitraires, et sans doute de leur persistance s'éclairent des recoins d'ombre où ne pénètre pas mon regard. Cette inquiétude d'avoir donné la vie... que celui qui a regardé avec une terreur émerveillée l'enfant de son plaisir me comprenne! Images qui m'ont quitté, pour vivre d'une vie indépendante, me contredire, m'échappant, devenir contre moi peut-être des pièces d'accusation, se perdre dans l'univers mangeur d'hommes, aller dormir entre je ne sais quels bras, dans je ne sais quels cercueils. Ce sont mes monstres, et je n'en ai pas fini de m'épouvanter de les avoir mis au jour, comme si c'était là l'aboutissant de je ne sais quelle perversion de la pensée, par quoi je suis différent du grand nombre à qui ne sont qu'enfants de chair. Je t'explique tout ceci, Fougère, pour que tu comprennes la nature de ces orages, de ces éblouissements, de ces rêves sans fin que lève en moi ton chant, quand ta voix soudain révèle d'autres êtres, venus au monde par toi, semble-t-il sans douleur, d'autres êtres que je ne pouvais rêver et qui rendent leur couleur de spectres aux fils de mon imagination, et me jettent à ce désespoir soudain, de n'être à côté de toi qu'un montreur de marionnettes, lequel, son spectacle fini, s'enfuit avant les huées, rejetant ses poupées dans leur boîte, en quête d'un autre décor où les rendre à la vie. Mais je ne parlais ici que de ce cadre de plâtre peint, dans ce roman des hommes doubles, où deux frères qui se ressemblent comme l'ombre et l'homme, prennent, à quelque carrefour d'Hercule, deux chemins opposés.

Le petit salon où Edmond, mon semblable, mon frère aîné, mon semblable en beau, mon frère diabolique, fait sur le sofa pour la première fois l'amour avec Carlotta, au-dessous, en deçà de la glace sans tain, c'est l'arrière-texte d'un roman qui n'est pas le sien. L'arrière-pièce d'une époque passée. Je n'avais jamais pensé avant cette minute que les deux frères du livre, Armand et Edmond, n'étaient qu'un seul et même personnage dédoublé, pour les commodités du roman, c'était moi, celui qui peut plaire et celui qui ne plaît pas, moi récrit au mal séparé de moi écrit au bien... Mais il en va de même des deux mondes, de part et d'autre de la glace sans tain : le monde que j'imagine et celui où je ne suis que l'imagination des autres. Remarque, il serait possible de jouer autrement de la glace, dire que d'ici où je suis je vois de l'autre côté Anthoine qui ne me voit pas. Ou réciproquement ? Anthoine, je ne suis pas censé te le dire, ne peut pas me voir dans la glace, *puisqu'il ne s'y voit pas.* Il est là, tel que tu l'imagines, avec ses yeux noirs, dans le monde où il est imagination des autres. Moi, par ici, je suis ce reflet qu'il ignore, l'autre lui, que tu n'aimes pas... Ne crie pas! Tu le sais bien que tu ne m'aimes pas, puisque tu as donné des yeux noirs à mon double, pour qu'il te plaise. Pourtant, rappelle-toi, celui qui t'a dit un beau jour *Je t'aime*... combien de temps cela lui avait-il pris depuis ce soir où Raoul t'avait amenée à moi, pas à Anthoine, à moi... sept ou huit semaines... celui qui t'a dit un matin, tu as oublié que c'était un matin, qu'il s'était réveillé avant toi, qu'il était assis dans le lit, nu, le pyjama bien plié sur la chaise, qu'il te regardait dormir, qu'il attendait tes yeux s'ouvrir, avec en lui cette nouvelle, cet alcool, cette drogue, ces mots impatients de ton oreille, *Fougère je t'aime*, ces mots pour toute la vie, et qu'il ne s'est pas passé un jour de notre longue mort, qu'il ne te les ait redits, au lit, à table, dans une porte, n'importe, et le soir comme le matin, même sans desserrer les lèvres, même sans desserrer les yeux... les prononçant, les taisant... entre lui et toi, devant tous les autres, comme une folie, une folie qu'il n'a nul pouvoir d'arrêter, qui doit prendre le chemin de l'oreille, et quand cela ne se peut c'est insupportable, cela fait mal, j'en ai les lèvres en sang... celui qui t'a dit *Je t'aime*, et avoir attendu pour cela sept ou huit semaines c'était la guerre de Cent Ans, c'était le siècle de la Belle au bois dormant, c'était une éternité, une incompréhensible éternité, ces pauvres petites sept, huit semaines, loin, derrière nous, qui n'ont plus l'air de rien, un air d'instant, celui-là qui t'a dit *Je t'aime*, Fougère ô Fougère, as-tu donc oublié que c'était moi?

DIGRESSION DU ROMAN
COMME MIROIR

« Mais, — dit Fougère, — qu'est-ce que tu peux bien écrire comme cela tout le temps, Anthoine ? Ah pardon, mon ami, je n'avais pas vu que vous aviez les yeux bleus... »

C'est vrai que je lui écris, à elle, et que je ne lui montre pas ce que j'écris. D'abord parce que peut-être que je vais tout déchirer sans lui avoir rien montré de tout ce gribouillis à n'en plus finir. Et puis que si c'est à elle que je m'adresse, parfois j'éprouve le besoin de parler si bas qu'elle ne m'entende pas. Il me faut mesurer ma parole sur moi-même avant qu'elle n'atteigne Fougère : si j'y allais sans cela, qui sait, peut-être pourrais-je la blesser ? Qu'est-ce que je sais de ce qui est en moi, qui me monte aux lèvres, qui demande à sortir de mon ombre ? Et encore, ai-je essayé plusieurs fois de lui lire des fragments de cette manière de confession pipée... je voyais bien qu'elle était occupée d'autre chose, possédée d'autre chose. Elle est toujours ainsi quand elle aborde un rôle, qu'elle cherche dans la musique le secret d'un être, qu'elle *recrée* par la voix un destin tragique. Ce que j'écris alors la dérange, la met dans l'impossibilité de plusieurs jours de revenir à son personnage, elle en perd le fil !... enfin, je n'ai qu'à aller jouer seul dans mon coin.

Dans mon coin de 1964... cela me fait quel âge ? Et moi, dans les miroirs, je n'y vois que trop.

Comment d'ailleurs, — rien n'a encore sa forme, ne se place dans un ordre ou un autre, — lire ce que j'écris à Fougère? Si je prenais un chapitre, est-ce même un chapitre, un fragment enfin, qui me semble plus ou moins constituer un tout, il me faudrait d'abord tout de même donner des explications, sur Anthoine, Alfred, le miroir Brot, l'image perdue, Christian, la jalousie, est-ce que je sais? C'est-à-dire que d'où que je parte, ce serait le désordre des étoiles... tenez, une expression comme ça, il faudrait dix lignes pour s'en sortir. D'où que je parte, je serais écartelé entre mes rayons.

Étant donné que rien, mais rien de ce que j'ai déjà écrit comme on parle, c'est-à-dire au hasard des associations d'idées, des gens qui passent, de la pluie qui se met à tomber, etc., rien n'est ni le début, ni la fin, ni le centre, que chaque page suppose toutes les autres, si tout d'un coup Fougère fait voir quelque curiosité de ce que j'écris en réalité pour elle, à elle, à cause d'elle, et que je meurs de ne pas lui montrer, si longtemps, qu'est-ce que je vais prendre, choisir, lire, avec le risque de déplaire, et de ne plus vouloir que tout déchirer, jeter, comme je l'ai fait parfois... qu'est-ce que je vais lui présenter comme le discours inaugural de cette chose sans nom, pas les lettres qui lui sont adressées en tout cas, c'est trop délicat, cela ne peut arriver qu'avec, après certaines précautions oratoires... Pour les autres, je peux souhaiter que cela prenne visage d'un livre sur la jalousie. Mais pour elle?

Je vais donc inventer *un début*, qui ne sera sans doute pas le début véritable, mais le début pour Fougère. Alors je lui réponds, et c'est mon premier mensonge, que j'écris un livre...

« ... J'écris, Ingeborg, un livre sur le roman. Voilà. Cela paraît simple, et ce n'est pas nouveau. Mais c'est un livre sur le roman qui est un roman, un roman en même temps qui est un miroir. Pas un miroir, comme disait Stendhal, qui promenait le sien sur les routes. Un miroir devant lequel je suis, et ne m'y vois pas, ou je ne vois que moi suivant l'éclairage, un miroir où je vois en moi les autres quand j'ai l'air de m'en détourner, où, quand je l'ai de ne voir que les autres, c'est moi que je découvre en eux, et je pourrais multiplier les jeux contradictoires. En même temps, ce n'est pas un livre sur le roman, parce que c'est le roman même. Il y a ce que j'écris et ce que je pense. Rien de ce que j'écris n'est vrai, que faut-il croire de ce que je pense? Naturellement c'est un roman *d'amour*, comme on dit. Par conséquent, tu y tiens toute la place, tu m'occupes entièrement comme si tu étais l'oxygène de mes rêves. Tu saisis? Non? Je croyais que c'était clair. Un roman *d'amour*, mais dans ce temps qui m'est départi, au vingtième siècle. Au vingtième siècle, l'amour a dans le roman le rôle que la fatalité tenait jadis dans la tragédie grecque. Mon amour, c'est-à-dire toi, c'est ma fatalité. C'est ce qui est *écrit*, ce à quoi, je peux bien m'agiter, je n'échapperai pas. Tous les romans sont des romans d'amour. La nouveauté, c'est que l'amour moderne soit la conscience et l'accomplissement du destin.

— Tout cela est bien joli, — dit Fougère, — mais je vous suivrais probablement mieux, mon ami, si vous me lisiez un passage... n'importe... pour me donner la couleur de vos préoccupations, le climat de ce qui vous fait comme cela pâlir sur le papier ces jours-ci... »

Il faut donc s'exécuter. Je vais inventer un début pour Fougère. Un début sur le roman en général. J'aurais préféré lire *Le Miroir de Venise*, mais après ce que j'ai dit! *Le Miroir de Venise*, si on y prête attention, est bien une introduction à un roman qui est à la fois le roman et sur le roman, miroir et reflet, mensonge et réalité, mais pour que cela prenne corps, il faudrait en lire trop long. Donc je vais inventer cette *Digression du roman comme miroir*... je ne l'ai pas écrite, je prends mon manuscrit, je fais mine d'y chercher des pages, j'en mets de côté un petit paquet vraisemblable, je tousse un peu, je me donne l'air de lire : je parle, je ne lis pas, je ne suis pas les lignes d'un manuscrit, je mets un masque de lecteur. J'annonce : *Digression...* il faut prendre tout d'un peu loin, d'un peu haut.

*

On sait en réalité très peu de choses de C. L. Dodgson, plus souvent connu sous le nom de Lewis Carroll, et généralement on se prend à ce ton d'enfance par quoi nous sont dérobées ses préoccupations profondes. Rien de plus singulier que l'entrée en matière par quoi cet auteur, au bout de dix pages d'une conversation avec un petit chat, amène Alice dans le monde qui est de l'autre côté du miroir. J'ai relu ce premier chapitre d'*A travers le miroir* assurément plus de cent fois, depuis le temps où j'ai traduit *La Chasse au Snark* : le mystère en rien n'en a diminué à mes yeux. La neige tombe toujours pendant ces pages-là, — le gentil bruit doux qu'elle fait, — *juste comme si quelqu'un couvrait la fenêtre de baisers au-dehors.* Alice demande au petit chat s'il sait jouer aux échecs... levez donc vos superbes épaules, c'est par là qu'est introduite la grande leçon qui nous est donnée dans l'art du roman. Car tout ce livre inexplicable n'est qu'un art romanesque, s'en est-on jamais avisé ? Le romancier, c'est celui-là qui trouve naturel de demander aux petits chats s'ils jouent aux échecs. Et tout aussitôt C. L. Dodgson nous instruit d'une méthode de pensée, qui est caractéristique d'Alice, au pays des Merveilles ou ailleurs. Elle dit, afin de s'égarer elle-même, *Let's pretend* [1]... Prétendons : et peu importe quoi, c'est sur ce jeu que l'invention s'installe. « *Prétendons,* — disait-elle à sa sœur, — *que nous sommes des rois et des reines* » et la sœur proteste, avec cet esprit mathématique qu'elle a, qu'elles ne sont que deux, et

---

1. *Supposing,* disait le Chinois dans ce livre qui te ressemble, d'une Ingeborg à *Tahiti,* quand je ne te connaissais pas.

par suite ne peuvent être *des* rois et *des* reines. A quoi, Alice, en qui le romancier à ce trait se reconnaît bien, répondra : « Bon, *vous* pouvez être l'un ou l'autre, un roi ou une reine à votre choix, et *moi je serai* tout le reste... » Cette petite phrase, pour peu qu'on l'écoute, est de plus d'importance pour l'art du roman, que la remarque classique de Flaubert touchant Mme Bovary. Et il est vrai que, pour ma part, entre Alice et Mme Bovary, mon choix est fait, au moins pour les prolongements vers l'avenir.

C'est ainsi qu'Alice dit au petit chat : « *Prétendons qu'il y a un chemin pour traverser le miroir et passer dans la maison d'au-delà...* » aussitôt le jeu commence, le roman : (Alice) *était déjà grimpée sur la cheminée le temps de le dire, bien qu'elle ne sût guère comment elle y était parvenue. Et certainement la glace était en train de fondre, juste comme un clair brouillard argenté...*

Mais pour moi, si je ne suis plus à l'âge de faire la conversation aux petits chats, la question demeure toujours de traverser le miroir, de passer dans la maison de l'autre côté, c'est-à-dire d'entrer dans ce monde qui m'est interdit, ce monde toi. *Let's pretend...* et je suis déjà au-delà des apparences, je suis déjà tout le reste, comme est la neige à la maison de ce côté-ci du miroir. Ainsi commence n'importe quel chapitre de ce roman qui est l'amour de toi. *Let's pretend* que je fais des vers, tout de suite pour couvrir la glace entière de ces baisers du dehors. *Let's pretend* que c'est une chanson :

CHANSON

Que sais-tu des plus simples choses
Les jours sont des soleils grimés
De quoi la nuit rêvent les roses
Tous les feux s'en vont en fumée
Que sais-tu du malheur d'aimer

*Je t'ai cherchée au bout des chambres
Où la lampe était allumée
Nos pas n'y sonnaient pas ensemble
Ni nos bras sur nous refermés*
Que sais-tu du malheur d'aimer

*Je t'ai cherchée à la fenêtre
Les parcs sont en vain parfumés
Où peux-tu où peux-tu bien être
A quoi bon vivre au mois de mai*
Que sais-tu du malheur d'aimer

*De cette lente et longue attente
Où n'est vivre qu'à te nommer
Dieu toujours même et différente
Et de tout moi seul à blâmer*
Que sais-tu du malheur d'aimer

*Mon cœur m'oublie et je demeure
Comme le rameur sans ramer
N'écoutant que de toi clameur
N'étant que du temps consumé*
Connais-tu le malheur d'aimer

Et il ne m'échappe rien, que faible est la chanson, et pour l'oreille étrangère incompréhensible sa plainte. A la fois, la rimaillerie et soudain *chambres* qui ne trouve répons que d'*ensemble*, et le professeur me dira que les bras ouverts ou refermés ne sonnent point, ce qui est vérité, mais n'empêche que le défaut des rimes est comme celui de la syntaxe, cette tache à quoi se trahit la surface trop parfaite du miroir entre ce monde-ci et l'autre... la séparation des eaux, qui parle ainsi ? Pour la chose dite, comment vous permettez-vous de savoir si j'ai ou non droit à gémir le malheur d'aimer ? Sur quelles données jugez-vous de ma vie ? *Let's pretend* que nous sommes tous les rois et toutes les reines. Pourquoi la rime ? faible ou forte, qui change ou qui ne change pas, prétendons à la poésie, après tout la rime est miroir, l'une l'autre qui se reflètent, et le vers regarde à l'envers le vers, de ce bout qui ressemble à la neige de mes baisers. Prétendons que le sens naît les yeux dans les yeux des sons... prétendons, voulez-vous, que toute pensée au départ n'est qu'une rime qu'on oublie, après, quand elle a pris la voix humaine. Et je n'étais que cette rime, et suis devenu cet amour. Et j'ai pris, moi, la haute mer.

Bon, pardonne mes idées fixes, et ce refrain des mêmes mots. Je ne parlais que par image, il ne s'agit que du roman. De l'autre côté du miroir, Alice a trouvé un livre et le poème du *Jabberwock*, qu'elle y déchiffre d'abord croyant que c'est là langage qu'elle ignore, dans les pages court de droite à gauche, il faut à le lire un miroir, de l'autre côté du miroir. Le miroir remet sur ses pieds le poème aux yeux qui le lisent. Mais le sens en demeure, bien sûr, fort obscur, l'enfant naturellement dira, comme fait le critique : « Cela me semble très joli, mais c'est plutôt difficile à comprendre! », et l'auteur : « Vous voyez qu'elle n'aimait point avouer, même à elle-même, qu'elle n'y pouvait comprendre goutte. » Elle ajoute : « De quelque façon, cela paraît me mettre des idées en tête, sans que je sache exactement ce qu'elles sont! Toutefois, *quelqu'un* a tué *quelque chose* : *cela* est clair, à tout le moins... » Cela me fait bizarre, parce que devant la poésie Alice parle exactement comme moi, quand je tente de lire un livre de la *Série noire*. Et si je me laissais aller, tout le livre d'Alice de l'autre côté du miroir de fil en aiguille y passerait. Mais quelqu'un a-t-il bien été tué, ou quelque chose. Par quelque chose, ou par quelqu'un ? Est-ce crime de tuer le Jabberwock ? Il n'y a pas grand'différence entre la *Série noire* et les récits épiques, le tout est de savoir si l'on est du côté de ce qui tue ou de ce qui est tué. On verra plus loin que c'est toute l'histoire d'*Œdipe* : réflexion qui suffit à détruire toute chronologie de ce roman, mais qu'y puis-je ? Elle m'est sautée aux yeux à relire la dactylographie, ici et pas ailleurs.

Ou bien cela sera entre nous la conversation du Roi blanc et de la Reine blanche, les pièces d'échecs, s'entend, quand le Roi lui raconte son épouvante d'avoir été saisi entre le pouce et l'index de l'invisible Alice : « *Je vous assure, ma chère, que j'en ai eu le froid jusqu'au bout de mes favoris.* » A quoi la Reine répond : « *Vous n'avez pas de favoris. — L'horreur de ce moment, — poursuit le Roi, — je ne pourrai jamais, jamais l'oublier ! — Ça vous arrivera, pourtant, — dit la Reine, — si vous n'en faites point un mémorandum...* »

C'est alors qu'Alice a l'idée de se substituer au Roi qui allait écrire, sur un carnet par rapport à lui gigantesque, avec un crayon dont le bout dépassait son épaule, si bien que s'en étant saisie elle trace en fait les lettres pour le Roi. Il dit à la Reine : « Ma chère ! Je *dois* en vérité prendre un crayon plus mince... celui-ci écrit toute sorte de choses dont je n'avais point l'intention... — Quelle sorte de choses ? » dit la Reine, jetant un coup d'œil au carnet, où Alice avait écrit : *Le Roi blanc est en train de glisser en bas du bâton. Il oscille dangereusement...* Si bien que la Reine s'écrie : « Mais ceci n'est point un mémorandum de *vos* sentiments ! » O ma Reine à moi, si tu avais souci de regarder ce que j'écris ! De qui penserais-tu que sur mon carnet je transcris les sentiments ? De quelle Alice ? Il y a pourtant toujours pour qui peine avec un crayon trop gros pour ses doigts à écrire un roman, où il fait à s'effacer l'impossible, quelque petite Alice géante, dirigeant du bout le *Koh-I-Noor*, si bien que ses secrets apparaissent sur le papier, malgré lui, mieux que s'il avait entrepris d'écrire sa propre histoire. Pauvre Roi qu'on ne laisse pas mentir en paix !

« Je n'y comprends rien, — dit Ingeborg d'Usher, — il faudrait me répéter tout cela très lentement, parce que vous parlez de gens que vous connaissez et que je ne connais point. Entre nous soit dit, c'est une curieuse chose que la lenteur : si on change le *tempo* de ce qu'on dit, la personne qui vous écoutait, à partir d'une certaine *lenteur*, se met à comprendre, et cependant c'est la même chose qu'elle ne comprenait pas à une autre vitesse. Le ralenti, c'est donc le mécanisme de l'intelligence? Le cycliste qui fait du surplace comprend la bicyclette, il faut croire, alors que le champion qui s'étourdit à pédaler *se sert* de la bicyclette, mais sans y rien comprendre... Bon, cela ne vous regarde pas : cela fait partie des rêves à quoi je m'attarde, pour les comprendre, à propos de ce rôle... enfin, dans tout ça, si vous vous y mettiez, mon ami, à me parler du roman? — Eh bien, qu'est-ce que je faisais donc? Il faudrait sans doute, quitte à paraître plus lent que nature, commencer dès l'origine... ou, au moins, dès la première grande transformation qu'a subie le roman français passant du roman courtois, où la fatalité pour Tristan et Yseut n'est pas très différente de celle des Atrides, et le récit est essentiellement rapide, direct, comme si l'auteur avait assisté à ce qu'il invente, et non pas inventé ce à quoi il entend nous faire assister... passant, disais-je, des vers à la prose et du roman courtois au premier roman réaliste, Anthoine de La Salle, *Le Petit Jehan de Saintré*, ou mieux le Sire de Bueil, *Le Jouvencel*...

— Mon ami, — interrompt Ingeborg, — l'ennuyeux avec vous est que vous parlez tout le temps de choses que ceux qui vous écoutent ne connaissent pas. *Alice au Pays des Merveilles* ou *Through the looking-glace*, on m'en a parlé à l'école, mais votre Sire de Bueil...

— Il y a un peu plus de quatre cents ans entre Jean de Bueil et Lewis Carroll. Ne craignez rien, je n'entends aucunement vous détailler les affres du miroir pendant ces cinq siècles-là. Mais pour comprendre la nature du roman, il faut bien essayer de voir ce qui en est le trait permanent. J'aurais pu chercher plus près témoignage de cette permanence, par exemple, chez Charles Lamb...

— Allons, bon! — s'exclame Ingeborg, — je m'habituais déjà à votre Sire de Bueil, qu'est-ce que cet agneau vient faire ici ? »

Il faut dire que Fougère a un peu raison, cette façon que j'ai de jouer à chat perché, d'un romancier à l'autre, et d'ailleurs Lamb n'est pas même un vrai romancier... c'est mon péché, ou si vous voulez mon snobisme. J'aurais pu dire à Ingeborg que Charles Lamb a donné du romancier tel que je le vois la définition qui me paraît le mieux convenir : *Some who did not know that what he tell us of himself was often true only (historically) of another...* C'est-à-dire : quelqu'un qui ne savait pas que ce qu'il nous conte de lui-même n'était souvent vrai seulement (historiquement) que d'un autre. A vrai dire, c'est Elia que Lamb définit ainsi, Elia, la signature des essais qu'il vient de publier pendant plusieurs années, en quelque sorte son Anthoine, mais dont un beau jour il a décidé de se débarrasser, dans un article nécrologique où il annonce la mort de sa seconde incarnation. On pourrait aussi voir démonter chez notre auteur le mécanisme du roman à propos du 3e Essai d'Elia, dont Lamb écrit : « *Là où, sous le couvert de la première personne (son tour de langage favori) il imagine l'état d'abandon d'un garçon de la campagne placé dans une école de Londres, loin de ses amis et connaissances...* » (Elia) c'est-à-dire lui-même « *est en opposition directe avec l'histoire de sa propre jeunesse...* » Et je vous ferai observer, Ingeborg, que dire à la première personne le contraire de ce qui fut, c'est ce que nous appelons habituellement mentir... Mais ce mensonge n'en est pas un, puisque ce qu'Elia raconte à la première personne est historiquement vrai (ne serait-ce que *seulement*) de quelqu'un d'autre. Il va sans dire que le romancier peut aussi procéder à l'inverse, et prêter à un autre ce qui n'est « historiquement vrai » que de lui seul, n'est-ce pas ? Ainsi il y a roman quand le mensonge et la réalité cohabitent dans un personnage qui peut être Anthoine ou moi, peu importe. Sinon ce sont des Mémoires, ou je ne sais quel conte de fées. Mais je n'avais fait ici surgir Charles

Lamb et son ombre que pour me justifier de remonter au quinzième siècle. J'y reviens.

Jean de Bueil avait cinquante-cinq ans quand il entreprit d'écrire *Le Jouvencel introduit aux armes*, et il y passa cinq années. C'est-à-dire à diriger le travail de trois de ses serviteurs, qui écrivaient l'histoire de sa vie, mais sous d'autres couleurs. Il leur livrait les faits et les lieux à déguiser, et les personnes. Eux s'en arrangeaient au bénéfice de la morale. C'était là jeu nouveau, où tout se devait inventer à la fois et ressembler à ce qu'on n'inventait point, rien ne devait se passer là où la chose se passait pourtant, ni se reconnaître l'homme sur son cheval de guerre ni s'écarter pourtant le héros de son ombre. Enfin, c'était le roman sans le dire. Les faits qui en font la trame sont postérieurs à 1424 (c'est-à-dire à la bataille de Verneuil où Jean avait dix-huit ans) et s'étalent sur une période indéfinie où, vers la fin cependant, on démêle des allusions à des faits de 1453 (le Jouvencel, alors, doit avoir quarante-sept ans si nous l'identifions à l'auteur). Le livre couvre donc l'essentiel du règne de Charles VII, des premiers succès français après Azincourt et Verneuil, aux jours où la libération de la Guyenne consacre l'expulsion des Anglais hors de France. Le Sire de Bueil joua dans cette période un rôle d'importance et y fut presque dès son apparition le compagnon de Jeanne d'Arc. Cependant le *roman* se réduit aux faits conçus comme exemples du comportement du Jouvencel en tant qu'homme de guerre. Les noms changés font qu'il n'est guère possible de savoir si les adversaires sont Français ou étrangers, du parti du Roi de Bourges ou du Roi de Bicêtre ou tout au moins que le choix en est laissé aux suppositions du lecteur. De Jeanne, il n'est pas question : elle aurait tout compliqué à son profit, introduite dans le roman, on n'y aurait plus vu qu'elle. En général, si l'on s'y retrouve, en grande part c'est grâce au *Commentaire* de Guillaume Tringant, écuyer de Jean de Bueil, joint à certains manuscrits du *Jouvencel*, et qu'on estime avoir été écrit entre 1477 et 1483. Guillaume y écrit notamment : *Des choses qui ont été déguisées ou divisées au livre du Jouvencel, je vous en dis l'exposition. D'autres pratiques qui ont été faites, que mon maître et autres ont faites et exécutées à l'exploit de guerre, je ne vous les déclarerai point! car vous en trouverez la plupart au livre du* Jouvencel, *auquel mondit maistre y a point voulu être nommé...* On donne généralement à ceci, deux raisons contradictoires, l'une qui est la modestie de l'auteur, l'autre sa prudence. A vrai dire si le Jouvencel n'est pas Jean de Bueil, mais un personnage de roman, que vient faire ici sa modestie ? D'autant que la fin du livre, le mariage du héros avec la fille du Roi Amydas, et ses fonctions à sa cour, sont assez incompatibles avec cette modestie-là. Pour la prudence, je ne la vois pas bien grande : car, si le livre écrit sous Louis XI devait être dangereux pour son auteur en raison de l'éloge qui y est fait du feu Roi Charles VII, où donc est la contrebande, puisque cet éloge y est précisément prononcé, sans nécessité narrative, au compte non du Jouvencel, du personnage, mais du Sire de Bueil lui-même ; et que c'est en fait la seule chose, après le prologue et le premier chapitre que l'auteur prenne à son compte. J'imagine pour moi que, dans ce temps où le roman directement basé sur des faits réels n'avait pas de précédent, pas d'expérience, Jean de Bueil devait inventer de toutes pièces l'art de son œuvre. Et que c'est bien plus le souci d'écrire non point une autobiographie, mais une fiction, tirée de ce qui avait été sa vie, qui explique et les déguisements des faits, des gens et des lieux, et *l'imprudence*.

Le roman commence par un article qui a si souvent servi aux romanciers depuis Louis XI qu'il apparaît une pauvre chose aujourd'hui, mais on voudra se souvenir que c'était alors une pure invention : l'auteur d'abord parle à la première personne, dans le prologue et dans le premier chapitre, prenant soin de nous dire qu'il commence son livre à la vigile de l'Annonciation, soit le

24 mars, mais point de quelle année, et comment il arrive au château du Luc, dont il décrit encore en témoin, au chapitre II, la misère, et y fait paraître un jeune gentilhomme, qui sera le Jouvencel, auquel à partir d'ici est laissé entièrement parole, bien qu'à la troisième personne, tout le restant du livre étant supposé noté par le Sire de Bueil sur les propos que le Jouvencel lui a tenus, ce qui se conçoit pour le temps où le voyageur aurait pu demeurer au Luc, et les faits antérieurs à sa venue, mais se poursuit sur près de trente années, sans que justification nous en soit aucunement donnée ni des raisons de ce séjour prolongé, ni que l'auteur semble prendre la moindre part à ce qu'il conte, *tout se passant dans le miroir*.

De ce que j'avance, témoigne la structure même du livre, qui est moins le récit des événements de la vie de Jean de Bueil, que leur utilisation à l'appui de considérations morales, lesquelles sont le propos essentiel de l'auteur. La première partie est l'éducation du Jouvencel, comme représentant de la chevalerie, ou gouvernement de soi-même. La seconde, dite économique, a pour objet le gouvernement de soi-même et des autres. La tierce ou politique est celle qui est le moins conforme aux épisodes de la vie de l'auteur, c'est une moralité générale de l'homme de guerre, où la fidélité au Roi s'exprime par rapport au Roi Amydas, c'est-à-dire par rapport à un roi de fiction dans des conditions purement imaginées. Dans *Le Jouvencel*, le Roi Amydas donne sa fille au héros du livre. Ce que cela signifie, Guillaume Tringant nous l'explique : *le mariage qu'il eut de la fille du Roi par fiction* traduit la confiance que fit le Roi Charles VII à Jean de Bueil, en 1453, où Bordeaux et la Guyenne furent repris sur les Anglais, quand il le nomma son lieutenant par mer et par en deçà de Gironde : *Et, en tant qu'il le fist lieutenant en celle partie, j'entends que le Roy lui avait donné sa fille pour la puissance que lui avait donnée et l'honneur qu'il lui fist.*

Les serviteurs qui écrivaient le livre du *Jouvencel*

sous la direction du Sire de Bueil ont, nous dit Tringant, rapporté les événements de la guerre *au moins mal qu'ils ont pu et le plus à la vérité que possible* : il explique qu'ils aient fait fiction du mariage royal, sur ce que le Jouvencel n'étant seigneur ni prince ne pouvait parvenir à haut état qu'ou par tyrannie, ce que les auteurs ne voulaient point, ou par mariage. *Mais*, dit-il encore, *les exploits décrits sous ombre du mariage ont été faits et sont véritables*. Il s'agissait de montrer que *nul ne doit devenir à haut état ni à grand'seigneurie, s'il n'y vient justement et à bonne querelle*. La raison de la fiction est donc la morale. Et pour ce que ne devaient se nommer les personnes ni les lieux où les choses étaient faites, la fiction exigeait gens et lieux feints. Il a donc convenu aux auteurs *quérir noms étranges qui les a faits troubles...* Ainsi se trouve sous la plume du témoin qu'est Guillaume Tringant parfaitement décrite *l'invention du roman* ou réalité dominée.

« La fiction, — remarque Ingeborg, — a bon dos, qui n'invente autre raison des grandeurs de votre homme que le beau mariage. Et si c'est là votre moralité... les romans modernes qui se terminent quand le beau garçon épouse une femme riche, pour fidèles qu'ils soient à la vie courante, ne prétendent du moins pas être par là moraux. Ni dominer la réalité.

— La fiction n'est pas le seul signe, Ingeborg, de la *réalité dominée* par l'auteur. Lieux et gens ne font point que changer de noms, afin de laisser à Bueil plus grand' liberté de les mêler à son histoire, le nouveau nom qui leur est donné réunit sous ses espèces plusieurs localités ou plusieurs personnages. Ainsi du château de Luc, Chasteau-l'Ermitage, où l'auteur rencontre premièrement son Jouvencel ; il résulte du roman qu'il voisine avec la place de Crathor, que tint Gilles de Rais. Et que Luc et Crathor furent initialement les lieux d'où rayonnaient les petits groupes qui faisaient des coups de main sur les Anglais. Mais Guillaume Tringant nous apprend que *Crathor est dit pour le Siège d'Orléans*, et aussi pour Lagny-sur-Marne assiégé, d'où se retirèrent également les Anglais. Il nous dit que c'est pour que le Jouvencel n'ait *rien déclaré*, et que Bueil a tenu main au secret des lieux et des gens en mettant *deux et trois choses en une*. Si bien que Crathor désigne les sièges de Lagny et d'Orléans, mais ensuite ce nom est donné au château de Sablé, comme à Chasteau-l'Ermitage est donné Luc. Si bien, ajoute Guillaume Tringant, que *sont les deux choses ensemble interprétées* : Lucrator, *qui est autant dire comme « gaigneur de biens » ; car, par ce moyen, commencèrent-ils à gagner le pays sur les Anglais. Et pour ce, sont mises les trois choses en une : Orléans, Lagny et Sablé... les choses mises à part soi eussent été trop claires, et mondit maître ne le voulait pas : car il ne donnait point d'argent pour soi faire mettre ès chroniques.*

On multiplierait les exemples de transposition qui ont simplifié la longue histoire du règne de Charles VII et des exploits de Jean de Bueil. Il suffit à s'en faire idée de s'en tenir à la clef du livre qui figure en tête du manuscrit n° 3059 de la Bibliothèque de l'Arsenal, de la même main que le commentaire de Guillaume Tringant, qu'elle résume. C'est pour plusieurs lieux et personnages une simple clef : *Le grand capitaine est Lahire* ou *Escaillon est Marchenoir*. Mais la chose va plus loin s'il nous est dit : *Tous comtes s'entendent pour le comte de Parvenchères*. Parvenchères est une petite localité voisine de Mortagne. Par comte de Parvenchères, sera désigné tout lieutenant général du Roi de France, particulièrement Charles d'Anjou (comte du Maine), et le Bâtard d'Orléans (comte de Dunois). Le commentaire s'en explique : *ce eust été forte chose d'avoir couché tous les lieutenants que le Roy ordonnait...* ce pour quoi, dans *Le Jouvencel*, ils seront tous désignés du seul nom de comte de Parvenchères. Il ajoute : *Le Jouvencel fut lieutenant du comte du Mayne et du duc d'Alençon quelquefoys. Et pour ce est-il dit en son livre qu'il estait lieutenant du comte de Parvenchères...* Ce même mécanisme joue pour les Anglais : *il est entendu pour tous lieutenants du Roy d'An-*

gleterre le duc Baudoyn... De même, quand après la trêve entre Français et Anglais, le Dauphin Louis se porte au secours du Duc d'Autriche en Alsace et en Suisse, le commentaire nous dit : *Et y vint Matago, anglais, Reinefor et autres jusqu'au nombre de quatre cents lances et quatre cents archers lesquels ne furent point de la bataille que monseigneur le Daulphin gaigna sur les Suysses, parce qu'ils ne purent pas venir à l'heure...* mais dans *Le Jouvencel* tout ce monde est réduit à un personnage collectif qui reçoit nom de Guillaume Boqueton, dont on conçoit plus facilement que du corps volontaire des Francs-Anglais (bien que quatre siècles plus tard même histoire nous soit généralement contée de nos alliés britanniques pendant la guerre de Crimée, qui se faisaient surprendre par les Russes pour s'être attardés à faire des toasts et du thé), qu'il se soit mis en retard au rendez-vous de l'ennemi, et Guillaume Tringant nous l'explique, c'était qu'*on faisait sur le livre ce qu'on pouvait pour n'y entendre ryen.* Ainsi *estaient les choses meslées l'une parmy l'autre : mais toutefois c'estoient choses advenues* et l'on risquait qu'en soit entendu quelque chose, *ce que ne voulaient ceulx qui faisaient le livre dudit* Jouvencel.

Tout ceci peut paraître singulièrement entrer dans le détail d'un livre qui n'est pas en librairie. Mais, outre que pour ce point on ne saurait me tenir rigueur de la négligence de notre pays envers ses vieux romans, si je me suis bien expliqué, ne verra-t-on point que les problèmes du quinzième siècle se posaient au réaliste à peu près comme ceux de nos jours se posent à nous ? Avec cette différence que, de nos jours, il faudrait faire des personnages collectifs qui, sous quelque nom du genre Boqueton, réuniraient des peuples et des empires, qu'on aurait beau mettre deux et trois choses en une, les faits demeureraient trop clairs, et si grand'ruse soit introduite au jeu des miroirs, on n'arriverait à faire sur le livre assez qu'on n'y entendît rien. Et je ne touche volontairement point à la vie privée. Ou par exemple, à titre

de comtes de Parvenchères, seraient par le nom de Christian, pour fixer des idées, ô papillons, sur un bouchon comme un autre, désignés tous les amants de Fougère...
— Comment, comment ! — interrompt Ingeborg d'Usher, — tous les amants... Mais, mon cher, est-ce que vous savez simplement de quoi vous parlez ?
— Ingeborg, n'empêchez pas ma démonstration. Vous ne savez pas où je veux en venir... Ni, par exemple, que le choix de Jean de Bueil n'est aucunement de simple rencontre : parce que ce temps de Charles VII a mille ressemblances avec ce que nous avons vécu, si ce n'étaient point Anglais qui fussent pour nous à bouter hors de France. Et notamment, ce commencement du malheur renversé, quand Dunois et Lahire eurent fait lever le siège de Montargis en 1427, et où l'on attendait *que les jeunes fussent sages et puissants de servir* (dont, dit Tringant, *le Jouvencel fut un*). Ce moment de l'Histoire où *les Français commencèrent à prendre cœur pour les jeunes qui se faisaient hommes, et le pays qui se repopulait de gens*... Mais ceci est d'un autre moment de ce livre, où je viendrai si d'ici là quelqu'un ne me broie pas le cœur, n'ayant ici sujet de dire que de ces secrets du miroir appelé roman, et des tours de main, comme cela se nomme pour les métiers ouvriers, dans son maniement. Dont plus ou moins eurent et transmirent connaissance les *story tellers* qui nous ont précédés mais qui ne suffisent plus ni à la matière romanesque, laquelle ne se peut plus borner à être de Bretagne, de France ou de Rome la Grand, ni au principe d'accélération qui s'est introduit dans notre vie, si bien que le temps qu'un roman soit écrit, l'homme a changé, et le monde, et déjà ce n'est plus que soient entendues du lecteur « les choses advenues » qu'il faut craindre, mais au contraire, précisément, qu'on n'y entende rien. Ce qui implique autre jeu du miroir, dont à ce qu'il me semble il faudrait s'expliquer d'abord.
— Vous me fatiguez, — dit Ingeborg. — Et j'ai bien autre chose en tête, que vos gentilshommes dont le

moins qu'on puisse dire est qu'ils manquent de cette contemporainéité, dont vous autres, réalistes, exigez qu'elle soit la marque de tout ce qui s'écrit. Leur morale chevaleresque ne m'explique ni Chypre, ni le Viet-Nam, ni le Congo, pour m'en tenir aux journaux d'aujourd'hui...

— Ne me ramenez point à Chypre, Ingeborg, où nous y retrouverions Othello et la jalousie. Et cela dans le moment où j'inventai moyen de parler, à mettre deux ou trois choses en une, et cent comme deux, de tous objets de cette affreuse passion sous le seul nom de Parvenchères, lequel nous disons aujourd'hui Pervenchères, d'un village emprès Mortagne, ce qui vous en conviendrez, est généreux de ma part, pour d'un coup donner des yeux de pervenche à tous vos amants. Quant au Viet-Nam, s'il n'est pas sûr que le temps de Charles VII ne soit pas métaphore à le comprendre, le Congo, lui, avec ses *affreux*, ne manque pas de ressembler à la France des Grandes Compagnies quand, dès le siècle d'avant le Jouvencel, on l'appelait le Paradis des Gens d'Armes. Cependant, remarquez, mon amie, qu'il y a entre le Roi blanc dans l'histoire d'Alice au-delà du miroir et le Sire de Bueil, une extraordinaire parenté qui vous échappera si je n'attire point votre attention sur elle. L'un comme l'autre voulaient écrire leurs sentiments, mais on ne les laissait pas mentir en paix, si bien qu'Alice appuyant sur le Koh-I-Noor du Roi trahit ce qu'il pense alors qu'il se donne si grand mal à le cacher, écrivant. Et de même, Jean de Bueil, s'étant fait masque de Jouvencel, a pu se donner tout le mal du monde à mettre deux et trois en un qu'on n'y entende rien, mais là-dessus est venu Guillaume Tringant, son Alice, qui explique tout, et ce qu'il faut entendre par Crathor, Guillaume Boqueton ou le comte de Parvenchères, et pour le reste des siècles est son commentaire au roman du brave Sire joint, alors que peut-être, peut-être le plus romancier des deux n'est pas celui qu'on pense, et tout fut comme le voyait le Roi blanc ;

et n'était sans doute le comte de Parvenchères qu'un seul petit hobereau d'un lieu qui est un peu au nord de Bellême...

— Je conçois mal de votre part cette complaisance à me promener dans le Maine ou l'Orléanais, que voulez-vous, mon ami, que je m'intéresse à Luc ou Crathor, soient vrais ou faux les noms de ces châteaux imaginés....

— C'est que vous ne pouvez savoir de quoi m'est cette région traversée. A quel crève-cœur elle m'est liée. Ce qui commence en ce pays où sont Jean de Bueil et son cousin Gilles de Raiz rivaux... Ce pays où Jean de Bueil à cheval était la mercy-Dieu, qui n'avait rang que d'écuyer-banneret quand il vint avec vingt et un hommes assiéger Orléans... ce pays où j'arrivais vers le soir du 13 juin 1940 à Verneuil, précisément au lieu de cette bataille, en 1424, où Jean fit ses premières armes et perdit ses plus proches compagnons. Étrange ville vide alors avec ses grands feuillages, les traces de l'abandon précipité, je n'en vois plus que les ombres, ses tours, qu'était ce bâtiment avec une grande cour qui nous avait été assigné, l'escalier de bois qui montait à un grenier magnifique, où s'inscrivent encore pour moi les croisements foncés des poutres ? J'étais si fatigué, moins de la marche et du soleil, que de l'inquiétude, où est l'ennemi, qui fuyons-nous, de gauche ou de droite, du nord ou du sud ? et cet incroyable silence... Là, dans la paille, avec le poste radio qui m'était confié, j'ai pris les nouvelles, je dis *pris*, il me semble que je les volais... on entendait d'étranges stations inconnues à la voix rauque de colère, qui nous parlaient, ou parlaient à certains d'entre nous comme à des complices dans l'armée même : *Marquez vos hommes... quand le signal viendra, descendez vos officiers...* et puis des chansons, bizarrement, comme si de rien n'était... Et c'est là, qu'on nous a dit, ce soir, que Paris s'est rendu... Nous étions trois ou quatre, muets, dans le grenier, la mâchoire et les yeux ouverts, la nuit tombait, et tout à coup le poste s'est tu... toute la ville où l'on avait commencé de tourner les commutateurs, soudain obscure, l'électricité coupée. Allons, là-dedans, en route. Qu'est-ce que vous avez? Il faut se presser. Les Allemands sont signalés à... La division prit un chemin bizarre. Je ne me souviens pas trop où nous avons dormi, si nous avons dormi. Au matin, quelque part dans les bois au sud de Sainte-Gauburge, j'entends toujours le cri de touriste d'un de mes hommes à son voisin : « Vise un peu si c'est salement mité! » C'était le clocher gothique, fin de siècle, qui devait avoir à peu près mon âge, de la Grande-Trappe de Soligny. Le gosse en avait son émerveillement, mais qu'est-ce que ça lui aurait donné qu'ici, avant tout ce travail de la pierre, il y avait un couvent de Cisterciens, où Rancé... tu sais, Rancé, l'amant de la duchesse de Montbazon?

— Ça me dit quelque chose, — murmure Ingeborg.
— C'est vous? ou c'est Anthoine, qui a écrit là-dessus? »

Et moi, je n'y résiste pas, même si c'est Anthoine. Je récite :

L'escalier dérobé la porte et c'est l'alcôve
Les rideaux mal tirés par des doigts négligents
Il reconnaît ces yeux que souffrir a fait mauves
Cette bouche et ces boucles fauves
Cette tête coupée au bord d'un plat d'argent
Aveugles chirurgiens qui déchirent les roses...

Tata tata tata, je ne me souviens plus très bien, comment...

Au cloître que Rancé maintenant disparaisse
Il n'a de prix pour nous que dans ce seul moment
Et dans ce seul regard qu'il jette à sa maîtresse...

J'en passe, quoi : *Ce moment sur le seuil de la chambre — Qui ne l'a fût-ce un soir vaguement éprouvé...* tata tata tata... *A-t-il aimé vraiment a-t-il vraiment rêvé...*

« N'empêche, — dit Ingeborg, — que votre jeune soldat il ne devait guère plus que moi connaître ce Rancé-là, et d'ailleurs, si j'ai mémoire, ces vers ont été écrits deux ans plus tard, à peu près...

— Oui, ma chère amie, mais c'est deux ans plus tôt que tu as failli mourir, et mon jeune soldat ne te connaissait pas, il ne savait pas ce que j'avais pensé, moi, *sur le seuil de la chambre*, alors, quand ce chirurgien des roses, tu te souviens? Un Américain... m'avait dit *je vous donne une heure pour réfléchir, après, je ne réponds plus d'elle...*

— Vous mêlez tout, dit Ingeborg — et puis vous devenez familier. »

Oui, je mêle tout. Pas plus qu'Anthoine, je ne suis Rancé, ce don Juan qui prend la bure, et réformera la Grande-Trappe de Soligny, où jusqu'à la fin de sa vie il observera le silence. Cela ne me ressemble guère. Y ai-je même pensé, quand j'avais en tête autre chose, au milieu des bois du Perche, avec nos soldats qui s'en allaient sans savoir pourquoi? Et, tout ce pays traversé, y pensais-je vraiment à la guerre de Cent Ans? Cette nuit-là, je veux dire la suivante, nous avons traversé La Flèche à toute allure, déserte aussi... je me souviens des forêts, et de ce charroi soudain sur notre gauche : allez donc voir, me dit le général, ce qui se passe par là, ils font un potin... C'était le général Langlois, notre ancien colonel, maintenant commandant les armées de l'Ouest qui avait pris l'habitude de se servir de moi comme éclaireur. Dans un chemin parallèle, entre les arbres, j'ai vu l'armée allemande, qui marchait sur ses drôles de voitures, ayant aussi traversé La Flèche, qui sait avant ou après nous, se hâtant vers Angers sans doute... C'était après que nous ayons enfin pu changer de souliers, oui, le soir : on avait passé par Le Lude, quand je regarde la carte je n'y comprends rien. Au Lude, il y a un très beau château, c'est un peu à l'est de La Flèche, un château qu'on a commencé de bâtir quand Jean de Bueil écrivait *Le Jouvencel*... C'est là que nous avons pillé un marchand de chaussures, on n'y tenait plus, oui, c'est de là que venaient ces souliers à tiges, rouges, que tu m'as connus plus tard : enfin, quitter ces bottes qui avaient fait tout le mois de mai en Belgique, Dunkerque, l'Angleterre... j'en avais les pieds brûlés. Il y a un peu plus loin de La Flèche à Sablé, c'est-à-dire Crathor, que de la Flèche au Lude, nous n'avons pas remonté au nord-ouest vers Crathor, vois-tu, Fougère, il s'agissait d'atteindre la Loire... de passer la Loire. J'ai raconté quelque part ce soir du Lude, le diable sait où. Le Lude où l'on se battait à petite distance sur la route, et les blessés qui arrivaient de Paris, un d'eux avait fait le coup de feu à Meudon, tu imagines, à Meudon! Oui, je mêle tout.

« Vous mêlez tout, — répète Ingeborg, — et que dirait Anthoine, s'il vous entendait me tutoyer ? »

Anthoine... ah, je l'avais oublié celui-là. Est-ce que je pense à Anthoine, à me distinguer d'Anthoine quand le médecin me dit que tu vas mourir? Et quand les Allemands sont aux portes d'Angers... Anthoine! Autre personnage de roman, même s'il n'est pas comte de Parvenchères, comme le premier Christian et le dernier Jérôme venus. Je tentai, craignant cette inclinaison de mon esprit, une sorte de diversion contre moi-même et je dis, avec une brusque rupture :

« Anthoine, laissons là Anthoine... cela vaut mieux pour lui d'ailleurs : si un comte de Parvenchères peut être tous les lieutenants du Roi, nous pouvons, vous et moi, Ingeborg, être tous les rois et toutes les reines, n'en déplaise à Mademoiselle la sœur d'Alice, et aussi Cassio, ou Christian pour faire moderne, être tous vos amants. Et toutes les guerres sont la guerre de Cent Ans, ou ma guerre est toutes les guerres, si vous voulez.

Mais permettez cependant que j'en revienne à la réalité dominée.

— Ah, je vous en prie! — s'exclame Ingeborg. — Car il me semble à vous entendre ici que c'est la réalité qui vous domine, d'où ce multiple désordre. Mais j'ai bien remarqué que vous ne faisiez ici que mine de lire, et l'improvisation vous déborde. Il eût fallu, sans tricher, me montrer honnêtement ce que vous écriviez où, j'espère, l'art est plus grand, c'est-à-dire le pouvoir de l'homme sur les événements montrés. N'auriez-vous pas au moins un manuscrit achevé de plus petite taille, qui supportât la lecture?

— C'est à voir », lui dis-je. Car il m'était venu à l'idée en lieu de ce que j'écris, — et pour éviter que ses commentaires me jetassent dans ce désespoir qu'elle a si bien pouvoir de me donner, lequel aurait eu pour effet d'arrêter du coup le *Roman de Fougère*, comme je jouais à l'appeler ces jours-ci, de présenter à Ingeborg une nouvelle de la main d'Anthoine... mais ceci demande explication. C'était de ma part trahison, sans doute, et pour le moins un trait fort vilain de mon caractère. Toutefois, la tentation de ce piège était grande pour ma perversité. C'est que j'avais essayé, du moins me semblait-il, d'expliquer à Fougère comment naissent les personnages de roman, ce qui se mêle aux choses dites, l'ombre sur tout des choses tues, le mélange de l'invention et de la vie, plus peut-être que de la biographie objective, de cette vie secrète dont je suis seul témoin. C'était, on s'en souvient, sur une question d'Ingeborg, comme un désir de lui résumer ce que j'écris, la complexité de ce que j'écris. Il s'agissait de moi. Puis comme toujours, en moi s'était glissé Anthoine, l'autre. Je ne parlais plus de ces pages qu'Ingeborg avait curiosité de connaître, me les voyant griffonner. Il faut dire qu'Anthoine m'avait remis une chemise rouge. Dans une de ces matières récentes comme on ne savait guère les utiliser avant les années 60, « l'âge de nylon », qui imitent très joliment le maroquin, le

grain, le toucher, un peu mou. C'était le jeu d'Anthoine
qu'il fît mine de désirer connaître mon opinion sur ce
qu'il écrivait, des nouvelles, il y en avait trois. Elles
étaient dans la chemise rouge, et celle-ci, l'ouvrant,
j'avais vu au verso de la couverture au-dessous du trait
oblique que faisait la fente d'une poche pour mettre
je ne sais, des notes, des lettres, la mention en caractères d'or :

*XVIIe Congrès du Parti Communiste Français.
Paris 14-17 mai 1964.*

Ce que je ne transcris pas affaire de situer Anthoine,
pour ce qui le touche la chose est publique, mais afin
de dater la chose, de la remettre dans son contexte tem-
porel (ou bien était-ce lui qui avait tenu ainsi à me
le suggérer?). Il y avait trois nouvelles : *Murmure,
Le Carnaval, Œdipe*... et je les avais lues avec cette avi-
dité, la première pour ce qu'il pouvait y avoir d'évidente
parenté de Murmure à Fougère, les autres pour ce qui
s'en écartait, la volonté de s'en écarter. Toutes trois
sans lien d'apparence, avec en elles de sourds échos
de l'une à l'autre répondant...

Eh bien, donc pendant que j'en étais à expliquer à
Ingeborg le mécanisme de la naissance du roman, j'avais
été repris par cet abominable jeu d'Anthoine. Je ne
sais si c'était la crainte de montrer mes écrits à la femme
pour qui, de toute manière, ils sont faits, la panique
de ce qu'elle allait en penser. Ou quelque autre ressort
psychologique. L'idée en moi sourdement se faisait jour
de substituer aux pages encore broussailleuses de mon
livre, au moins, à titre d'exemple, et sans le dire, la
première nouvelle de la chemise rouge. Pourquoi cette
tricherie, pourquoi m'attribuer l'œuvre d'Anthoine
ainsi, cela me demeurait obscur, et je ne me le demandais
pas vraiment. D'ailleurs, peut-être, puisque Anthoine

n'avait pas montré ces pages à Fougère, voulais-je lui épargner le malheur de découvrir qu'elle ne les aimerait pas : s'il en était ainsi, je pourrais peut-être, à la réflexion, en garder responsabilité, qui sait? Mes rapports avec Anthoine ne sont pas simples. Je n'aime pas Anthoine, comment voudriez-vous? Mais quand il souffre, est-ce que je ne souffre pas? Je n'avais pas tout à fait décidé ce que je ferais si, sur la lecture, Ingeborg s'écriait *mais c'est merveilleux!* Lui avouerais-je y être étranger? Ferais-je durer l'équivoque? Peut-être pour jouir d'une espèce de faux triomphe amer, le sachant d'imposture, prenant par gorgées ce poison enivrant, des compliments qui s'adressent à l'autre. Peut-être allais-je être saisi d'un vertige, vouloir à jamais cacher à Fougère, qui avait écrit *Murmure*, en demeurer pour elle l'auteur, et alors qu'inventer, pour donner vérité à mon mensonge, forme ineffaçable de vérité? Cela m'effleurait à peine, les réponses vagues que j'imaginais à cette question logeaient dans un autre étage de moi-même que celui où elle se posait : mais c'est peut-être à cet instant pour la première fois que l'idée me vint de me débarrasser d'Anthoine... de tuer Anthoine. Je n'en étais pas là, vraiment. En fait, qu'est-ce que je voulais, je cherchais, à quoi tendais-je, à quoi tout cela pouvait-il aboutir? Je me sais aussi faible touchant ma propre psychologie que pour la psychologie en général, comme science. Donnant *Murmure* à Fougère pour mien, avais-je vraiment l'intention d'en faire tourner la lecture au profit d'Anthoine, à supposer que Fougère ait aimé ce texte? Ou voulais-je surtout dans le cas contraire, comme je m'en flattais au fond de moi-même, éviter, à elle ou à lui, la désillusion que cela serait? Car j'espérais bien que Fougère n'aimerait pas la nouvelle d'Anthoine. Peut-être aussi que j'entendais simplement prendre à mon compte le bénéfice de *Murmure* dans la première éventualité, ne me réservant d'en dévoiler la paternité réelle que dans la seconde... Je n'aime pas à me présenter à mes propres yeux avec une image trop favorable, ma grandeur d'âme je la réserve pour autrui. Dans mes rêveries, je me vois toujours au pire de moi-même. Enfin...

Toujours est-il que, sous le prétexte de donner à ma digression sur le roman comme miroir, un exemple qui l'éclairât aux yeux d'Ingeborg, je tirai de la chemise rouge cet écrit, prenant soin d'en négliger le premier feuillet qui portait le nom d'Anthoine Célèbre, et je toussai légèrement pour m'éclaircir la voix : « Cela s'intitule *Murmure*, et cela porte en épigraphe...

— Ah, non, par exemple! — s'écrie Ingeborg, et elle m'avait déjà pris des mains le paquet des feuilles dactylographiées, — c'est fort bien tapé, semble-t-il, et j'aurais mieux à le lire de mes yeux que des vôtres! Voyons un peu cette réalité dominée... »

J'allai donc me promener tandis que Mme d'Usher, avec la radio qui marchait en sourdine, sur le fauteuil de cuir cramoisi qu'un pouf change en lit de repos, se regardait dans *Murmure*, ce qui justifiait le titre de cette digression *Le Roman comme miroir*... mais me laissait dans un état de gêne, que j'essayai de me dissimuler à feuilleter des livres anciens ou moins anciens chez les libraires : j'aime écouter leurs propos désordonnés, car ce sont les derniers porteurs d'une certaine forme de la culture, dont il me serait sans doute très difficile de me passer, au cas où les idées qui sont supposées être celles d'Anthoine et les miennes se trouveraient victorieuses en ce bas monde avant que nous en ayons disparu.

Les idées... on vit pour ses idées, on meurt parfois pour elles. Et puis ce qu'elles deviennent. Tenez, je pense que j'aurais pu naître Chinois, m'enthousiasmer, me battre, souffrir et rêver, croire arrivée enfin l'heure de mes idées... Pourquoi je dis ça? C'est que je lis dans un journal d'aujourd'hui (tu as vu ça? m'a dit ce libraire, qui est de la catégorie des gens dont je parlais, qui savent tout, et retrouvent dans les poubelles de notre civilisation l'or perdu des pensées piétinées... tu as vu ça ? il me tendait son journal, une grande page en petits caractères, un discours quelque part, il y s'agissait justement... au moins où son doigt me montrait, et il secoua sa pipe, la toqua sur le banc, cela se passait devant sa boutique, dans cette étrange province oubliée comme un moyen-âge, à deux pas de ce carrefour de bruit et de jeunes gens, la cour de Rohan ça s'appelle...), je lis, dans ce journal d'aujourd'hui que les vignes vierges sont rouges, l'automne déjà pluvieux :

... un grand tapage est fait actuellement autour de ce qu'on appelle « La Révolution dans l'Opéra de Pékin », auquel on demande de ne plus jouer de pièces mettant en scène des empereurs et des rois, car ce serait là « perpétuer les forces bourgeoises et féodales ». On assigne comme tâche principale aux artistes « de devenir des prolétaires » afin de puiser à « la seule source possible de littérature et d'art ». On se félicite qu'un tableau sur huit de l'actuelle peinture chinoise exalte l'étude des œuvres de Mao Tsétoung. Un grand nombre de membres du Bureau Politique et d'autres dirigeants du Parti Communiste Chinois font des discours sur ces questions. L'un d'entre eux demande de bannir de l'inspiration artistique « la sentimentalité raffinée et compliquée, complexe et mélancolique, d'histoire de rencontre d'un jeune homme avec une jeune fille ». Un autre attaque le cinéaste soviétique Tchoukraï dont il dit que les trois films : Le Quarante et unième, La Ballade du soldat, *et* Ciel pur *dégagent une « odeur d'humanitarisme et de pacifisme bourgeois ».*

De grands articles sont consacrés à une lutte dogmatique outrancière contre le directeur d'un Institut qui s'est rendu coupable de soutenir que la dialectique ne comportait pas seulement le concept de « un se divise en deux », mais aussi le concept de « deux fusionnent en un ». Ici les dirigeants chinois caricaturent la loi dialectique du dédoublement et de l'unité des contraires en une conception mécaniste destinée, au nom du « concept de un se divise en deux », à fournir un semblant de justification théori-

que à l'activité scissionniste dans le mouvement international.

Si j'étais né Chinois... mais peut-être est-ce aussi cette histoire de *l'un en deux*, et du *deux en un*, qui me trouble. Pour des raisons à moi, différentes de celles de l'orateur. Et pas si différentes peut-être. Si on regardait au fond la chose. Comme on dit... *au fond*

Premier conte de la chemise rouge.

MURMURE

> *I wonder by my troth, what thou and I
> Did, till we lov'd?*
>
> John Donne.

Où et quand ? Les yeux vainement ouverts ne mesurent que la nuit, mais peut-être suis-je simplement aveugle. De toute façon, si la pendule marchait pourrais-je y lire l'heure ? Si je n'entends pas son cœur, cela ne prouve rien : la dernière fois que j'y ai pensé, j'étais sourd. Odéon 84-00... ma main bat l'air sans atteindre l'objet blanc, on aura repoussé la table de chevet, y a-t-il une table, y a-t-il quelque chose de blanc au monde ? Et de toute façon le quatrième top ne me dirait que l'heure, qui est la même où que je sois, mais non pas le jour, le mois, l'année... Une fois... il y a longtemps... le sang s'était arrêté de couler dans ma tête, et je n'en savais rien. J'étais dans mon bain, je n'ai pas remarqué l'éclipse, et la porte s'est ouverte, et Murmure est entrée. Elle est entrée comme le temps, et de la voir sans doute le cœur s'était remis à battre, tout se passait comme si, de sa petite main, elle avait à l'envers de ma tête tourné le remontoir. Mais quand elle m'a dit : « Dépêche-toi, le tailleur va venir pour l'essayage... », il a commencé entre nous un dialogue dont l'étrangeté tenait à ce que sa mémoire à elle, sans discontinuité, n'avait cessé son jeu de machine à écrire, que Murmure n'avait pas besoin d'étendre la main, de faire Odéon 84-00... tandis que moi je ne savais plus rien de trois semaines de ma vie, et je ne savais pas même n'en plus rien savoir.

Il faudrait allumer au moins, trouver le commutateur

sur le fil, mais j'ai perdu le fil, et puis à quoi bon? S'il y a sur le marbre gris de la table le téléphone blanc, que saurai-je de plus de savoir qu'il est trois ou quatre heures ? Je n'ai jamais mesuré ce clin d'œil d'absence alors dans la baignoire qui avait effacé trois semaines. Ces trois semaines, par la suite, patiemment reconstituées, je crois les avoir vécues, il m'en est longtemps resté un doute, sans en rien montrer, d'abord je faisais comme si j'avais retrouvé dans ma mémoire, éveillé dans ma mémoire, ces heures de Vienne, et le reste : à vrai dire, pour ne pas épouvanter Murmure, et tout de ma part était de la ruse, les gens ne savaient pas m'apprendre ce dont ils me parlaient, ils ne pouvaient comprendre que je les interrogeais. Ils ne savaient pas que je faisais du doigt avec eux Odéon 84-00. Puis peu à peu, c'est moi qui ai oublié que j'avais oublié. Plus jamais, sans doute, je ne pourrai démêler, comme dit Murmure, *le vrai de l'inventé*... Ces journées reconstituées, pour moi qui ne suis pas lapidaire, je n'y reconnais pas le rubis de la pierre artificielle. Et maintenant, c'est-à-dire à cette heure où du doigt je trace dans l'air vide l'ODÉ-84-00 imaginaire de mon douté... rien ne peut m'assurer que ce que je prends pour un sommeil d'où je sortirais n'a pas été des vacances comme l'autre fois, hors du temps, rien ne peut, au moins tant que la porte ne sera pas poussée, et qu'il n'y aura pas Murmure, et sa voix, son regard, rien ne peut me permettre de penser qu'entre ce que j'étais *la dernière fois* et ce que je suis, il n'y a eu que le sommeil de tous les soirs, que je viens de m'éveiller pour la suite du feuilleton, un peu tôt peut-être, sans tenir compte de la machinerie solaire, voilà tout.

Trouver le commutateur sur le fil : mais quel fil, il n'y a rien, et tout d'un coup je comprends que le mot commutateur lui-même, c'est quelque chose comme ces données d'alors, après la baignoire, c'est-à-dire un mot de *récit* : j'entends un mot comme ceux d'un récit de voyageur dans un pays où l'on n'a pas été soi, qui n'est lié à aucune image. Peut-être que j'ai oublié ce que c'est, physiquement, un commutateur, en gardant simplement le mot. Peut-être que j'ai mémoire des mots, et des choses oubli.

Non. En tout cas, pas de toutes les choses. Par exemple Murmure... je sais son nom, et je suis inondé de sa lumière, elle a beau dormir, là, près de moi, et si loin partie dans quelque rêve, j'imagine que j'aurais pu oublier son nom, ce nom que je lui ai donné comme une pierre reconstituée d'elle-même, mais pas elle, pas elle, cela jamais. Elle est ceci pour quoi les signes magiques, les mots de conjuration, sont parfaitement inutiles. Et même ce nom *Murmure*, qu'elle a difficulté de prononcer, et elle dit que je l'ai fait exprès, ce n'est pas un mot comme *couteau* à côté de l'objet couteau, mais plutôt une sorte de photographie d'elle, un reflet d'elle, incomplet, naturellement, incomplet, mais qui bouge à ses pas, une ombre... Je lui en ai donné tant, de ces noms que je dis dans l'ombre, pas comme un signe de conjuration, un numéro de téléphone, un Odéon quelconque, pour me rappeler l'inoubliable, la seule chose au monde inoubliable, plus que l'heure, tant de noms dans la vie, toujours l'un pour en cacher un autre, pour ce secret de nous-mêmes en plein jour, même quand je l'appelle à tue-tête dans la foule, et son vrai nom... y a-t-il un nom qui soit le vrai, le vrai n'est-il pas celui que je lui donne, à cette minute où je le donne? Son vrai nom ferait trop se retourner les gens, ce nom qu'on chante, ce nom qui porte le poids de notre vie, alors j'invente. Murmure est son nom nocturne. Celui qu'elle-même n'entend pas, le nom de mes insomnies... Murmure, ce n'est pas un numéro de téléphone, un Odéon quelconque, pour me rappeler l'inoubliable, plus que l'heure, le jour, le mois, l'âge... Trouver le commutateur sur le fil. Qu'est-ce qu'un commutateur? J'ai le mot, j'en ai perdu le sens, c'était quelque chose à main gauche, quelque chose de lié à l'heure, mais je ne sais plus du tout comment, une chose que je pouvais prendre dans ma main gauche, comme, en me retournant vers la droite dans le lit, le doux genou de Murmure, ou sa cheville, et voilà que je ne suis plus qu'elle d'y penser, là, sur le dos, le bras dans le vide. Et d'ailleurs, cette chose commutateur, est-ce que c'est bruyant, est-ce que ça bouge, il faut faire attention : si cela me réveillait Murmure...

Odéon 84-00... Cette formule, elle, est purement conjuratoire. J'essaye sans y parvenir d'imaginer l'objet lié à ses syllabes. Peut-être me suis-je réveillé dans un temps où cela n'était pas encore inventé ? dans un lieu différent de celui où je m'étais endormi ? Si je rejetais de mon corps ce drap noir qui fait autour de lui la nuit et le silence, où me retrouverais-je et à quel âge ? De quelle couleur sont mes cheveux ? Auprès de moi Murmure a tendrement bougé, bougé n'est pas le mot, pour cette chose insensible, à peine une modulation de la présence, un murmure d'être... tiens, tout se passe comme si pour parler d'elle il fallait toujours en revenir à ce bruit des lèvres à peine séparées, comme elle à l'instant de moi. C'est une interrogation bizarre qui se lève en moi, peut-être à cause d'elle, de ce frémissement d'elle : de toute ma vie, enfin de tout ce qui me semble avoir été ma vie, ce rêve confus, que je croyais traîner avec moi comme une certitude, un héritage, ou que sais-je ? de toute ma vie, il ne m'est pas arrivé, que je sache, de me poser ainsi cette question... mon âge. Je croyais pouvoir tout oublier, mon apparence ou mon langage, mais l'âge, mon âge, non. A quoi sait-on l'âge qu'on a ? Dans la baignoire, je n'avais pas oublié mon âge. Voilà que je n'ai pas plus tôt pensé cela que j'en doute : parce que comment saurais-je si je l'avais oublié ou pas ? Murmure m'a demandé, quand elle a compris avec horreur que je ne savais plus ce que j'avais fait la veille, l'avant-veille, mais tu sais bien d'où nous venons ? et, quand je lui ai dit de Paris, elle a eu peur un moment de conclure, elle ne pensait qu'à vérifier si je

me rappelais qu'entre Paris et la baignoire il y avait eu
Vienne, et c'est Vienne oubliée qui lui a arraché ce cri...
Mais pas un instant elle n'a pensé à me demander quel
âge as-tu ? Personne n'y aurait songé. Ce n'est pas une
chose qu'on demande, sauf à un enfant qu'on rencontre
dans la rue... Alors peut-être que j'avais oublié l'âge que
j'avais, que cela m'est aussi revenu par ruse, ou par déduc-
tion plus ou moins consciente.

Ici, maintenant, comment cela se fait-il ? je viens de
l'éprouver, peut-être à cause de toi, de quelque chose
en toi, d'un *murmure* en ton rêve, avec une violence
qui ne peut pas n'être qu'un souvenir, je me suis senti
soudain d'une jeunesse et d'une force incroyables. D'un
âge où il n'y avait pas d'horloge parlante, pas de Sésame-
ouvre-toi de l'heure qu'il est, parce que c'était moi
l'heure, qu'il n'y avait pas de téléphone à qui le demander, pas de fil qui l'amenât, pas de... comment dis-tu,
cette chose qui coupe l'ombre, le comment ? le commutateur... Peut-être que je me suis réveillé dans ma jeunesse et dans ma force, ou même la force, la jeunesse
d'une autre heure, d'un autre âge, d'un temps d'avant
les fils de la lumière et de la voix, d'un temps où il n'y
avait pas encore à se demander son âge, d'un temps où
tous les objets parmi lesquels je me suis, je m'étais
endormi, n'existaient pas encore, et c'est pour cela que
je ne trouve ni la table de chevet, ni le fil, ni le
comm...

Alors, je vais essayer de reconstruire encore une fois
ce monde qui m'a échappé, ainsi qu'alors les jours de
Vienne, je vais aller d'une chose à l'autre, de moi-même
à toi, de ce linge encore que je palpe, et qu'est-ce que
c'est, peut-être un linceul... non, la toile est fine, ce
sont des draps de couleur avec des fleurs brodées, un
jour... je vais essayer de proche en proche, autour de
toi, de reconstruire au moins la chambre où tu dors, et
peut-être de là tout le reste, la maison, le quartier, la
ville, un monde, et ses façons d'être, ses inventions,
ses ruses à lui, ses malheurs, ses forêts, ses guerres...

comme si cela était vrai, si cela je l'avais vécu, si j'en avais mémoire... si j'en avais en moi murmure.

Ne bouge pas. Ne t'enfuis pas de moi. Je te tiens dans mes bras, ma jeunesse. Je te tiens de toute la force de ma vie, de tous les bras de ma vie, mes bras de fureur et de lassitude, mes bras de bonheur et de triomphe, mes bras de chaque jour et de chaque nuit. Je te tiens dans mes jambes dans leur violence toujours émerveillée de te reconnaître entre elles, je te tiens contre moi dans tout ce corps chantant, dont toi seule es l'histoire, la longue histoire de musique, la variation infinie d'aimer...

Dans le monde où j'ai fermé les yeux, je revois à droite, par-dessus toi par conséquent, ce mur d'armoires, avec ses cadres peints blancs tendus de coton gris; à l'une des portes, à la clef par ses rubans pendue, une chose noire et douce. Comme un gant retiré de la main, avec cette mollesse de la soie, nulle forme précise, est-ce une chemise, une jupe? Si tu l'avais sur toi, comme tout à l'heure, peut-être y pourrait-on comprendre l'époque à laquelle nous sommes. A la nature aussi du tissu, le touchant. Mais avec les yeux de la mémoire ce n'est qu'une tache tendre, une enveloppe à tes pieds tantôt tombée, et je frémis encore du geste de la ramasser. Si je pouvais ouvrir les armoires, j'y verrais tes robes, comme les femmes d'un Barbe-Bleue, sur les cintres, et même elles me feraient souvenir d'autres vêtements, naguère, d'autres il y a longtemps, comme l'alphabet de notre couple. Je me souviens de ce chapeau que tu portais l'hiver de 1929, et comme une ancienne amie à moi qui s'efforçait sans doute un peu de me pardonner ton existence, m'avait dit : « Il faut bien du courage à Murmure... bien entendu elle ne t'appelait pas Murmure... pour porter un chapeau blanc, c'est si cruel pour le visage d'une femme! » J'écoute encore cette phrase, elle produit toujours en moi la stupeur du premier moment. C'était un chapeau de feutre un peu comme on les fait en 1964, cloche. Et ce manteau de fourrure, le premier que je t'ai connu, je n'ai jamais retenu le nom de ce petit animal, sibérien sans doute, qui t'empêchait d'avoir froid. Toutes les années comme cela, l'une après l'autre, l'une de l'autre se distinguent d'un vestiaire à quoi je ne puis me tromper, et celle-ci pour une robe est demeurée bleue, celle-là je ne puis la dater que de ton linge, une troisième est un châle fin, fin, fin comme la neige de ton pays.

Sur la table peinte que nous avons ramenée de Savoie, une table au pied du lit, noire avec des dessins blêmes, tu avais hier soir laissé ton sac, le petit étui turquoise de ta lorgnette de nacre et le programme du théâtre, et sur le grand buvard jaune à coin de faux cuir, l'automne d'une paire de bas. Dans la glace en face, qui est en deux morceaux de couleur différente, le petit d'en haut plus pâle, des cartes d'invitation glissées au coin gauche du cadre, en bas, et de l'autre côté cette image que des inconnus nous ont envoyée d'Allemagne. Les deux chaises, qui marquent chacune notre côté, pareilles, et l'on sent le rouge sous le laqué blanc des dossiers, comme dans ces grilles où le minium reparaît si on les écorche, tu te souviens de l'ami qui nous les a données, quand le style Martine était juste à la mauvaise distance, et tu les as fait recouvrir de crin blanc. Du moins c'était comme cela, hier soir, si c'était hier soir, et dans l'embrasure de la fenêtre, de mon côté, ce coffre de cuir florentin où dorment les étoffes de tes épaules. Tu n'aimes pas ta coiffeuse, près de la cheminée, qui est de ce temps de passage entre le dix-huitième siècle et l'Empire, dans un merisier marqueté de Provence ou d'Italie du Nord, un de ces meubles où se sont assises les dames qui accompagnaient l'armée de Napoléon, où maintenant c'est ton cher désordre qui traîne, de petites bouteilles, des limes, les ciseaux, ta poudre, et le peigne, et des boîtes, ce baguier d'argent sur trépied de sirènes. Je n'ai pas besoin de la lumière. Tout cela, pour moi, c'est un phénomène de persistance rétinienne, tout cela c'est le décor de ce temps où la radio à côté de toi, en contrebas, quand ta main soudain l'effleure, se met à chanter n'importe quoi, et tu éteins la lumière, il ne reste que le cadran pâle et son œil vert, ce temps dont chaque minute est devenue si courte, ce temps de nous qui mesure avec des chansons la fin de la course, comme, tu sais à la seconde mi-temps d'un drôle de rugby, les passes du ballon, quand on n'ignore pas que, quoi que fassent les joueurs, ils ne pourront plus qu'améliorer leur score...

Bon. Mais si maintenant clarté revenait dans la pièce où je suis, comment croire que tout serait à la même place, les mêmes objets ? Et si la tache noire pendue à la clef était une grande robe longue, à volants, avec une ceinture baleinée ? s'il dormait sur la chaise, à droite, une cape du soir à ruches, avec sa doublure gorge-de-pigeon, s'il traînait un masque à côté des lorgnettes, s'il y avait de hautes bottines jaunes près du lit ? Peut-être ne serait-ce plus nous, ce couple qui dort, ou d'autres nous, qui sait ? J'essaye de les voir, mais dès qu'ils se forment, je les rejette, parce que je ne puis supporter ce passé sans nous, où toujours cependant c'est toi que les choses caressent, et je me suis réveillé avec le cœur qui fait mal, et qu'est-ce que cet homme à ma place qui dort ? Même s'il me ressemble, s'il ressemble à ce type maigre que j'étais faute de matières grasses, ou ce jeune garçon dont les portraits me font croire qu'on aurait pu m'aimer alors...

Peut-être que celui-ci qui dort, c'est l'homme des trois semaines oubliées, l'homme qui sait de moi ce que j'ignore. Mais je ne le vois pas, il fait nuit, il appartient à la ténèbre. Sauf pour la respiration. Une respiration profonde, parfois qui me semble toute extérieure, parfois qui m'emplit, comme le vent sous une porte cochère. C'est celui qui n'a point vieilli, mon semblable, ce reproche à ce dont j'ai l'air, à l'autre que je suis devenu. Te souviens-tu, Murmure, cette année-là, au bord de la mer, où est-ce que c'était, une plage ? Il y avait cette amie à toi, qui est morte il n'y a pas longtemps. On s'était étendus dans le soleil brûlant. Vous parliez toutes les deux, dans votre langue, à quoi je ne comprenais pas plus qu'au babil des abeilles. Tu m'as réveillé, quand tu t'es aperçue soudain que je grillais doucement, c'est mauvais, rien pour protéger le visage. Alors j'avais les cheveux noirs, noirs et plaqués comme un miroir, et tu disais que j'avais l'air d'un danseur d'établissement... Et l'autre me regardait, et elle t'a dit : « Comme il dort bien ! Tu peux le laisser dormir devant n'importe qui, comme un enfant, il n'a rien à craindre... » Maintenant je n'oserais plus, tu ne m'as jamais dit depuis trente ans passés de quoi j'ai l'air quand je dors. Je me demande parfois, dormant, de quoi j'ai l'air. Alors je me réveille, et je n'en peux plus rien savoir. C'est sans doute fort heureux qu'on ne se puisse voir dormir. Ni se voir mort. Écoute, Murmure, si je meurs, promets-moi : ne fais pas la folle, ne me regarde pas, laisse jeter sur mon visage un mouchoir à toi, un mouchoir qui te ressemble, et puis que je parte sans que tu m'aies vu, sans jamais savoir, afin de rêver, de me retrouver, celui d'autrefois ou même celui de plus tard, que je n'aurai pas été, invente-moi des rides en plus, tous les ravages qu'on s'imagine, le gribouilllis du visage, les ratures des traits, toutes les araignées du temps... mais pas cette horreur une fois pour toutes. La vraie.

Tu m'as dit : « Prends-moi dans tes bras... », ou du moins j'ai cru l'entendre. Tu m'as dit parfois : « Prends-moi dans tes bras », alors cette fois j'ai cru l'entendre. Est-ce que tu peux savoir que c'est pour ces mots-là, du demi-sommeil, du demi-réveil, que je t'appelle ma Murmure ? Mais à qui le dis-tu vraiment de nous tous, dans tes rêves ? Ai-je raison de le prendre pour moi, le moi de cette nuit ? Je ne te fais pas de scène de jalousie. Je suppose que ces mots vraiment à moi s'adressent, mais qu'est-ce que cela signifie, *à moi*, celui qui s'est endormi tout à l'heure, et dont j'ai peur à penser, ou quel autre, d'une autre nuit, d'une autre année, d'avant ce qui m'a fait moi-même, ce jeune homme qu'on pouvait laisser dormir devant n'importe qui ? Mon Dieu, quel est le pire, que ce soit le moi d'alors qui vienne habiter tes songes, ou ce que je suis devenu ? Heureusement qu'on n'a pas à choisir. Cela serait atroce. On subit, voilà tout. Le jour vient et on oublie la nuit.

Tu crois, Murmure, que j'invente ? que je me ronge exprès ? pour faire joli ? Ça, tu n'as qu'à me regarder pour comprendre que je n'en ai pas l'illusion. Mais tu ne regardes pas, tu dors. Tu es dans cet abandon merveilleux, où qu'est-ce que cela peut faire de quoi j'ai l'air, si c'est bien moi, quelle année on est, dans quelle ville ou quel désert, s'il y a le chauffage au mazout et le téléphone, ou s'il a fallu bassiner le lit avec des cendres, s'il y a des chevaux à galoper dans les champs de lune, ou des avions dans le noir du ciel, clignotant vert, clignotant rouge... ou peut-être habitons-nous le ventre d'un navire à voiles, et faute de voir les étoiles, il ne peut se diriger... ou nous sommes arrivés on ne sait d'où, dans les haillons d'une caravane, la langue sèche, les yeux pleins de sable, si bien que notre sommeil est comme de micas déplacés dans un kaléidoscope sauvage. Tu crois, Murmure, que j'invente ? Je t'ai bercée, entre mes bras lentement, lentement, longuement bercée, et toi, tu gémissais comme un petit enfant, si bien que j'ai failli te demander quel âge as-tu ? nous avions dû faire ensemble une si longue marche, toute la vie, une marche au bout de laquelle il semble qu'on ne doive jamais parvenir, toute la vie, une marche où l'on porte avec soi ce dont on ne voudrait se séparer pour rien au monde, des choses trop lourdes et mal ficelées, des paquets de souvenirs, des ballots d'idées. Te souviens-tu d'être tombée, ô mon effroi, et je n'avais pas su bondir assez vite, te souviens-tu de la fatigue ? Parce qu'on a la mémoire d'une aventure, d'une guerre, d'un amour... mais de la fatigue, à peine en garde-t-on le frisson.

J'aurais voulu, là, les yeux ouverts sur l'obscurité, non seulement y reconstituer la chambre, l'invisible chambre autour de nous, mais aussi tout ce qui l'entoure, tout ce que nous fûmes, et ne pas oublier la fatigue. Ce jour de l'été dernier, sans aller chercher plus loin, dans cette ville-jardin, où nous avions fait pari d'une direction fausse, quand nous marchions, nous marchions, nous marchions, croyant toujours, au prochain carrefour, reconnaître une rue, une allée, un édifice, un lieu, et ce n'était pas lui encore, mais peut-être là-bas, au bout de la rue... jusqu'au moment où tes jambes ont lâché, et le cœur en moi, c'était une ville toute vide, de grands arbres, des maisons dans des parcs avec des magnolias apportés dans la casquette depuis des pays tropicaux... il n'y avait ni une voiture, ni une âme, des écriteaux vagues, rarement, avec des flèches dans des directions contradictoires, nous avions marché comme en rêve, le pas du cauchemar, la déception cent fois renouvelée, et je ne sais pas pourquoi je m'attendais toujours à trouver la voie du chemin de fer, la proximité d'une gare... des maisons dans des parcs, avec des grilles peintes au bord des pelouses et puis quand tes jambes... il aurait fallu crier, et je ne pouvais pas, je ne devais pas, j'ai gardé dans moi ce cri, j'ai gardé sans fin dans moi ce cri, jusqu'après même le chemin retrouvé, l'autobus, l'hôtel, le dîner dans la chambre... le lit profond... j'ai gardé ce cri depuis ce soir-là, cette nuit quand tu dormais, les jours d'après... je l'ai ramené de voyage, il m'habite, c'est un grand oiseau au bec dur, de temps en temps qui ouvre ses ailes dans ma poitrine et les secoue, et cela va jusqu'au bout de mes bras dans mes paumes, je suis la cage de ce cri, et maintenant que j'en parle, Murmure, que je t'en parle et tu ne m'entends pas, il se réveille en moi comme un furieux, il monte en moi, il assiège ma gorge, il demande à sortir, à déchirer la nuit.

Et puis tu m'as dit : « Prends-moi dans tes bras », de cette voix juste perçue, imperceptible. Et le cri a eu honte, il s'est recroquevillé en moi. Il s'est éteint jusqu'à la fois prochaine. T'es-tu vraiment éveillée, ou simplement est-ce la voix de toutes nos nuits qui monte à tes lèvres, machinale et confiante, et tu tournes comme un visage à la flamme, et pourvu que je sois encore ainsi que tantôt, jeune et fort, pour te porter à travers les ténèbres, comme tu ne sembles pas douter que je fasse, toi qui dors, et ne vois pas mes yeux ouverts, mes yeux d'épouvante sur la nuit.

Est-ce moi? Ce grand homme nu, qui s'étonne de vivre, et ses mains le parcourent, le poitrail, les muscles, l'arcature : quel âge as-tu, garçon? La trentaine, un peu plus. L'âge de rencontrer Murmure. Dans ce temps-là, je me dispersais comme un feu, d'une canne ou du pied, pour voir les dernières étincelles ranimer les cendres, éparpiller l'éclat. Comme je me ressemble encore! Est-ce que j'ai rêvé tout le reste, après, trois semaines, trois heures, trente ans... Tout n'aurait donc été, nous et le monde, qu'un long rêve? Je suis celui des premiers jours, je ne t'appelle pas encore Murmure, et tu dors sans savoir qu'il est advenu toute cette histoire des années... je suis celui des premiers jours, et tout ce que j'ai rêvé, c'est comme dans l'homme qui tombe à mourir, cette chute de la vie à rebours, le vivre revécu, rien n'a eu lieu, c'est toujours la première nuit de nous, la première fois que je me réveille et tu dors. Je me réveille, ce grand homme maigre et violent, sa jeunesse, ayant perdu dans tes bras sa folie, tout à coup l'avenir à sa taille, et frémissant de ta présence, regardant la nuit pour la première fois, et le monde obscur ainsi pour la première fois. Ah tu es là, tu respires. Écoute-moi, je suis peut-être un autre. Dans quel instant d'aimer sommes-nous soudain surpris? Qu'une chose, une seule, ait varié dans l'ombre, et rien du reste n'est plus notre décor éveillé, il faut tout remettre à l'échelle, il suffit sur la chaise d'une étoffe inconnue, une longue robe mauve aux grandes manches fendues, comme on voit je ne sais dans quel Watteau, où les gens s'en vont dans un parc en faisant de grands gestes pâles... il faut remettre à l'échelle d'un taffetas tout ce qu'on pense, et ce qu'on est, et ce qui se passe là-bas sur un lac vaguement encore éclairé...

Je me réveille, et c'est au monde qu'il me faut demander quel âge as-tu ?

Je n'ai pas besoin de voir pour me connaître, dans ces draps défaits, où je ne suis que des yeux aveugles. Je sais mon âge et ma force. Le pouvoir de mes bras, ce souffle en moi montant. Mes yeux sans miroir sont bleus. D'un bleu sombre. Et toute ma peau frémit d'une espèce de pourpre profonde. Je suis blond.

Tu dors, tu ne peux pas me contredire. Je suis blond. D'un blond de Prusse. Mes cheveux me retombent dans le cou, je dois tout le temps du revers de ma grande main rejeter cette mèche de mon front. Ma bouche est mince et longue, mais on voit quand ses lèvres s'écartent sur des dents inégales, pointues, de petites dents de loup, qu'elle est une rose jaune, avec au fond, le sang des gencives... pour toi, Murmure, qui les aimes ainsi. Assis dans le lit déchiré, et la nudité de mes cheveux blonds pour toi seule, il me semble en naître comme un arbre de la terre, et j'écoute auprès de moi le silence de ton sommeil, mes vilains doigts d'homme sur ce dos endormi, dont ils ne reviennent pas, ma reine. Tu sais bien dans le jour, dans les chambres, les salons, parmi les gens, cette instabilité de moi qui t'irrite, comme je suis incapable de demeurer assis, pendant qu'on parle entre soi, ces façons de bête en cage qui me jettent d'un mur à l'autre des pièces, et j'arrive à la bibliothèque et j'y prends machinalement un livre, sans raison, comme si c'était un barreau, comme si je regardais par-derrière, au-delà des murs. Personne, et même pas toi, Murmure, ne sait que c'est pour compenser l'immobilité fantastique de mes nuits, cette interruption d'insomnie où tout est en suspens de ton souffle léger, de ce cœur lointain, si lointain parfois que même le mien s'arrête pour n'en pas couvrir la voix perdue. Une nuit étrangère, où je suis comme une cigogne sur un clocher, une nuit nordique étouffante, une sorte d'étable noire, où gronde le bétail... et je suis comme le saumon sur un smorrebrod.

Tout le Danemark nous entoure, et notre secret est le cœur des îles, des voiliers sillonnent les détroits comme des papillons de nuit, les châteaux éteints surplombent les siècles sanglants, les migrations, les invasions, les voyages. Rien ne peut atteindre à l'immobilité des amours tues. Rien pourtant ne nous sépare du scandale, et de la révélation qui roule son tonnerre à travers le palais et les places, que ce petit verrou sur la porte des appartements du Roi, ce petit verrou qu'un jour tu découvris, et qui ne voulait pas glisser, que tu as fait fourbir, huiler, ce petit verrou entre l'amour et la mort, entre le bonheur et le monde. Tout le Danemark nous entoure de ses cris, ses querelles, son commerce et ses ambitions. Et nous sommes dans son cœur, appelé Christiansborg, comme le feu dont un jour il sera consumé. Il n'y a entre nous et lui qu'un passage où veille la garde norvégienne, par-dessus le Frederiksholms Kanal, le Marmerbrœn, le Pont de marbre par quoi notre île tient à Kobenhavn, et s'en sépare. Il n'y a pas au monde une nuit plus noire que celle-ci, qui s'en va vers la mer, il n'y a pas dans le vaste monde un semblable lieu d'angoisse, où tout ainsi soit immobile et suspendu comme une grande aile en l'absence du vent, ou peut-être faudrait-il remonter aux heures d'Aulis quand les armées des Rois grecs n'attendaient que d'Iphigénie sacrifiée l'espoir de faire voile vers la Troade où par l'épée ou la lance mourir, plutôt que de la peste entrée en leur chair et leurs tentes, au milieu de l'agonie et de la puanteur... mais je m'égare, je m'égare, je ne suis qu'ici dans le Château du Roi-Fou, dont j'entends à travers les portes, là-bas, soudain la fête atroce et le rire dément parmi les nègres, les marins débauchés, les prostituées de Nyhavn, l'aboiement des chiens... Odéon 84-00... *top top au quatrième top il sera exactement... 1770, 1771, 1772...*

Tout le Danemark nous entoure de ses terres déchirées par la mer, comme un châle d'îles et de misère, et rien n'y a-t-il donc changé depuis le temps d'Oluf Hunger, le Roi Faim, que les paysans sont assis dans des champs qui ne leur appartiennent point, n'ayant droit de quitter leur région natale, qu'ils traient pour d'autres le lait, pour d'autres gardent les porcs? Un sommeil lourd pèse sur ce peuple corvéable à merci, qui porte les fers d'une morale sauvage, punissant de mort l'adultère et tenant à crime d'épouser la femme de ton frère, et la justice est de bon plaisir, la noblesse un souverain à cent têtes, les cachots sont pleins, j'ai beau faire, arracher à ce roi Christian la censure abolie, le conseil privé démis et dispersé, les mesures contre les prévaricateurs, l'accaparement, la disette organisée... ô Murmure, Murmure, qui fera cette vie au bout du compte humaine et l'homme autour de la femme qui ne referme point des bras loués? Tout le Danemark nous entoure qui de nous rien ne sait, mais se doute, pour qui tu es la Reine et rien d'autre, Caroline-Mathilde, et non point Murmure, ma Murmure. Entends rire au Château du Roi-Fou, quelque part, dans une salle de miroirs et d'armures, invitant les soldats à sa table, et peut-être que le sang dans sa tête s'est arrêté, il a oublié trois ans de sa vie, il t'a oubliée, il ne sait pas qu'on va demain, tout à l'heure, venir lui essayer cet habit d'Opéra pour le bal masqué, se souvient-il qu'il a été à Vienne au carnaval? Et s'il s'en souvient, il est plus fou que je ne crois, car il n'a jamais été à Vienne, et le carnaval c'est à nous, Murmure, de nous en souvenir!

Tout le Danemark... qui de nous rien ne sait, mais

chansons pourtant se font de nos baisers, et paroles obscènes, dont la pluie emporte la trace, et l'aube blanchit la mémoire. Et que les gens imaginent à leur gré notre histoire, ils n'y croient pas, ce sont inventions dépravées, sans preuve, sans pouvoir, des rêves de pavot, des propos pervers, pauvres polissonneries de taverne, profanations perdues... Personne ne sait que je t'aime et comment je t'aime, ô merveille d'une musique ainsi de tous inouïe! Tout le Danemark ignore que tu m'es Murmure, tout le Danemark ignore nos amours, comme le soleil en plein midi, une fenêtre ouverte sur le ciel. Personne ne sait que je t'aime, et si tu m'aimes, bien moins. Ah, je pourrais crier sur les toits ton nom, en faire des cloches, porter aux yeux de tous cette bague avec un saphir bleu que tout le monde a vue à ton doigt, montrer l'étui que nul excepté moi ne peut ouvrir, où je garde ton portrait, par le jeune M. Abildgaard, qui vient de revenir de Rome, je pourrais dire n'importe quoi, m'étant enivré dans les auberges, rouler dans les ruisseaux avec les mots de ton oreille, ou monter sur une oie sauvage pour au-dessus des toits de turquoise clamer cette gloire de toi dans mes bras, les gens sont sourds, ma bien-aimée, ils ont les prunelles trouées, le cœur immobile et la tête ailleurs, ils ne savent pas que je t'aime, et quand ils le sauraient, ils ne le sauraient pas, Murmure! Songe que j'aurais pu lasser l'écho de ton nom comme un vague Pétrarque, et l'on aurait de moi ri, disant Laure Laure, il revient encore à sa Laure, il croit qu'il suffit dire Laure que ce soit le printemps, souffler Laure que le rossignol réponde, chanter Laure et c'est la Saint-Jean où le laurier fleurit. Ah malheur à qui le nom de l'amour échappe, et ce sera dérision de lui, montre-la-nous donc cette Laure, qu'on puisse un peu la comparer... Je suis celui qui n'a jamais dit à l'écho le nom de Murmure, le nom murmuré dans les murs, dans la nuit par les murs murée...

Je suis né Allemand, mais la bigoterie des miens, leur vue théologique de toute chose m'écarta dès ma prime jeunesse de ma patrie, et je ne crus pouvoir revenir chez mon père que lorsqu'il eut quitté Halle, où j'avais vu le jour, pour être prévôt de l'église d'Altona, et surintendant du clergé dans les duchés de Slesvig et de Holstein. Docteur en médecine avant ma vingtième année, j'étais allé poursuivre mes études en France, à Montpellier. A vrai dire, j'y fus moins assidu à la Faculté qu'à la Bibliothèque et c'est surtout à la philosophie que j'y donnai mon temps. La société de cette ville était partagée entre guelfes et gibelins, je veux dire entre protestants et catholiques, et le spectacle de ces dissensions religieuses me confirma dans ce matérialisme dont je m'étais convaincu à Halle, et qu'ici la pratique de Rousseau et d'Holbach vint encore exalter. Au Danemark, l'exercice de mon art m'ouvrit les yeux sur l'injustice. Chez les pauvres et les riches, j'appris, plus encore qu'à soigner les malades, à connaître la diversité des malheurs humains, je pénétrai au cœur des souffrances qui ne sont point imputables à la seule nature. J'appris comment peu à peu, dans ce pays, toute la terre était passée à quelques mains, comment les crises agricoles avaient peu à peu fait tomber ce pays dans la misère, et j'en rapprochai le spectacle de ceux que m'avaient offerts la France et l'Allemagne, je me suis mis à rêver au siècle prochain qui redonnerait aux peuples les droits dont ils étaient frustrés. J'écoutais l'avenir, j'entendais sourdement dans les profondeurs le pas des révolutions, jusqu'ici faites toujours au profit d'un groupe de privilégiés contre un autre ; et dans les galetas, les taudis d'Altona, dans les fermes du Holstein où régnait le désespoir des moissons pourrissant faute de granges, des sols épuisés, j'interrogeais ces êtres soumis qu'on appelle le peuple. Un songe que j'avais fait d'aller à Malaga où la santé publique manquait de médecins pour ouvrir une école qui en formât, bien que déjà j'eusse été accueilli favorablement par l'ambassadeur d'Espagne, m'apparut soudain comme une désertion, une trahison de ces Danois dont j'avais tant vu en quelques années mourir. Non qu'ils m'eussent parlé à leur dernière heure, c'étaient presque toujours des êtres ou préoccupés uniquement de survivre, ou las d'une vie désespérée, avec lesquels je n'avais que ces rapports de ma profession. Mais cependant, au fond de ces yeux qui déjà ne voient plus que partiellement le monde auquel ils se savent arrachés, combien de fois avais-je saisi ce regret d'avoir gâché leur existence dans le machinal déroulement d'une société dont ils n'avaient jamais critiqué la marche, ni voulu changer le cours. As-tu déjà vu mourir un chien ? as-tu déjà vu ce regard de reproche qu'il tourne vers son maître comme pour lui demander le pourquoi de cette horreur ? J'avais été choisi pour rédacteur d'un journal qui se nommait *La Gazette d'Altona*. Il m'y sembla que ma tâche était de faire connaître aux humbles citoyens du Holstein ce qui se passait dans le reste de l'univers, et je me mis à lire les journaux de tous les pays que je pus obtenir. Cela exigeait d'apprendre divers langages, et d'abord la chose m'en parut rebutante : puis je me pris à ce jeu, découvrant par tout le monde l'humaine douleur inhumaine aussi bien dans la lointaine Amérique où les soldats de votre frère, Madame, auront bientôt du mal à maintenir sous le pouvoir britannique un peuple d'émigrants et de convicts, aussi bien en Russie où les révolutions se passent au Palais impérial, que dans l'Italie divisée entre le Pape et le Saint-Empire, l'Allemagne où l'ambition prussienne se heurte aux particularismes... Je me disais que le temps des grandes subversions était proche. Déjà la philosophie n'était plus la propriété d'une nation, et la pensée, comme la peste, n'avait plus le respect des frontières. Où commenceraient les grands changements pressentis ? A quel point de cette chaîne d'intérêts et d'échanges, sur quelles lois limitant le commerce ou les nécessités d'une nouvelle industrie ? Il ne me semblait pas que le peuple d'Espagne ou celui de Russie fussent prêts à secouer leurs chaînes. La monarchie est bien trop forte en France, où elle a pu sans inconvénient révoquer l'Édit de Nantes au siècle passé, comment attendrais-je de cette Allemagne où j'ai grandi qui est la proie de l'hypocrisie qu'elle se comporte en nation? peut-être après tout serait-ce dans la monarchie du Hanovre que le sentiment populaire, dont on avait vu le soudain sursaut aux jours de Cromwell, allait en premier lieu jeter bas le système ancien... Pardonnez-moi, Madame, si mes rêves paraissent ainsi se tourner contre votre famille, mais qu'y puis-je ? La destinée d'un royaume obéit à d'autres lois que cet amour de l'homme et de la femme, où nous n'avons ni l'un ni l'autre choisi de jouer tout ce qu'il nous est échu de vivre ici-bas. Qui sait, quand ce fils que vous avez eu de Sa Majesté Christian aura l'âge d'être à son tour monarque, quelles secousses de la vieille bâtisse feront tomber ces châteaux, où des chemins secrets nous rejoignent, entre les mains mutilées des gréeurs de navires, les pêcheurs des îles Féroé, les bûcherons des forêts domaniales, les hommes de l'orge et de l'avoine, les gardiens de troupeaux, les tourneurs de caolin... Je ne sais pourquoi, je ne puis imaginer voir ces années volcaniques ; je suis jeune pourtant encore, mais j'ai le sentiment qu'une seule vie ne peut contenir un amour comme le nôtre et l'exaltation des temps nouveaux. Quand votre mari, à qui d'abord j'eus l'intérêt du médecin pour un cas inexpliqué, me prit avec lui sur sa route, à Altona, parce que j'avais bon air et que ma franchise lui était alors une épice nouvelle, et fit de moi son compagnon pour le voyage qui me ramena dans cette France où j'avais ivresse des idées, je ne songeais à jouer aucun autre rôle que d'un conseiller se doutant que Christian fût la victime de gens intéressés à le voir disparaître. Comment aurais-je imaginé cette faveur qu'il me fit, et où elle allait me mener ? Je jouais d'abord à l'homme de cour, je me souviens de mon rire devant le miroir, la première fois que, selon vos usages, je m'étais poudré les cheveux. Ainsi moi, moi qui passais mes nuits à me représenter l'Europe à l'heure où s'effondreraient les trônes, moi, qui n'avais désir que des peuples affranchis, ayant éprouvé ce pouvoir inattendu que j'exerçais sur le Roi-Fou, je me mis par gageure à lui demander l'impossible, et voilà qu'il me l'accordait. Comme on donne un palais ou un duché à un favori, il m'accordait les décrets, les arrêtés, les réformes. Je lui arrachais des lois, je déchirais des constitutions. Et je renforçais son pouvoir pour mieux m'en servir aux intérêts des temps futurs. Je savais bien que tout cela demeurait précaire, et demain renversé... je le savais que c'était un jeu, dont le prix pouvait être ma tête, mais rien ne m'arrêtait plus, parce que je pariais sur moi-même et je défiais le sort et le Roi, je demandais toujours davantage... la vie, que m'importait ? Il fallait seulement jouer assez gros pour que cela valût le prix d'en périr.

Et voici que, soudain, tu t'en souviens, Murmure ? vous êtes apparue sur mon chemin damné, c'était un mois de novembre, et je ne voulais plus mourir. Tu étais ce que je ne pouvais pas demander au Roi, quelle que fût sa folie, tu étais ce qu'on ne demande à personne, il s'agissait seulement de te prendre, et de te prendre encore n'était rien, car après il fallait te conquérir. Je suis devenu ce voleur qui ne vit que pour la chose volée, et je sais bien qu'un jour il faudra payer l'impôt pour chaque instant qui fut, le salaire du vertige. Toutes les nuits de ma vie ne sont plus que la peur émerveillée, le crime ébloui, l'enivrement de la dernière fois. Tu es pour moi devenue, amour, l'image de ce monde auquel il ne me sera jamais donné d'accéder, tu es pour moi devenue, amour, l'inatteignable été des hommes, je veille auprès de toi ce que je ne verrai point, car il n'y aura pas d'aube, et, de nous, nous n'aurons connu que la ténèbre... Reine du Danemark, entends entre mes bras ce qui bat à briser, ce cœur

énorme en nous du nouvel amour qui refait le monde à
sa mesure !

  Que s'était-il passé à Vienne ? Je n'ai jamais été à
Copenhague et pourtant je vois ses toits de cuivre que
le vent et la pluie ont transformés en pavés de turquoise,
je vois sur le Nyhavn les maisons étroites et toutes
trouées de lumière, bleu, jaune, rouge, lilas, vert...
leurs matelots, leurs boîtes à musique... Vienne ?
vaguement de longs boulevards... que s'est-il passé à
Vienne, ô Murmure, qu'il m'en souvienne... qui parlait,
qui parlait de la Plaine des Joncs ? C'était une salle
immense où le jour était de neige, des ombres y glis-
saient venues des quatre coins de la terre. Il y avait le
feu aux quatre coins de la terre. Et de petits hommes
jaunes criaient des mots qui m'entraient dans le cœur...
il y avait des prêtres portant leur dignité, soutanes,
robes, dans le vêtement de pays lointains, l'Islâm et
Rome, des bouddhistes et des quakers, des juifs
et des luthériens... des mitres blanches, des turbans,
des barrettes... des femmes racontaient le choléra et
le napalm, il y avait des Persans et des Italiens, un
orateur pleurait à dire par le détail la mort d'un étudiant... Était-ce à Vienne, où l'ai-je rêvé ? Je m'entends
parler, c'est ma voix, je l'entends comme si c'était moi
qu'avait brûlé le napalm, et qui n'ai plus d'yeux pour
voir où ma voix résonne : *Oh, que ma patrie devant les
nations reprenne enfin son visage de lumière... c'est en
son nom que je vous salue, antiques patries trop longtemps
étouffées, qui relevez partout la tête, et vous, jeunes patries
naissantes, dernières venues à la conscience, patries qui
êtes aimées par des hommes et des femmes comme nous,
comme nous qui aimons notre mère, de tout notre amour
de la vie ! Je vous salue, patries, au nom de la France,
ma France deux fois pendant ma vie envahie et menacée
de disparaître...* Une seule image semble être en moi
remontée au fond de ces ténèbres. Je suis à la tribune,

la cloche de verre et de ferronneries fait au-dessus de
l'assemblée un chapeau gris à reflets roses, il y a, sur
tous les visages attentifs, l'oblique arrivée des choses
dites, par les écouteurs où dix langues traduisent,
et vers la fin de ce que je dis ce mouvement vers moi
d'un petit peuple, on dirait d'enfants, qui m'assaille
d'une sorte de chant de cigales, Pathêt Lao, Pathêt
Lao!
    De quoi s'agissait-il, que se passait-il aux quatre coins
du monde? Tout ceci n'est qu'un rêve après coup, plus
tard dans la baignoire. Peut-être ai-je oublié plusieurs
siècles de sang, que disait, que disait ce cheikh libanais:
L'Islâm est dérivé du mot Al-Salâm qui veut dire la paix...
et cette femme venue du Nil: *En arabe le mot « Islâm »
lui-même est dérivé du mot paix...* Tout ceci n'est qu'un
rêve avant que je m'éveille à la cruauté d'être, au bout
des siècles, dans un jour nocturne, où transparaît l'envers
du temps, et j'apprendrai, je désapprendrai cette
vie, où j'ai vécu sans savoir que le Roi était fou, qu'il
avait besoin de moi, si médiocre médecin que je fusse,
et que j'aurai passé dans la lumière de mes yeux comme
un aveugle, sans rien comprendre, à tout donnant figure
de mes songes, et il ne s'agissait pas de défendre l'Islâm
de la légende qui l'entoure, il ne s'agissait ni de Vienne
ni du Danemark, mais de cet aveuglement, de cet aveuglement
des yeux qui voient sans voir et, quand je me
serais enivré de tous les philosophes, quand j'aurais lu
Rousseau jusqu'au lieu de ma mort... Je ne promène
à Copenhague ou à Venise, ai-je été à Venise, à Copenhague
jamais... et je me souviens de Grenade, je dors à
New York ou je remonte le Rhin sur un vapeur. Tout
cela, je le dis par cœur, quand je l'ai oublié, tu me berces,
car je l'ai oublié, tu me tiens, tu me retiens dans le
breuvage de tes bras. Il y a de cela douze ans peut-être,
ou cent ou mille, et la ténèbre, et le Roi-Fou...
    Entends-tu comme un poing bat la porte entre le
monde et nous? Qui sont-ils derrière la porte et croient-
ils donc me réveiller? Le verrou tient, le verrou tient

encore, entre l'univers des autres et l'univers de nous. Qu'ils rient, qu'ils crient, qu'ils renversent la table et brisent les verres, et soit le vin sur eux comme le sang, et le stupre, et les baisers vendus, les musiques, la porte bat mais tient, ce n'est pas encore pour cette nuit. Pas encore. L'aboi des chiens, c'est tout ce qui nous vient de leur soleil obscène, de cette profanation d'être, qui semble peinture de Hollande.

Les gens du Château s'en doutent. Ils nous surveillent. A Frederiksborg, comme une haute masse gothique avec ses tourelles en salières Renaissance, sa tour à campanile, sa cour d'honneur où le grès décore la brique, ses tourelles à pans, ses pignons à volutes : et le château sur le lac d'Hillerod, à l'heure où toute l'ombre est d'un côté, semble, il fait trop tranquille, attendre le crime d'aimer... Et j'arrive de Kobenhavn sur mon cheval avec le soir, il y a plein de marguerites dans les pelouses, et tu me reçois devant tous dans le salon de la Rose. Tout le temps que nous sommes sous les yeux des témoins, avec mon habit brodé, l'épée qui soulève la basque, la respectabilité des cheveux que la poudre fait blancs, je pense au chemin que je vais prendre tout à l'heure vers toi par ce détour secret : l'escalier qui monte dans le mur de ma chambre, au premier qui mène à l'église, et le couloir aveugle où je tourne vers les appartements royaux... Crois-tu qu'ils ne savent pas tous que, pressée, il t'arrive de gagner cet obscur passage vers moi par la chambre du prince-enfant? Le Dr Berger, Mme Deyben, les écuyers, les filles de chambre... n'ont-ils pas quand la maison est vide parcouru ces marches, ces corridors, n'ont-ils pas voulu savoir? Or, une crainte les frappe et les retient de comprendre. Ils savent que j'ai le passe-partout du château, mais qu'en peut-on conclure? Sans doute avoir fait mettre un lit dans une chambre du corridor vers l'église peut, de ta part, s'expliquer par une piété qu'on ne te connaissait guère. Dans tous les châteaux d'été, tu as fait arranger des communications dérobées. Et à Koben-

havn dans ce Christiansborg où nous sommes — et le
palais domine la ville, et les canaux, de son île surplombant
tout le quartier de Christianshavn, — les
domestiques et les suivantes n'ont-ils rien pensé quand
l'autre année tu donnas l'ordre d'aménager ce corridor
et d'y laisser la lumière allumée de trois heures de
l'après-midi à huit heures du matin ? ignorent-ils qu'il
prend sur ce chemin de la chapelle, où je pénètre, ayant
dépoudré mes cheveux, soulevant la tapisserie au pied
de mon lit qui couvre les boiseries, dont les sculptures
dissimulent la porte par où je monte vers toi ? La tapisserie
que le Roi, parce qu'elle me plaisait, acheta pendant
notre voyage en France, aux Gobelins, en 1767... Ordre
aussi à la garde de nuit de ne pas vérifier les lampes...
crois-tu que Mlle Hornn, Mlle Boye ou Mme de Bleckenberg
n'aient jamais entendu ouvrir la porte, vu luire
la clarté du couloir ? Ne m'as-tu pas dit qu'elles t'ont
posé des questions sur ces jarretières rouges que je t'ai
données ? Et je sais que dans le corridor elles jettent
du talc de Suède, celui dont Votre Majesté se sert et
qu'on parfume à l'essence de bergamote, pour déceler
dans ses méandres et jusqu'au tapis de ton alcôve les
traces de mon pied nu, lequel est grand, à ma taille,
et non pas à celle du Roi. Et avec elles les laquais de la
chambre, Hansen et Christiantorj, mais s'ils avaient
eu preuve, pourquoi donc ont-ils recommencé ? Ils se
doutent de notre bonheur, ils flairent les draps, les mouchoirs...
depuis trois ans comme un jour, trois ans qu'ils
guettent nos soupirs, nos mains qui se touchent, et
regardent dans ton boudoir, où elle traîne d'évidence,
la scandaleuse petite boîte d'émail de Russie, que j'ai
trouvée chez un marchand du port, étroite et longue,
comme d'épingles à cheveux, avec ce cadre de dentelle
or et blanc sur un fond bleu ciel entourant le cartouche
noir, où se lit en anglaises couchées : *Unis par amour*...
dans le latin des amants qui est langage de France.

On nous cerne, et je joue, et tu joues à les déjouer.
Rien des cent signes troublants d'insignifiance ne pour-

rait ouvrir les yeux d'un mari, même fou : mais, de leur accumulation un jour, qui sait, de la répétition, par vingt bouches, de ces vétilles, va s'échafauder l'accusation capitale. Tu le sais, je le sais, et ni toi ni moi n'ignorons l'abîme sous nos pieds, mais que nous ne pouvons résister à l'occasion, à l'inclination réciproque ; et quand cent fois nous nous serions juré de ne pas retomber dans le péché d'être homme et femme, ah, la pourrions-nous tenir, cette parole insensée ?

J'ai rêvé d'un pays. C'était dans une autre vie. J'ai rêvé d'un pays où il avait fait grand vent. C'était dans un autre monde. J'ai rêvé d'un pays où le malheur était devenu si fort, si grand, si noir que c'était comme un arbre immense entre le soleil et les gens. Alors un jour pareil à la plus profonde des nuits les bûcherons se révoltèrent, et il n'y avait pas de scie assez grande ni de bras assez puissants pour trancher au pied l'arbre maudit. Mais les bûcherons s'y mirent tous ensemble, et c'était à la fin d'une guerre, et les champs étaient obscurs de vautours, et l'air empuanti d'hommes et de chevaux morts. J'ai rêvé d'un pays où les enfants et les femmes aidèrent les bûcherons à abattre le malheur.

J'y ai rêvé une fois, j'y ai rêvé une seconde... et toutes les nuits de ma jeunesse, et toutes les nuits de mon corps mûr, je n'ai plus eu jamais autre songe, autre musique, autre tête tournée. J'entrais dans ce pays à l'heure où l'œil se ferme, et les gens étaient las du travail d'un jour long. J'y ai rêvé une fois, j'y ai rêvé une seconde... et je n'ai plus compté combien de fois, combien de fois à l'heure où l'œil se ferme, où le cœur chante... et d'abord c'était la fête dans les ruines, le désordre des choses renversées, tout le pays couvert de branches brisées, de feuilles éparses, les éclats du tronc, la résine et l'écrasement sous le fût tombé de tant de longues patiences, et tout le peuple devait à la fois faire bûcher du bois mort, souffler la sciure, à la lumière habituer ses yeux de la forêt et se défendre contre les bêtes sorties de leur bauge, la peste et l'incendie, les pillards accourus sur des bateaux étrangers, la famine...

J'ai rêvé d'un pays où dans leurs bras rompus les hommes avaient repris la vie comme une biche blessée, où l'hiver défaisait le printemps, mais ceux qui n'avaient qu'un manteau le déchiraient pour envelopper la tendresse des pousses, j'ai rêvé d'un pays qui avait mis au monde un enfant infirme appelé l'avenir... J'ai rêvé d'un pays où toute chose de souffrance avait droit à la cicatrice et l'ancienne loi semblait récit des monstres fabuleux, un pays qui riait comme le soleil à travers la pluie, et se refaisaient avec des bouts de bois le bonheur d'une chaise, avec des mots merveilleux la dignité de vivre, un pays de fond en comble à se récrire au bien.

Et comme il était riche d'être pauvre, et comme il trouvait pauvres les gens d'ailleurs couverts d'argent et d'or! C'était le temps où je parcourais cette apocalypse à l'envers, fermant l'œil pour me trouver dans la féerie aux mains nues, et tout manquait à l'existence, oh qui dira le prix d'un clou? mais c'étaient les chantiers de ce qui va venir, et qu'au rabot les copeaux étaient blonds, et douce aux pieds la boue, et plus forte que le vent la chanson d'homme à la lèvre gercée!

J'ai rêvé d'un pays tout le long de ma vie, un pays qui ressemble à la douceur d'aimer, à l'amère douceur d'aimer.

Murmure, un temps viendra que nous ne serons plus ensemble. C'est pourquoi nous brûlons ce peu qui nous est donné, nous ne sommes point de nous économes, nous nous hâtons d'être, nous nous hâtons d'entrelacer ce qui sera disjoint. Un temps viendra qu'on nous emportera l'un de l'autre, un temps qu'on nous déchirera des membres et du baiser. Quand je m'éloigne de toi dans le palais ou la campagne, quand je tourne le coin de la rue, où le cheval m'emporte, où me retiennent des importuns, me rappellent en arrière des devoirs inventés, m'écartèlent les gens, me dispersent les heures, je ne fais que penser que peut-être ainsi commence l'arrachement. Si c'était cet instant que l'étoffe se met à crier, le fil part, et nous sommes départis à jamais. Murmure, un temps viendra que nous ne dormirons plus ensemble.

Plus d'une fois, saisi de cette idée alors que je m'éloignais d'Hillerod l'autre été, au lieu de prendre la route de la capitale où le Roi m'appelait, j'ai poussé mon cheval sur le chemin de Roskilde, j'ai piqué son ventre et cravaché ses flancs, courant de toute ma folie au sud-ouest vers le fond de ce fjord profond où s'élève la nécropole des Rois. Et quand j'en voyais au loin monter au-dessus des toits bleuis de cuivre les flèches aux tours carrées de briques brunies, soudain je ralentissais ma bête, et le manteau me retombait sur le visage avec le vent.

Murmure, c'est ici ta place pour dormir. Ici, parmi les Rois, un jour ou l'autre, à côté du Fou ton mari, là peut-être où déjà son père fut allongé, près de la Reine Louise qui l'y précéda, et de sa seconde femme, cette garce de Marie-Julie, que les chiens la dévorent! là sera ta place, et celle plus tard de ce fils que tu as de Christian. La chapelle n'est point encore achevée et l'on croit lorsque j'entre, ayant attaché mon cheval au porche d'Oluf Mortensen, que je viens inspecter l'état des travaux, on s'excuse, il faut que tout soit prêt, si le malheur... ah, si je savais rire!

Murmure, si le malheur... et moi donc où m'aura-t-on enfoui? Dans quel trou, sous quel mur, dans quel désert de toi! Il n'y aura point d'escalier dérobé, de couloir secret entre nos tombes. Mes os mêlés, jonchets, à ceux des criminels et des vagabonds leur feraient hausser l'omoplate s'ils disaient comme flûte encore nos amours, et le geste blanc d'étreindre ton ombre royale... Et si dans quelque cimetière d'Helsingor vient creuser

le clown et chante, comme on te l'apprit chez ton frère
George :

> *In youth, when I did love, did love,*
> *Methought ; it was very sweet*
> *To contract, O, the time, for, ah, my behove,*
> *O, methought, there was nothing meet...*

Ce n'est pas moi qui demanderais si ce copain-là ne se rend pas compte de ce que c'est que son boulot, de chanter à faire les tombes... car vient le temps des fossoyeurs et ce sera seule caresse, si leur pelle heurte ma rotule et leur pied fait rouler ce crâne, de me rappeler ma jeunesse et quand j'aimais, quand je t'aimais, comme à mon sens il était doux d'abréger, oh, le temps, pour, ah, ma convenance, à mon sens, oh, jamais assez...

Murmure, si le malheur... mais au moins malheur se partage, et peut-être n'iras-tu pas dormir à côté de ce Roi dément... Murmure, si l'on me tue, et le poignet si l'on me tranche, comme au traître avant de couper sa tête avec ses cheveux blonds, car on ne poudre pas les condamnés à mort, avec les cheveux blonds qui me tombaient sur ton visage, ô voyages de l'oreiller, les cheveux nus, tels qu'en moi-même enfin cet échafaud me change... Murmure, que vont-ils faire de toi, que je ne pourrai plus défendre ? Écoute-moi, cela me monte, et me consume le dedans, écoute-moi, ma douce fille, et maudis-moi de le penser : dans la fosse de l'infamie, il me reste un âpre bonheur, une science d'outre-mort, tu n'iras pas, tu n'iras pas, jamais, Murmure, jamais dormir, jamais t'étendre, ô tendre amie, entre les Rois ! Quand tout sera tombé dans le scandale et qu'on aura montré mon cou sanglant sur la grand'place, rien ne pourra plus faire en l'ordre du Roi retourner la Reine déshonorée... ô raillerie, et la couronne vengée à jamais de la couronne te sépare, à jamais t'arrache à cette dynastie qui ne va pourtant se poursuivre que de ton ventre, ton ventre où j'ai mis ma joue et mes mains... tu n'iras pas, mon cœur, tu n'iras pas, Murmure, entre les Rois dormir... et c'en sera fini pour nous deux du mensonge. La hache du bourreau, et le cachot qui sait, où justice te garde, ce n'est pas sur nous deux pour le long avenir qu'ils vont faire ténèbres : la romance de nous condamne un monde ancien, et dans mon sang versé où les siècles vont lire il n'y aura victoire à la fin que de nous. Danemark! dans ton vol étranger en vain tu nous sépares, qui sommes les dés jetés d'un qui perd-gagne au ciel futur : aux Rois sont les tombeaux, aux amants sont les rêves...

Murmure, ma Murmure, à Roskilde jamais, sous les pierres taillées, hommes, femmes d'albâtre, on ne t'emmènera sans moi, chez les bourreaux, paisiblement dormir... ils rapprocheront les tombeaux à Roskilde dans la niche des Rois que l'on ne puisse voir où fait défaut Caroline-Mathilde... ils rapprocheront les tombeaux que l'on ne puisse voir la terre et ton absence et, toi, où seras-tu rêvant de ce lit qu'on porta sur le chemin de la chapelle, dans la chambre sur le couloir obscur, où seras-tu, loin d'Helsingor, où les oiseaux tournent sur l'île, sourde à leurs cris et qui, pour nous, quel fossoyeur, chantera donc l'étrange fin de la chanson :

> *But age with fis stealing steps*
> *Hath claw'd me in his clutch,*
> *And hath shipped me into the land*
> *As if I have never been such...*

« L'âge avec ses pieds de voleur... » alors je n'aurai plus à dépoudrer ma tête pour venir te rejoindre, à dépoudrer ma tête coupée. L'âge avec ses pieds de voleur, me donne le ciel de ne point l'attendre, et les nuits où d'être blonds mes cheveux cesseraient pour toi d'être nus! Et quand l'âge aux pieds de voleur m'aurait griffé dans sa patte d'écrevisse, que ce soit lui ou le bourreau qui m'ait pris en cale dans la terre, quand tout sera comme si n'avait jamais existé ce gaillard aux petites dents de loup, et son cœur d'incendie et ses cheveux de paille où tes mains se brûlaient, Murmure, à Roskilde jamais, jamais sans moi tu n'iras dormir.

Où et quand? J'ai senti contre moi ce mouvement de l'ombre, ce glissement d'âme, et je ne sais plus qui je suis. Ce corps m'est autre, et le toucher de mes mains, l'épaisseur des jambes, la lourdeur du tronc. Quel est mon âge? étrange question roulant avec mes épaules. Dans le linge froissé, je surgis différent. Ni blond ni jeune, et ce cœur qui fait mal. Quelle heure est-il, je ne reconnais plus mes bras, ni mon odeur, et d'où vient, vieil homme, vaguement, vers moi cette sueur de clarté, cette basse lueur? Murmure aura machinalement, dans son demi-sommeil, allumé son aube de chevet, se tournant, j'entends parler quelqu'un qui promet la grêle, et les coups de vent, ici et là, la neige ailleurs... les routes déviées, les poids lourds et la brume, et les camionneurs écoutant des chansons... Suis-je encore assez fort pour traverser le monde? Je ne sens plus tomber mes cheveux sur mon front. Personne désormais ne m'appellera Johann-Friedrich, personne. Ni blond ni jeune. Un autre. Et les mots en moi qui s'éveillent n'ont pas musique d'Allemagne. Qu'ai-je oublié? Vienne ou ma vie? J'ai perdu souvenir de ce petit médecin d'Altona comme de moi-même. Cela sent une fièvre ancienne, un ramassis de songes épars. Mes lèvres serrées sur le dos de ma main rêche font un voyage inconnu vers des jointures ridées. Ne bouge pas, Murmure, ma présence. La radio tout bas chantonne un air que l'on ne jouait pas de mon temps. C'est comme si j'étais dans un pays d'oiseaux différents, une Orénoque de babils, un rythme d'outre-oreille, une phrase toujours rompue et reprise, une femme qui s'enfuit quand on la croit tenir... Est-ce que nous sommes arrivés déjà si loin dans notre course que le paysage soit d'une même haleine étrange et familier ?

Où et quand ? Je ne suis plus cet amant blond que tu avais, ma reine. Je ne suis plus cet Allemand. Je ne puis plus dépoudrer mes cheveux.

Tout à coup la voix s'est élevée. Assez que j'en distingue à la fin les paroles, malgré ce tympan dur où s'égarent les sons. La voix s'est élevée, emplit soudain la pièce, et je sens sur elle aussitôt tes doigts, à ce qu'elle a baissé. C'est un refrain qui fait bascule avec peu de mots repris, quelque chose comme *Ma guitare, ma guitare*, enfin plus ou moins dans ce goût. Tu ne dors plus, tu ne dors plus, Murmure ? O douce et toujours nue, et je ne suis qu'un bois mort au bas de ta chemise entraîné à ton pas, parmi les feuilles, les cailloux... ce vieil homme de moi dont tu n'as que mémoire. A rien ne sert de me donner masque d'autrui pour toi, je ne retiendrai point la vie entre mes bras comme un foin fauché, prenant apparence de je ne sais quel Johann-Friedrich Struensee qui naquit à Halle, en Brandebourg, le 5 août 1737 et, à trente-cinq ans qui est un bel âge pour mourir, fut décapité comme Brandt, son ami, dont cela aurait encore tout compliqué de te parler, dans la citadelle de Copenhague à la fin mars 1772, pour avoir aimé la Reine Caroline-Mathilde, sœur de George III d'Angleterre, sans doute, mais aussi pour avoir tenté de tourner le despotisme aux intérêts du menu peuple, ainsi contre lui liguant la morale et les vrais maîtres du Royaume. A rien ne servent les symboles, dans ce grand naufrage du temps.

Rafale, qu'est-ce donc qui déferle, quel ouragan fait ce fracas ? Tout le clavier du piano dramatiquement remonté sur l'ongle d'un médius puissant pour redescendre sur la chair et chaque note y reprend sa place ainsi qu'herbe foulée, une fois le sanglier passé. C'est l'indicatif du monde extérieur, *France-Inter actualités*, dans sa gâche le verrou qui tremble, qui tressaille, je l'ai soudain reconnu, tel qu'il était, — peu me chaut que ce fût ailleurs ou Christiansborg! — sur la porte qui mène aux appartements du Roi-Fou. J'ai compris ce qu'est cette porte qui nous sépare des autres. Voici par où le malheur entre. L'œil vert a rapproché ses palets lumineux. Le vantail bat du poing des nouvelles, va-t-il tenir, il cède cette fois, sens-tu sur nous souffler le vent du dehors? Tout le souffrir des gens s'avance à nous comme un général sur les épaules d'un gorille, et j'entends crier la foule, et les freins farouches des autos, les crimes privés, l'haleine de la peur, une ville entière cette nuit soudain que la terre de sa nuque sauvage a secouée, des morts, le feu, les murs, la mer, où ça? je ne connaissais pas ce nom que ma pauvre tête sourde a du mal à orthographier, Anchorage, un beau nom, cité qui n'existe pour moi qu'afin tout aussitôt de s'abîmer dans le Tremblement du Vendredi Saint, et par toute la terre les sismographes affolés déchirent le papier ou le dépassent... Or, toi qui frémis aux confins de la veille et du songe, toutes les douleurs du monde ici t'atteignent de leur séisme, qu'elles soient de la chair ou de l'âme, d'un peuple ou d'un enfant, d'un amour qui se rompt, d'une solitude ou d'une guerre. A quoi rêvais-tu qu'à nouveau tu m'as dit : « Prends-moi dans tes bras... » et j'ai senti par toi dans tout mon corps ce sanglot d'inconnus qui vient nous habiter le cœur comme un grand vent.

Mais la radio chante à tue-tête, en anglais, nouvelles chansons. Ce sont les filles d'avant l'âge, à peine on sait leur petit nom, des doigts claquant, et de la tête elles font oui, elles font non, une est Sylvie, autre Françoise, un pied derrière, un pied devant, que dit la brune, et dit la blonde, la terre tremble, à ce qu'il semble, et la musique, un peu plus vite voilà tout, le pouce agite, et l'œil le suit, celui de droite, à gauche aussi, *to be* ma chère *or not to be,* et la musique, un peu plus lente tout à coup, reprend les mots, qui font des phrases, trois petits tours et puis s'en vont... ah, vous avez l'âge de la folie, enfants, quels fenouils portez-vous et quelles sont ces ancolies, chantez, chantez, *By Gis and saint Charity* :

> *Par mon doux Jésus et par Charité*
> *Hélas, et fi l'infâme !*
> *Jeunes gens le font s'ils en sont tentés :*
> *Sur leur vit, qu'on les blâme !*
> *Elle dit : « Avant que tu m'aies troussée,*
> *Tu parlais mariage ! »*
> *Et lui : « Sur ce soleil-là ! c'était ma pensée,*
> *Si tu étais demeurée sage. »*

Ah les chansons, les chansons ne sont plus ce qu'elles sont, pourtant, nouvelles Ophélies, êtes-vous à ce faux Hamlet déjà prêtes, déjà faites à ce nouveau Robin qu'on aime un été ? ce gentil Robin dont autre est folie, aussitôt aimé qu'il vous a quittées... et pourtant pourtant vous étiez jolies... à son cou pourquoi vous être jetées ? comment est-ce donc qu'on dit dans Shakespeare :

> *For bonny sweet Robin is all my joy...*

Ça ne rime à rien, et pour un empire il me déplairait d'en faire des vers, avec des chansons de faire un enfer. Tourne le bouton sur une autre ville, tourne le bouton sur d'autres amours, et ce sont toujours les nôtres, les tiennes, il n'y a que toi dont je me souvienne, il n'y a que toi dont l'ombre est le jour, tourne le bouton vers une autre ville, ainsi dans nos bras pour y voyager, Murmure, entends-tu, nous irons ensemble où nous n'étions pas, mais où étions-nous ? nous avions rêvé d'aller au mois

243

d'août prendre le bateau du Danube à Vienne... et, pour des raisons de ce monde fou, il faut l'oublier comme autrefois Vienne où, te souviens-tu de ces trois semaines, où la vie avait je ne sais comment tourné dans ma tête et sur ses talons.

L'oubli. Le silence. Je rêve de ce qui est pire que l'oubli.

Il y a diverses façons d'anéantir les hommes. C'est comme avec les fourmis qu'on écrase sous le pouce ou le talon, qu'on brûle au logis, ou dont on parsème les chemins supposés d'une poudre blanche pour leur détruire le dedans. Il y a les moyens éclatants, je veux dire publics, patents, avoués, quand on les ramasse par nations, et qu'on en jette une ou vingt l'une sur l'autre. C'était de cela, me semble-t-il, qu'on parlait à Vienne, et que j'ai oublié avec moi-même. Il y a le boulot d'artisans, les femmes qu'on découpe pour les faire ensuite mijoter comme poulet sur la cuisinière, le beau travail indien qui réduit les têtes coupées à la dimension du poing d'un enfant qui aurait des cheveux jusqu'à terre, les procédés chimiques, la strangulation... mais ce n'est pas de cela que je suis en rêve visité...

Je rêve d'une mort aussi grande et terrible que la guerre, mais secrète, à qui tous les moyens de tuer sont bons, et qui se plaît à les varier, une mort à la fois inventive et casanière, une mort sans lois, qui n'a pas toujours besoin d'un échafaud, d'une chaise électrique, une mort pourtant qui pend par-ci, par-là qui assomme, bat jusqu'à plus soif, à jamais plus soif, épuise avant de frapper, commence par l'esprit, extermine d'abord l'homme dans l'homme, préfère encore la peur au fouet, sans le négliger pourtant, exulte quand elle dégrade, fait du suspect un traître à son semblable, obtient de lui qu'il tienne les bras de son frère supplicié dans l'espoir sans fondement d'éviter son propre supplice, une mort qui permet tous les préalables, de la douleur, de la faim, de l'ignominie. Une mort qui peut aussi bien être la balle instantanée que la longue agonie, le jugement si lentement exécuté qu'on a oublié la sentence, le crime ou ce qu'on prétendit l'être, la raison du sang, ou celle de l'État, la peine infligée, à qui cessa d'avoir un nom, un numéro même, pour être seulement chair d'abattoir, qu'on entend sous la masse mugir.

Je rêve d'une mort qui ressemble aux passions cachées : son domaine est immense comme l'inconscient, mais c'est l'inconscient d'un peuple, à qui ne suffisent plus les petits cachots d'autrefois. Une mort qui s'ouvre comme une trappe à n'importe qui, moins pour ce qu'il fait que pour avoir mis le pied sur elle. On bascule, et voici les étendues sans fin, les chemins qui s'enfoncent dans l'inconnu de la misère, les déserts de vivre, les chantiers de souffrir. C'est le monde étrange de l'oubli, des promiscuités et des tortures. Personne ne sait comment et où en furent établies les monstrueuses conventions. On se les tient pour dites, pourtant, comme on apprend vite à ne pas toucher ce fil innocent d'aspect où passe l'invisible feu d'un courant mortel. Le plus bizarre de cette mort, c'est que tout le temps qu'elle met à manger son homme, celui-ci ne pense qu'à vivre, et croit à chaque étape avoir payé le prix d'un nouveau sursis. Je rêve d'un empire impitoyable dont les sujets expient d'avoir eux-mêmes bâti cet empire de la mort, et c'est cela qu'on y appelle au bout du compte la vie.

Je rêve d'une mort dont le raffinement suprême est d'être la vie. Et terrible pour cela qu'on ne peut rien espérer puisque vivre c'est mourir. Une mort contre qui personne ne peut s'insurger, contre qui comment rassembler personne, contre qui parler est impensable, une mort dont on ne fera jamais les comptes, jamais le tour, jamais Vienne. Une mort au nom de ce que j'aime, une mort au nom de ce que je crois, une mort au nom de ce pour quoi je suis prêt à mourir. Et finalement toutes les morts se ressemblent, les survivants quand on les met devant d'abord crient, refusent de croire, gémissent sourdement, tournent en rond, ne comprennent plus rien, s'écorchent à tout, pendant deux jours, trois, quatre, et puis tout reprend son aspect d'avant cette mort-là pour attendre la mort qui vient, la vôtre ou la mienne, ah que préférer! Je rêve d'une mort si affreuse qu'elle-même rirait de se trouver justification.

Qu'est-ce que tu as, qu'est-ce que c'est? dit-elle. Tu es tout drôle. Et puis tout chaud. Tu as la grippe? Tu as la grippe. Mon Dieu, tu as la grippe! Eh bien, toute la journée à travailler dans le bois, avec ce froid humide. Tiens, tu me rappelles ces Tahitiens, quand ils ont la fièvre, ils vont se plonger dans un bain froid...

И лучше выдумать не мог [1]...

D'abord tes Tahitiens...tu te crois donc à la campagne? Toute cette histoire se passe à Paris, Murmure, dans ce chez nous de Paris, les tables de chevet, le marbre gris dessus, les armoires, le coton aux murs, il n'y a ni les bois, ni la grippe.

Là. Tout de suite, tu m'interromps. D'abord on est à la campagne. Tu me dirais Copenhague, je ne te dirais rien. Entends dormir le chien noir, à quoi pense-t-il, le chien noir, tu crois qu'il croit au bon Dieu? Parfois je me dis qu'il croit au bon Dieu. Si tu ouvrais la fenêtre, il y aurait déjà des primevères. Non, n'ouvre pas la fenêtre! Tu es fou, ou quoi? Si tu ouvrais la fenêtre, il n'y a pas de lune, il n'y aurait pas de primevères. Mais si tu ouvrais la fenêtre, il y aurait tout de même des primevères... Qu'est-ce que tu dis?

Je dis : « ... primevères de toi. »

Qu'est-ce que je racontais? Ah oui. Paris ou pas, on dirait vraiment. Tu n'es pas à ça près, toi, avec ton verrou : tu le mets sur la porte du château, comment tu l'appelles, à Copenhague, et puis, d'après les livres précisément, c'est à la campagne, leur moulin. Tais-toi. Je

---

[1] ... Et mieux imaginer n'ai pu... (Pouchkine. — *Eugène Onéguine*).

*sais ce que tu vas dire, que ça, ça n'a pas d'importance, et
le lecteur se perd entre Christiansborg et le borg suivant,
et si tu t'embrouilles dans les châteaux, pourvu que lui ne
s'embrouille pas dans les sentiments, c'est le principal,
cela j'en conviens, et tiens, entends-le! qu'est-ce que je te
disais? Ce chien noir, il rêve, tu l'entends rêver? Peut-
être il se perd dans ton Copenhague, il ne connaît rien
que la chambre ici, le jardin, les bois. Je sais, tu diras
que pour le lecteur c'est comme pour le chien, alors tu mets
tout ensemble, tu simplifies, c'est ce qu'on appelle un effort
de synthèse. Eh bien, pour le chien et pour la synthèse,
quand je parle, on est au moulin. Enfin, dans une maison
dont les toits ne sont pas de turquoise, et s'il y a des ramiers...*

Je te ferai observer qu'à Paris, dans mon bureau, par
la cheminée m'arrive le chant des ramiers, des hexasyl-
labes, coupés quatre et deux, il doit y avoir depuis
des années un nid dans les briques là-haut, les toits
sont d'ardoise, ils ont remarqué qu'on ne fait jamais de
feu. Je les ai entendus l'autre jour, avec ce temps gris
je ne pensais guère au printemps, le matin, je me suis
dit quel jour est-on? C'était le 20 mars, tiens, ils sont
en avance, et puis non : le printemps s'est amené pile à
quinze heures, j'avais oublié l'année bissextile, la météo
l'avait pourtant rappelé...

J'ai la parole ou non? C'est bien toi, dit Murmure. *Ton
histoire, on croirait que c'est taillé dans le marbre, on ne
peut pas y toucher. Et pour l'exactitude, puisque tu n'as
jamais mis les pieds au Danemark... Helsingor, c'est
Elseneur, oui? Remarque, on pourrait aussi bien s'imaginer que c'est ici. Sauf qu'ici, le talc, il n'est jamais par-
fumé à la bergamote. C'est peut-être la poudre à tuer les
fourmis. Et que le temps suffit à poudrer nos cheveux.
D'abord, je n'aime pas ce blond que tu mets dans mon lit.
Tu crois que c'est un progrès, la blondeur, pour un
homme? Tais-toi... Mais cette femme, aussi, où vas-tu
la pêcher? Je n'aime pas non plus cette femme à nom
double.*

247

Murmure! tu sais bien, que je ne l'appelle jamais Caroline-Mathilde...

Et que tu l'appelles de ce nom secret que tu me donnes, mon cher Jean-Frédéric, cela n'arrange rien. D'autant qu'à la montrer, tu triches, mon ami. Il ne me semble pas, même si j'étais Reine, que j'aurais eu cette impudeur d'Allemande, qui la faisait trouver par ses filles de chambre parfois nue, ses habits épars, quand Struensee était venu dans la soirée, et si bien, puisqu'elle les avait appelées, qu'il semble qu'elle aimait à se montrer ainsi, à peine abandonnée, car il ne lui aurait pas coûté bien cher d'un peu se rajuster...

Je ne me souvenais pas de ce détail, bien sûr, est-ce donc tricher de ne garder d'une femme que les traits essentiels ? Il m'a fallu chercher dans la bibliothèque l'exemplaire du duc de Crussol des *Mélanges* publiés par la *Société des bibliophiles français*, au sixième et dernier volume, tiré en 1829, à trente exemplaires, qui contient les pièces du procès de la reine de Danemark. Tu me l'as pris des mains.

Je rêve peut-être ? Ta Caroline, elle se promenait souvent, page 24, toute nue en plein jour devant ses filles de chambre, dans une pièce dont les fenêtres donnaient de deux côtés sur la place, à Copenhague, s'entend, au moment où les régiments des gardes faisaient la parade.

L'histoire ne dit pas s'ils s'en rinçaient l'œil...

Grossier avec ça!... Je n'aime pas les femmes du monde qui se promènent toutes nues devant leurs gens de maison. Et c'est alors qu'elle demandait à ces demoiselles si elles avaient jamais vu Ève ou le Christ. Sans parler des choses du lit, ou de cette tache bleue un jour qu'elle avait sur la gorge et ne se donnait peine à cacher que du Roi... page 29. Dis donc, tu me l'avais escamotée, cette petite fille dont elle est accouchée dans l'été de 1771, et qu'elle allaitait quand on l'emmena à Kronborg, cette nuit après le bal masqué.

Murmure, ce n'est que péché par omission.

Je te connais. Tu as toujours tes raisons. Par omission, par omission! Tu triches, je te dis. Je me demande pour-

*quoi cela te gênait qu'elle ait cette petite Louise, à moins...
Naturellement. Ton roman d'amour, il ne fallait pas que l'héroïne en fût enceinte justement quand ton double à crins blonds la visitait. J'ai deviné ? Je t'y prends à l'idéaliser, ta Reine! Ou est-ce que tu crains qu'on pense que l'enfant était de toi... enfin, de Struensee ? Il y a des chances, remarque, mais cela, ce sont leurs affaires. S'ils s'aimaient... De là que tu l'appelles de mon nom! Le roman, est-ce que ça consiste à donner la vie à d'autres ? ou à vivre la vie des autres ? Moi, j'ai toujours pensé d'abord quelque chose fortement, quelque chose qui voulait, qui devait prendre forme humaine, jamais la mienne, quelque chose qui demandait à vivre, et mes personnages, ce qui leur arrive, je ne les ai pris nulle part, ce sont des habits pour ce que j'ai à dire, ce qui se détache de moi... Toi, c'est comme si c'était le contraire, tu prends des gens dans la nature pour voir ce qu'ils vont te faire penser... Tu triches.*

Murmure, pourquoi es-tu si sévère avec moi ?

Tout de même qu'est-ce que j'ai de Vienne oublié ? Tout se passe comme si l'ardoise avait été si pleine, griffonnée, qu'il ait fallu passer le chiffon sur les mots, les chiffres, les faits, un brouillard de craie, une poussière. J'imagine qu'ici soudain la vie est devenue insupportable, impossible d'en suivre le fil, d'en débrouiller les nœuds, si bien que d'impatience il a brisé, du moins entre deux nœuds brisé, je garde en moi cet écheveau rompu, cette fausse continuité de moi-même.

J'imagine que j'ai détourné de quelque chose, quoi ? mes yeux intérieurs. Sans doute fallait-il que *ne plus voir* me fût essentiel, pour que j'aie ainsi risqué tout rompre, arrêté mon sang au seuil de la conscience, et bloqué ce monde blessé de ma tête. J'ai patiemment tout à rebours rebâti, puis repris dans le sens classique du temps mes pensées. Je suis parti de petites lumières anodines, d'un coin de rue, un *lobby* d'hôtel, une phrase à peine entendue, j'ai suivi ce coton nuageux, j'ai rétabli des séquences, croisé des pas, rencontré une dame belge, et croisé ce monsieur si sûr d'avoir raison sur tous les points qu'il m'a regardé sans daigner me reconnaître, disant à qui je parlais : *Heute abend neun Uhr...* avec ce ton qui ne se discute pas. Mais à quel moment, et de quoi donc, ai-je détourné mes yeux intérieurs ?

C'est à peu près comme on casse ses lunettes... Non, ça n'a rien à voir. Cette explication-là est encore une façon de se détourner de la réalité, de l'insupportable réalité.

Voyons. Vienne, c'est 1952, la fin : décembre, du 12 au 19. Au *Konzerthaus*. Il y avait encore la guerre en Corée. Il y avait la guerre en Indochine. Et l'ex-chancelier d'Allemagne, Josef Wirth, dit que la joie est une étincelle divine, fille de l'Élysée, mais non! ce n'est pas lui, c'est Frédéric Schiller. Les discours... ce n'est pas des discours que vient le son par quoi va se faire en moi la fêlure. Il m'en reste un défilé, silhouettes d'orateurs, et tout à coup les projecteurs sur toi... Comment ? Murmure, tu es montée à la tribune, tu parles, je vois ton visage, tout le monde voit ton visage : je ne savais plus que tu étais montée à la tribune, avec les feux croisés des projecteurs, les abeilles du cinéma tournant, que tu avais parlé, je ne l'avais pas oublié, je ne le savais plus. Ton langage est toujours celui de notre longue vie, une prolongation de ce qui fut notre vie... ma Murmure, toi qui seras toujours le contraire de l'oubli, Murmure, ma mémoire! Les projecteurs éteints, le défilé se poursuit.

Je recompose les images, les mots. De proche en proche dans ma nuit. Il y a pourtant des vues qui ne donnent plus sur rien. Des impasses du souvenir. Je reviens sur mes pas, je rencontre des personnages sortis de l'ombre, je tente encore d'allier ces bribes de paysages, je reconstitue un bras, un groupe, les coulisses du Congrès, patience, patience. Il y a des bouts de couleur qui ne se retrouvent nulle part, des découpes qui ne s'accordent point. Qu'est-ce, brutalement, qui fait tomber les morceaux de puzzle ?

Décembre 1952. J'ai dû voir quelque part, ailleurs brusquement face à face, un monstre. C'est le monstre que j'ai voulu, peut-être, et avec lui tout ce qui l'entourait, ce qu'avait touché son ombre, la trace de son bras sur l'appui d'un fauteuil, le verre qu'il a renversé, le livre qu'il a jeté à terre, la fumée de sa pipe ou son rire qui s'éteint, c'est le monstre que j'ai voulu, fût-ce au prix de moi-même, écarter, dissiper, oublier.

L'ai-je vraiment vu, ou seulement entendu sa voix dans une autre? seulement senti cette haleine? seulement ouvert une porte par étourderie sur la chambre où cela se passait? Quoi, qu'est-ce qui se passait? Rien. A tout prendre, il n'y avait rien que de *normal*. J'étais tout aussi aveugle que toujours, tout aussi docile, aussi crédule. Murmure, je ne triche pas. J'ai si longtemps pris la vie au pied de la lettre. Il ne s'est rien passé vraiment à Vienne. Cela se produisait ailleurs. Quelque part dans le vaste monde. Et moi, je n'en ai pas supporté l'écho. Tout n'était que le résultat de choses niées. D'obscures raisons étrangères. Pourquoi, tout à coup, n'ai-je plus pu les supporter? L'oubli.

L'homme qu'on rencontre riant, dans la campagne ou dans une taverne, que fait-il d'autre qu'oublier son malheur? Et celui-là qui ne dit rien, c'est pire : il oublie le malheur des autres. J'oublie ma clef, un rendez-vous, l'heure du train, ce qu'il faut dire. C'est la mort des choses en moi que pour simplifier je nomme oubli. Quand ce qui meurt n'est qu'allumette par distraction flambée, le mal n'est pas grand. Mais si c'est ce qui tient à la chair de mon âme... s'il y a maldonne de tout le jeu? Alors qui oublie est comme un vase dont on arrache les fleurs... Alors il se reconstruit l'univers sans ce qu'il oublie. Il cicatrise l'oubli. Comme il ne sait pas ce qu'il a perdu, si c'est une jambe, un ongle, un porte-monnaie, il n'a pas mal à la chose oubliée. Mais parfois, sont-ce les changements de temps? il sent sa cicatrice. La cicatrice de quoi? Voilà, voilà, ce qui le trouble à présent. La cicatrice de quoi?

Quand il ne dort pas la nuit, ou au contraire quand il dort, il prend les devants pour ne pas, inconsciemment, toucher à sa cicatrice, la gratter, la griffer. Il s'invente une histoire, pour ne pas penser à sa cicatrice. Il se la raconte, il se la raconte sans fin, qu'il n'y ait pas de place à ce doute en lui, il se construit un monde, une vie et des gens, un pays. Pourquoi pas le Danemark ? A Vienne, il y avait vingt-cinq Danois, treize délégués et douze observateurs, deux discours, à la treizième et à la seizième séance. A celle-ci, c'était une femme qui parlait. Elle disait que tous les gens d'un camp passent leur temps à s'appuyer sur les mécontents de l'autre, elle protestait contre ce genre de simplification qui, d'une façon pharisienne, offense ceux qui sont d'un autre avis : *Je suis indignée quand je vois que nous passons notre temps à nous laver les mains ici et à blâmer les autres pour tout. Nous sommes tous responsables...* Ce n'est pas cela que j'ai oublié, je ne l'entendais pas, tout simplement. Mais pourquoi pas le Danemark ? *Au Danemark, disait-elle, nous avons pour tradition de choisir les voies de compromis. Nous avons été très loin dans cette voie, mais pas encore assez loin...*

C'est extraordinaire comme on peut entendre sans entendre. Applaudir sans applaudir. Il y a comme cela des moments de notre vie que nous n'avons même pas la peine d'oublier. La craie tout simplement n'a rien marqué sur l'ardoise. Et peut-être bien qu'à ces moments-là nous nous racontions une histoire. Une longue histoire interrompue, et qu'avec l'air d'écouter les autres pour soi seul on reprend. Un Danemark à nous, comme les conversations d'un enfant avec ses jouets.

Murmure, pourquoi es-tu si sévère pour ma pauvre Caroline ?

Murmure, pourquoi es-tu si sévère avec ma pauvre Caroline ?
Elle n'avait qu'à ne pas être Reine de Danemark. Ni

d'ailleurs. Elle n'aurait pas eu cette ribambelle de filles de chambre pour l'espionner. Elle se serait promenée toute nue comme toi et moi. Tu diras qu'elle ne se fût point trouvée ainsi sous perpétuelle surveillance si elle n'eût été Reine, et c'est précisément ce que je te dis. Mais avais-tu besoin, toi, qu'elle le fût, Reine ? Ne pouvais-tu pas te l'inventer de toutes pièces, sans couronne ? Parce que, qu'a-t-on besoin d'être Reine en général, ou ministre favori, comme ce type blond que tu fourres dans mon lit ! Et Hamlet là-dedans ! Tu crois que c'était un démocrate, Hamlet ? Qu'il voulait le bien du peuple danois ? Il y a une chose que tu n'as jamais oubliée, en tout cas. Dans les premières années trente, Hamlet, au théâtre Vakhtangov, à Moscou. Un Hamlet bien râblé, avec une tête comme la mappemonde, un prince roux, qui devait aimer manger, et qu'on entendait à la cantonade jouer la comédie avec la troupe de passage, des coulisses d'une sorte d'arène : les spectateurs, nous, nous étions au-dehors, et ce que nous voyions, c'était le Roi, l'usurpateur, arriver avec un énorme manteau rouge tenant à peine aux épaules, et tandis qu'il montait l'escalier vers la loge royale, suivi de négrillons portant la traîne immense du manteau, les paroles qui le frappent au cœur, ses crimes révélés dans la pièce, et tout à coup il redescend à toutes jambes si bien que le manteau s'envole, et fait comme un immense paraphe rouge à travers toute la scène de gauche à droite et de haut en bas... Il avait oublié sans doute, et les paroles de la pièce... C'est cousu de fil blanc, ton histoire. Je n'aime pas quand ça saute aux yeux comment c'est fait, une histoire. On te voit venir, tu as beau dire Helsingor pour Elseneur... Arrive-z-y tout de suite, ce n'est pas la peine, comme ça, de biaiser. Débarrasse-toi de tes jouets, dis donc tout droit ce qui t'habite. Ou cela te fait-il vraiment si mal, même à moi dans l'ombre, ainsi d'en parler ?

Murmure, quand le comte Rantzau fut venu chercher Murmure au Château pour la mener à Kronborg, qui de long temps n'était plus le palais d'Helsingor, — et en 1725 on y avait réparé les murs, aménagé

les casemates, pour en faire une caserne, qui devint
pour Caroline-Mathilde une prison, — quand le comte
Rantzau y emmena Murmure, et avec elle sa dame
d'honneur, Lady Mostyn, qu'être Anglaise rendait à
tous un peu suspecte, et je dois l'avouer sa petite Louise
qu'elle nourrissait au sein, on lui laissa pour tout service
une fille de chambre, Mme Arensback, dont il semble
bien qu'elle eût plutôt charge d'épier la Reine que de
lui rendre la vie douce, à en juger par ses dépositions
au procès. C'est de celle-ci que Caroline apprit qu'on
avait emmené Struensee au Kastellet, c'est-à-dire à
la Citadelle de Copenhague, qui a forme d'étoiles d'eau
l'une dans l'autre...

*Ainsi, c'est à cela que tu tendais depuis le début, à cet
instant où la Reine répudiée est dans le château d'Elseneur ? Kronborg, tu l'appelles... dis-moi, c'est ici que le
spectre du vieux Roi se promène, et Hamlet vient le surprendre ? D'où elle se demande, la prisonnière, si l'on
torture son amant, s'il est chargé de chaînes, s'il a parfois
de quoi manger, mon petit docteur brandebourgeois,
peut-on voir les apparitions ? Tu n'as pas visité Kronborg, alors...*

Alors je ne sais. J'imagine. Les apparitions, c'est
là-bas, sur la *Flag batteri*, entre d'anciens canons plus
verts encore que les toits, et le *Dannebrog*, le pavillon
royal tombé du ciel en 1219, bat à un mât, face au détroit, sur la terrasse du bastion d'angle. Où est enfermée
Caroline ? Dans combien de pièces, où sont-elles ensemble
Lady Mostyn, l'Arensback, la Reine et son enfant ?
Où donnent les fenêtres, si ce sont une ou des fenêtres,
et en peut-on voir la *Flag batteri* ? Là-bas, quand les
artilleurs sont allés se coucher et qu'il ne reste plus que
la brume et les sentinelles, le revenant est depuis si
longtemps habitué à sa promenade que personne maintenant ne l'y remarque plus. A-t-il toujours mal à
l'oreille où une autre Reine de Danemark versa le plomb

fondu pour vivre avec son amant ? A-t-il seulement jamais existé, ce Roi qui revient entre onze heures et minuit sur le bastion d'angle ? L'histoire de Danemark ne le connaît pas, mais c'est un véritable fantôme. Juste revanche de l'imagination sur la réalité. Il a suffi à Shakespeare, cet autre personnage fabuleux, de quelques lignes de Saxo Grammaticus, pour trouver à qui faire dire *To be or not to be ?* Et Hamlet, fils d'Horwendill, roi de Jutland, est plus vrai que tous les princes de Danemark, et devant lui qu'est Christian VII, le Roi-Fou ? Nous n'en saurons jamais autant, malgré les pièces du procès, de Caroline-Mathilde que d'Ophélie. Dans le château de Kronborg, la puissance des Revenants est si bien reconnue, qu'on en a enfermé un autre dans les casemates. C'est un bon fantôme de pierre, ses forts bras nus croisés, derrière quoi descend la barbe de la tête penchée, assis devant l'épi d'un mur soutenant la voûte, son bouclier à terre à sa gauche, appuyé à son genou. Il dort. Il devait se réveiller pour sauver le Danemark en cas de danger, mais Hitler ne lui a pas plus fait ouvrir les yeux que Fortinbras. C'est Holger Danske, que nous appelons Ogier le Danois. On sait du reste que le véritable Ogier, fils de l'un des Douze Pairs de Charlemagne, ne s'est appelé le Danois que par jeu de mot, étant d'Ardennemarche, que nous appelons les Ardennes. Saxo Grammaticus pour qui Hamlet est véritable ignore l'existence d'Ogier. Mais la légende à Elseneur l'a emporté sur l'histoire, Ogier l'Ardennois, comte de Diest, qui mourut à Saint-Faron près de Meaux, et dont nous avons fait le valet de pique dans nos jeux de cartes, bien qu'en 1707 à Copenhague ait été traduit le roman en prose d'Ogier, est devenu le héros de ce pays qui ne fut jamais le sien. Où il n'a jamais été, remarque, sauf en pierre ! Aussi, Murmure, que me reproches-tu de n'avoir été en Danemark, toi qui prétends que je fus à Vienne ! Et si mon double blond te déplaît, qu'à cela ne tienne ! Échangeons-le contre un autre.

Qu'est-ce que c'est, dis-tu, *que ce marché ?*

Tu es comme ça, Murmure : il y a des jours, il y a des nuits où tu sembles un grand vent tout à coup qui se lève. Et la poussière vole, et les papiers... Un grand vent, qui, de la chambre où j'ai droit humblement de dormir près de toi, fait la forêt même de l'imagination. Mon pauvre Struensee t'a déplu ? Sans doute aurais-tu préféré à son histoire celle de Genièvre et Lancelot, bien que, si Genièvre avec un nom comme cela ça devait être une brune, Lancelot lui, à mon idée, ait de Struensee plus que ressemblance, en un peu plus roux seulement, et peut-être après tout me préférerais-tu un peu plus roux... peut-être ?

Qu'est-ce que c'est encore que ce monde, Genièvre et Lancelot ? Et dans ce roman-là, j'imagine, il faudra bien qu'il y ait à la clef quelque Roi dans la pièce voisine.

Genièvre et Lancelot et le mari, bien sûr, aussi dans cette histoire, Arthur, fils d'Uther Pendragon... *Lancelot and Guinevere*, pour employer les mots de Sir Alfred Tennyson, poète lauréat : *la reine Guinevere a fui la cour et se tient — Là-bas dans la maison sainte d'Almesbury — Pleurant, personne avec elle qu'une petite servante — Une novice*... Murmure, Lancelot est roux et fort, et Guinevere ne peut s'empêcher de penser et repenser au péché qui leur fit si plaisant le passé : *And I have sworn never to see him more, — To see him more*, et j'ai juré de ne jamais plus le revoir, plus le voir...

Laisse-moi tranquille avec ton rouquin ! Dis-moi plutôt, à tout prendre, quand ils eurent à Jean-Frédéric coupé sa tête aux lèvres minces, ce qu'il advint de cette femme à Helsingor ?

Quoi, je ne t'en ai rien dit ? Déchue de son mariage, selon la rigueur des lois favorables aux rois, Caroline-Mathilde de Brunswick-Lünebourg, avec son enfant en bas âge, fut réclamée par son frère George III, et un bateau de guerre anglais vint la chercher en Elseneur. Il la conduisit à Zelle, en Hanovre, au château fort des Lünebourg, où elle ne survécut que trois années, et nul ne dit ce qu'il advint de la petite Louise ni si elle n'était point la fille de Struensee. Au fait, Zelle, c'était le pays de sa grand-mère, Sophie-Dorothée, femme de George Ier, que celui-ci fit enfermer pendant trente-deux années dans la forteresse d'Ahlden en Brunswick sous le prétexte qu'elle risquait d'avoir un enfant de Philippe-Christophe, comte de Kœnigsmark, qui était si beau qu'on le tua, mais halte! car c'est ici le domaine imaginaire de notre défunt ami Pierre Benoit.

Mon Dieu, mon Dieu! dit Murmure, ce qu'il y a de gens malheureux! Mais je n'entends plus, de tes histoires, rien, que ce poignet tranché[1]...

Elle avait pris ma main dans sa petite main, l'enserrant, la remontant, pour s'assurer de la continuité des choses, au-delà, vers le coude, si bien que, comme toujours, au toucher de sa paume, je me sentais une force géante, une taille de légende, et je ne craignais plus la faible hache et l'impuissance des bourreaux. O Murmure, sur ma foi, que faisions-nous, toi et moi, dans le temps d'avant qu'on s'aime?

J'ouvre les yeux. La pièce est pâle. Un bruit creux de brouette vide aux pavés de la cour. Tout est trop blanc que ce soit l'aube. Où suis-je et qu'ai-je oublié cette fois? Murmure dort, elle n'aura rien su, je n'aurai personne pour me dire, aucun repère, aucun écho. La brouette. La brouette oubli, c'est maintenant peut-être que je rêve. D'un grand rêve appelé jour où tout s'efface d'une craie... Qui suis-je? Quand, quel mois, quel siècle? Un autre monde en tous les cas. Que s'est-il passé, les vêtements, les gestes...

Quand j'ai repris conscience... Te souviens-tu comment cela se passe au dernier acte de *Tête d'Or*? Non, naturellement. C'est le Roi qui a voulu mourir. Ça, je ne me souviens plus du tout pourquoi il a voulu mourir, mais il

---

1. S'il a été tranché, ce poignet l'auteur ne nous en a rien dit, mais peut-être en a-t-il parlé à Murmure. Car c'est un fait : Johann-Friedrich Struensee eut le poignet tranché — comme il se voit à ceux qui portaient la main sur une Reine. Je ne l'avais ici que *supposé* : ... *et le poignet si on me tranche*... Eh bien, c'est fait (1969).

s'est arraché ses pansements, il a rouvert ses plaies, saigné, terriblement saigné... tu vois ça d'ici, être l'a fui, il est mort, et puis non, tout se calme, il ouvre les yeux il parle : *Combien — y a-t-il de temps — que j'étais vivant ?* demande-t-il. Ainsi cette vie, apparemment revenue, à ses regards n'est que la mort. C'est presque tout ce que j'ai jamais retenu de *Tête d'Or* : qu'un garçon de dix-neuf ans nommé Claudel ait ainsi formulé l'informulable, ce sentiment que tout arrêt de conscience lève en moi depuis cette minute où tu es entrée, où tu as compris que j'étais... enfin que trois semaines de moi étaient mortes, et je n'avais pu trouver les mots pour te demander depuis combien de temps... mais non, comment tourner la phrase ? te demander combien de temps il y avait, que j'étais... cela ne signifie plus la même chose, les mots meurent, s'altèrent, le sens se perd, se fourvoie, quand cela, quand cela, étais-je donc vivant ? qu'un garçon de dix-neuf ans ait ainsi formulé ce qui m'est l'informulable...

Et le tailleur... le tailleur, Murmure, qui va venir...

LA DIGRESSION RENVERSÉE
OU LE MIROIR COMME ROMAN

De deux ou trois jours je n'osai demander à Ingeborg si elle avait fini *Murmure*. J'évitais Anthoine, qui aurait pu avoir la malencontreuse idée de me réclamer son manuscrit. Mais n'était-il pas de sa nature qu'il eût la tête à autre chose ? Les événements de Chypre l'agitaient. Comme par un fait exprès, je ne trouvais chez les libraires que des livres cherchés il y avait de cela trente ans, et qui avaient cessé d'être rares, ou tout au moins dont le prix m'était devenu accessible, mais je n'en avais plus la moindre envie, d'autres folies m'étant nées. Avec cela que bouquiner n'est guère possible s'il faut à chaque libraire trouver une place à sa bagnole. C'est encore vaguement faisable sur la rive gauche, mais la zone bleue gagne comme des poches sous les yeux. Je souhaitais à part moi qu'Ingeborg, détestant sa lecture, me le dît, et qu'alors je me laisse peu à peu arracher le nom de l'auteur véritable. Je haïssais Anthoine, je m'étais mis à le haïr parce que j'avais laissé Fougère en tête à tête avec lui, avec ses rêves. Tous les Christian de la terre m'étaient devenus indifférents, je n'avais plus jalousie que de lui. S'il allait plaire sous les traits de Jean-Frédéric ? Imbécile que j'étais ! J'avais fait l'entremetteur entre Anthoine et Fougère. Si brusquement il m'annonçait que tous deux partaient pour un de ces petits voyages qui trop souvent avaient des airs de fantaisie pour ne pas cacher une sorte de revenez-y à me rendre fou. Parce que je préférais encore penser que Fougère s'éprenait d'un autre, de n'importe quel autre, mais pas d'Anthoine. Pas d'Anthoine. Il me point une étrange pensée. A cause du *th*, peut-être. Anthoine est tout à Chypre, que les Turcs viennent de bombarder : c'est comme au début d'*Othello*, Famagouste à nouveau menacée, où l'on montre la légendaire maison du More, le Lion de Saint-Marc y ouvre ses ailes sur la Tour ruinée. Avec quelle sécurité Fougère dit d'Anthoine qu'il n'est pas jaloux! Je crois l'entendre lui-même, répétant les mots mêmes du More : *Think'st thou, I'd make a life of jealousy, — To follow still the changes of the moon — With fresh suspicions ?* (Penses-tu que je me ferais une vie de jalousie, à suivre jusqu'aux changements de la lune, avec des soupçons nouveaux?). Oui, oui, ces mots-là que prononce au théâtre celui dont pourtant est le nom devenu symbole, celui qu'on y appelle les Grosses-Lèvres comme on dit Julot les Gros-Bras, ces mots-là sont ceux d'Anthoine... J'aurais moins de mal à travailler les côtes de sa jalousie à lui que Iago n'eut à rendre Othello dément, *not easily jealous*, jaloux pas sans peine. Mais des deux, j'entends du More et de l'honnête Iago, c'est d'abord chez celui-ci que s'est levée la plante d'insomnie. Ce n'est pas Othello, le jaloux, vous dis-je, c'est l'autre, y avez-vous jamais pensé? Othello n'a jamais soupçonné Desdémone que déjà son enseigne Iago souffre du mal jaune, il veut se venger du More (*For that I do suspect the lusty Moor — Hath leaped into my seat...* car j'ai soupçon que le More impertinent — a sailli dans mon nid), s'il y avait quelque justice en cette vie c'est Iago qui passerait pour le jaloux incarné, non point son général : aussi fallait-il un homme de jalousie pour amener Othello à être Othello, un homme qui sache d'expérience comment le mal entre en vous, et se développe, et vous mange le dedans du cœur. Il ne faut pas moins de deux personnages pour que la peste se déclare et devienne légende. Mais l'un d'eux portait en lui le virus, l'autre n'a fait que tomber victime de la contagion. Il n'en sait rien. Cette partialité de Shakespeare pour le More! *An honorable murderer*, un honnête meurtrier, dit-il de lui, se bornant à désigner Iago du nom de scélérat (*this hellish villain*... ce vilain d'enfer, c'est le dernier mot de la pièce). Othello s'est regardé dans Iago comme dans un miroir vide, et la face qu'il s'y est vue n'est pas la sienne, mais la jalousie de l'Enseigne. Anthoine, qui a perdu son image, ne peut non plus voir dans mes yeux que moi... Suis-je donc le scélérat? suis-je Iago moi-même? Avec ces yeux bleus qui font croire à ma bonté. Par une espèce de bizarrerie, Shakespeare n'a point inventé ce nom qu'il donne à l'homme d'enfer, mais l'a trouvé, à ce que l'on affirme, dans un roman de son temps qui s'appelait *L'Histoire du fameux Evordanus, prince de Danemark, avec les étranges aventures de Iago, prince de Saxe*. Qu'est-ce que le Danemark vient ici faire encore? Mais suis-je bien le Mr Hyde d'Othello? Moi, je puis me voir dans la glace, connaître ma propre hideur.

J'en étais là de ces pensées quand Ingeborg me rendit la copie de *Murmure*. J'attendais ce qu'elle allait en dire. Elle me demanda seulement, s'excusant, si je n'en avais pas eu défaut. Puis elle parla d'autre chose sans même avoir bien prêté l'oreille à ce que je répondais. Du thé danois où elle avait eu rendez-vous avec Mme de Giblet, avenue de l'Opéra, ce qu'elle a grossi! Tu te souviens, Mme de Giblet, qui avait une taille comme ça... J'étais frappé de stupeur. J'attendais tout de Fougère, mais pas cela, pas ce silence, était-ce même silence qu'il faut dire? ou ce mépris. J'en avais semble-t-il oublié ma haine d'Anthoine. C'était moi qui étais frappé en lui. J'apprenais combien pire est la jalousie qui n'a pas d'objet fixe, qui semble vous venir de partout et de nulle part. Pour que Fougère fût insensible à *Murmure*, ce ne pouvait être rien, sinon qu'elle était entièrement occupée d'autre chose, à quoi comment me mesurer? Othello, on le joue, on le perd, on fait de lui ce meurtrier. Tous les Christian sont réductibles à quelque petite histoire de village, en quelque Pervenchères. Anthoine, je n'ai qu'à lever le candélabre par quoi j'éclairais le miroir, à frapper le miroir où il ne se voit pas, où, même s'il récupérait son image, je ne le verrais jamais l'ayant brisé. Mais ceci... mais ce feu dont je n'aperçois pas la source, et me mord à mourir sa brûlure. Terrible chose que le moment où Iago est du parti de son maître, et partage sa douleur, ah, tu n'avais pas songé à ça, mon cher William, tu n'avais pas songé à ce retournement, tu n'avais pas songé que Iago pouvait aimer Desdémone : pour toi, il n'avait jalousie que d'Émilia, son épouse, que le More avait peut-être bien baisée dans le lit conjugal sans même qu'on en eût changé les draps. Ton Iago n'était pas dans la pièce à côté quand Othello, dans la chambre, ayant frappé Desdémone s'aperçoit qu'elle n'est pas morte et l'achève. Où courait-il donc cette nuit-là, l'Enseigne, au lieu de se trouver derrière les rideaux du lit, à monstrueusement jouir de *son* crime ? Comme nous avons perfectionné les choses depuis les temps élisabéthains! O Fougère, Fougère, crois-tu que je l'aurais laissé aller jusqu'à te frapper, cet Anthoine, que je serais resté dans les courtines à retenir ma respiration ? Ne comprends-tu pas que de le surprendre dans sa férocité, ton honnête meurtrier, j'avais droit de me jeter sur lui, d'en finir avec lui, de le rayer des miroirs, à tout jamais, avec ses yeux noirs, sa raie dans les cheveux, cet Anthoine ? Ainsi Iago triomphe, il est devenu le vengeur, celui qui fait régner la morale, à qui, bien entendu, le Sénat vénitien donnera en mariage la veuve du général commandant à Famagouste, et ainsi tout rentre dans l'ordre et Desdémone n'a plus d'yeux que pour moi, toute troublée de ma ressemblance avec son époux l'assassin, mais la gardant pour soi, ne voyant que mes yeux bleus, ne parlant plus que de mes yeux bleus, comme si c'était le privilège de l'homme d'avoir des yeux bleus afin d'être aimé.

Peut-être pourrais-je même décolorer mon poil pour mieux venger Johann-Friedrich du dédain de Murmure ?

Anthoine se promène avec un transistor et des paquets de journaux sous les bras. Chypre toujours. Chypre. J'ai l'impression que cet enlisement là-bas, après deux jours où il semblait que c'était la guerre, ne l'a point soulagé, au contraire. Il n'y comprend plus rien, il ne sait plus que croire, faut-il souhaiter l'Énosis ou non ? Il est contre les Turcs, cela, c'est la seule chose qui soit à peu près certaine. Et encore... Je ne lui parlerai pas de *Murmure*, ni du silence d'Ingeborg. Je ne le hais plus. Je le plains. Depuis que je sais n'avoir pas à le redouter. Il est là qui renifle comme un homme désemparé. C'est lui qui brusquement s'est mis à parler de *Murmure*, mais de façon tout inattendue : « Imagine-toi, — dit-il, — parmi les bouquins que tu m'as refilés... » Je n'aime pas beaucoup ce vocabulaire. Si Anthoine Célèbre écrivait comme il parle ! Enfin, va pour *refilés*, mais qu'est-ce que je dois donc m'imaginer ? Cet impératif, *imagine-toi*, par quoi les gens commencent leurs phrases m'agace au possible : il n'est pas de votre pouvoir, d'un ordre que vous me donnez, que je me mette à « imaginer ». Anthoine ne remarque pas ma mauvaise humeur, ou peut-être y est-il accoutumé : « Oui, eh bien, dans tes livres, imagine-toi, je veux dire les bouquins sur Chypre, donc, que tu m'as... c'est d'un intérêt assez variable, et d'abord, parce que, tu comprends, pour que ça vous accroche il faut que ça vous accroche, je veux dire, il faut une raison, pour que ça vous accroche, qui vous accroche... tu saisis ? » Non, je ne saisissais pas. D'autant qu'Anthoine s'était lancé dans un développement sur l'aide demandée par Mgr Makarios à Khrouchtchev, et à cet égard aux rapports historiques entre la Russie et Chypre. Comment, s'il y a des rapports historiques ? Mais bien entendu, il y a dans l'île un port qui était une étape des Varègues et d'ailleurs qui est l'antique Paphos. Enfin, bref. C'est là que surgit *Murmure*, comme Aphrodite de la mer :

« Imagine-toi, quand j'écrivais *Murmure*, j'avais été, bien entendu, frappé d'apprendre qu'à l'aube du douzième siècle, un roi de Danemark, Erik Ejegod, à la suite d'un vœu, entreprit un voyage en Terre Sainte, qui l'amena à Chypre, où il mourut dans l'été de 1103, à Paphos. Mêlant mes ficelles, j'avais essayé de faire entrer cette histoire dans *Murmure*, en marge de l'aventure de Caroline-Mathilde et de Johann-Friedrich, mais impossible. Ça ne collait pas, ça ne collait pas. Qui plus est, Chypre, là-dedans, cela prenait l'air d'un tour de passe-passe pour ramener l'actualité par les cheveux dans la nouvelle. Et puis, tu sais bien comment sont les gens, du moment que c'est moi, pas le plus petit doute dans leur crâne de piaf, je me mets à parler de Chypre à cause de la demande de Mgr Makarios à l'U. R. S. S... ah, ce qu'ils sont enquiquinants! Simples avec ça, pour imaginer qu'on soit aussi simples qu'eux. Tiens, c'est comme A..., tu sais A...? bien sûr, tu sais : quand il a écrit *La Semaine sainte*, qu'est-ce qu'ils se sont démanché le coquillard, tous, à trouver des incidences napoléoniennes à la politique de dernière heure! Remarque, c'était payer pour ceux qui trouvaient le truc scandaleusement historique, pas contemporain pour un radis, parce que tu sais, ne pas être contemporain, ça, c'est l'accusation majeure. Alors, je me demande, Johann-Friedrich... mais nous en étions déjà à Erik Ejegod, le douzième siècle à l'aube, quand en réalité... Remarque, le lien, en réalité, au moins pour moi, alors, étant donné les rapports de Fougère et de Murmure... Qu'est-ce que **tu as à te gratter?** »

Je ne me grattais pas. C'est-à-dire... je me grattais, mais enfin sans me gratter. Pure impatience. Alors, ce lien?

« C'était la musique. Tu comprends... non, tu ne comprends pas. Comment pourrais-tu? C'est dans Saxo Grammaticus. Ah, un auteur diablement intéressant, ce Saxo-là! J'en parle dans *Murmure* ou je n'en parle pas? Si, probablement. A propos de l'historicité de

Hamlet. Tu ne te souviens pas ? Je l'ai toujours dit, tu me lis mal. Ce n'est pas gentil. Juste après où il est question d'Ogier d'Ardennemarche, tu sais bien. C'est pour m'agacer que tu fais ce visage idiot, Alfred.

— Je t'ai déjà dit de ne plus m'appeler Alfred, puisque Ingeborg trouve ce nom-là ridicule. Remarque, mes parents m'en ont affligé à cause de l'oncle Alfred. Je ne t'ai jamais dit ? L'oncle, enfin le grand-oncle, le frère de ma grand'mère. Il est mort à dix-neuf ans, ça devait être un peu avant la guerre... non, celle de 70, bien sûr ! Il picolait, tu comprends, enfin il n'a pas fait de vieux os. Bon. Mais quand, par la suite, oh, c'était en pleine affaire Dreyfus, on a manqué de place dans le caveau de famille, à Toulon, et qu'on a décidé de faire des réductions... entre nous, jolie expression ! des réductions, je disais... on a ouvert le cercueil d'Alfred, eh bien, il était comme on l'avait mis en bière, parfaitement conservé, l'alcool... Drôle que ça n'ait pas eu d'influence sur moi, de m'appeler Alfred... Je t'ai demandé de m'appeler Jacques, je te l'ai dit cent fois, ou si tu préfères Iago, pourquoi tu fais cette bouille ? Iago, Jacques comme Santiago quoi... Au fait, tu disais ? »

Ma petite vengeance. Au fait, il était en train de dire que Saxo Grammaticus... C'est d'un contagieux. Quand je suis avec Anthoine, ce n'est pas que je parle comme lui, de l'anguille débitée en tronçons, mais c'est pire : je pense. Comme lui. S'il fallait, avec ce système, vous raconter les raisons du départ d'Erik Ejegod pour les Lieux Saints on serait encore là la semaine prochaine. L'histoire est donc, au plus court... c'est vrai que je me gratte.

« Tu te grattes, Alfred, — dit Anthoine, et comme s'il se reprenait, — tu vois, je ne peux tout de même pas te dire : *Tu te grattes, Iago*, de quoi ça aurait l'air ? » Encore une fois, bref : « Saxo Grammaticus raconte... »

Erik Ejegod, c'est-à-dire le Bon, — devenu en 1095 roi de Danemark après ses trois demi-frères, dont le dernier fut le Roi-Faim, Olaf Hunger, — n'était qu'un bâtard de feu Svend Estridsen, et il n'avait pas mis longtemps à mériter son surnom, lequel tenait à la reconnaissance du peuple pour les excellentes récoltes qui se succédèrent aux dernières années du siècle. Ainsi, qu'y faire ? appelle-t-on tyrans les souverains sous lesquels la grêle et la gelée amènent la famine, et leurs successeurs bénéficient dans l'amour des humbles du caractère cyclique des vaches grasses revenues. Il en va de même ailleurs qu'au Danemark. En fait le règne d'Erik n'a pas duré six ans, ce qui était sage de la part de ce roi, s'il tenait à son qualificatif, puisqu'on sait que les années prospères, comme celles de calamités, marchent par sept. Erik Ejegod sut mourir à temps. Mais la destinée qui lui conserva donc ce visage de bonté devant l'Histoire prit un chemin singulier, qui est tout ce que je veux ici raconter, car il importe peu, sauf pour l'ouvrier qui eut à faire son cercueil, de savoir que ce roi était de si haute stature qu'il craignit, partant pour Jérusalem, être chemin faisant la risée des gens en pays étrangers, et décida s'entourer d'hommes de sa taille, afin de se perdre parmi eux, et n'avoir point l'air pour les Grecs, les Byzantins, les Francs, que sais-je, d'être d'autre mesure que le Danois moyen.

Cela devait se passer en l'an 1102, car dans l'été précédent Erik avait signé avec les Suédois et les Norvégiens la paix qui fut appelée *la Paix des Danois* : la guerre était finie, le Roi de Danemark de retour chez lui dînait, comme il était coutume, publiquement dans son palais et le hasard que nous appelons de noms divers suivant notre philosophie voulut que se trouve comme hôte ou comme spectateur, Saxo Grammaticus ne le précise pas, un professeur de musique.

« Remarque, — dit Anthoine, — que c'est probablement la seule fois dans l'histoire de l'humanité, qu'un professeur de musique joue le rôle de la fatalité... »

Je le remarquai. Donc... Je remarque aussi l'illogisme de ce donc-là, l'artificiel de la causalité introduite. Mais à la muette. Parce que, sans ça, avec Anthoine, nous n'arriverions même pas à la fin de la leçon de musique.

Donc, à un titre ou à un autre, le professeur de musique tint assez longuement le crachoir, parlant de son art, de ses bienfaits, que sais-je ? Mais quel diable le piqua, qu'au lieu de s'en tenir à ce qui était sa fonction naturelle, il se mit à énumérer les dangers, disant notamment que les sons avaient pouvoir, comme les paroles, de rendre les hommes fous. Devant l'incrédulité qu'il rencontra, il se vanta si bien de connaître la façon de mettre les auditeurs en démence par les sons tirés des cordes qu'Erik le pria d'abord d'en donner démonstration, l'en supplia même, puis se prit de colère à ses refus, usant de menaces, à quoi le professeur de musique céda, mais prévenant que ceux-là qui l'entendraient pourraient être pris de violence et de cruauté si grandes que mieux valait que le public sortît, qu'on fermât la salle après en avoir fait enlever les armes, et que des serviteurs, choisis parmi les plus forts et les plus courageux, placés à distance suffisante que la musique ne les atteignît, si pourtant ils entendaient soudain s'élever la tempête de la folie, eussent pour mission de briser au besoin les portes, d'arracher au musicien sa cithare, de crainte que la musique les contaminât, et de séparer les dîneurs pris de démence, qu'ils ne se missent à mort les uns les autres. Ainsi fut fait.

« Je ne suis pas bien sûr, — dit Anthoine, — que le récit de Saxo Grammaticus touchant la façon dont se développa le concert, et se leva dans les hôtes du Roi et chez le souverain lui-même l'esprit meurtrier de démence, soit autre chose que de la littérature. Ce qui relève de l'Histoire, c'est que les clameurs venant de la salle du festin persuadèrent les sentinelles préalablement chapitrées de ce que les convives devaient avoir perdu la raison, qu'elles se jetèrent dans le palais, en enfonçant les portes, et tentèrent de maîtriser ceux qu'ils tenaient pour fous. Erik Ejegod aux prises avec des soldats et des valets, était-ce l'effet de la musique ou celui de la royauté offensée, se trouva d'autant moins maîtrisable qu'il était d'une force aussi peu commune que sa taille. Il s'échappa, atteignit le lieu où l'on avait emporté les armes où il se munit d'une épée et tournant sa rage contre ses poursuivants en mit à mort quatre avant que ses soldats parvinssent à le contenir, l'étouffant sous des coussins, l'accablant du poids de leurs corps. Toujours est-il que le Roi, pris de remords d'avoir tué, fit vœu de se rendre en Palestine pour demander à Dieu pardon du sang répandu... Je te passe le voyage par le lac Ilmen et Kiev, le long du Dniepr, la mer Noire et Byzance où régnait l'Empereur Alexis Comnène, fondateur de cette dynastie, dont est issu notre ami Francis Crémieux... »

Et moi je vous épargne tout ce qu'il parut à Anthoine impossible à passer sous silence de Byzance à Chypre, et l'histoire de la Reine Bodil qui suivait son mari, à respectueuse distance sur un autre navire, et quels vents poussèrent les voiles vers l'ancienne île d'Aphrodite, et si c'est bien dans l'ancien port d'Italium ou Adalia que le Roi de Danemark débarqua. Tout ce qui semble certain est qu'Erik tomba malade, fut porté à Paphos, qu'on appelle aussi Baffa ou Baffo, et que c'est là, dans la chaleur de juillet, qu'il mourut, où l'on prétend qu'il fut enterré dans la chapelle Hagia Salomoni, et fut ainsi le premier que la terre de Chypre ne refusa point, elle qui avait l'habitude de rejeter par indignation la nuit suivante les cadavres qu'on avait ensevelis en son sein. Ainsi s'en vint finir celui que la musique avait rendu fou, dans la ville où Aphrodite, à peine née de l'écume des mers, mit pour la première fois le pied sur le sol. Et tout cela, de ma part, est encore concession à l'auteur de *Murmure*, parce que nous ne sommes guère concernés que par l'étrange pouvoir de la musique, qui changea la vie d'Erik et le mena mourir au sud de l'Olympe dans ce port d'où il ne partit point pour la Terre Sainte. Et je vois bien qu'Anthoine à la fois est possédé de toute histoire ou légende qui le ramène à Chypre, mais aussi, surtout dans cette aventure d'Erik Ejegod entend la

cithare, et ne peut se retenir de penser que, comme celle-ci
rend fous les Rois de Danemark, la voix de Fougère
s'empare de lui, et de moi, et de tous les Christian de
Parvenchères, de n'importe qui l'entend, et en change la
destinée. Est-il pour autant bien certain que notre
folie à la fin nous rendra la terre d'Aphrodite accueillante, et que celle-ci ne rejettera pas nos corps indignes,
comme si la mort d'Erik Ejegod ne l'avait point apaisée ?
La fable est incertaine, et douteuse sa moralité. Mais
aussi notre Anthoine n'a-t-il pas su l'intégrer dans *Murmure*, et Chypre demeure l'île plus d'Othello que de
Vénus pour ces hommes de délire que nous voici, nous
surveillant l'un l'autre quand sonne entre nous le nom
du Jaloux, et Anthoine s'y accroche et y revient, comme
s'il guettait sur mon visage l'effet du nom d'Othello :
ainsi, tout à fait hors de propos, il s'est livré à un parallèle entre la non-historicité de Hamlet, la mystification
qui fait d'Ogier d'Ardennes le Danois assis dans les caves
d'Elseneur, et la légende d'Othello à Chypre, dont on
montre la maison à Famagouste, alors que le More est
pure invention sinon de Shakespeare, du moins d'un
conteur italien... Nous ne différons pas de point de vue
sur la force réelle des personnages imaginaires : mais
apparemment ce n'est pas pour assimiler Othello à
Werther ou Rastignac, qu'Anthoine y revient avec
insistance. L'obsession qui l'habite est d'autre sorte,
et j'ai vu dans l'œil d'Anthoine sa démence, et qu'il
commence à me regarder moi-même avec la noire prunelle de la jalousie. Il a même tenté de m'appeler *Iago*,
soudain sur ce nom saisi d'une gêne et détournant le
regard. J'en ai tressailli, comme d'un signe de victoire.
Il ne me reste plus qu'à trouver le mouchoir, ce qui me
sera le mouchoir, la preuve inventée de la trahison de
Fougère, c'est-à-dire le *roman* même, la fiction, dont
toujours le diseur d'histoires éprouve l'efficace au sanglant de ses effets. Et je sens vaguement en moi ce bouleversement des choses qui fait que tout se met à la renverse, n'étant plus, le roman, ce miroir par quoi je com-

prends le monde, mais par effet de la cithare ou de Fougère chantant, c'est le miroir qui me devient roman, où les choses passent à l'état de fiction, tout ce que je vois, ma vie, la réalité même, perdant tout sens moral, tout prend valeur d'être le reflet des fictions, de l'énorme trésor des fictions par quoi depuis toujours rêvent les hommes, et je suis à la fois Iago, Vivien, Wilhelm Meister, Tchitchikov, Lancelot, moi-même, Julien Sorel, le Dr Jekyll, Petchorine, Gil Blas, Tom Jones, le Prince Mychkine, Jehan de Saintré, Heathcliff ou qui vous voulez, les faits authentiques à mes pas apparaissent faits de ma folie, j'y lance comme une bûche pour l'alimenter un instant tout le paquet des songes, et la flamme s'élève, éclaire l'ombre et ne me montre au bout du compte plus que toi, Fougère, mon amour, ma beauté, mon miroir.

Les songes partagés... voilà tout à coup que j'ai compris une grande chose. Voilà ce que sont les romans. On pourrait l'écrire sur la couverture. *L'Éducation sentimentale, songe partagé.* Par exemple. Et passe le temps d'un roman, comme un songe il se dissipe, nul ne s'en émeut plus, qui pleure à lire *La Nouvelle Héloïse* ? Est-ce que les romans meurent comme nous, je veux dire ce qui dans l'histoire est à proprement parler le roman, le songe ? N'est-ce pas qu'on se fatigue non du songe, mais de la forme d'artifice que le songeur lui donne pour tenter de le fixer ? Et si seulement, avec le monde changeant, le songe varie dans sa forme, prend la couleur du temps, ne subsiste-t-il pas, n'entre-t-il pas dans le grand roman des hommes, ce trésor des histoires, où ne meurent ni Œdipe ni Tristan ni Hamlet... mais renaissent, *remis en scène* avec des machines nouvelles, de nouveaux acteurs, des lumières inventées, le décor qui suppose tous les songes des peintres, la perspective changée, que sais-je ? et toute la romancerie... mais c'est assez parler par métaphore, appelons, comme ne cesse de le réclamer un ami à moi qui s'est fait le défenseur du réalisme, les choses par leur nom. D'autant qu'il me semble percevoir ce que mes considérations sur le roman font naître chez Anthoine, quels soupçons, quelle crainte, *quelle jalousie* : je devine qu'encore déçu de l'échec du film de Sabatchkovski, il me suspecte de compléter un *Othello*, que tous mes propos, et notre double idée fixe, rendent vraisemblable. Il ne peut imaginer que ce n'est pas un roman ou un opéra qui est ma tentation, mais *la chose même*, que c'est de lui que je cherche à faire un Othello. Il ne s'agit ni d'une mise en musique ni d'une mise en prose, il s'agit d'une incarnation. Tout ceci demanderait un peu de clarté, et l'histoire du roman me l'apporte. Non que je veuille d'un coup dévoiler mes batteries, ni même que je sache bien moi-même où je vais... Prenons un exemple précis, un moment de cette histoire, une charnière de l'esprit humain...

Ce pourrait être l'heure du vingtième siècle où la négation du roman semble triompher, ou celle où il se cherche, de Proust à Joyce, de Kafka à Musil, des répondants nouveaux. Ce ne serait pas encore un exemple, mais un terrain polémique, déjà. Mieux vaut prendre une fois de plus le recul optique. Par exemple en se reportant en ce temps où le réalisme chez nous commence, mais aussi l'héritage des siècles précédents menace de tomber dans l'oubli, quand la matière des histoires et des légendes, écrites dans une langue déjà vieillie et, rejetant le vêtement du vers français ou provençal, pour survivre doit prendre l'aspect de la prose. Les quatorzième et quinzième siècles vont sauver de l'oubli le roman par la mise en prose des poèmes dérimés, avant même qu'en soient les problèmes reposés par l'imprimerie. Que l'invention de la prose romanesque en ouvrant à un tout autre public le chemin de la fiction est le premier pas du roman moderne, même par la voie des romans de chevalerie, c'est une incontestable vérité, comme est un fait que le passage au roman moderne ne s'effectue point par rupture, mais par adaptation de l'héritage aux conditions changées de la vie, si bien que même les romans autobiographiques comme

Le Jouvencel, ou les chroniques, comme celle de Jacques de Lalain, sont poursuite d'une tradition, mais qui tiendra compte des armes alors inventées, des formations militaires modernes, des transformations de la société, les incorporant à l'inspiration ancienne, mêlant à ce souffle qui vient des profondeurs passées la réalité en marche. Et déjà le roman réaliste apparaît dans les broussailles de la littérature chevaleresque, où, l'on ne se contentera plus de dérimer, mais où l'on va tailler, sarcler, brûler, ordonner, faisant disparaître les morceaux qui se détachent de l'action, les digressions, les allusions littéraires, les énumérations ivres de mots et de noms, les généalogies gigantesques, si bien que le roman nouveau apparaîtra comme un *remaniement*, de plus en plus radical, dont les allègements ne sont pas sans analogie avec la méthode américaine des *digests* d'aujourd'hui, mais au bout du compte qui relèvent de ces modifications du costume, où une robe de 1905 ne ressemble plus en rien à une robe d'après la guerre de 14-18, et moins encore à une robe des temps automobiles, mais demeure pourtant une robe. Et ceci pour ce qui est objet de description. Mais, il va sans dire, métamorphose analogue se fait jour, autant que dans les objets, dans *l'âme* du roman. C'est pourquoi le réalisme d'aujourd'hui se distingue de ces longues et lentes approches séculaires, par l'épithète nécessairement qu'il appelle, et qui va qualifier la morale du roman.

Tout ceci, je l'écris, pour les réflexions en moi qu'a provoquées *Murmure*. Je l'écris par protestation contre le silence de Fougère. Mais non point pour la défense d'Anthoine, envers qui je ne ressens au plus qu'une certaine pitié. Une pitié pour ce mal que je vais lui faire. Je le vois là, qui tient dans sa main le miroir, mais ne sait pas très bien qu'en faire (ni ce qu'il en fait), une espèce d'impatience noire, je cherche de toute ma fureur le moyen de l'en dépouiller, pour à sa place risquer les pas que le devenir exige. Pour convaincre Fougère. Pour être enfin, moi, moi, l'homme aux yeux bleus, avec ce tigre impatient dans le cœur, celui qui renverse les barrières, celui qui dissipe les nuées, écarte les thaumaturges de l'écriture, et qui va permettre que s'établisse entre l'homme et la femme le dialogue vrai, toujours détourné de sa route, la *conversation par le roman,* où je ne peux permettre à personne d'être à ma place l'homme, moi le jaloux d'amour, et à nulle femme d'être autre que Fougère, la conversation par le roman qui est le langage même de l'amour, de la réalité appelée amour.

Aussi, parce que le principal ennemi m'est forcément ici Anthoine, est-ce d'abord de lui que je veux arracher le miroir. D'abord dans son miroir que je veux chercher les secrets qui, de moi, détournent Fougère. Et soit cette digression sans fin, et toute digression avec elle enfin finie, achevée, rejetée, inutile! C'est pourquoi je reprends la chemise rouge que mon double aux yeux noirs imprudemment m'a confiée ; et j'en tire la seconde histoire, pour donner suite ou complément à *Murmure,* situer *Murmure,* ce songe où transparaît Fougère. Tout se passe comme s'il avait d'une part voulu cette fois donner la perspective de sa propre vie, où Fougère n'a point encore apparu, et tenté de s'effacer lui-même, dans une histoire où aucun de nous ne serait. Ces tentatives de dépersonnalisation, si je comprends bien, ont notamment pour point de départ un souci de quoi plusieurs fois Anthoine m'a entretenu. Il a fatigue, irritation profonde, du fait que tout ce qu'il écrit est reçu par les gens en fonction de ce qu'ils savent de lui, en particulier de ses opinions, si bien qu'ils lui prêtent sous chaque mot des intentions politiques, expliquent par je ne sais quelle propagande ou quel esprit polémique, ce qui relève en réalité d'un mécanisme tout autre, de liens secrets. Dans *Le Carnaval,* par exemple, Anthoine a *vraiment* perdu son image, et s'il a donné mission de porter certains traits de sa vie, postérieurs à l'histoire qu'il conte, à un personnage, il a choisi que ce soit un homme véritable, quelqu'un que l'on

275

connaît, qu'on peut rencontrer, lui et la femme qu'il aime, à un concert de Paris... Mais ni de cela, ni de l'invention pure et simple d'*Œdipe*, ainsi s'intitule, l'ai-je dit? le troisième conte de la chemise rouge, rien ne peut être clair avant la lecture de ces histoires. Pas sûr, entre nous, que cela le devienne après. Je tiens pourtant à remarquer d'abord, avant d'inclure ici *Le Carnaval*, qu'il y a une chose dont Anthoine n'a pu se retenir : il lui a fallu partir de la musique, du déclenchement de pensée qu'un morceau de concert suscite en lui, et par là je le soupçonne d'avoir été, tout le long de son récit, en réalité possédé de cette même passion qui pousse Erik Ejegod au meurtre ou qui fait qu'Anthoine, ou moi-même, et tous les Christian, et tous ceux qui entendent Fougère, nous sommes quand elle chante simples reflets d'elle, perdant notre âme pour devenir miroir de la sienne...

La musique... on ne sait pas quelle sorte de musique fait du Roi de Danemark un assassin. Le professeur de cithare avait-il inventé le jazz ou le *cante jondo*, l'ivresse du *fado* ou celle de *Parsifal*? L'incrédulité que rencontre l'histoire d'Erik le Très-bon est singulière à qui peut voir les jeunes gens perdant la tête pour la guitare électrique des Beatles ou de Johnny Hallyday. La musique fait de l'homme qu'il n'est plus lui-même.

J'en reviens donc au *Carnaval* et, ce qui semble se justifier par l'épigraphe de Rimbaud à ce qui suit, je ne reconnais plus celui qui parle, cet autre moi, mais un autre à chaque fois que le souvenir vient l'éclairer. Un autre? Il y a donc un autre? Je ne suis pas seul sur cette terre des songes, où ce qui fut et ce qui sera se confondent en ce qui est.

Deuxième conté de la chemise rouge.

LE CARNAVAL

Je est un autre.
Arthur Rimbaud.

I

*Den Schatten hab' ich, der mir angeboren,
Ich habe meinen Schatten nie verloren*[1].

Adelbert von Chamisso.

Le propos que Bettina von Arnim prête à Beethoven : *Musik ist so recht die Vermittelung des geistigen Lebens zum Sinnlichen*... la musique est précisément la médiation entre la vie spirituelle et la vie sensuelle... comment ne me serait-il pas revenu à l'esprit quand Richter attaqua *Le Carnaval*... était-ce bien cela, maintenant j'en doute... dans cette Salle Gaveau où il avait eu le caprice de jouer, qu'on avait décorée de tapisseries et qu'il avait exigé qu'on éclairât de chandelles. C'était déjà, fixée à cette heure tardive, une soirée folle, avec le commissaire de police jusqu'à la dernière minute sur le point de l'interdire au nom de la sécurité, le Tout-Paris impatient qui avait payé ses places à un prix jamais atteint, le mauvais goût de cette mise en scène, et cet homme de génie au visage d'enfance, les yeux fous dans le rose fondant, ses manières rusées, qui semblait jouer un tour on ne sait à qui, les cheveux blonds frisant autour de la calvitie. Toujours est-il que le miracle venait de se reproduire, comme deux ou trois fois dans ma vie, celui de ne plus rien entendre que moi-même, par l'effet d'une musique si parfaite dans ces mains dominatrices qu'elle en était oubliée.

1. *J'ai l'ombre qui m'est de naissance.* — *Je n'ai jamais perdu mon ombre.*

La musique à ce point de perfection possède le pouvoir étrange de faire le vide à la fois de quoi que ce soit qui tombe d'autre sous le sens et de tout ce qui semblait vous occuper la tête et le cœur. Elle est comme une grande mémoire où s'efface le paysage environnant. Elle fait naître ou renaître un spectacle anéanti, et tout se passait comme si par la fenêtre fût entré le parfum rouge de la neige. J'étais dans une chambre assez vaste et basse, au déclin du jour, dont le détail m'était mal connu, où je ne revois guère que la jeune fille qui jouait Schumann, brune, assez maigre, une bouche de passion, sa blouse blanche avec un jabot, et qui ne pouvait se retenir de chanter en jouant, — la la la la... — comme pour se prouver qu'elle ne se trompait point. Les bougies faisaient un faux jour au soleil déclinant, sur la musique de travers, au-dessus d'un paquet de romances et de partitions. Tous les Richter du monde... ah, c'est que cette rencontre à elle seule était musique, et j'avais vingt et un ans, un vêtement de whipcord bleu, le baudrier, la fourragère verte et rouge, une espèce de folie de ne plus entendre le canon, ce rire perpétuel de la mort je ne sais par quel hasard déjouée, et sur le sofa de cuir avachi avec ses taies brodées, à côté de moi le livre abandonné, j'en vois le cartonnage marbré bleu et blanc, l'étiquette. *Die Weise von Leben und Tod des Cornetts Christoph-Maria Rilke*, dans l'édition d'*Insel-Verlag*. Tout ce bazar dans la pièce, cahiers et vêtements, des écheveaux de laine, Gœthe au mur, et un couple qui avait dû se marier à la fin du siècle, dans un cadre noir et or, la femme assise.

J'avais acheté *Die Weise...* la veille, avec les *Cahiers de Malte Laurids Brigge*, un bouquin d'Arno Holz, du Wedekind et du Stefan Georg, à la Librairie de la Mésange, dans Meisengasse, à Strasbourg. Le régiment avait continué son chemin, j'avais obtenu du Commandant qu'il fermât les yeux, je rejoindrais, qu'est-ce qu'il pouvait y avoir, une demi-heure de train, mon tampon m'arrangerait ma planque au nouveau cantonnement... qu'on dîne sans moi. A vrai dire, on me passait tout, probablement parce que j'étais le plus jeune... et puis pour quelques souvenirs de l'été dernier, quand c'était encore la guerre. On m'avait bien, une fois, renvoyé chez les sous-offs parce que je n'avais pas fait ceci ou ça, à titre de représailles, étant donné que j'étais aspirant. Mais le Commandant s'était ennuyé de moi.

J'ai toujours eu pour Schumann une espèce de passion qui m'emplit comme d'un vin les membres, les épaules. J'ai l'impression que c'est moi qui frappe le clavier, qui secoue ainsi toute la vie en mesure, comme si j'en étais le maître absolu. D'abord c'était si nouveau d'être dans une maison véritable, une maison habitée, pas une de ces granges à demi démolies, avec de la paille, comme lorsqu'on redescendait en seconde ligne, mais déjà je ne pouvais plus rien imaginer d'autre, et le tapis par terre, et toute sorte de napperons à pompons sur les meubles, l'étoffe, les vases de cristal, les bibelots allemands, l'encombrement sentimental. Je ne l'entendais pas plus, la musicienne, que Richter quarante ans plus tard. Je la voyais. Je la voyais dans le compartiment.

Après m'être baladé dans Strasbourg, qui était alors, dans ce soleil d'hiver, une ville toute rose, avec des rues vides, et sur la cathédrale la Synagogue aux yeux bandés avait cette élégance ployée des jeunes Juives dans les romans de Walter Scott, mes bouquins sous le bras, je m'étais précipité avant l'heure pour ne pas rater mon train. La gare, immense, était plus vide encore que la ville, et sur la ligne de Lauterburg trois compartiments dormaient, attendant la locomotive. Pour les places, il y avait le choix. Pas à craindre qu'il n'y eût pas de coin. Je m'étais donc assis, comme par défi, à une place de milieu, tout seul, les jambes allongées. Je lisais Rilke, à me faire mal aux yeux.

... Il faisait presque nuit déjà, je rêvais, je ne lisais plus, j'avais renoncé à cet enchantement de la langue *ennemie*, qu'il me semblait alors aimer par désobéissance, ce qui est le plus enivrant amour. Cette langue des jeunes gens morts, entre lesquels nous avions marché depuis octobre, dans les tranchées abandonnées, les houblonnières... Cette langue des *Lieder*, que je m'étais habitué à parler en secret avec moi-même :

> *Die Nachtigallen schlagen*
> *Hier in die Einsamkeit*
> *Als wollten sie was sagen*
> *Von der alten, schönen Zeit* [1]...

Qui c'est ? Eichendorff, bien sûr. Je souris en dedans de ce *bien sûr*-là, ce snobisme ! Pourtant, je prends ma défense contre moi-même : au lycée, le fait est, j'avais d'un professeur contracté le goût d'Eichendorff, précisément d'Eichendorff entre tous les poètes d'Allemagne. Je sais plus de vers d'Eichendorff que de Musset ou de Lamartine. Mais je me berce de tout les chants. Et tous les vers me font dormir, m'entraînent dans ce pays à moi du sommeil, tous les vers allemands à quoi j'ai pris goût de provocation depuis 1914, Schiller, Bürger, Rückert, Heine, Dehmel... C'est comme sous le train des roues qui croient déjà qu'elles tournent. Qui sait, le rêve a pris corps, ce pays d'imagination peut-être bien que c'est l'Alsace. Dans mon costume de soldat, j'étais arrivé au cœur de ce domaine contesté par le chemin de la montagne. Un peu partout sur les maisons se déployaient les drapeaux blanc et jaune. On m'a dit que c'était ainsi que se revendiquait ici l'autonomie. L'autonomie ? Je ne comprends pas. Entre la France et l'Allemagne, le choix peut hésiter, mais l'autonomie... Ici mon cœur est par-

---

1. *Les rossignols sonnent — Ici dans la solitude — Comme s'ils voulaient dire quelque chose — Du temps ancien et beau...*

tagé, je m'avance avec étonnement vers cette limite du langage. Il paraît que ceux qui sont tombés, c'était pour que nous ayons droit de nous asseoir sur la rive du Rhin, et rêver à ce pays d'au-delà du fleuve, où pour amour se dit *Liebe, Zauber* pour enchantement. Qu'est-ce que je ne donnerais pour avoir avec moi mon *Jean-Christophe*, comme une sorte de « Guide Bleu » à l'envers, refaisant la route à rebours qui mena par chez nous le jeune M. Krafft et, à cette minute du passage, entre les deux pays, quand le Français Rolland dit à son personnage : *Il faut bien que je te suive, mon ombre...* l'Allemand Christophe répond : *Lequel de nous deux est l'ombre de l'autre ?* Cette phrase-là n'avait cessé de me tinter aux oreilles, sur les Hauts-de-Meuse, la Chaussée Brunehaut, le Chemin des Dames. Mais quand, à la Ferme de la Malmaison, j'avais trouvé ce petit livre ouvert encore sur un poème de Liliencron, j'avais regardé le mort à côté, comme si, pareil à Peter Schlemihl, je venais de perdre mon ombre. Le livre était dans ma cantine. Il faudrait le relire ici.

Une silhouette avait passé dans le couloir. Et repassé. Une femme. Elle semblait choisir où s'asseoir, hésiter. Puis elle entra dans mon compartiment avec un air de décision. Sans doute craignait-elle un peu la solitude. Elle s'assit dans le coin-fenêtre, à reculons. J'avais retiré mes jambes, croisant mes pieds dans leurs bottes fauves. Quelle langue parlait-elle ? Elle avait posé à côté d'elle un portefeuille à musique, ouvert son sac à main, tirant une cigarette qu'elle tassait sur le dos de son gant : « Cela ne vous dérange pas si je fume ? » dit-elle. Cela ne me dérangeait pas.

Elle venait de sa leçon de chant. La chose, apparemment, la plus naturelle du monde. A mes yeux, pas. Quoi ! L'empire de Guillaume s'était écroulé, la frontière avait craqué dans le reflux des vaincus, nous arrivions avec les mots de Ronsard et de Baudelaire... Sur le chemin, au sortir des Vosges, des voitures vers nous accouraient, des gens qui suppliaient nos officiers de faire vite, parce que dans la brèche entre les deux armées, un peu partout, le désordre... Des villages entiers venaient à nous avec des orphéons... soudain la grise mine d'un bourg, les volets fermés, des gens qui se dissimulent : « Ici, — disait le capitaine Mangematin, — il faut croire que c'est tout boche! » Un peu après la montagne de Sainte-Odile, ce pauvre bougre qu'on avait trouvé mort, dans la scierie au bord du torrent, où la 4e Compagnie avait passé al nuit, — le froid, le cœur? — au moment de partir à l'aube, pas de chance, toute la guerre sans une blessure, deux enfants... on ne savait pas trop comment faire avec l'argent, le change, les directives n'étaient pas arrivées, les sergents-fourriers en décidèrent un peu au hasard la tête, ça ne leur a pas été sans fruit, par la suite, quand l'État leur a racheté au pair les marks qu'ils avaient eus à bas prix, les Alsaciens, eux, trop pressés, voulaient de l'argent français, n'est-ce pas! Elle, venait de sa leçon de chant. Deux fois la semaine, comme toujours. Elle craignait qu'on ne chassât son professeur. Un Allemand, bien sûr. « Qu'est-ce que vous allez faire avec les Allemands? » me demanda-t-elle. Moi, pas la plus mignonne idée, Mademoiselle! Elle s'appelait Bettina : « Et vous, c'est Lieutenant qu'on vous dit? »

En ce temps-là, ce prénom, pour moi, c'était ou la Périchole, ou cette petite Brentano qui épousa Achim d'Arnim, dont j'avais tant aimé *Les Héritiers du Majorat*. « On m'appelle aussi Betty... » dit-elle. C'était plus simple, même pour parler musique. D'ailleurs de quoi parlions-nous? Il ne me reste de cette conversation qu'une espèce de chaleur au front, la précipitation des phrases, cette surexcitation sans arrière-pensée des êtres jeunes qui se rencontrent, veulent naturellement, pour rien, se plaire, paraître, comparer. Ah, j'avais entendu *Tristan* dirigé par Nikisch? Oui, en 1913, au Théâtre des Champs-Élysées. J'ai vu des photos du Théâtre des Champs-Élysées, en noir malheureusement. Je me demande ce que ça donne, les peintures de Bourdelle, pour la couleur ? Il était merveilleux, Nikisch, le troisième acte. J'avais une vieille bonne, imaginez-vous, Lieutenant, que j'appelais Brangaene... elle était furieuse, elle disait, voyons Nina, mon vrai nom c'est Anna... parce qu'à la maison alors, on m'appelait Nina.

J'avais l'envie de demander : « Et vous vous fâcheriez si, moi, je vous disais Ninette ? » Ce sont des choses qu'on pense. Je lui dirai Betty. Tout à l'heure. Elle s'était arrangée pour me faire savoir qu'elle allait sur ses dix-neuf ans. *Ninon, Ninon, que fais-tu de la vie ? — L'heure s'enfuit — Le jour succède au jour...*

Je pensais : comme elle a de beaux yeux, du jais, mais c'était peut-être que je ne la trouvais pas encore jolie. Cela viendrait. Je me connais. En tout cas, elle avait du charme, c'est le mot. Je pourrais lui dire : vous avez du charme... est-ce qu'elle le prendrait mal ? Ce n'était pas le moment, quand elle me faisait politesse de demander si Debussy vivait toujours. Oui, oui, il est vivant. Il a fait un très beau *Noël des enfants...* Je me coupai. Elle a beau parler français, je venais peut-être de manquer de tact... *les ennemis ont tout pris, tout pris jusqu'à notre petit lit...* J'ai chanté *La Damoiselle élue*, dit-elle. A un concert de charité. Pendant la guerre ? Naturellement. Avant la guerre, ma voix... je n'avais pas quinze ans. J'ai failli me la casser avec *Die Zauberflöte...* « La Flûte enchantée », je veux dire : vous parlez l'allemand, je crois ? Elle montrait Rilke près de moi, sur la banquette. Je rougis. Mal, mal... pendant quatre ans, impossible d'acquérir la pratique. Pourquoi ? Cela semblait l'étonner. C'est stupide. Même du point de vue militaire. Pour former les espions, est-ce que je sais !

Je me demande. La musique... La pratique... ce langage-là pour surprendre l'ennemi, le désarmer, l'atteindre au cœur. Richter avec Schumann dans les phalanges, ah, quel cheval de Troie! Mais nous ne sommes plus en guerre avec l'Allemagne. D'ailleurs laquelle? Il y en a deux. A quoi pensait-il, Robert Schumann, quand il écrivait son *Carnaval*? Aurait-il imaginé dans la petite maison de... ce n'est pas vouloir brouiller les pistes qui me fait hésiter devant le nom du pays, mais bien que je n'en sois pas sûr, que je mêle les localités... allons, disons : de Rœschwoog... aurait-il imaginé, Schumann, dans la petite maison de Rœschwoog les rapports que sa musique allait établir entre l'aspirant Pierre Houdry et Bettina Knipperlé? Je ne sais pas de quelle année c'est, *Le Carnaval*, quand plus tard Robert s'est jeté dans le Rhin, ce qui lui sonnait les cloches dans la tête, peut-être, peut-être était-ce cela, était-ce Richter, ce *Carnaval*? Et Mozart, dans la fosse commune du cimetière Sankt-Marxer, entendra-t-il se casser la voix qui chante *La Flûte*, terminée, un peu plus de trois mois avant sa mort? Questions absurdes, comme tout ce que me met la musique en tête. Mais c'est de ces absurdités-là qu'au bout du compte aura été faite ma vie. La musique est méditation, ma chère Bettina, de la logique et du délire, elle donne sens à l'insensé, à ce voyage ici que nous faisons dans ce wagon qui cahote, mal éclairé, un soir de novembre 1918, vers Bischwiller, et Dieu sait ce que nous pensons, l'un et l'autre, de ce coup de dés dans notre destin! Mais ce n'est que le premier point amené de la partie. D'ailleurs, n'allions-nous pas nous séparer à la descente du train? Nous n'avons découvert qu'à la gare notre destination commune, et même alors la nuit, la neige... je ne sais où vous habitez. Il me fallait retrouver le poste de cantonnement, et puis votre musique de chant n'était pas assez lourde pour légitimer qu'à la porte je vous accompagne.

Ainsi la vie est carnaval, où les masques comme ils se sont rencontrés s'égarent. Il tombait des flocons légers sur mon visage, et l'air était vif et coupant comme la jeunesse. De quoi donc avait-elle l'air, cette jeune fille de tout à l'heure? Je ne voyais plus que ses yeux noirs, tout le contraire des étoiles. Que disait-elle, la musique... mais surtout, moi, qu'avais-je dit? J'avais pourtant des mots que n'a pas tout le monde. J'arrivais avec mon mystère. Et quels pauvres propos pourtant! Je n'avais même pas pris sa main gantée. Pourtant, si je tombe ici, c'est pour quelque chose. Sans doute j'ignore mon rôle. A l'âge que j'ai, le sait-on?

Quarante ans et plus ne m'ont guère appris. Je n'ai pas le sens des répliques. De cette loge où toute ma vie aboutit, j'écoute *Le Carnaval*. Le pianiste s'est renversé, se penche et se redresse. La chemise et la cravate blanches le font paraître, bombant, dans l'habit comme un énorme enfant. Quel tour, une fois de plus, est-il en train de nous jouer? Tout l'art ne saurait me faire entendre ce qu'il pense : et c'est moi, sous le domino de la nuit, qui rencontre au retour de sa leçon de chant cette fille et la perds à peine vue, sur la route, où la sentinelle qui m'a reconnu m'indique le chemin. Je ne puis pas me défaire aussi simplement de ma jeunesse. Et il y a la section que je commande. Et Gustave, mon tampon, ce petit cochon bien nourri avec ses yeux bridés de malice, il m'a logé chez l'habitant, une famille bien comme il faut, dit-il, avec cet air toujours de faire un gros mensonge. Pour lui, je suis tranquille : il aura trouvé ce qu'il appelle une chambre garnie.

II

> *Einen Fingerzeig nenne ich, was schon
> irgendeinen Keim enthält, aus welchem
> sich die noch zurückgehaltene Wahrheit
> entwickeln lässt* [1].
>
> Lessing.

Je n'ai pas la moindre idée de quoi elle avait l'air, Bettina von Arnim. Ce devait plutôt être le genre femme-enfant. Pauvre Achim! Elle n'avait guère passion que des vieux messieurs. Passe pour Beethoven, avec ses quarante années, elle en avait vingt-cinq, ce jour où elle entra, au mai de 1810, dans sa maison et dans sa vie. Mais Gœthe... en 1807, quand à sa première visite au grand homme elle s'endort sur ses genoux, il avait cinquante-huit ans, elle vingt-deux. Et si elle se résout à épouser Achim d'Arnim qui n'a pas trente ans, c'est que Gœthe s'éloigne d'elle et qu'elle le sent, il va rompre, et les jeter tous deux dehors huit ou neuf mois après. Elle perd, pour s'être mariée, Beethoven : mais celui-ci, qui l'eût fixé? Elle l'avait pressenti... Il ne reste de tout cela qu'une image, celle que Gœthe et Beethoven appelèrent Mignon avec ses yeux noirs : *Kennst du das Land wo die Augen blühen?*

---

1. *J'appelle une indication ce qui déjà contient un germe quelconque, duquel la vérité encore dissimulée se développe.*

Et, quarante ans passés, je n'en vois guère plus de cette autre Bettina, dont au réveil, chez ces paysans qui m'avaient fait jouer aux cartes, tard dans la nuit, à un jeu où les valets ramassaient toutes les levées, et ils m'apprirent à appeler le valet *de Bürr*... soudain par la fenêtre ouverte dans le grand froid ensoleillé la voix me parvint, une voix pourtant inconnue, mais je ne pouvais douter, malgré l'invraisemblance que ce fût la sienne, la voix de ma voyageuse avec son carton à musique, et je jetai bas l'édredon plié en deux, la couette qui faisait toute la literie, pour voir où j'étais, qui chantait, de quoi ce monde inventé pouvait diable avoir l'air.

Une espèce de doute me prend : est-ce bien Rœschwoog ? ou ce nom n'est-il qu'un tour de ma mémoire, un choix inconscient, vaguement fait de la crainte qu'on ne reconnaisse... allons, allons. D'ailleurs ces patelins de la basse Alsace sont tous pareils, mais celui-ci m'était nouveauté, premier venu. C'était simplement la route de Bischwiller à Haguenau, avec des deux côtés les maisons de bois, à peu près pareilles, un rez-de-chaussée et un grenier, l'étage est une rareté, derrière une barrière toujours semblable qui laisse avant la maison place d'un jardinet. On voyait dans la lumière du matin la flâne de nos bonshommes, qui n'avaient rien à faire, à part ceux qui étaient de corvée, parlant avec les gens du village, et il y avait des canards et des oies. Mon Gustave dans le coin du tableau se tenant par le petit doigt avec une grande fille à tresses, et il lui balançait le bras en regardant la pointe de ses croquenots. Le contraire m'aurait étonné. Qu'est-ce que je dis ? Le contraire de quoi ?

Il faudrait faire un tour au bureau.

Mais c'était bien de ça qu'il s'agissait. Juste par la fenêtre en face, Mozart qui m'arrivait en plein cœur, l'air de *La Reine de la Nuit*. Une voix pleine et forte, impossible d'imaginer que cela sortît de ce petit bout de femme, telle que j'en avais le souvenir à travers les songes mal dissipés, une voix comme le plaisir de l'acrobate, la vocalise sans effort, et le chant qui se courbe sans qu'on en sente un seul instant la musculature. Et personne qui semblât y prêter attention, comme si elle eût chanté pour moi seul. Comme si on avait laissé jouer un enfant. Que ceci fût écrit par un homme sachant qu'il allait mourir, un homme terrorisé, en même temps qu'occupe ce *Requiem* demandé par un inconnu, peut-être quelque émissaire de la mort, de sa mort... Et si les yeux de la chanteuse étaient bien le contraire des étoiles, son chant ressemblait à la nuit de Baccarat, le soir de l'Armistice, où nous avions brûlé tout un train de fusées et de signaux, demeurés en gare, et désormais inutiles.

A me raser si vite, je m'étais mis en sang. « *Ach, Gott!* qu'est-ce que vous avez fait ? » s'écria-t-elle, quand j'eus frappé à sa fenêtre. Je passai la main sur mes joues, mon menton. Oui. Et voilà comment avait commencé la journée. Elle avait le bout du sourcil qui se retroussait de façon tout inattendue. Une matinée en laine tricotée, qui laissait l'avant-bras nu. Et un haut bracelet de cuir au poignet gauche, comme les travailleurs de force qui se le sont une fois foulé. « En effet, — dit-elle à mon regard — c'est en patinant, imaginez-vous... Qu'est-ce qui vous étonne ? Vous croyiez que je faisais de la barre fixe ? » Je le croyais. Avec la voix. Vous savez, le soleil. « Vous voulez du café ? J'ai du beurre... » D'où cela lui venait-il ? Elle rit, sans répondre. Chantez encore. « Quoi ? *Zauberflöte ?* Non, assez ! Vous aimez Schubert ? » Et tout d'un coup, c'est parfaitement stupide, voilà que j'ai les yeux pleins de larmes. Elle s'inquiète. « Vous vous êtes fait mal ? » Non, je venais de penser à un ami qui était mort le jour même de l'Armistice, et qui aimait Schubert. *Die Forelle...* pauvre Guillaume ! Vous n'avez sans doute jamais entendu parler de lui. C'est bizarre, ici, de penser à Guillaume : *Le mai le joli mai en barque sur le Rhin — Des dames regardaient du haut de la montagne...* « Comment ! — s'écria-t-elle. — Guillaume Apollinaire est mort ? Nous n'en savions rien... » J'ignore lequel de nous deux était dans le plus grand étonnement, moi qu'elle connût Guillaume, elle que j'eusse, avec quelque exagération sans doute, osé dire de lui *un ami*. « Il n'y a pas longtemps, j'ai vu un article dans les *Weisse Blätter*, vous savez, ce n'est pas une mauvaise revue ! » Alors, elle joua pour Guillaume *La Truite*, parce que chanter comme ça tout de suite. Si je revenais, l'après-midi, elle me jouerait *Le Carnaval*. Est-ce que j'aimais aussi Schumann ? Et Hugo Wolf ? Comment je ne connaissais pas Hugo Wolf ? les *Lieder* de Mörike ? Elle me chanterait Hugo Wolf. « Maintenant ce serait peut-être mieux que je vous présente à ma mère, vous savez ? Parce que déjà tout le village regarde par la fenêtre et se fait des idées sur nous deux... *Mütterchen !* Tu ne veux pas venir un instant ? » Un chat entre, roux et blanc, puis, derrière lui, Mme Knipperlé. « Je ne vous dérange pas ? » dit-elle. Mütterle, ça, c'est Pierre. L'aspirant Pierre Houdry. Il aime la musique. « Et le Kugelhopf, — dit Mme Knipperlé, — il aime le Kugelhopf, Monsieur Pierre ? Parce que j'étais en train d'en faire un... »

Tout de même je n'ai jamais compris la passion des petites filles pour les vieillards. La réciproque... Betty d'ailleurs n'est pas Bettina Brentano. Pourquoi, voilà quarante-cinq ans de cela, étais-je à ce point préoccupé par une identité de prénom ? Pourquoi est-ce qu'au concert Richter même, j'essayais si fort de ne penser à elle que sous ce petit nom anglais, plus fait pour une serveuse de tea-room que pour ma cantatrice des bords du Rhin ? Qu'à l'époque j'aie cru me mettre à l'abri, je veux dire réserver ma chance, avec ce nom de fille pour week-end sur la Tamise, passe : mais je devais savoir, après coup, que ce n'est pas la concurrence des vieux hommes qui est redoutable pour un garçon de vingt et un ans.

A la popote, ils m'ont reçu avec tous les chuintements qui annoncent la bonne bouteille à payer, les faux airs admiratifs, les cuisses qu'on frappe, les saluts irrespectueux, les gestes obscènes, les moustaches qu'on frise avec affectation. Le Commandant me regardait de façon paternelle. Il doit vouloir faire une partie d'échecs. Je me suis assis avant les autres, j'ai déplié ma serviette. Tous les convives se sont précipités à table avec un chahut d'assiettes, de verres, de couteaux. Puis c'est naturellement Mangematin qui s'est chargé de l'interrogatoire. C'est notre 2e Bureau.

Ils avaient passé la matinée à m'espionner. On m'avait aperçu chez les Knipperlé. Les lieutenants n'en avaient pas perdu une miette. Alors... c'est déjà fait ? Bien, mon gaillard ! Monsieur arrive après le dîner, pour se coucher, et puis dès l'aube, non, mais voyez-moi ça ! On ne vous connaissait pas sous ce jour-là, mon petit Houdry ! Je leur aurais bien dit merde. Mais, outre que de toute façon mieux valait payer la bouteille, il y avait la réputation de Betty. Alors quoi ? Vous n'êtes pas capables d'imaginer d'autres rapports avec une jeune fille que... Messieurs, je ne vous avais jamais regardés comme des collégiens, mais. Bon, ce sera du mousseux, au dessert.

Le seul type, ici, avec qui l'on puisse s'entendre, c'est le toubib. Un méd.-aux., qui écrit des poèmes. Enfin, des poèmes. Le malheur, c'est qu'il les montre. Quand il a su que je connaissais Apollinaire... c'est par lui que j'ai appris la mort de Guillaume. Il s'appelle Aragon. Ce n'est qu'un étudiant en médecine, mais on lui dit Docteur par politesse, comme moi *mon Lieutenant*. Il y a aussi chez les chasseurs, qui sont nos voisins de secteur, un sous-aide major, que j'avais rencontré à Paris chez Adrienne Monnier. Il faudra que je repère où ils sont, parce qu'avec lui je pourrais parler de Betty, sans que ça fasse des cancans.

III

> ... *Indessen dünket mir öfters*
> *Besser zu schlafen, wie so ohne Genosse*
>   *zu sein,*
> *So zu harren, und was zu tun indes und*
>   *zu sagen,*
> *Weiss ich nicht, und wozu Dichter in*
>   *dürftiger Zeit* [1].
>
>   Hölderlin.

Le Carnaval... ce n'est pas que celui de Schumann. Tout ici est carnaval. Le long du chemin, nous avons été reçus chez les gens comme pour un entracte de fête. Ils tenaient des propos délirants sur *mon* pays. Je ne pouvais ni m'y associer ni les démentir. D'autant que le carême allait reprendre, je n'étais pas chargé de faire justice des illusions. Les officiers, et peut-être bien, à en juger par les miens, la majorité des soldats comme eux, estimaient qu'entrer en Alsace, c'était comme en Poitou, en Morvan, que sais-je? Ils étaient un peu déconcertés par le côté linguistique de l'affaire, ayant cru, sur la foi des Barrès et des René Bazin, que tout le monde parlait le français, chez soi, en famille, les volets fermés, de Luxembourg à Belfort. Maintenant, quand

---

1. ... *Il me semble jusque-là souvent — Préférable de dormir à être ainsi sans camarades. — A piétiner ainsi, et que faire jusque là et que dire — Je n'en sais rien, et à quoi bon des poètes en temps de besoin.*

ils rencontraient un Alsacien qui ne les comprenait pas, ils disaient que c'était de la mauvaise volonté, ou simplement un Boche. Et quand je leur disais que, moi non plus, je ne les comprenais pas, ils s'étonnaient : mais voyons, Houdry, vous parlez l'allemand... Entre parenthèses, on avait un peu fouillé dans ma chambre, déplacé Rilke, un tome dépareillé de Nietzsche. Je devrais faire attention à ce que je dis.

Il serait plus juste de dire : je devrais faire attention à ce que je pense.

Voilà ce qu'il y a, avec la musique. On dit ce qu'on veut. Personne ne se méfie. Ce n'est pas comme avec la poésie. Notre méd.-aux., il est suspect aux lieutenants, à Mangematin, précisément pour ce que ses poèmes ont d'obscur. Qui demande à la musique d'être claire ? Elle, on lui sait gré des ténèbres. Et dans la patrie en danger, s'il est défendu de jouer avec les mots, on permet imprudemment de jouer avec l'âme, et les voisins ne reconnaissent pas à tout coup l'ennemi dans l'*Enchantement du Vendredi Saint* avec un doigt sur le piano de ma mère... Si la guerre devait jamais recommencer, je me mettrais à étudier la musique. Pour avoir mon cheval de Troie. Ma langue de Sioux. Ma liberté. Quand je pense, Mozart, Beethoven... quels merveilleux contrebandiers ! Le capitaine Mangematin vient de m'avertir : on a reçu l'ordre de ne pas laisser les déserteurs évadés d'Allemagne rejoindre librement leurs foyers en Alsace-Lorraine. Pourquoi ? Il paraît qu'ils sont les porteurs de l'esprit révolutionnaire qui s'est développé là-bas. C'est ainsi que j'ai appris que depuis huit jours il y a des Soviets de l'autre côté du Rhin. Oh, dans des régions limitées. C'est leur façon de continuer la guerre. Il faut faire attention aux émissaires. La propagande va remplacer les gaz asphyxiants. J'ai failli discuter. Je me suis mordu la langue.

Le médecin-auxiliaire m'écoute d'une oreille distraite. Il a encore fait des vers. Je lui suis reconnaissant d'une chose : bien qu'il soit mon aîné d'un mois, il a accepté de me remplacer comme popotier. Je l'ai été pendant un an, et vous parlez d'une sinécure! C'est pour avoir manqué de prévoyance dans cette fonction, lors d'un déplacement, qu'on m'avait renvoyé manger chez les sous-offs. Le méd-aux. m'a tiré une belle épine du pied. Mais il ne s'intéresse pas du tout à cette histoire des troubles en Allemagne. Il dit qu'il se passe des choses extraordinaires à Zürich. Il est en correspondance avec quelqu'un là-bas, un Roumain. Il ne comprend rien à ce que je lui dis de la musique. Comment je peux rester là, des heures, chez les Knipperlé, avec Betty qui joue du piano! *Le Carnaval*, bien sûr, *Le Carnaval*... est-ce qu'elle connaît Satie, seulement, les *Morceaux en forme de poire*? Vous devriez lui demander.

Ce que j'ai demandé à Betty, c'est à propos des troubles. Pas ceux de Hambourg ou Berlin. Ceux dont les automobilistes venus à notre rencontre se plaignaient, quand, les Allemands partis, nous n'étions pas encore arrivés. Non, à Rœschwoog, il n'y avait rien eu. Mais à Ludwigsfeste... Ludwigsfeste? où c'est? Fort-Louis, si vous préférez, tout de suite là, à quelques kilomètres, sur le Rhin. Et qu'est-ce qu'il y a eu, à Fort-Louis? Elle a souri que j'aie choisi, comme ça, le nom français. Comme Gœthe...

« A Ludwigsfeste, — m'explique-t-elle, — les gens du pays sont arrivés tout de suite, il y en avait pas mal de l'autre côté, en face. Ils ont traversé le Rhin à la nage. Pas besoin de formalités pour la démobilisation. Il y en avait aussi qui n'étaient pas du village. Alors, c'est devenu comme une grande réjouissance...

— Un carnaval?

— Si vous voulez. Les garçons ont ouvert partout des bals, il y a beaucoup de musiciens chez nous, des petits orchestres. Ils y venaient, malgré le froid, nus jusqu'à la ceinture, le torse peint, certains simplement tatoués. Les propriétaires, dans le pays, ont pris peur. Toutes les filles avaient abandonné les travaux, elles couchaient un peu partout avec les revenants. Les

Français ont arrêté les hommes. Tous. Maintenant, ce sont eux qui dorment avec les filles. »

Qu'est-ce qu'ils sont devenus, les garçons de Fort-Louis, ceux qui se peignaient comme ça ? Betty n'en sait rien. Aujourd'hui elle fait de la tapisserie, un dessin de pivoines sur un tambour, elle ne veut ni chanter ni jouer du piano. « Je suis un peu enrhumée... », elle s'est enroulé un voile beige autour du cou. Betty, je ne comprends pas l'Alsace. Comment est-ce que vous viviez, avant ? Avant ? Elle reste l'aiguille en l'air. Avant quoi ? Mais enfin, avec les Allemands... Eh bien... elle dit eh bien, comme si elle allait commencer un récit, et puis rien ne vient. Elle a dit au bout du compte une chose très étrange. C'était la vie, et cela ne se raconte pas, la vie. Mais enfin, Betty, les Allemands... comment étaient les rapports... comment...

Mes questions lui font lever les sourcils, et alors ils deviennent tout droits, la partie centrale se hausse au niveau des pointes latérales, comme si celles-ci étaient fixes. Les Allemands... mais c'était nous, les Allemands. Enfin, il n'y avait pas à y penser. Il y avait des gens de Rœschwoog, et puis des gens de Strasbourg, ou de Mannheim, ou de Berlin, de Munich. Voyons, Betty, vous faites exprès ! Pierre, qu'est-ce que vous diriez, si on vous demandait comment, à Paris, sont vos rapports avec les gens de Marseille ? Alors, vous ne vous sentiez pas Français ? Nous ne l'étions pas. Certains d'entre nous avaient comme un sentiment d'attirance pour Paris, la campagne française, la Loire, est-ce que je sais ? Il y a bien des anglomanes, chez vous. Mais le langage, Betty, le langage ! Ce pays, mon ami, a toujours parlé deux langues, et la sienne. Il n'y avait rien de changé. Évidemment j'aurais aimé aller à Paris entendre *Le Sacre du Printemps,* mais à part ça nous avions la musique chez nous. Une fois, j'ai rencontré Richard Strauss. Un homme très curieux. J'avais été à Berlin pour des raisons de famille. C'était pendant la guerre. Un cousin qui avait été tué dans le Masurenland.

Je désespère de me faire entendre, et puis j'ai tout le temps peur de manquer de tact, chez les Knipperlé. Tout de même, Betty, jouez-moi quelque chose, ça ne vous fera pas mal à la gorge. Elle a posé son tambour, repoussé les laines sur le sofa : « Allons, — dit-elle, — encore une fois *Le Carnaval*? Je ne prendrai que le deuxième mouvement, vous savez... » Ne chantez pas, Betty, ça vous ferait du mal. Elle a donc, sans la-la-la-la, joué le second mouvement. Et quand elle a fini, j'ai une espèce de fantaisie, je voudrais ce morceau de Schumann, vous le connaissez, *Haschemann*... Elle connaît. Elle me joue ce colin-maillard. Tiens, voilà le mot : plus qu'un carnaval ici, la vie, c'est un colin-maillard.

... Colin-maillard, *Haschemann*, la différence des deux langues. Si nous sommes lâchés dans le langage, avec un bandeau sur les yeux, l'un après quoi va-t-il courir, quelles associations d'idées, que ne donne pas le dictionnaire à l'autre ? Moi qui écoute Schumann en français, je vois le jeu, sa cruauté, comme tous ceux autour de moi, les yeux ouverts, profitent sur mes yeux du bandeau pour se moquer, trahir l'amitié, tromper, abuser. On dit que cela se nomme d'après un chevalier, à la veille de l'An mille, à la veille de la Grande Peur, au temps de Robert le Pieux, quelque part devers Liège, et qui, comme il se battait contre un comte de Louvain, eut les yeux crevés, mais poursuivit dans le noir la bataille, ses compagnons autour de lui pour le guider, ainsi qu'on fait au *Haschemann* lui criant : Tu gèles ! Tu gèles ! Chaud, chaud, par ici ! Tu brûles ! Oh, jouer à l'aveugle, et le monde alors devient un Breughel dangereux où rien n'a plus sa forme, et seuls les monstres transparaissent, que chacun de nous a dans lui. Mais aussi l'aveugle est un roi, à qui sur ses sujets inconnus est donné un droit sans limites, s'il les attrape ; sous le prétexte de les reconnaître, il lui est permis de palper, fille ou garçon, par tout son corps, par toute son âme, la proie entre ses mains, et cela ne vient point du Chevalier Colin Porte-Maillet, courant la forêt d'Ardenne après les Flamands. Cela n'est pas un jeu d'enfants. A quoi donc pensait-il, Schumann ?

J'ai toujours adoré cette page, sa rapidité, Betty. J'avais une amie, il y a longtemps, qui me jouait toujours *Haschemann*... « Ah, — dit-elle, — vous aviez une amie ? » Je vais lui expliquer que c'est comme ça, la vie, rien d'étonnant que j'aie eu une amie, elle avait bien les Allemands. « Oh mais, — dit-elle, en se tournant vers moi sur le tabouret, — vous me faites une scène de jalousie, Pierre ! » Betty... Elle sourit. Elle aime que de tous ses noms j'aie choisi celui-là. Pourquoi ? Une idée. Enfin, si ça lui fait plaisir.

Les lieutenants ont inventé un divertissement quotidien. A la tombée de la nuit, vers cinq heures et demie, six heures, ils s'en vont sur la route en direction de Bischwiller, d'où les filles viennent chercher le lait où nous sommes. On se tient par le bras et l'on fait barrage. Ces demoiselles ne sont pas farouches. Elles se laissent volontiers embrasser à l'aller, quand leurs pots sont vides. Nous continuons le chemin jusqu'à la ville sous des prétextes divers : il y a toujours besoin de quelque chose pour la popote... Nous recroisons nos laitières en nous en retournant, ici le lait qu'elles rapportent est un obstacle à nos plaisanteries, mais la peur de le renverser les oblige à le poser ; et, comme il fait tout à fait noir, il arrive que des couples s'égarent... Les habitués ont déjà des connaissances, cela a cessé d'être un jeu, cela tourne aux rendez-vous. Mais moi qui suis tard venu à ce carnaval-là, à ce colin-maillard de la nuit, je n'ai guère le choix, il m'est échu une petite un peu forte pour son âge, elle avoue seize ans, on me dit qu'elle n'en a que quinze. Elle doit être blonde et rose, avec des fossettes, toute ronde. Elle parle français, et m'a dit de l'appeler Leni. Mais tout de suite, je l'ai sentie tremblante dans mes bras, elle ne sait pas du tout embrasser et, quand j'ai touché ses seins, elle s'est mise à pleurer. C'est une enfant. J'ai un peu peur de ce que je fais avec elle. Elle m'a dit : « Apprenez-moi... », comment oser ? Elle sent le lait. Au propre et au figuré. Elle m'a dit ·

« A demain ? » J'ai répondu : « A demain... » Mais je ne reviendrai pas. Je ne sais pas trop faire l'éducation des filles. Puis, j'ai un peu pitié de Leni.

Puis j'ai un peu pitié de moi-même. Si Betty... Est-ce qu'elle se demande quoi que ce soit, me touchant ? Je suis un jeune Français qui arrive avec les vainqueurs, voilà. Si je parlais de ma solitude, on rirait bien. Les lieutenants qui bousculent les filles à l'heure du lait. Si je disais que je n'ai pas de camarades, à ce point pas de camarades. La guerre est finie ; mais pour ceux-là qui en sortent à ma façon, comme des hiboux éblouis, ce sont toujours les temps difficiles, *dürftige Zeiten*... comment vraiment traduire ? On rirait bien, si je disais que le colin-maillard, c'est moi, c'est moi l'aveugle à tâtons qui cherche à saisir quelqu'un dans l'ombre... qui ? Est-ce Betty ? Deviner. Ce n'est pas Leni, du moins. Pourquoi faut-il si fort que le cœur me batte, pourquoi faut-il que je redoute ainsi le faux pas d'ombre, le geste qui compromettrait tout d'entrée ? Ai-je donc péché sur la route contre la chance d'être aimé ?

Je vous le dis, le seul avec qui parler, c'est encore le méd.-aux. A quoi bon pourtant les poètes ? Comment est-ce, dans Hölderlin... que mieux vaut dormir que d'être ainsi sans camarades, d'ainsi piétiner, et que faire et que dire jusqu'à ce que des héros aient grandi qui seront à la taille des dieux... je n'en sais rien, et à quoi bon... Il m'a lu son dernier machin, le petit docteur. Une espèce de plainte qui s'enroule sur elle-même, qu'est-ce qu'il me veut ? A son âge, Keats écrivait *Endymion*. On ne peut pas comparer, vraiment. De son poème j'ai retenu des mots, par hasard :

> *... le songe*
> *où je mordais Pastèque interrompue...*

Je l'écoutais et je me disais : *Wozu Dichter in dürftiger Zeit ?* à quoi bon des poètes en temps de misère... ou de nécessité... de dénuement?... pourtant un vers qui me reste :

Le prestige inouï de l'alcool de menthe

parce que je suis sensible à ces mirages de l'extrême dénuement : *Le prestige...* tout de même je n'ai que faire d'un poète en ce temps cruel, et je ne puis même pas lui parler de Betty. Ni des sorties avec les lieutenants, d'ailleurs. Ce persiflage de sa part, une fois que je m'y étais risqué, et comme il avait improvisé un distique bilingue :

*Demoiselles de Bischweiller
Pas une qui en vaille l'air...*

« Cela fait mallarméen, ne trouvez-vous pas ? » Non, je ne trouvais pas. D'ailleurs, cela me gêne d'en parler.

Peut-être aussi, ce qui me gêne dans ces sorties, est-ce par rapport à Betty. Évidemment, je pourrais les lui raconter, par exemple, pour voir. C'est une idée qui me passe par la tête. Elle ne fait qu'y passer. En vérité, j'ai surtout plaisir chez les Knipperlé à l'heure où l'on se résigne à allumer. *Mütterchen* vient fermer les volets. Le reste du temps, elle demeure dans sa cuisine. Les lumières, ici, sont voilées de toutes les manières. Donner l'impression qu'on a des lampes, des bougies, pas l'électricité... Quand il fait jour, on ne remarque pas que sur le piano il y a un velours rouge, il semble au plus d'un grenat sombre. Quand on éclaire, il s'incendie, et sa frange de pompons qui était grise se révèle jaune, mêlée de rose. Betty me joue n'importe quoi, tout ce que je veux. Elle chante

*Sah ein Knab' ein Röslein stehn
Röslein auf der Heiden* [1]...

et je pense à Leni. Je suis peut-être le *wilde Knabe*, le garçon sauvage de la chanson. Parce que Betty avec ses yeux de jais ne ressemble pas à la *Röslein* de Gœthe. « Betty! vous n'avez jamais rencontré de garçon sauvage ? » Elle s'est interrompue. Elle a fait tourner son tabouret, fermant brusquement le piano. « Et vous, Pierre ? — dit-elle — vous répondriez à une question de ce genre ? » Elle a l'air d'une tzigane. Après tout, il n'y a rien entre nous. Je ne lui demande pas des confidences. Elle me regarde assez longuement sans rien dire. Puis. Non, décidément. Elle rouvre le piano, elle joue quelque chose par cœur, quelque chose qui surprend ici. C'est l'air que Gaby Deslys chantait en 1917 au Casino de Paris, à son retour d'Amérique, quand elle en a ramené le premier jazz et Harry Pilcer. « D'où connaissez-vous ça, Betty ? » Elle ne répond pas. Puis à nouveau, elle se tourne vers moi. Elle dit, lentement, comme si elle craignait que je comprenne mal ou pas l'allemand :

*Wer nie sein Brod mit Thränen asz,
Wer nie die kummervollen Nächte
Auf seinem Bette weinend sasz,
Der kennt euch nicht, ihr himmlischen Mächte* [2]...

« Vous ne connaissez pas ? Gœthe aussi. Dans les *Lehrjahre*. Wilhelm Meister devait être un garçon dans votre genre. Si seulement, seulement vous aviez mangé votre pain avec des larmes, si vous vous étiez assis

1. *Un garçon vit une petite rose — Une petite rose des buissons...*
2. *Qui jamais son pain avec des larmes n'a mangé. — Qui jamais* (n'a passé) *les nuits d'amertume — Sur son lit assis à pleurer, — Celui-là ne vous connaît point, vous Puissances du ciel...*

301

d'amères nuits sur votre lit pleurant... mais non, les puissances du Ciel vous sont encore inconnues! »

Qu'a-t-elle voulu dire? Je regarde le Gœthe du mur. C'est un Gœthe qui a déjà écrit *Faust*. Un Gœthe qui regrette sa jeunesse. Celui qui a pu se demander si Bettina n'était pas sa fille et la tenant dans ses bras repensait à Maxe Brentano, qui n'était point encore mère, quand elle était arrivée à Francfort en janvier 1774... J'ai un mouvement d'humeur, je manque dire : « Et celui-là, il l'a mangée avec des larmes, sa brioche? » Heureusement que je sais me retenir. Puis tout d'un coup, je remarque : si Wilhelm Meister... est-ce que Mignon n'était pas une petite tzigane avec des yeux noirs? En attendant, elle ne m'a pas répondu pour Gaby Deslys.

IV

> *Ein Fichtenbaum steht einsam*
> *Im Norden auf kahler Höhe.*
> *Er träumt von einer Palme,*
> *Die fern im Morgenland*
> *Einsam und schweigend trauert*
> *Auf brennender Felsenwand* [1]...
>
> Henrich Heine.

Nous avions *touché*, comme on dit, des Marocains. Trois cents. Pourquoi faire, disait le Commandant, maintenant qu'on n'en tue plus. Il disait ça gentiment, remarquez, en couvrant sa dame avec le cavalier. Il fallait bien, de temps en temps, que je fasse sa partie. Un petit verre de schnaps à côté de la tasse de café. Le prétexte du service ne pouvait pas s'invoquer tous les jours. Avec ce qu'on avait à faire! Sauf quand ma section s'y collait et, alors, jugulaire, jugulaire... En réalité, *ils* ne savaient pas où les mettre. *Ils*, dans la langue du Commandant, c'étaient les officiers d'état-major, cette espèce damnable, couverte de décorations, lui qui attendait toujours d'être fait officier de la Légion d'honneur! Quand on ne les avait jamais vus en ligne. Je préparais gentiment le mat. Il est ingénu aux échecs,

---

[1] *Un sapin se tient solitaire — Au nord sur une hauteur chauve. — Il rêve d'une palme* (un palmier), *— qui loin dans l'Orient — Solitaire et silencieuse s'attriste — Sur une brûlante paroi rocheuse.*

le Commandant. Pas un mauvais homme. Un peu porté sur la bouche, voilà tout.

En réalité... presque toutes les phrases du Commandant commencent par *en réalité...* en réalité, nous n'avions pas besoin de renforts, mais leurs cadres ont été décimés ou on les envoie dans les grandes villes, parce que ce sont des officiers qui portent beau. Pas comme... ceci à voix baissée, Mangematin traîne dans la pièce, et à mon intention. Le Commandant ne peut pas se faire à tous ces officiers de réserve qu'il a, et son petit air complice sur ce triste sujet me rappelle qu'il m'a réclamé, j'étais dans un autre bataillon, qu'il a fait des pieds et des mains pour m'avoir, ce petit aspirant qui a de l'allure, lui, au moins! En réalité, nous sommes là pour attendre, est-ce qu'on a besoin d'occuper l'Alsace? Mais, dès que la Conférence de la Paix qui va se réunir en janvier en aura pris la décision, on va nous envoyer en Allemagne, et alors, là, ce ne sera pas trop des Marocains, pour leur foutre la frousse, aux Fritz! Le Commandant ne dit jamais les Boches. Des gaillards, remarquez. Presque tous des montagnards, le Rif, l'Atlas. Vous avez vu, Houdry, comme nos hommes ont l'air de mauviettes à côté?

J'ai vu. Ils font peine à voir, ces géants en disponibilité de cimetière. De grands corps à la traîne, qui grelottent dans la neige, et cet incompréhensible soleil gelé. Dans leur cantonnement, parce qu'on ne les a pas mêlés avec nos types, ils restent serrés les uns contre les autres. Il y en a qui chantent. Comme pour leurs moutons. Des chants lugubres. Ils seraient plutôt beaux, n'était que la plupart ont l'air cassé. Il y en a qui se mettent un bandage sur la tête, avec une pierre dedans. C'est leur aspirine. Dans le principe, cinquante d'entre eux comptent à ma section. Une façon de parler, ils restent sous le commandement de leurs sous-offs, des gardes-chiourme plutôt ; on ne se rappelle leur existence que pour les corvées. Ne vous gênez pas, mon Lieutenant, puisez, puisez, ça repose vos hommes. Eux, c'est du

solide, et puis il faut bien les distraire un peu, ils sont là comme des dromadaires, à chialer après leurs douars...
Du solide? Voire. Dès le deuxième jour, le toubib a été surmené. Lui qui avait ses cinq, six portés-pâle tous les matins, le voilà qui a quatre-vingts Marocains à sa visite. Parce que tous étaient rassemblés au village, une grande baraque à droite, à la sortie... mon méd.-aux., il te vous héritait des bicots de trois bataillons. Quatre-vingts le premier jour, quatre-vingts le second. Pile, bon poids. Bien qu'il en eût évacué soixante des premiers. Soixante? Nom de Dieu, Docteur, vous n'y pensez pas? Mon Capitaine, j'aurais voulu que vous les voyiez. La caisse pourrie. Oui, oui, ils ont l'air, comme ça, de colosses. Et puis. Tout ça tousse, crache le sang. A l'oreille, c'est affreux. Truffés de tuberculose. Des matités. Quand ça n'est pas des cavernes, haut comme ça. Le second jour, il voulait tous les expédier, le petit docteur. Le troisième, ceux du premier jour, ils ont rappliqué, lamentables. En colonne par quatre. Gardés par des Français, baïonnette au canon. Comme des déserteurs. A l'H. O. E., cela avait fait un de ces baroufs. Il n'est pas fou, ce médecin auxiliaire? Un étudiant en médecine à quatre inscriptions. Il n'a rien vu. Il croit ses oreilles. Il s'imagine qu'il est à l'Hôtel-Dieu, ou quoi? Des Marocains, il ne se fait pas idée, ce n'est pas des petits crevés dans son genre. D'abord, la tuberculose, ils l'ont tous. Ils vivent très bien avec, dans leurs montagnes. Ils ont fait la guerre avec. Ils sont morts avec, et fallait les voir à l'assaut! Si on juge ces histoires-là avec ses nerfs, qu'est-ce que c'est, votre toubib, une petite femme? Enfin le Commandant lui avait passé un savon. Mais le quatrième jour, ils étaient encore quatre-vingts. Inexplicable. Le même chiffre tous les jours. Mange-matin disait que c'était la loi des grands nombres. A vrai dire, c'était plutôt l'Adjudant : il les accompagnait à la visite, pour faire l'interprète... L'interprète de quoi? A chaque bougre qui geignait, montrait en se démanchant où ça lui faisait mal, mimait des quintes de toux, faisait

voir le sang sur ses doigts, dans la salive, il traduisait la même chose : il dit qu'il a de la fièvre, qu'il est un peu fatigué... Aux bonshommes, il ne parlait pas, il criait. Dans leur langue, on ne savait pas quoi. Mais eux, renfonçaient la tête dans leurs épaules. Il lui expliqua, au docteur. Tous les jours, ils venaient pour se faire inscrire, les trois cents. Moi, j'ai décidé. J'en prends quatre-vingts. Pas un de plus. Le quatre-vingt-unième, le fouet. Sans ça! J'étais entré dans le préau d'école où se passait la visite, comme les malades se rhabillaient, gémissant, et l'autre les jetait dehors avec de grands éclats de voix. Le médecin-auxiliaire était là, derrière sa table, avec le marteau à réflexe devant lui, une serviette sur les genoux, blême. L'infirmier dans un coin te vous badigeonnait des géants à la pelle. L'iode n'avait pas l'air de prendre sur ces grands corps frissonnants, couleur d'olive, à poils bleus, qui avaient remis précipitamment leurs chemises, comme par pudeur de leurs épaules et la relevaient d'en bas pour le badigeon. Il me regardait, le méd.-aux., avec des yeux perdus : « Qu'est-ce que je vais faire avec eux? J'ai trois lits... » Il faisait pitié. Je lui ai demandé, alors, pas de nouvelles de Zürich, ce matin, au courrier? Ah, *wozu Dichter in dürftiger Zeit*...

J'ai eu le tort d'en parler à Betty. Parce que j'ai beau faire le malin, ça me travaillait. Elle avait blêmi, puis elle avait frappé du poing sur le couvercle du clavier. Pas tant que les Marocains... c'était aux gens du pays qu'elle pensait. Peut-être que les hommes de là-bas, la tuberculose, c'est chez eux comme le rhume de cerveau. Mais ici. Vous nous amenez trois cents brutes qui vont contaminer les filles, les violer, leur faire des gosses... J'ai bien essayé de lui dire que *nous*, c'était trop simple de s'en prendre à nous, si elle avait vu la pauvre gueule du toubib! Qu'est-ce que nous y pouvions? Il a bien essayé de les faire filer, on les lui renvoie, et il a trois lits, un malheureux coin dans la salle où il passe la visite. A l'école, n'est-ce pas? à l'école! Vous vous en lavez les mains, naturellement. Vous faites aussi bien.

Vous vous êtes lavé les mains avant de venir? *Mütterchen*, donne du savon à Pierre, qu'il se lave les mains! Et elle me poussait vers la cuisine, l'évier.

A part ça, on a jeté de l'eau sur le champ, un peu après l'école, en bordure du chemin, à la dernière maison, et cela a gelé, ça fait une patinoire. Tous les gosses du patelin, de grandes filles avec leurs amoureux, et aussi de vieux types à qui ça rappelle leur jeunesse y font des trois, des huit, valsent. Parce qu'ici, on patine comme on se gratte. Betty s'est assise sur la barrière de bois, elle sort de son sac des bottes molles, vernies, où ses patins sont déjà fixés. « Vous venez? » dit-elle, parce qu'on m'a prêté des patins, à moi aussi, que je suis là à serrer. Bien, moi qui croyais savoir! D'abord, ma guerre a passé entretemps, j'ai peut-être oublié. Ce sont des excuses qu'on se fait. Mon expérience parisienne, au Palais de Glace, suffisait pour le genre de filles avec qui on liait conversation... Ici, les enfants se payent ma fiole. Je vois bien que Betty me juge. Elle plisse sa bouche, il n'y en a plus. Elle parle très vite, en allemand, avec un gars de Haguenau, venu chez des cousins, paraît-il, avec lequel elle file sur le champ, se tenant par les mains croisées. Elle est revenue toute rose. Moi, je me suis assis sur une borne, je me contente de regarder. Les rires de Betty à ce que lui dit son danseur me font un peu mal au ventre. Je tourne la tête. Mais elle est de très bonne humeur, elle me secoue : « Allons, allons, enlevez-les, vos patins, Pierre! Maman nous a fait un gâteau... » Même qu'il n'était pas mauvais du tout. Au gingembre. Demain c'est la leçon de chant de Betty. Elle va à Strasbourg.

Et juste ce jour-là, comme je me disais précisément qu'il faudrait bien le repérer, Théodore, voilà que c'est lui qui est venu me chercher. C'est le sous-aide-major dont j'ai parlé. Il est cantonné pas très loin d'ici, avec ses chasseurs. Mais il avait d'abord, pour quelques jours, campé à Fort-Louis. Justement, il venait me chercher pour y aller avec moi. Un drôle d'endroit, dit-il. J'ai mes raisons de m'y intéresser. Nous étions au dessert, on l'avait fait s'asseoir à côté de moi, un petit verre de framboise. Il a une voix de basse et un rire qui le secoue à propos de choses inattendues. Mais le Commandant ne me laisse pas filer comme ça, au café. J'avais à faire sa partie. Théodore m'y autorise cérémonieusement du geste. Il parlera avec le méd.-aux., le temps de faire échec et mat. J'ai un peu honte devant lui, parce qu'il joue, lui, ce n'est pas comme moi, une fois mes deux ou trois trucs épuisés. Je les voyais de loin, le petit toubib qui murmurait avec agitation, et Théodore regardant de notre côté, avec son rire du ventre, mais somme toute silencieux, son interlocuteur faisant le travail. « Il vous a parlé de ses Marocains, je parie ? » Gagné. Le compliqué avec ces gars-là, on ne sait jamais leur âge. « J'en ai eus, — dit Théodore, — l'été dernier en ligne... je me disais, pas possible, c'est un combattant de 70! Tu regards leurs papiers, classe 10, ou approchant. D'abord je m'étonnais, puis je me révoltais, les recruteurs... Rien n'est comme on croit. Ils n'ont pas d'état civil, tu leur demandes leur date de naissance, ils disent l'année où il y a eu de la neige, ou la sécheresse... Alors on marque classe 10, classe 13. Ça ne veut rien dire. Parce que, la neige, il y en a eu plusieurs fois depuis que le monde est monde. Et la sécheresse, ce n'est pas ça qui est pleuré... » Le drôle avec Théodore, il ne tutoie personne, mais dans ses phrases le *tu*, ça veut dire *on*. Il s'intéresse à ma partie ; « Votre Tour, mon Lieutenant... » Le Commandant tique : « Ah bien, si vous l'aidez, Docteur, il est assez fort comme ça ! » Le sourire de Théodore me gêne un peu, mais comment lui donner tort... Il est officiellement venu m'inviter à dîner de la part des chasseurs. A Drusenheim, où ils ont leur P. C. Je pourrais peut-être rester coucher ? Le Fou. Cela dépend de ce que le Commandant... Mon Cheval. Et par la Tour du coup découverte... « Vous n'êtes pas de jour demain, Houdry ? — dit le Commandant. — Alors... mais ne soyez pas en retard pour déjeuner : je veux ma revanche ! »

V

*L'Arsace et la Loreille
Sont des pays d' cocus
Tirelu...*

Léon-Paul Fargue.

Il faisait un temps fantastique. Un froid bleu, dit Théodore. Le soleil d'hiver avait l'air d'avoir mis son chapeau de paille hors saison. Tout sortait d'un catalogue de grand magasin pour les vacances. On marchait vite, les jours sont courts et quand on prend le chemin des écoliers... C'était que Théodore tenait à me montrer l'église de Vauban, et Fort-Louis nous écartait, pour aller à Drusenheim, mais pourquoi pas? Une heure de plus ou de moins. Qu'on se parle ici ou là... Nous étions à l'âge où on se parle. Théodore donnait à tout l'accent de Jarry. Je lui avais raconté que Gœthe, lui — après que Betty l'eut dit, j'avais vérifié dans *Dichtung und Wahrheit*, qui traînait chez mes logeurs, c'est drôle, un livre d'école, il paraît, — Gœthe donc appelait l'endroit par son nom français. Pour le docteur, Gœthe, c'était une sorte de Pèrube, comme il disait. Traduire en papa et maman les noms de lieu, il fallait pour ça, à son sens, avoir vraiment le genre palotin. Il me faisait la leçon : pour des gens comme nous, ça devrait être le contraire,

revenir à « Fort-Louis » quand déjà on s'y présente
costumé, ça fait clairon, Poincaré, la Madelon. Tandis
qu'appeler Louis XIV Ludwig, à la bonne heure. Notez
que, pendant la Révolution, tu disais Fort-Vauban,
mais bon, Ludwigsfeste. On y arrivait d'ailleurs, à...
comme vous dites. Donc, mon Théodore, son bataillon
y avait perché les premiers soirs, alors il m'expliquait.
C'est une ville, tu dirais que tu as oublié de la construire.
C'est-à-dire qu'on l'avait construite, Louis XIV, enfin,
non, Vauban. La ville était tracée au cordeau comme
une cité américane, quadrillée, avec les maisons toutes
pareilles, symétriques, en utilisant, — dit l'indigène, —
les ruines du château de Haguenau pour la décoration.
Ah, l'urbanisme n'est pas une maladie moderne! Là-
dedans, l'église devait avoir l'air moins gigantesque,
alors, je veux dire au crépuscule du dix-septième siècle,
en pleine fistule de Sa Majesté, et le tout bien fortifié,
un de ces plans d'architecte où tu n'as rien oublié, ni
la perspective d'un siège ni les besoins de l'âme. L'em-
placement construit était en fait une île du Rhin, tout
ce que vous voyez là, mon Lieutenant, a été gagné, Fort-
Louis depuis Vauban s'est gentiment enfoncé dans les
terres. En 1793, les Impériaux ont détruit la ville à coups
de canon, tirant de l'autre côté du fleuve. Et quand
nous y sommes revenus, l'année suivante, nous Saint-
Just, Carnot, vous voyez ça... personne n'a songé à
reconstruire. Ni depuis. Aussi, comme vous pouvez le
contrôler avec vos bons yeux de l'époque cubiste, n'y en
est-il toujours resté que l'Église-Forteresse, que je vais
me faire l'honneur de vous mener visiter, suivez le
guide, et devant elle, des lopins de terre coupés de
chemins à angle droit, qui furent les rues du Le Corbusier
de l'époque. Les maisons, comme vous voyez, ou ne
voyez pas, sont plus loin, dispersées au hasard, des côtés,
avec des bouts de jardins. En fait de travaux d'art, il y
a, au-delà de l'église, dans la plaine qui a pris la place
du Rhin, un canal suspendu, comme un rempart qui
n'en finirait pas, parallèle au fleuve. Ce n'est plus une

île, mais une sorte de polder. Toutes les voies d'eau ici, canal ou bras mort de rivière, on n'a qu'un nom pour les appeler : c'est la Moder. Vers Strasbourg et vers Haguenau. D'une main, ça simplifie. De l'autre, tu n'y comprends plus rien. Au-delà du rempart, il y a des bois qui ont poussé là depuis Louis XIV. Ça se voit au style. Pas Versailles pour un sou. Pardon, pour un pfennig.

Il en était là quand surgit sur la route un drôle de personnage. Comme à la foire, au tir, quand la carabine fait mouche. Un bonhomme dans les quatre-vingts ans passés, avec le fusil Gras en bandoulière, la cartouchière, des bottes de chasse, et sur la tête un de ces shakos. Ah, Docteur! qu'il gesticule. Ce barbichu en éventail était un ancien franc-tireur de 1870 qui avait ressorti sa coiffure pour accueillir les Français. Tout ému. Théodore était le premier qui fût entré dans sa demeure, l'autre jour, alors vous comprenez, l'effusion! et ces Messieurs les chasseurs? Gros propriétaire avec ça, et par sa femme cousin des Rois de Bavière, et en même temps des manufactures de Mulhouse. Si je m'attendais à vous revoir, tout d'un coup, là! C'est qu'il en était encore ému, l'estimable M. B..., d'avoir reçu chez lui les petits chasseurs, une deux, une deux, ils les avaient eus, *ils*, je veux dire Mme B... et lui, *les* je veux dire les officiers du Bataillon, à leur table, une de ces représentations! N'était que cette manie de vous mettre dans l'assiette du raifort cru qui vous fout mal à l'estomac. Mais, depuis, M. B..., il ne dirait plus rouge pour tout l'or du monde, il désignait couramment cette couleur par bleu-cerise ou vert-groseille, et même que pour Beethoven... vous savez qu'il est descendu chez nous, Beethoven, quand il est venu à Strasbourg... Beethoven est venu à Strasbourg? le pithécanthrope de 70 ignore la question, même que pour Beethoven ça lui écorcherait la gencive de parler musique, il prononce désormais fanfare... Enfin qui connaît mieux le pays? Il se plaint néanmoins un tantinet d'un sous-lieutenant qui s'est montré

dans le village avec sa bonne... sa bonne à lui, B...
j'entends. Tout de même, il faut de la tenue. Moi,
cela me rappelle ce que Betty raconte : j'allais demander si c'était vrai, cette histoire de bals torse à l'air,
mais dès les premiers mots Théodore m'a contré.
Vous n'êtes pas fou, Houdry, — ceci, l'autre rapidement liquidé, parce que je ne savais pas, dit le docteur,
qu'il y avait déjà des rasoirs mécaniques du temps
de M. Thiers, — il y a des choses dont il ne faut jamais parler devant l'ennemi. L'ennemi? Il rigolait,
Théodore : l'ennemi, ce n'est pas forcément celui qui
fait un carton avec toi. Et vous savez de qui, avec
tout ça, le moblot, il est aussi parent, toujours par les
femmes? Non? Votre langue aux chats? Si vous ne
dites pas ma langue aux chats... Eh bien, bon. Ma langue
aux chats. Théodore se tut longuement, comme s'il
me laissait mûrir. Ou voulait m'énerver. Me chatouiller
le viscère de la curiosité. Ménageait ses effets, en tout
cas. Ou les inventait. Qui ça, pouvait m'en faire le
plus, d'effet, hein?... Jésus-Christ, Bethmann-Hollweg,
Mahomet, Blériot... qui? Mais l'Église. Tu es au pied.
Ah, ce Vauban du bon Dieu! Imaginez la Madeleine,
mais qui n'aurait pas de colonnes. Et en plein champ,
mais où il n'y aurait pas de champs.

Tout ceci, tout ce qui suit, n'est qu'ainsi qu'il me
semble aujourd'hui, et que je le retrouve au fond de
ma mémoire, comme dans sa boîte de Pandore une
ancienne romance, et le petit cylindre tourne, accroche
et repart. Il n'y a pas plus de Fort-Louis que de moi-
même. C'est la Troie inventée au théâtre pour les
besoins de la cause, et Troïlus s'y promène avec un petit
copain comme on en voit sur les poteries crétoises,
ils ont tous deux des boucliers scellés au bras, des
leggings grecques à la jambe, le casque de côté, le poignard court, parlant entre eux de Cressida qui prend
des leçons de chant que ce soit ou non la guerre... Ne
me dites pas que j'aurais pu vérifier le paysage, le
mettre au point, qu'on s'y retrouve, et le Rhin n'est

pas le Scamandre, je sais, je sais. Ni la Moder... Dans mon miroir profond, je vois ainsi les choses. Et, par exemple, où tournent les deux compagnons, la digue. Y a-t-il une digue vraiment? Dans ma lumière noire, elle porte un canal. Imaginez les fortifs d'avant 14 à Paris, avec de l'eau qui passe dessus. On la suit. On y jette des pierres. On se tait. Je fais celui qui ne remarque pas. D'ailleurs, ça me repose. De qui il était cousin par Madame, M. B... de Ludwigsfeste? Le Bargy, la princesse de Caraman-Chimay, Boni de Castellane, Marinetti? J'avais beau imaginer, imaginer, rien ne m'aurait fait bruire autre chose que *ah?* D'ailleurs. Quand il eut triomphalement annoncé *Friedrich Engels*, Théodore, eh bien, pour une désillusion. Parce qu'il y avait une chose qu'il ne pouvait pas, lui, imaginer, — d'un gars cultivé comme moi, — c'est que je n'avais pas la plus petite idée de qui c'était, Frierich et ainsi de suite. Il essaya de m'expliquer par geste. L'autre. Etc. Si je ne le connaissais pas, ce monsieur, je ne le connaissais pas. Ce n'était plus réparable, puisqu'il était mort depuis plusieurs années, pas mèche de nous inviter à prendre un verre ensemble. Vous dites, mon cher Théodore, que ce Friedrich et ainsi de suite... alors, c'était un industriel allemand, de la bonne grosse industrie rhénane, oui? Où voulez-vous que je l'aie rencontré... ma famille, c'est un tout autre monde. Et ainsi de suite.

Ô miracle de la neige sous les pieds, qui craque... une poudre pailletée, que le vent chasse, l'acide borique, légère légère, avec, dessous, la dureté définitive du sol, bien pris, bien gelé, un sol impénétrable, une écorce entre nous et le monde des morts, la neige pareille aux paroles, à ce qui te tient lieu de pensée, fuyante et merveilleuse. Et peut-être qu'il n'y a jamais eu de guerre, ni en 70, 71, ni en 14, 18. Tout cela n'est qu'imagination, comme la beauté des neiges...

On était descendu dans le taillis, le bois enfin, là où c'était praticable, parallèlement au Rhin, le remontant. Pour l'instant, Rhin, Moder, tout a débordé : il tourne dans la broussaille une eau boueuse, une eau de neige sale, on peut passer ici ou là, il faut savoir. L'eau glissait partout, s'embourbait, faisait des glouglous, tourbillonnait au pied des arbres, tout d'un coup se frayant un chemin, lâchait des bulles, avec des couleurs bien dorées soudain dans la grisaille, une de ces merdes, on avait l'impression pour un rien on y aurait glissé on était foutu. Théodore l'avait oublié, son industriel, il était fasciné, il parlait noyés, Lanthelme tombée du yacht d'Edwards... qu'est-ce que c'est que cette société-là ? (J'avais la sourde envie de jeter ici Schumann dans le court-bouillon, mais je me retins, Schumann, ce n'était pas du monde pour Théodore), puis tout d'un coup comme un chien d'arrêt : mais regardez donc !

Les arbres dénudés fléchissaient à la cime. Avec la Moder qui leur tourneboulait les pieds, ils avaient l'air de factionnaires prêts à s'endormir d'un instant à l'autre, à lâcher le flingot. Les hautes branches des peupliers ployaient sous le poids de drôles de volailles. Qui c'est, ces oiseaux ? Théodore, avec des yeux de chasseur, et une voix de vieux marcheur qui découvre une sortie d'école, me fit chut, chut et souffla : « Les faisans... »

Les faisans ? Oui, tous les faisans du monde s'étaient ici donné rendez-vous. Le vent les balançait, on les sentait lourds, un peu comme ivres, tanguant dans l'hiver, des rouquins qui se camouflent, on les a peut-être déjà tués, c'est le petit plomb qui fait osciller sous eux l'arbre, de temps en temps il y en a un qui essaye de se secouer l'aile et ça l'épouvante, son propre bruit, vite il se referme comme un sac à main. T'as vu s'il y a un poudrier dedans ? Les faisans savent bien qu'ils vont tomber, mais de là à s'envoler, il y a de la marge. S'envoler pour où ? De tous les côtés, l'eau, cette eau de terre et de miroir, à tournicoter, c'est pis que le marc de café, ça vous brouille le fond d'œil, ça vous met le gésier sur la main, et le faisan serre sa branche tant qu'il peut, regardez, regardez, celui-là lequel? à droite, non, l'autre... ah, ah. Ah!

Le faisan comme une pierre, comme une pépite, comme une lampe à pétrole, comme une parole de trop, de son perchoir, halluciné, l'œil à l'envers, le tournis dans le bréchet, la plume chair de poule, le bec muet, ouvert, vient de lâcher, pris au clapotis, ivre-mort de vertige, il tombe, ouvre à peine une aile, ayant perdu le fil, les enseignements maternels, l'expérience d'une vie de gibier, il tournoie comme du feu, une feuille morte, un paquet de pommes frites, est-ce que je sais? Il tombe à l'eau, s'y débat, s'y embrouille, y clapote, avec un cri qui n'a plus rien du faisan, le courant l'emporte... Et Théodore tout à coup qui retrouve sa présence d'esprit : « Dommage... vous n'auriez pas une canne à pêche? Vous rigolez : ça fait quatre jours que je m'en rince l'œil, comment les péquenots du coin prennent la bécasse au hameçon... mais les faisans, cornegidouille! »

Coupant la grande boucle que fait en arrière la Moder, on a été jusqu'au bord du *Vater Rhein*. Histoire de voir, par-dessus, l'Allemagne. Ah te voilà, ma petite. Après tout ce qu'on a raconté de toi! C'est un pays comme tous les pays, quoi. On voit quelqu'un là-bas, mal, c'est large, il est deux, m'est avis, comme nous, quoi! C'est-à-dire je ne démêle pas très bien le ou les sexes, d'ici, c'est pas bien dessiné. Ça change tout de même du genre cagna. Alors je commence à lui expliquer, à Théodore. Parce que, nécessairement, j'ai mon point de vue. Il m'écoute de cet air poli quand je parle de Mlle Knipperlé. C'est drôle, avec lui je prends un ton cérémonieux pour parler d'elle. Je ne dirais pas Betty. C'est peut-être l'uniforme, le velours rouge au képi. Il y a diverses sortes de carnaval. Théodore, ça ne lui échappe pas. Il se moque un peu de moi, pas trop. Il pourrait m'apprendre bien des choses. Par exemple, il a été du corps expéditionnaire en Russie, peut-être qu'il m'expliquerait les Soviets... ce qu'on en dit dans *Le Matin*, je n'y crois pas. Mais, c'est drôle, il répond toujours à côté de mes questions, l'architecture, les maisons peintes, les toits verts et mauves. Moi qui voulais voir le docteur pour lui parler de Betty... extraordinaire comme, je ne sais trop par quelle flexion de phrase, j'avais sauté sur le thème russe. Je m'entends avec étonnement me passionner. Je pose des questions. Drôle de chose que la pudeur. Lui, il a la sienne : je ne parviens pas à le faire parler de la Révolution. On dirait qu'il esquive le sujet. Quand il tourne au lyrisme avec ses maisons peintes, j'essaye de me représenter l'affaire, je n'y arrive pas. Comment sont-elles peintes, les maisons, en Russie ? D'abord je croyais que c'était comme les meubles, avec des fleurs, des oiseaux, des motifs décoratifs. Théodore, c'est surtout Pétersbourg, il ne dit jamais Pétrograd, l'aurore boréale, les îles, sur quoi il revient. Ce qui s'est passé, c'est pour lui une affaire intime. J'ai l'impression qu'il n'a pas vu grand'chose, on les a très vite renvoyés à Arkhangelsk. Je lui demande : « Alors, la Russie, c'est comme une espèce de carnaval ? » Il n'a longuement pas répondu. Et puis il a ri, de ce rire comme s'il avait une bedaine, alors qu'il est plutôt maigre. Au fond, c'est ainsi qu'il en va, pour toutes les choses dans la vie, et pas seulement avec Théodore. Impossible de savoir ce qui se passe. A Zürich ou à Moscou, même à Paris. Les lettres que je reçois, l'intérêt que tous ont repris à l'existence, de quoi l'on s'occupe... c'est tout à fait incompréhensible, vu de Rœschwoog. Et à Rœschwoog où les maisons ne sont pas peintes, on ne comprend pas mieux. Qu'est-ce qu'on en a fait, au bout du compte, des garçons de Fort-Louis, ceux qui se peignaient le torse ? Et en général, qu'est-ce qu'ils ont dans la tête, tous les gens ?

Théodore m'a fait tourner le dos au Rhin, on a gagné une eau quelconque, qui naturellement est à nouveau la Moder. On la passe au niveau d'un petit patelin qui

s'appelle Stattmatten, et là-bas, ce pays... est-ce que
c'est Drusenheim? Non. Je vous ai fait faire un petit
détour pour vous montrer... Il prend des airs mystérieux. Qu'est-ce que c'est que cette farce? Quand je
lui demande le nom de l'endroit, il me dit, si vous le
savez, ça n'est plus drôle. Il avait raté son coup avec
Engels, hein, il allait la prendre, sa revanche. Et comment vous croyez qu'il s'appelle, le patelin, des fois?
Neuilly-sur-Marne, Villefranche-en-mords-moi le doigt,
Villers-sous-Malesherbes, enfin quelle station de métro?
Je la donne tout de suite. Quoi? Ma langue. A qui?
Aux chats. Élève Houdry, vous aurez dix-huit. Tout
ça ne me dit pas son nom de baptême. A qui? Encore!
Il le mijotait, son effet. Il le faisait revenir aux petits
oignons. Vous ajoutez un roux, délicate allusion au
faisan de tout à l'heure, la Moder ait son âme! Oh,
Théodore, je vous en prie. Qu'est-ce que vous attendez?
Les dragées?

Il dit négligemment : « Sesenheim... » et moi, quoi?
j'ai mal entendu, ses quoi? Il est là qui jouit du bon
mot, qui se gargarise de la sensation produite, et moi
ça ne m'a pas encore pénétré, ça ne m'a pas remonté
le bec Bunsen, pas encore, pas encore grésillé dans la
comprenotte... « Sesenheim! » qu'il répète, qu'on se
croirait à Vêpres. Sesenheim, d'abord ça ne me dit
rien de plus que Friedrich Machin, et puis. Et puis,
non, mais si, parfaitement, ah ça, j'ai mal entendu,
l'oreille qui me siffle, et la morve au nez, c'est encore
loin? parce qu'avec le soir qui descend si vite... Sesenheim, docteur. Oui, mon Lieutenant, comme je
vous vois, noir sur blanc, là-bas, dans la plaine, un peu
à droite, au-dessus, mais non, mais non, plus près...
parfaitement... le clocher, les petites barrières, les
vaches dans le vert bouffé de blanc, ce coin d'histoire
littéraire, ce sucre d'orge pour l'agrégation d'allemand,
Sesenheim, mon cher, comme vous l'entendez parfaitement, Gœthe : ... *wir ritten einen anmuthigen Fusz-
pfad über Wiesen, gelangten bald nach Sesenheim, liessen*

unsere Pferde im Wirtshause und gingen gelassen nach dem Pfarrhofe... [1], le vicaire de Wakefield sur la Moder, avec une paire de fillettes tout ce qu'il y a de *liebenswürdig* [2], — et si vous vous en souvenez un ecclésiastique de campagne protestant est peut-être le plus beau repoussoir d'une idylle moderne, — qu'il dit, Wolfgang — un type dans le genre de Melchisédech, prêtre et roi en une personne... comment, je rigole ? Ce sont les mots mêmes du père de Faust et de Werther, un peu de respect, garnement ! Le Gœthe de votre Bettina, en 1770, si j'ai le calendrier conforme, qui va ici découvrir la Frederike Brion, et sa sœur aînée Olivie, dans la famille plus généralement connue sous le nom de Marie-Salomé. Frederike a seize ans... « Tiens, — dis-je, — comme Leni... » Leni ? Théodore rigole, voyez-moi ça, il y a une Leni, maintenant ? Je bafouille quelque chose. Nous sommes allés à Sesenheim. *Le presbytère n'a rien perdu...,* dit Théodore, qui est familier avec *Le Parfum de la Dame en noir* comme avec Gœthe et Sable Memorial. On montre, dans le jardin par-derrière, la gloriette, c'est-à-dire une petite butte mangée d'herbes et d'arbres, où Frederike montait pour apercevoir de loin dans la plaine, ça devait être l'été, poudroyer le chemin sous les sabots de Wolfgang, de son cheval, permettez :

Es schlug mein Herz, geschwind zu Pferd!
Es war gethan fast eh' gedacht...

Le cœur me bat, vite à dada, c'était fait avant qu'on y pense... Merci, je comprends tout seul. Et aussi

1. *... nous avions été à cheval par un plaisant sentier à travers prés, parvînmes bientôt à Sesenheim, laissâmes nos chevaux à l'auberge et nous en fûmes d'emblée au presbytère...*
2. Aimable.

quand il dit, mon Lieutenant, *Und doch, welch Glück geliebt zu werden...* [1] ça vous rappelle quelque chose ? Être aimé... Vous êtes bien indiscret, ce soir, Docteur : est-ce parce que nous avons du monde ?

Il m'a fait voir ce petit papier plié que lui a donné le méd.-aux. : tout à l'heure, pendant que je jouais aux échecs... C'est drôle, il ne m'a pas montré ça, le toubib, à moi. Puis Théodore vient, d'où le connaît-il, après tout, Théodore ? Et voilà. C'est l'article qu'il a fait pour la mort d'Apollinaire, où va-t-il le publier, Théodore n'en sait trop rien, *Nord-Sud* ou *Sic*, naturellement, il n'y a pas ailleurs où, c'est vrai. Faites voir, Docteur. On dirait, il dit, le docteur, on dirait quoi, lisez vous-même. C'est comme s'il s'était promené tout à l'heure avec nous, puis il se serait arrêté ici, comme nous, dans le café, devant l'église... et tandis que nous parlions de Frederike Brion, lui, les yeux levés vers le cimetière, d'un vague crayon parfois mordillé, il griffonnait cette oraison funèbre, ayant tout d'abord écrit dans un coin : *Je lègue à l'avenir l'histoire de Guillaume Apollinaire...* puis s'étant arrêté, laissant passer un blanc, à quoi donc rêvait-il ? tandis que nous parlions. Je lis sur le papier, chiffonné, où les lettres s'effacent aux plis, ce qu'il pensait tantôt, tandis qu'on apportait la bière, et Théodore et moi, la tête en 1770... je lis donc ce parler de carabin en rupture de ban :

Pour avoir dérobé le feu du ciel, l'arc-en-ciel, l'Hérésiarque vient de mourir frappé par la grande peste européenne. Juste châtiment d'une vie qui se maintint toujours dans les royaumes défendus de la magie.

Qui de nous eût assuré que le Musicien de Saint-Merry n'était pas le fils d'un cardinal romain ? La légende se créait autour de lui, nimbe doré qu'on voit aux Césars de Byzance. D'elle seule je me souviendrai, soucieux biographe de l'unique beauté qu'il semait sur ses

---

1. *Et pourtant quel bonheur que d'être aimé...* Goethe.

pas, pour que périsse à tout jamais ce cadavre d'homme privé, et que subsiste au creux du chêne l'enchanteur Apollinaire dont la voix sans bouche exaltera les adolescents des générations futures à la quête ardente et passionnée des essences inconnues qui mieux que les alcools du passé enivreront demain. Qui pourra dire au cours de quel voyage et dans quel orient il devint sorcier et prophète ? Des signes annonçaient les événements de sa vie ; un peintre en mil neuf cent treize apercevait sur son crâne la cicatrice d'une blessure encore à naître. Lié par un pacte à tous les animaux sacrés, il connaissait tous les dieux et fabriquait tous les philtres. Il avait parcouru l'Allemagne et sans doute l'Égypte. D'un pays très lointain, il avait amené vivant un oiseau bleu qui ne chanta plus en exil. Enfin, charmeur de fusées, il attirait à lui les feux d'artifice comme des oiseaux de paradis. La science qu'il possédait de tout ce qu'ignorait autrui le faisait prendre pour un humaniste du seizième... « J'ai l'esprit gœthéen », disait-il. Gardons encore de lui cette image d'Épinal, le poète équestre et couleur de la guerre. Je le reconnais ainsi : il fut ce condottière de Ferrare ou de Ravennes qui périt droit sur son cheval.

Mais, de l'ami mort en novembre, je ne reverrai que le regard. Tout à l'heure, en longeant le Rhin, j'ai cru le rencontrer à nouveau. Déjà s'était enfuie en criant l'oie sauvage, déjà des lacis d'herbe sur le fleuve avaient figuré les cheveux de Lanthelme ou d'Ophélie, quand des yeux m'ont fixé qui s'ouvraient dans l'eau verte. Mais peut-être le bruit des trains allemands sur la rive ennemie m'hallucina quand j'entendis Guillaume Apollinaire dire comme jadis avec assurance : « J'ai l'esprit gœthéen. »

Et maintenant ne vous inclinez pas pour baiser le sol, et n'attendez pas de moi les prières, ni la constatation de notre humilité. Rien n'est plus gai que les blancs tombeaux au soleil sous leurs jolis fardeaux de perles. D'autres pleureront, moi je ne sais que rire et du feu poète je ne conserverai que la flamme, joie dansante.

*Femmes, ne vous lamentez pas, mais secouez vos cheveux
et dites la chanson de Tristouse Ballerinette.*

Tout de même, tout de même, pourquoi le petit
méd.-aux. a-t-il montré ça tout à l'heure à Théodore,
et pas à moi ? J'aurais porté le papier froissé, qu'elle
le lise, à Betty... j'aurais dit, lisez ça, j'aurais dit, à
propos... Guillaume, vous savez... le petit méd.-aux.
de qui je sais qu'il est mort... elle aurait lu, à son
piano, se serait tue, et puis, soudain, aurait joué, bien
sûr, *La Truite*... y met-on la capitale en français ? *die
Forelle*...

A part ça, on nous attend. De Sesenheim, le long du
chemin de fer par le bois, le jour baissait déjà. On y
arrive ou non, à votre Drusenheim ? Oh, vous savez,
Drusenheim n'a rien de particulièrement excitant. Il
ne faudrait pas croire que c'est Deauville. Les chasseurs y ont mis le Bataillon, voilà tout. On a fini par
l'apercevoir. A part la forme des toits, on pourrait
penser être ailleurs.

Un peu avant Drusenheim, j'ai reparlé de Betty. Très
vite, avec un ton de détachement, seulement pour ce
qui est de la musique. « Ah, — dit Théodore, — vous
êtes musical, vous aussi ? » Et son gros rire de cette
expression allemande, qui fait complicité de ceux qui
le sont, musicaux.

Je ne parle pas de la soirée. Les chasseurs sont un
peu casse-pieds. Mais, du temps des sœurs Brion, il
avait exactement mon âge, le nommé Gœthe. Un peu
plus quand il revient au printemps de 71 danser avec
Maria-Salomé de deux heures de l'après-midi à minuit, avec quelques *intermezzo* à manger et à boire,
dans la salle qu'avait prêtée le sieur Amt-Schulz de
Rœschwoog... parfaitement. Qui sait ? Après cette
brillante carrière d'homme d'État, et trente-sept ans
passés à mille choses, il y pensait peut-être parfois à
la fille du Pasteur Brion, la petite... Elle vivait encore
à Sesenheim quand Bettina Brentano vint le surprendre en 1808, c'était une vieille fille de cinquante-

trois, quatre ans alors, Frederike... Elle est morte sans s'être jamais mariée, deux ans après que Bettina fut devenue Mme von Arnim, et que le grand poète te vous l'ait envoyée faire foutre avec son grand dadais d'Achim. *Und doch, welch Glück geliebt zu werden...* ah quel bonheur que d'être aimé!

VI

> *Il court après les faits tel un débutant
> en patinage qui, par surcroît, s'exercerait
> en un endroit où cela est interdit.*
>
> Franz Kafka.

Nous nous sommes disputés, avec Betty. Mais alors, là. Il s'agissait de Von der Golz. Vous parlez d'un sujet. Comment il était tombé dans la fanfare, celui-là, ainsi qu'eût dit M. B... de Ludwigsfeste, je n'en ai pas le plus petit sentiment. Mais il y était tombé. En plein Jean-Sébastien Bach. Parce que Betty, *Le Carnaval*, vous comprenez, il lui ressortait par ses ravissantes oreilles. Je ne vous ai pas dit qu'elle les avait ravissantes, les oreilles? Tant qu'il ne s'agissait que du Palatinat, et de comment nous y avons porté les allumettes suédoises, passe, bien que ça date un peu, et n'explique pas tout à fait le comportement des envahisseurs en France ces dernières années, mais... je voulais bien prendre la responsabilité du Palatinat incendié, dire un mot poli, mes regrets, ne pas faire celui qui trouve que c'est une diversion, maquillage de brêmes, la ramener avec le *Lusitania*... En tout cas, Von der Golz, moi, j'avais sur lui les idées courantes d'un jeune Français aux derniers jours de 1918. Remarquez, c'était tout de même assez étonnant de s'entendre dire, mais comment, Von der

Golz, Von der Golz, voyons, c'est un héros! D'abord, les héros, à cette date de l'histoire, j'en avais ma claque, imaginez-vous, autrement que Mlle Betty du *Carnaval*! A la rigueur, j'acceptais les héros anonymes. Le pauvre bougre, quoi. Pas ceux qui sont déjà dans les journaux. Enfin, vous comprenez, Guynemer, le genre archange, vous m'auriez passablement vu ricaner. Mais Von der Golz! Maintenant que j'y réfléchis... non point que j'aie été frappé d'admiration pour Von der Golz, sur le tard... je ne sais pas comment ils s'appelaient, les aviateurs allemands, on ne nous avait pas nourris du mouron de leur gloire, je n'aurais jamais regardé un aviateur allemand comme autre chose qu'un incendiaire, au mieux. Enfin, pourtant, j'aurais pu comprendre qu'un aviateur, pour les gens de son pays... Mais Von der Golz! Le côté Turquie de l'histoire. En général, un Allemand qui se mêle des affaires turques, ça ne peut pas être un héros. Et ainsi de suite. Mlle Knipperlé me dit fort aigrement que j'étais un nationaliste. Alors, ça! Non, là, je m'attendais à tout, mais. Moi, un...? Parce que je n'avais jamais cru que nos ennemis héréditaires coupaient les mains des petits enfants, je me tenais pour un esprit fort. Même, entre nous, je trouvais que Romain Rolland était un peu mou. La cathédrale de Reims, par exemple: on fait la guerre ou on ne la fait pas. Vaut mieux pas, pourtant si on la fait? Mais Von der Golz!

Nous en étions là, Bach abandonné, — le chat à peine surgi qu'il était reparti en miaulant, — devant le piano, dans le désordre du sofa, des journaux de modes de Paris que j'avais eu l'attention de me faire envoyer pour Betty, étalés ouverts, et elle avait dit que si les couturiers français trouvaient leur plaisir à rallonger les robes maintenant, la guerre finie, ce n'était pas commode pour Rœschwoog, et puis zut! Enfin tout ce qui venait de chez nous, elle était devenue agressive. Elle pouvait se les faire faire à Berlin, ses robes, moi... Mais Von der Golz! Tout d'un coup elle a étouffé un cri. J'ai suivi son regard.

Derrière la fenêtre, un visage enfantin. Une bonne petite bouille ronde, blonde, à taches de rousseur, sous des cheveux légers, éclairés à rebrousse-poil, déjà de droite... Un peu inquiet, moi, pas très sûr. Dans son trouble, Betty parlait en allemand : *Die Lena Schulz von Bischweiller, Gott verdammt!* Bon Dieu, Leni, évidemment, Leni... Elle était là, à nous dévorer des yeux, elle faisait une grosse grimace pour ne pas pleurer. Quand Betty s'est levée, elle a disparu en courant. Eh bien...

Betty s'expliquait, m'expliquait. Elle ne pouvait pas savoir. C'était la petite Lena Schulz, la fille d'un gros marchand de bières et eaux minérales, à Bischwiller. Alors, une de ces langues. Nous sommes jolis, elle va raconter partout que je m'enferme avec un Français. Puis, vous savez, les petites comme ça, leur tête travaille, elles en imaginent. Oh, écoutez, Pierre, vous feriez mieux de vous en aller.

Puis tout de suite, inconséquente, et après tout, au point où on en est! Et Chopin, vous l'aimez, Chopin? Tenez. Elle joue du Chopin. Quoi? Je ne sais plus. Je n'ai jamais bien su distinguer. Je veux dire Chopin de Chopin. Ou Chopin dans Chopin, si vous préférez. On n'en parlera plus, de Von der Golz. Promis. Tout de même, c'est un problème général. Quand on vit avec les Français, quand on vit avec les Allemands... personne n'a tout à fait la tête libre. Il y a comme ça des idées courantes. Betty a été si remuée de voir la frimousse à Leni qu'elle est prête à me concéder bien des choses. Mais tout de même il faut être juste : Von der Golz est un héros.

Je me suis levé, je suis sorti, sous un prétexte poli. Mais elle aura compris. Je dois avouer que, Chopin, elle joue à merveille Chopin, pas comme un virtuose, mais d'une façon familière... ces petites mèches frisées qu'elle a dans le cou penché pour suivre le thème dans ses doigts sur le clavier. Qu'est-ce que je dis? Elle les a, les mèches, sans pour ça jouer Chopin. Ça ne fait rien, ce ne sont pas les mêmes.

Être juste. Et si je n'y tiens pas, à être juste, moi ?

Les Schulz, j'en ai entendu parler. Ceux-là, alors, pour des gens qui ont le cœur français! On voit circuler les camions Schulz un peu partout jusqu'à Strasbourg. Il paraît qu'ils ont juré, les parents, de marier leur fille à un Français. Et la dot. Pourquoi vous me racontez ça? Vous croyez que ça m'intéresse? La petite, on lui a raconté pendant des mois et des mois que, quand les Français entreront... Je mêle tout, mais mettez-vous à ma place!

Je me souviens comment ça a commencé, maintenant, toute cette histoire Von der Golz. J'avais essayé de raconter ma promenade de la veille avec Théodore. Bien que tout le côté Frederike Brion, le reste, le genre « Souffrances du jeune Werther », en parlant à Betty, tout cela fît facilement mauvais goût, gaffe. Mais ce jour-là, tout n'était que prétexte. Le fond de l'histoire, c'était que son professeur de chant, un vieil homme, qui habitait à Strasbourg depuis bien quarante ans, enfin presque tout de suite après l'autre guerre... il venait de recevoir l'avis du général commandant les troupes d'Alsace d'avoir à plier bagage, regagner sa patrie dans les trois jours. Vous trouvez ça juste, vous? Bien, puisqu'il était Allemand, qu'il se considérait comme Allemand... « Ah, — dit-elle,— ce qu'il faut entendre! » Enfin. Il y avait eu une longue histoire entre nous sur le concept du juste et le concept de l'injuste. Un homme qui a passé sa vie ici, puis ses habitudes, il s'est fait à des couleurs, des parfums. La plupart des choses, il en juge d'après ces références-là. Vous lui faites passer le Rhin, tout son système qui change, les saisons, les fleurs, les femmes. Puis une vie, ce sont les objets qu'on a chez soi, les choses chargées de souvenirs... en trois jours, liquider, empaqueter, il y a ce qui ne s'emporte pas. Bêtement, le piano... ses élèves... les plaisirs qu'on avait, la couleur des pierres... Le juste et l'injuste. Et j'ai failli répondre que ce n'était pas juste, non plus, les gens qu'on était venu tuer en France, et les types dans les tranchées, et le reste, puis j'ai senti que ce n'était pas possible, parce que l'injuste ne justifie pas l'injuste, je me suis mordu la langue, Betty en a profité, sans la moindre pudeur, et c'est comme ça de fil en aiguille qu'on est arrivé à Von der Golz. C'est drôle, ce qu'on peut s'énerver. En tout cas, un pasteur de campagne, ça peut bien servir de repoussoir à une idylle, mais Von der Golz ?

C'était peut-être le surlendemain. A la patinoire. Oh, on s'était raccommodés, nous deux Betty, bien sûr. Il y avait des Marocains qui regardaient. Ils auraient peut-être aimé faire des huit, eux aussi, mais dans leur pays l'occasion manque d'apprendre. Betty essayait de me faire valser, en dedans, en dehors... là, là... attention ! Vous allez tomber. Je m'arrêtais sur les pointes, on dirait Mme Zambelli, de l'Académie Nationale de Musique ! Des gamins passaient et repassaient, le cache-col volant, penchés sur le ventre, les mains croisées dans le dos, et je te tourne d'une épaule, et je te retourne de l'autre... Pas de soleil aujourd'hui. Le froid coupant. Tous les nez tailladés rouge. Betty chantant pour se réchauffer : *Röslein, Röslein roth, — Röslein auf der Heiden* [1]... Ce Gœthe, maman ! on ne peut pas faire un faux pas ici, sans tomber dessus. En fait de Gœthe, la voilà, cette gosse. Elle l'a combinée, son entrée ! Elle est habillée comme si elle avait douze ans, elle rajeunit à vue d'œil. Drapée dans un châle de courte laine, croisé devant et attaché autour de la taille. Sur une petite veste bordée de lapin blanc. Et un toquet, ce qu'on appelle un toquet. Une illustration pour conte de Noël 1890 en Bavière. Elle patine de façon à nous croiser, Betty et moi, à chaque fois que je prends mon élan de côté, si bien que j'en ai le patin qui plie, je saute, un, deux, trois, pour me remettre d'aplomb. Voyez-moi, cette petite Erinnye poursuivant Oreste ! Je ne suis pas un Oreste. Ce tourbillon de remords n'a pas sur moi morsure. Je ne lui ai rien promis. A peine si je lui ai appris qu'elle avait une

---

1. *Petite rose, petite rose rouge — Petite rose des buissons...*

langue. A la fin, toute cette mimique à quoi elle se méprend, agace Betty qui me souffle : « Je vais lui parler... » je voulais l'en retenir, elle ne l'a même pas remarqué. De loin, je les regardais avec inquiétude. Je m'étais assis sur le rebord d'une fenêtre, je faisais aller mes orteils dans les chaussures.

Le Carnaval de Schumann dure bien moins de temps que la lecture de ce qui précède seulement... mais c'est là remarque primaire, laquelle se borne à l'apparence. Toute cette histoire tient dans une paume de rosée. Tout y est mémoire, même l'erreur, même l'oubli. Tout y est légèrement « bougé ». Je m'en avise à ces détails qui sont à n'importe qui connaît les territoires du Bas-Rhin au moins sensibles. Rœschwoog n'est pas, on peut s'en assurer, à distance de Bischwiller qui permette aux filles de cette ville-ci d'y aller et en revenir de six à sept pour chercher le lait. Il est d'évidence que sous le nom de Rœschwoog, où je fus un peu plus tôt, ma mémoire me présente Oberhoffen qui n'est guère qu'un faubourg de Bischwiller. Je devais avoir tout confondu, les mouvements de troupe à l'arrivée en Alsace, nous avions couché à Bischwiller, c'est même en réalité ce qui rend fort douteuse l'histoire de la petite Schulz : car, qui donc avait été hébergé chez les marchands de bière ? En tout cas, j'avais ma conscience pour moi. Peut-être était-ce le méd.-aux. ? On dit que nous nous ressemblons. Alors, la rencontre avec Bettina dans le train, cela avait dû se passer huit jours plus tard, après Rœschwoog, et pas quand nous étions entrés à Strasbourg. Et c'est bien en réalité de Rœschwoog que se fait la promenade avec Théodore. Elle est inexplicable autrement : d'Oberhoffen à Drusenheim, par Bischwiller et Rohrwiller, cela fait dans les six, sept kilomètres au plus, c'est-à-dire autant que de Sesenheim à Drusenheim. Il y a une dizaine de kilomètres de Rœschwoog à Sesenheim par l'itinéraire décrit. Cela colle dans le sens Rœschwoog-Drusenheim entre le déjeuner et la tombée du jour, mais pas si d'Oberhoffen il avait d'abord fallu aller à Fort-

Louis, ce qui eût rallongé le chemin de quinze kilomètres environ. Voilà pour l'infidélité des lieux. Et celle-ci ne peut être sans que glissement aussi se soit fait des personnages. Et précisément, Théodore, je m'avise qu'il ne s'est trouvé dans ma division qu'après qu'on nous eut envoyés dans la Sarre allemande, en février ou mars. Se souvenir n'est pas à cela près. Qui donc avait habité chez les B... à Fort-Louis? Et pour quelle raison *fallait-il* que ce fût Théodore? Tout cela relève d'une autre histoire, où les chasseurs de Drusenheim jouent un autre rôle, avec un autre médecin, une maison qui brûle dans la nuit... comment tout cela tient-il ensemble, et quelle nécessité des choses pourrait y résider?

(L'obsession du nom de Rœschwoog pour Oberhoffen n'est pas une chose neuve chez Anthoine : il y a neuf ans de cela, environ, lui ou moi, l'un des deux a écrit des vers là-dessus, où je découvre un autre sujet d'inquiétude :

Il n'y a pas eu Rœschwoog et la jeune fille aux yeux verts
Dans la maison d'en face qui me disait des vers allemands
Tandis que je tendais les mains à sa laine et je ne sais comment.
Entre nous deux l'hiver cruel ainsi passa tranquillement
A voir ses doigts sur le clavier jouer *La Trüite* de Schubert

Alors quoi, les avait-elle noirs ou verts, les yeux, Bettina?)

En attendant, j'étais dans cette loge du côté gauche à Gaveau. De temps en temps, l'une des grandes chandelles charbonnait, filait, la cire coulait, la mèche tombait, quelqu'un se précipitait pour éviter l'incendie, de telle sorte que plusieurs des hauts candélabres s'étaient éteints, et la musique se développait dans une obscurité progressive. Tout se passait pour moi comme si cette obscurité eût tenu rôle de lumière, j'y voyais un peu mieux dans ce passé de plus quarante ans, je m'enfonçais ou plutôt non : j'y débouchais. C'est alors que, dans la loge voisine, plus près de ce qu'il faut bien appeler la scène, j'aperçus un couple auquel, tout au décor quand l'électricité n'avait point été baissée, je n'avais pas prêté attention.

La femme... je ne vais pas vous parler d'elle. Tout le monde la connaît, cette douceur charmante, que l'âge loin d'éteindre a rendue plus touchante encore. Je n'oserais vous parler de ses yeux. Je n'y croyais pas, d'après les photographies. Et puis, un moment, elle les a tournés vers moi, je devrais dire, elle les a ouverts sur moi, n'était qu'ils ne me regardaient pas, qu'ils me traversaient plutôt, comme le rêve. Elle avait gardé son manteau, beige et blanc, les manches dépassées, sur ses épaules, qui lui donnait une espèce de majesté, un air de royauté. Elle laisse blanchir ses cheveux, elle néglige de se vraiment farder, je l'ai vue se remettre du rouge aux lèvres, après un petit mouvement interrogatif de la bouche vers l'homme à côté d'elle, qui s'inclina. C'est par elle que je le reconnus. Comme nous n'avons qu'un mois de différence, il a changé comme j'ai fait. Si je me rencontrais avec mes yeux de 1918, est-ce que je saurais que c'est moi ? Ainsi voilà de quoi le médecin-auxiliaire de Rœschwoog, si c'est Rœschwoog, a l'air en 1962... avec tout ce que la vie a fait de lui, de son visage, de son âme. Je ne l'ai jamais rencontré depuis lors, et bien que son nom me soit venu à plusieurs reprises, par des journaux, des livres, j'avais beau savoir que c'était ce petit docteur qui avait des ennuis avec les Marocains, au fond je n'y avais guère entre-temps pensé. Par lui, je sentais en moi le ravage du temps. Des traits, du corps, mais surtout de cette fraîcheur évanouie du monde. Il était là, le bras posé sur le dossier de la chaise à côté, comme s'il défendait perpétuellement de cette illusion de rempart la femme que l'on sait de reste qu'il aime. Demi-penché, qu'écoutait-il? Richter, ou simplement la présence d'Elsa?

Betty est revenue avec un visage peut-être moins grave qu'étonné. La petite a disparu. Aidez-moi à enlever mes patins. On est rentrés pour prendre du café bien chaud. Ça ne sera pas de refus. On s'est installés sur le sofa, chacun dans son coin, avec sa tasse. Eh bien, qu'est-ce qu'elle vous a dit, cette gosse?

Betty ne répond pas, elle met toute son attention à faire fondre le sucre. Le jour descend. Puis tout à coup. Qu'est-ce que c'est que ces cachotteries? Pourquoi ne m'aviez-vous pas dit... « Je voudrais bien savoir, Betty, ce que je *devais* vous dire? » Parce qu'enfin. Au nom de quoi? Et de quel droit... Mais qu'est-ce qu'elle lui a dit, cette sale gosse? Ça vient par bribes. En deux mots:

« Elle dit qu'elle va avoir un enfant de vous! »

Ah non. Quel culot. Mais qu'est-ce que c'est ce mensonge?

« Enfin, Pierre, je veux bien qu'elle brode... une fillette... mais tout de même, elle n'était donc pas une inconnue pour vous? »

Ça, c'est ce qui me gêne. Alors je préfère éclater : « Cette petite sotte! Elle croit qu'on fait les enfants par la bouche, alors? » Ah. Betty au fond n'avait pas cru... Maladroit. C'est bizarre de mentir si mal, et de mentir quand même.

« Vous ne m'aviez pas raconté vos petites sorties, cher ami... Il paraît que vous faites ça tous les soirs... Bon, bon, tous les soirs, c'est peut-être exagéré, mais enfin... »

Je lui fais remarquer que les expéditions ont lieu à une heure où je suis le plus souvent chez elle. Là, je marque un point.

« Elle dit qu'elle va se marier avec vous, parce qu'il

faut bien que l'enfant ait un père... que vous dirigerez l'entreprise d'eaux minérales jusqu'à ce que M. Schulz prenne sa retraite, alors, vous aurez la bière... »

Non. C'est trop ridicule. Je vais me fâcher. Je vais me fâcher. « Pas la peine de m'en menacer, — dit Betty, — c'est déjà fait, vous vous êtes fâché. Regardez-vous dans la glace, vous devriez déboutonner votre col!

— Pour qu'ensuite vous disiez que vous êtes enceinte, merci! »

Elle n'a pas gardé son sérieux. Je vous l'avais bien dit que ces petites-là, ça invente n'importe quoi... Alors, tout de même, vous l'avez embrassée? Écoutez, Pierre, vous pouvez bien me dire. Je ne suis pas une idiote. Et puis c'est votre droit... bien qu'à votre place... il y en a de plus jolies. Et puis une fille qui se croit enceinte parce que... ça doit être mince comme plaisir. Et puis quand elle s'est montrée à la fenêtre, vous avez eu l'air, vous avez fait mieux, vous m'avez laissé croire. Tout de même, ce n'est pas bien. Je vous croyais plus, enfin autrement. Et puis qu'est-ce que c'est que cette invention, que vous auriez couché chez les Schulz? Je comprends bien que pour sa justification il faut que vous soyez le premier Français rencontré, justement cantonné chez son père, etc. et la famille avait toujours dit, notre fille, le premier Français...

Moi, j'ai envie de lui crier, pardon Betty. Mais pardon de quoi? Et puis ce serait reconnaître... pas reconnaître pour Leni, la garce, mais reconnaître que. Je ne lui ai rien dit, à Betty. Il ne s'est jamais rien passé entre nous. Elle n'a pas plus le droit que moi... Pourvu que je ne me mette pas à chialer. Ce serait le comble. Il s'agit bien de Leni. Betty a ramassé un des journaux français. Elle dit des choses. Quel talent, cette Mme Chanel! Tout de même il n'y a qu'à Paris. Il paraît que n'importe quelle fille à Paris. C'est vrai, ça? Une élégance naturelle alors, ou quoi? Je ne donne pas dix minutes qu'elle ne m'abandonne Hölderlin pour Rimbaud. Elle ne l'a pas fait, mais elle s'est mise au piano et elle a joué, par cœur, comprenez-vous, par cœur, les *Terrasses du clair de lune*...

Quand elle s'arrête, les poignets fléchis, les doigts sur le bord des touches, elle rêve encore. Puis elle dit : Pierre... Quoi ? Pierre... Mon Dieu, que va-t-elle maintenant faire, dire ? Je suis tout sens dessus dessous, pas possible, c'est cet enfant que j'ai fait à cette folle ! Je voudrais rire de moi. Je change de fesse. J'ai envie de me moucher.

« Pierre, — dit-elle, et c'est comme si mon nom si souvent répété... — Pierre, ce ne serait pas une si mauvaise idée. Pour l'instant, c'est ce qu'on appelle un *back-fisch*, bien sûr. Mais cela s'arrange. Avec un peu de temps. Et puis peut-être que former soi-même la tête d'une fille, en faire une femme, enfin, pas seulement au lit... Si on sait. Peut-être que ce sont de bonnes conditions pour la vie, le bonheur, la suite enfin. Ne m'interrompez pas. Qu'est-ce que je voulais dire ? Vivre à Bischwiller, il y a pire. C'est une gentille petite ville, les gens ne sont pas méchants. La maison des Schulz est jolie. Votre belle-mère vous adorera, et elle fait le *Kugelhopf* mieux encore que maman. Ce sont des gens très à leur aise. Un beau-fils deviendra tout de suite le vrai chef de famille. Ils sont catholiques, vous savez ? Ça simplifie peut-être.

— Oh, Betty...

— Je ne me moque pas. Je pense ce que je dis. Alors, je le dis. Et puis... Ne faites pas cette figure. Vous n'avez pas besoin de parler. Je comprends très bien. Nous autres luthériens...

— Pour qui me prenez-vous, Betty ?

— Pour un brave petit Français, un peu menteur, mais gentil, rêveur, prêt à se raconter bien des histoires.

— Betty !

— Quoi, Pierre ? »

Et la voilà qui revient à Gœthe qui avait tout juste mon âge quand son compagnon de table à Strasbourg, Weyland, un étudiant de Bischwiller, l'amena à Sesenheim chez le Pasteur Brion. Et Frederike sensiblement celui de Lena Schulz : donc, il n'y a pas de mal à ça. Mais qui sait. Gœthe, s'il s'était fixé à Sesenheim... La petite lui a été fidèle pendant quarante-deux ans, après leur dernière rencontre. Cela peut, dit Betty, faire réfléchir : « Vous avez feuilleté ces jours-ci *Wahrheit und Dichtung*, vous m'avez dit. J'imagine ce qu'y comprennent vos paysans qui jouent au mistigri avec vous le soir. Ce n'est pas le mistigri ? Vous savez, je ne suis pas très sûre non plus de la *Wahrheit* de Gœthe, soit dit entre nous. Qu'est-ce qui s'est passé au juste entre lui et Frederike ? entre vous et Lena Schulz ? entre vous et moi, même, si un jour l'idée vous venait d'écrire des souvenirs de jeunesse, vos années d'étudiant, mon petit Wilhelm Meister... Si Gœthe s'était fixé à Bischwiller... non, à Sesenheim. Un pays tout ce qu'il y a de charmant, Sesenheim. Peut-être qu'il n'avait fait que l'embrasser, la petite Brion ? Qu'est-ce qu'on en sait ? Il dit bien : *In deinen Küssen welche Wonne* [1]! Vous pourriez l'écrire à Lena Schulz, non ? Cette fille de pasteur, qui sait ? elle croyait aussi qu'on fait les enfants par la bouche... Il était luthérien, lui, le papa Brion. Mais, après tout, l'éducation des filles, chez les catholiques ou les protestants...

Là-dessus, elle se met à m'expliquer que les petites villes d'Alsace ont des souvenirs, des traditions, qui les font plus attachantes que ne le croit le voyageur. Ainsi Bischwiller. Le 15 août, autrefois, s'y appelait le jour des fifres, *Pfeifertag*, et tous les ménétriers qui avaient résidence du Rhin à la crête des Vosges, de la forêt de Haguenau au Hauenstein, y venaient ce jour-là renouveler allégeance à celui qu'on appelait le *Geigerkönig*, le Roi des violons. Cela depuis le temps à peu près que fut bâti Ludwigsfeste. Quand Gœthe venait chez les Brion, c'était le seigneur des Deux-Ponts qui était *Geigerkönig*, ayant hérité vers ce temps-là le titre des seigneurs de Ribeaupierre. Et Bischwiller continue à se

---

1. *Dans tes baisers quelles délices !*

considérer comme une sorte de capitale de la musique. Elle s'est arrêtée, elle rêve un peu, semble-t-il, puis elle ajoute comme s'il n'y avait pas eu ce blanc, ce point d'orgue : « On me demande tout le temps d'y venir jouer. Nous ne serions pas tout à fait séparés, si vous viviez à Bischwiller. Pour autant, bien sûr, que je ne quitterais pas le pays... »

A vrai dire, je ne l'écoutais plus. J'avais cru entendre. Mon Dieu, comme on est prêt à saisir la plus petite nuance! Elle disait ceci ou cela, mais l'important, l'essentiel, n'est pas ce qu'on dit, mais ce qu'on cache à dire autre chose. J'avais cru entendre un regret, ou si pas un regret, autre chose, un tremblement. Nos relations en tout cas venaient de changer de caractère. Les paroles de Betty avouaient implicitement qu'il aurait pu y avoir entre nous, qu'il y avait peut-être entre nous, autre chose que ce que disaient les paroles. « Nous ne serions pas tout à fait séparés... » Était-ce bien en pensant à Leni, à ce baiser furtif et sans lendemain, qu'elle répétait le vers de Gœthe : *In deinen Küssen welche Wonne...* on peut dire cela de baisers qui furent, ou de baisers qu'on souhaite. En tout cas. Nous ne parlions plus musique, fanfare... c'était la fin du carnaval.

VII

*Rantipole Betty she ran down a hill
And kick'd up her petticoats fairly ;
Says I, I'll be Jack if you will be Gill.
So she sat on the grass debonairly*[1].

John Keats.

Il n'y a plus de *Geigerkönig* en Alsace. Je ne sais si les ménétriers continuent de s'assembler, ni s'ils persistent à porter à Notre-Dame de Tusenbach, patronne des musiciens, à quelque distance de Ribeauvillé, qui est la ville des seigneurs de Ribeaupierre, la cire achetée avec les amendes par quoi se règlent les différends entre violonistes. J'aime à penser que les grandes chandelles qui brûlaient autour de Richter, ce soir-là, provenaient des jugements rendus par quelque *Pfeiferkönig*, président pour le Roi des violons la foire de l'Assomption, et qui était nommé par le sire de Ribeauvillé pour une durée d'un an. Mais tous les violons, tous les fifres, de la terre, ce soir-là, se taisaient pour que s'élevât la musique du seul Richter, qui avait renoncé à jouer sur un Steinway, se pliant aux règles

1. *Betty la bruyante a dégringolé d'une colline — Et envoyé bellement en l'air sa jaquette ; — Que je dis, je serai Jack si vous voulez être Gill. — Alors elle s'assit sur l'herbe débonnairement.*

implacables de la Salle Gaveau. Il y avait beau temps
que *Le Carnaval* était terminé. Mais l'avouerai-je?
Je n'avais plus rien entendu de la musique après ses
derniers accords, l'entracte, la seconde partie du
concert.

J'étais demeuré dans cette neige des derniers jours
de 1918. Dans cette lumière qui ne devait rien aux
chandelles, ni aux gros sous des ménétriers. Il restait
pour moi, au-delà du *Carnaval*, à jouer le dernier
mouvement, la dernière variation de mon thème, à
me ressouvenir de son déchirement. On m'avait chargé
d'accompagner le détachement des Marocains, que
finalement on nous enlevait, pour les mener à Mayence.
Non point que le climat y fût meilleur pour la phtisie,
mais parce qu'il y avait eu des Français poignardés,
et qu'on voulait effrayer l'adversaire sans visage par
la venue de ces soldats brunâtres, comme on disait en
Rhénanie. Et puis sans doute, pour donner d'autres
cibles aux couteaux clandestins.

J'avais emporté avec moi *Also sprach Zarathustra*
(Band VII, de l'édition de poche, *Taschen-Ausgabe*,
d'*Alfred Kröner Verlag in Leipzig*), ne tenant pas s'il
y avait encore visite domiciliaire en mon absence
qu'un Mangematin trouve matière à pérorer sur mon
goût pour Nietzsche. A vrai dire, je n'aime pas cet
auteur, je ne peux arriver à le lire : alors je le feuillette,
le hasard m'y propose une sentence et je rêve dessus.
Comme je la prends hors du contexte, je fais d'abominables
contresens. Sans doute est-ce comme on se
fourvoie dans une forêt, peut-être je m'écarte de la
route tracée par l'écrivain, mais je me perds dans
des fourrés que je lui préfère. C'était ainsi qu'on consultait
Virgile aux temps médiévaux, et la morale pratique
qu'on en tirait eût sans doute beaucoup surpris ce cher
cygne de Mantoue entre ses nénuphars. Cette fois, je
suis tombé sur une phrase qui dit en substance, ou du
moins m'a-t-il semblé, que nous avons en nous une
énorme force morale, mais pas de but commun à tous :

en vérité, Frédéric, il dit tout autre chose, qu'il y a en nous une énorme force de sentiments moraux, mais point de but, de direction, pour tous ces sentiments. C'est dans ces morceaux posthumes pour éclairer le sens de *Zarathustra*, au paragraphe qui suit celui où il est dit que tous les buts sont anéantis (*alle Ziele sind vernichtet*). Avant le paragraphe qui affirme que la science montre le courant, mais non le but... Ainsi faisais-je un contresens, imaginant que ce n'était pas aux sentiments moraux dans leur ensemble qui constituent en nous une force énorme que Nietzsche déplorait qu'il n'y eût pas de but, mais à nous tous, à tous les hommes. Pourquoi me sembla-t-il que ce contresens fût *le sens* même de la situation où je me trouvais ? Faute de savoir où aller, pensai-je, comment aurais-je pu proposer à une femme de partager mon sort, malgré cette *force morale*... Pouvais-je, comme dans ce drôle de poème de Keats, lui proposer d'être son Jack si elle voulait être ma Gill ? La *Rantipole Betty* de John Keats, il l'appelle *You young Gipsy* : elle devait ressembler à ma Betty, avec ses yeux de tzigane.

Je revins au bout de quatre jours à Rœschwoog que je ne me décide pas d'appeler Oberhoffen, malgré l'évidence. C'était déjà tard le soir. Tout le monde était couché. Je me rendis d'emblée chez mes logeurs, qui ne voulurent pas laisser passer l'occasion d'une partie de cartes, se levèrent, m'improvisèrent un souper, et s'attablèrent aussitôt au jeu. Nous n'allâmes enfin nous coucher qu'à une heure si avancée que déjà pointait le petit jour de décembre. La politesse est une invention du diable. Je tombai sur mon lit sans me déshabiller. C'est peut-être à cela que je dus l'agitation de mes rêves. J'étais dans une grande ville étrange, pleine de voitures et de feux de couleur. Il s'y faisait une fête archaïque où les femmes étaient de fourrures blanches et de bijoux surprenants. C'était peut-être un tribunal qui siégeait, mais il n'y avait qu'un seul juge, sans assesseurs, un géant qui rendait la justice au nom du *Geigerkönig*, avec ses bras et l'agilité des mains sur un grand instrument noir. Par je ne sais quel jeu de mots germanique, on l'appelait *Herr Richter*. M. le Juge. Richter, Richter? Cela me dit quelque chose. Betty s'est exclamée l'autre jour de mon ignorance : comment, vous n'avez pas lu Richter! En France, nous disions toujours Jean-Paul [1], et puis les textes n'étaient pas trouvables... cet anti-Gœthe ne s'édite pas chez nous en *Taschen-Ausgabe*. Et comme dit cet écrivain, qui a si peu passé la frontière, mes lectures n'étaient guère que *die wichtigste Excremente des Zufalls*, les principaux excréments du hasard, ou encore qu'à mon mur n'était venu affleurer que ce *Salpeter des Merkwürdigen*... ce salpêtre-là du remarquable... Mais, Richter pour Richter, c'était de celui-ci qui se démenait sur l'estrade que le sort de tous dans la salle dépendait, et ils avaient payé pour cela, pour cette justice de l'oreille, leur sort dépendait des sons magiques que ce magistrat du diable tirait d'un clavier dont les dents riaient si vite qu'on n'avait pas le temps de penser. Ô vous, phrases sans fin des songes! Le médecin-auxiliaire Aragon était assis dans une loge devant moi, avec une femme qu'il appelait *Murmure*... il doit être un peu sourd, il ne sait pas qu'il élève soudain la voix. Moi, je voulais lui parler, je ne le pouvais pas malgré la force énorme en moi des sentiments moraux, je ne pouvais pas ouvrir la bouche, et quand pourtant, à cause de cette énorme force, j'y parvins, il ne sortit aucune parole de mes lèvres. On se serait cru au cinéma muet.

Quelqu'un dans le fond de la salle s'était soudain levé, criant : *Les masques, les masques!* Je tournais la tête en tout sens sans voir d'où ils faisaient leur entrée, et la peur que j'en eus fut si grande que j'ouvris les yeux.

---

1. Richter (Jean-Paul), dit Jean Paul, écrivain allemand (1785-1849), auteur de *Titan*, etc.

Il faisait grand jour. Il y avait du va-et-vient dans la rue, où des soldats passaient sifflant. Mon Dieu! Il était près de onze heures. On m'apporta de l'eau chaude et je me lavai en hâte. Ce n'était pas une heure pour se présenter au bureau. Le capitaine Mangematin me le fit remarquer, mais il avait apparemment tout autre chose à me dire. Pas mécontent, assez goguenard : « Alors, Houdry, mon petit... c'est comme ça qu'on se fait griller ? Qui va à la chasse perd sa place... Ah, ah, vos Marocains! » Qu'est-ce que cela signifiait ? Le lieutenant de service rigolait doucement. Ils avaient dû parler entre eux de la chose.

« Bien oui, — poursuivit le Capitaine, — pendant que vous faisiez la grasse matinée... moi, les affaires des autres, mais quand ça crève les yeux! C'est comme je venais d'arriver. Le toubib était encore venu faire une histoire à cause des locaux qu'on lui donne, ou plutôt qu'on ne lui donne pas, pour coucher ses « courbatures fébriles » et autres épidémies. Tenez, vous n'aurez qu'à lui demander, il a vu comme moi. Par la fenêtre. Vous savez bien ici, on voit directement chez votre Dulcinée...

— Mon Capitaine, Mlle Knipperlé...

— Bon, appelez-la comme vous voulez! Je regardais au-dehors, il y avait un camion qui s'était embourbé, à côté de la patinoire, puis je me tourne, et qu'est-ce que je vois... quand les gens font ça en public! Je ne l'ai pas cherché. En fait, votre demoiselle, elle était là, dans la porte, au vu et au su de tout le monde, sur les deux marches... » Il se caressait le dessous des moustaches. Il faisait durer. Le lieutenant se frappait les cuisses.

« Eh bien, quoi ? » dis-je. Avec un ton sec. Il n'avait qu'à me mettre au fait, et à se taire. Il sentit que cela pouvait être mauvais, tout capitaine qu'il fût. Mais l'occasion était trop belle. Il toussa un peu, regarda ses ongles comme s'il venait de se les faire. Il étala le poignet : « Eh bien, ils étaient là, sur les deux marches, elle en haut, lui en bas... ah oui, j'oubliais : un soldat américain, quoi... à se sucer la pomme... Voilà. Suffit pas de partir vite, faut arriver le premier... »

Je ne dis rien. Je signai sur le registre, transcrivant mon bref rapport. Il se fit un silence. Les deux officiers me regardaient. Mon absence de réaction, un léger haussement des épaules, il faut croire que cela leur en imposait : « Beau joueur... », dit Mangematin. Je n'eus pas l'air d'entendre. Surtout ne pas se montrer pressé. Et si j'allais tout droit en sortant chez Betty, ça leur ferait trop plaisir. Un Américain. Tout de suite je m'étais souvenu, la chanson de Gaby Deslys, elle l'avait rapportée des U. S. A., c'est clair... Des mots dits me remontaient, une espèce d'arrière-plan aux propos, et pourquoi est-ce que j'avais choisi de l'appeler Betty... Et elle qui m'appelait petit menteur, parce que je lui avais caché cette idiotie sur la route, le soir, et Leni. Je n'y tins plus. Qu'il pense ce qu'il veut, ce Bouffemachin !

Betty n'avait pas ouvert tout de suite. Était-elle seule ? Il semblait. Elle ne l'aurait pas fait filer par derrière, des fois. La *Mütterchen* était sûrement complice. La porte s'ouvrit.

« Ah, c'est vous, Pierre ? Entrez. »

Puisqu'elle me le disait. Je vis bien tout de suite qu'elle était émue. Elle venait de se remettre du rouge, juste avant d'ouvrir la porte. Je voyais ses seins. Il y eut un silence. J'étais venu comme le type qui va tout casser. J'arrivais, la question toute prête : Alors, cet Américain ? Et puis ça ne sortait pas. Elle me regardait. Elle se décida la première :

« Vous êtes de retour. Quand ça ? Mais qu'est-ce que vous avez, vous tremblez ?

— Et vous, vous ne tremblez pas ? »

Elle tremblait, elle s'en rendit compte et sourit, d'un sourire pâle : « Moi, dit-elle, — j'ai des raisons... » Ah ?

Le silence avait repris comme reprend un bruit. Un

bruit insupportable. Un robinet qui goutte. Il fallait faire vite. Dire tout de suite, d'un coup, ce que je n'avais jamais dit. Lever l'hypothèque. Après tout, l'Américain. On ne fait pas les enfants par la bouche. Je vais lui dire, très simplement, Bettina... elle remarquera que je ne dis plus Betty... Bettina, donc, j'aurais dû plus tôt vous le dire, je vous... oui, enfin, il n'y a pas trente-six manières en français, c'est une langue pauvre. Ou plutôt, pour couper court à tout, Bettina, voulez-vous être ma femme ? Moi qui croyais qu'on devait amener des mots pareils, les amener peu à peu. J'ai bien dit : « Bettina... », puis je me suis arrêté. Et elle ne m'a laissé le temps de rien, elle m'a serré dans ses bras très fort, en me disant à l'oreille : « Oh, Pierre, Pierre, je suis si heureuse... » Malheureusement on ne pouvait pas s'y tromper, je suis devenu très froid, un peu distant : « Que se passe-t-il, Bettina ? » Alors, elle a dit d'un trait : « Pierre, il est revenu. C'est un Américain qui était ici avant vous... avant vous, quoi ! trois jours. Il m'avait bien dit. Mais il n'avait pas écrit. Il n'aime pas écrire. Je n'y croyais plus. Puis ce matin. Il m'a dit... tenez, regardez ! » Elle montrait sa main, avec une alliance. « La bague de son père qui est mort... » Il n'y avait plus rien à dire. Elle ne m'en laissait aucune possibilité d'ailleurs : « Il va être très vite démobilisé, nous nous marierons avant de partir, j'irai vivre dans sa famille, là-bas. Dallas... enfin, tout près. » Brusquement, elle cacha son visage dans ses mains, comme si elle avait honte, et elle me dit très vite, très vite : « Pierre, je vous en prie, partez, laissez-moi seule, laissez-moi penser, je ne sais plus où j'en suis, j'ai besoin d'être seule, c'est si subit, et se sentir comme ça heureuse, heureuse, vous ne pouvez pas savoir comme ça fait mal... »

Ô *Rantipole Betty!* je ne lui ai pas dit, moi, que je serais Jack si elle voulait être Gill. Non. Et son Jack, à elle, sans m'attendre, elle s'était avec lui débonnairement assise sur l'herbe, faut croire. Qu'est-ce que j'ai bredouillé? J'ai redescendu les deux marches à reculons. La porte s'est refermée. Je savais que Bettina était derrière. Séparée de moi. Il suffisait de la porte. Je croyais entendre son cœur battre contre. Voilà. Il n'y a rien à dire. Rien à ajouter. C'est fait, c'est fait. Les masques sont tombés. Il n'y a plus de carnaval.

Wir haben eine ungeheure Kraft moralischer Gefühle in uns, dit plus précisément Frédéric Nietzsche, nous avons une énorme force de sentiments moraux en nous, mais pas de but pour tous, *aber keinen Zweck für alle...* Pourquoi cette phrase était-elle ce que j'emportais à reculons, des deux marches de Bettina Knipperlé. Je me le suis longtemps, longtemps demandé. La vie a passé sur moi, mille fois mille choses, jusqu'à ce soir où j'ai entendu, bien plus tard *Le Carnaval*, à nouveau. Je regardais dans sa loge mon ancien compagnon d'Alsace, à côté de sa femme. Je pensais à la diversité des destinées. Lui, le médecin-auxiliaire d'alors, on dit qu'il a trouvé réponse à Nietzsche : il croit qu'il existe *einen Zweck für alle,* un but pour tous, tous les sentiments et tous les hommes. Il ne soigne plus la tuberculose des Marocains, c'est à un remède d'autre sorte qu'il entend soumettre ses semblables. S'est-il trompé? A-t-il perdu cette vie depuis les jours où les faisans tombaient en tournoyant dans la Moder? Est-ce lui, ou moi, qui a fait ce contresens? Je ne comprends pas comment un homme comme lui peut se soumettre à la discipline d'un parti. Et depuis si longtemps... Un but pour tous. C'est vite dit. Et encore faudrait-il distinguer, un but ou un sens, Nietzsche écrit parfois *Ziele* et parfois *Zweck...* Comment est-ce qu'il a pris toute cette histoire de Staline, le méd.-aux. ? Je me le demande. Quelle différence entre nos vies! De ce point nommé Rœschwoog, à cette salle de concert. Nous n'étions alors que de jeunes animaux d'une même sorte, distinguables peut-être au képi. Et puis nous avons divergé, le monde s'est mis entre nous, l'histoire, ou comment faut-il appeler la vie? Ce soir-là, à Gaveau, il m'est revenu soudain le propos que l'autre Bettina prête à Beethoven : *Musik ist so recht...* la médiation entre la vie spirituelle et la vie sensuelle... est-ce que c'est là, hommes ou sentiments, un but pour tous ? Je ne sais pas. Il me semble. Et qu'est-il arrivé de ma pauvre Betty, au Texas, dans cette famille que j'imagine, d'où lui venait cet anneau d'or, peut-être le premier d'une chaîne. J'ai connu une fille, elle s'appelait Jacqueline : elle s'est mariée ainsi avec un beau type, comme ça, dans son costume de soldat américain. C'était la petite-fille d'un grand médecin, un de ceux qui comptent. Elle est partie là-bas, un coup de tête. On a su trois, quatre ans plus tard, qu'elle s'était tuée. *Aber keinen Zweck für alle...* On raconte des choses, mais on n'a pas besoin d'en imaginer long. Sont-ils vraiment anéantis, tous les buts de notre force ? De Bettina, je n'ai jamais plus entendu parler. Peut-être qu'elle est morte. Peut-être qu'elle est heureuse. Pourquoi toujours imaginer le pire.

Parce que c'est ressemblant.

FOUGÈRE
OU LE MIROIR TOURNANT

L'idée de tuer Anthoine fait en moi des progrès, elle s'installe. Je n'en suis pas encore à m'y attarder. Je ne la repousse pas non plus. Simplement je la laisse passer, s'évanouir, et tout va comme si elle ne m'avait aucunement traversé. Depuis quand s'est-elle levée en moi? Je n'arrive pas à mettre la main sur son commencement. D'abord, cela me semblait des montagnes: puis, je me suis familiarisé. Je vis avec. La chose a pris tour naturel. Qu'il soit facile de me débarrasser de M. Célèbre, comme de cesser de jouer au whist, sans même les inconvénients qu'il y a pour s'arrêter de fumer, c'est d'évidence. Qu'un jour je me dise: tuons Anthoine, et c'est un homme mort. Personne ne me soupçonnera, il n'y aura pas grand changement de la vie, sauf du côté de Fougère... et encore qui sait? elle est peut-être lasse de ce jeu. Ainsi notre Anthoine prendra le chemin de son image, nous ne le verrons plus comme il ne la voit plus, c'est tout. Les autres... Qui, les autres? Tous les Christian ne sont pas à redouter. Ils ont intérêt à la discrétion. Quant à ce qu'on appelle *les gens*, on sait de reste que personne ne remarque la couleur des yeux d'autrui, interrogez dix personnes et vous verrez: comment nous distingueraient-ils? Les yeux de Fougère, c'est l'exception qui confirme, et sans doute en suis-je pleinement, enfin en sommes-nous, Anthoine et moi, pleinement responsables. Et encore... cette femme dont Anthoine parle dans *Le Carnaval*, celle qui est dans la loge du concert, devant le narrateur, on aurait pu croire pour elle l'affaire universellement entendue, n'est-ce pas? Or, imaginez-vous qu'en passant au sous-sol du *Bon Marché*, l'autre jour, qu'est-ce que je vois? A l'étalage des disques, une pochette qui ne m'était pas jusque-là connue, le disque s'appelle *Les yeux d'Elsa*, c'est chanté par André Claveau, avec *Mon p'tit bonheur*, *Le Tango de l'aiguille*, etc., l'image est des yeux d'une charmante yéyé, dont on voit les cheveux raides tombant de côté, d'un blond évidemment artificiel, à en juger par les sourcils parfaitement bruns, l'iris ce qu'on appelle noir. Fougère, à qui je l'ai montré comme un exemple de ce qu'on nomme l'objectivité, a simplement dit avec sa façon d'arranger les choses : « Eh bien, quoi? Cette enfant, elle a les yeux bleu noisette... » Bref, les gens ne font pas la distinction entre Anthoine et moi, c'est probable. Même nos écrits, ils doivent se dire que c'est le caractère de cet écrivain de faire tantôt comme ci, tantôt comme ça, son genre d'aimer dérouter les lecteurs qui ont pu aimer ceci ou cela de lui, la dernière fois.

Le Carnaval, justement, pourquoi le donner à Ingeborg? Après comment elle a lu *Murmure*, il serait plus sage d'attendre que j'en aie fini avec l'auteur. Elle, risque de comprendre de quoi, de quelle transposition, sont faites ces rêveries à partir de Schumann, ce mariage de la musique et de la mémoire, et d'en parler à Anthoine. Une raison de plus pour qu'il meure. Si je m'y amusais, j'en trouverais à revendre, des raisons. N'était qu'il y a ce risque à courir que Fougère le regrette. Soyons cyniques : mieux vaut qu'une femme regrette l'homme mort que de l'aimer vivant. Je ne l'ai pas plutôt pensé que je me représente l'inverse : n'a-t-on pas plus aisément prise sur un monsieur qui arrive en retard, fume dans la pièce où il ne faut pas, a eu le tort de s'intéresser un peu trop à une voisine de restaurant, que sais-je, que sur cette entité, le souvenir ? Allons, il faut réfléchir. Ne tuer qu'à bon escient. En attendant, cette perspective donne un certain piment à mes rapports avec mon cher ami Anthoine. Je le regarde, et je m'imagine comment je vais m'y prendre. Les conséquences. Il faut que ce soit un crime parfait. Ce sera certainement un crime parfait. Après tout, Anthoine n'est qu'une invention de Fougère, *let's suppose* qu'il y ait Anthoine, comme dirait Alice au-delà du miroir. J'essaye, pour voir, pour prévoir, de tâter ce thème dans la conversation avec Ingeborg, par la bande : « Supposons que vous ayez accepté d'être appelée Murmure au lieu de Fougère... » Elle répond avec une drôle de vivacité : « Avec des *si* on mettrait Paris en bouteille : mais tenez, mon ami, c'est comme pour *notre* Anthoine... » J'ai frémi profondément, sait-elle qu'elle pourrait pour un peu le condamner à mort ? Elle s'explique : « Ce serait léger, hâtif, superficiel que de le considérer seulement comme une convention de jeu entre vous et moi : le résultat d'un *supposons* entre deux grands enfants pour se distraire. Il a pris, je ne dirais pas seulement forme, il a pris vie avec les années. Notre *let's suppose* n'était pas Anthoine, mais que j'aime Anthoine. Et, vous le savez bien, effectivement je l'aime... » Que pouvait-elle me dire de plus épouvantable ? J'essaye de faire bonne figure, de poursuivre philosophiquement l'affaire, au double sens de cet effectivement-là, comme si de rien n'était : « On pourrait aussi dire que vous m'aimez avec les yeux noirs, un certain aspect de moi nommé Anthoine... — On pourrait, — répond-elle distraite, — on pourrait. Mais il ne faut pas oublier que dans notre jeu il est entendu, une fois pour toutes, que je ne vous aime pas, Alfred. Je ne vous aime pas... »

Cela n'est rien, je peux l'entendre au conditionnel, comme une part dudit jeu, sans en trop sentir la blessure. Ça n'a pas beaucoup plus d'importance que lorsqu'elle dit à Anthoine *Je te déteste*, parce qu'il vient de renifler. Mais c'est ce qui précédait qui m'a fait mal, que j'écoute rouler avec la lenteur du tonnerre, d'un avion qui n'en finit plus de s'éloigner. Elle l'aime, elle l'aime, elle... Elle parle : « Il y a une différence entre la supposition et la feinte, ne croyez-vous pas ? On suppose, comme Alice, c'est une convention passée entre vous et moi, par exemple, ou d'autres... Quand on aura assez du jeu, de commune entente, on abandonne le *comme si*... on retrouve son visage, le masque enlevé, n'est-ce pas ? Mais la feinte, c'est un peu différent.

— Que voulez-vous dire, différent, en quoi ?

— Oh, mon Dieu, je croyais pourtant que vous aviez fait des armes dans votre jeunesse ! J'employais le verbe feindre, comme dans l'escrime : ce n'est pas le *let's suppose* de l'anglais, mais plutôt dans cette langue l'expression *make believe*... une très belle expression que traduirait mal un simple mot-à-mot français, *le faire-croire*, pourtant à y réfléchir plus explicite que l'interprétation du dictionnaire, verbe et substantif, feindre ou feinte. La feinte, c'est la fiction, avec quelque chose en plus, la volonté de tromper. Vous faites semblant, au fleuret, de viser l'adversaire où il va porter la parade, se découvrant, alors que c'était où vous l'attendiez pour frapper ailleurs : c'est cela, la feinte de l'escrimeur... »

Cela... veut-elle dire Anthoine ou l'affirmation qu'elle l'aime ? Si elle dit, je l'aime, effectivement je l'aime... est-ce fiction ou feinte, ah, je suis follement prêt tout de suite à croire qu'elle n'a dit cela que pour me tromper ! Et je ne sais plus, l'expression : *me tromper* vient en moi de retentir, me tromper... de toute façon, elle me trompe. Elle me fait croire que nous jouons. Moi, l'imbécile, une fois de plus, une fois de plus sur le point de penser que la feinte c'était de me dire : *Je ne vous aime pas*, pour, peut-être simplement que je me découvre le cœur. Sans doute, mais n'était-ce pas aussi pour m'y frapper ? Elle ne m'aime pas.

Je l'ai toujours su, ce n'est rien de nouveau, Ingeborg ou Fougère, elle ne m'aime pas. Pourquoi est-ce que ça me fait gémir ainsi, chaque fois que... pourquoi? Après tant d'années, comme à la première. Est-ce que j'imagine qu'à force, comme cela peu à peu, les choses changent, dans ce domaine, ou quoi? Elle ne m'aime pas. Je le sais. Je le sais constamment. Depuis des années et des années. Nos années. Elle ne m'a pas quitté, voilà tout. Je me souviens, aux premiers temps, comme elle disait : « Si ça dure un an, ce sera bien joli... » Et puis, elle a dit trois ans, je n'en demande pas plus. Nous avons passé ce cap, moi, il m'avait fallu trois mois peut-être, pour vouloir que cela dure toute la vie. Cela a duré toute la vie. Mais on a joué à Anthoine. Anthoine dit (c'est lui ou moi, qui l'a écrit?) : *Fougère m'aime, bien sûr. Mais elle aime « une image » de moi... tant que je collerai à cette « image » de moi qu'elle s'est faite...* Vous vous souvenez? Plutôt que de le tuer, si j'arrivais à décaler Anthoine de l'image que Fougère s'en fait : mais ne serait-ce pas le tuer? et moi avec... Il s'agit bien d'Anthoine! Elle ne m'aime pas. Je joue, je joue : ce n'est que pour oublier, enfin oublier pas question, manière d'oublier, peupler l'air, le temps, ne pas me permettre de penser au-delà de la douleur, elle ne m'aime pas, je l'ai toujours su, pas besoin d'épiloguer, il n'y a qu'à prendre son bonheur comme il vient, son malheur, sa part autrement dit. Et même Anthoine... cet amer contentement que j'aurais pu me faire d'être sûr qu'elle aimât Anthoine, en Anthoine une image de moi. Ce que je citais de lui, ce n'est pas le pire : il disait aussi, rue Montorgueil, cela fait un bout de chiennerie, *je n'ai pas à me plaindre, elle ne préférera jamais un homme, pas plus un autre que moi, à son travail...* Où commence, où finit la jalousie? Même en Anthoine, elle ne m'aime pas.

Elle me dit parfois : « Qu'avez-vous donc aujourd'hui, mon ami? Vous prenez tout mal, tout vous est sujet d'amertume, qu'est-ce que c'est que ce pessimisme, il y a tout de même des petites choses agréables, des gens

351

qu'on ne connaît pas qui vous écrivent, tout le monde ne vous déteste pas, on vous veut du bien aussi... » O mon amour! Elle ne m'aime pas. Pendant des mois, des années, je n'en dis rien. Je fais mine. Je feins, je feins de croire... Des années, des semaines. Un beau jour, c'est un jour comme ça, je ne peux plus cacher mes yeux. Elle me dit : « Qu'est-ce que tu as ? mais qu'est-ce que tu as ? » Peut-être que sans y prendre garde, j'avais mis mes yeux noirs. En tout cas, j'avais mis mes larmes. Je dis que tout va mal, et puis c'est vrai que tout va mal, j'énumère, ce qui n'a pas marché, les échecs, les refus, le travail impossible, qui ne se fait pas, ce sentiment tout le temps de n'être pas à la hauteur de ce qu'on exige de moi. Elle dit, qui ça, qui exige, quoi ? avec tout ce que tu fais. Personne, bien sûr, personne, c'est un sentiment intérieur, je n'y puis rien, je suis peut-être absurde. J'ai tout le temps l'impression d'avoir à payer pour ma vie, pour cette impudence de vivre, de ne pas être tout à fait, tout à fait malheureux, enfin, de ce malheur tangible, évident, classique, le malheur des autres, celui qui m'empêche de remarquer le soleil... Elle dit que j'invente, qu'on ne peut pas être malheureux pour tout le monde, que c'est de la perversité. Elle dit que je me complais dans le malheur, que je me délecte à y croire, que je pourrais bien pourtant, une fois de temps en temps sortir de cette atmosphère, prendre les choses comme elles viennent et cætera. Mais tu ne m'aimes pas, tu ne m'aimes pas. Elle ne sait pas que je le pense tout le temps, que tout le temps ce poignard bouge dans ma plaie, tu ne m'aimes pas, j'ai l'air de penser à Dieu sait quoi, rien d'autre ne m'habite, de toute ma vie, je veux dire ce que les gens considèrent comme ma vie, cette activité d'apparence, ce bonheur, tout cela n'est qu'un masque à cette certitude, tu ne m'aimes pas, cela ne regarde pas les autres, c'est mon renard, à moi seul, mon secret, tu ne m'aimes pas. Oh, tout à coup les pleurs m'en viennent, bon, je les sèche, mes yeux, à la dérobée, mais c'est trop me demander que de faire semblant, faire croire, *make believe*... tu ne m'aimes pas. Je le sais. Et j'ai beau le savoir. Ça m'étouffe, ça me... peut-être que si... non? si tout d'un coup, au moins, tu allais faire mine, me caresser le dos de la main, sourire, dire non, dire... je t'aime, je ne te demande pas de me le dire, c'est trop exiger de toi, mais si du moins tu me laissais croire, tu feignais, seulement si... Dis-moi que tu m'aimes, une fois, une pauvre petite fois, maintenant, quand je suis à bout, que je ne peux plus supporter ton silence, cette façon de détourner la tête, et tu te tais, mon Dieu, comme tu te tais...

Des années, des années que tu te détournes, que tu te tais.

Et quand je te prends dans mes bras à l'improviste, parce que je ne puis plus faire autrement, que ça m'emplit, tout le corps et la gorge, comme la musique, ce grand vide entre mes bras, ce n'est jamais le moment, quelque chose en toi s'immobilise, on dirait que tu attends que ça passe, comme le mauvais temps... Tu dis : il y a du monde à côté, ou les domestiques, ou bien ce n'est pas l'endroit, attends qu'on soit à la maison ; et c'est vrai que ça me prend n'importe où, que nous ne sommes plus si jeunes, que je suis ridicule. A la maison, d'ailleurs. Tu t'immobilises, comme un oiseau qui a peur. L'oiseau, pourtant, on sent, sous ton doux velours, le cœur battre, toi il s'arrête, à me faire, à moi, peur. Parfois, nous marchions, dans le couloir obscur, je n'ai pas pu m'en retenir, tu étais si proche, mes bras autour de toi, et tu ne dis rien, tu sais bien qu'il n'y a pas besoin de dire quelque chose, il suffit que je sente en toi cette appréhension, cet éloignement intérieur. Oh, le mouvement insensible de la nuque, l'écart léger des épaules, le visage détourné. Tu ne m'aimes pas. Cela m'échappe : « Tu ne m'aimes pas ! » Et toi, tu ne dis pas non, tu as l'expression qu'on prend devant un enfant déraisonnable, c'est un peu nier ce que j'ai dit, je pourrais m'en satisfaire, si je pouvais me satisfaire du péché par omission. Me rassurer. J'ai depuis toujours cette maladie de cœur, toi. On se dit, ce n'est pas si grave, cette fois encore ça s'est calmé. Le médecin consulté vous rassure. On se rassure. Il n'y a pas de vraie maladie de cœur. Tout le monde croit avoir une angine de poitrine, et ce n'est qu'un spasme, c'est nerveux. Les plus grandes douleurs, on les calme de ce mot-là, c'est nerveux. Du moment que c'est nerveux, ça ne *doit* pas, du verbe devoir, faire si mal que tout ça. La lueur du jour sur toi, dans ce geste, le jour, près de l'oreille... et moi qui demeure dans l'ombre, dans l'épaisseur noire, comme un imbécile, ou un enfant, à mon âge! un enfant qui s'est permis de regarder une femme, ah, un enfant, il se dit *l'année prochaine*... Il n'y a pas d'année prochaine à aimer, tout est de tout de suite, toujours, à jamais. Tu ne m'aimes pas. Elle dit : « Ce soir... quand tu auras tes yeux noirs... » L'abominable jeu. Mais ce soir, toute la vie aura passé d'attendre le soir : quand le soir viendra, je serai, je ne serai plus qu'un vieillard. J'avais un ami qui s'est tué. A cause d'une femme. Il y a de cela très longtemps. Ce n'était pas qu'elle le quittait ou le trompait, rien... elle, même, je crois, l'aimait, lui. Il y a des femmes comme ça, elles aiment un homme. Mais elle, c'était à sa manière. Moins démonstrativement. Lui, un jour, on dit un jour, c'était un soir ou une nuit, nous étions allés nous promener, il me parlait d'elle. En ce temps-là, je ne connaissais ni Fougère ni Mme Ingeborg d'Usher. Je me souviens. Il m'a dit, je ne l'ai jamais répété, j'hésite un peu. Enfin, comme on ne va pas le reconnaître, puisque j'ai dans ces quelques mots suffisamment camouflé son cas... Il m'a dit, si on faisait le compte des baisers qu'on n'a pas donnés, pas pris, pas des baisers qu'on a pris ou donnés, de ceux qui vous montaient aux lèvres, les baisers mort-nés, évités, différés... Sa femme était belle à ses yeux, moi, je ne trouvais pas. Tiens, je n'ai pas achevé ma phrase des baisers. Comme eux. Il m'a dit, si on en faisait le compte, on serait écrasé de malheur. C'était cette dernière nuit, nous avons traîné jusqu'à l'aube, je n'osais pas le quitter, il me disait tu me jures, ceci ou cela, tu le lui diras, moi, je jurais tout ce qu'il voulait... tu lui diras encore... Je l'ai laissé à la fin, près d'une gare, je tombais de sommeil, et puis je n'y croyais plus, comme la veille au début de la soirée, à force, me semblait-il, tout cela, cela s'effaçait, il ne va pas faire cette bêtise, on dit cette bêtise, je ne sais pas pourquoi, alors je le pensais. Tu lui diras... Je ne lui ai rien dit. Je ne suis pas si cruel. J'ai gardé pour moi les choses jurées. Comment il est mort, lui, c'est une autre affaire. Même à Fougère, je n'ai jamais raconté cette nuit. Il avait été amené à me dire cela, lui, à cause de l'orchestre. Quelque part, Montmartre. Un de ces lieux où tout conspire à vous ramener en arrière, le mauvais goût, les lumières, un certain poussiéreux des étoffes. L'orchestre, si on peut dire. Ils avaient joué une valse 1900 qui s'appelait *Les Baisers perdus*, il y a des mots, comme cela, qui semblaient innocents, puis ils prennent sens. Par exemple, *tu ne m'aimes pas*. Ou, à propos de morceaux d'orchestre, *Les Yeux noirs*. Ce n'est pas si facile que tout ça, de tuer Anthoine.

*

Il me semble que je ne puis rien décrire de Fougère qu'aussitôt une pourpre me vienne, parce que tout en elle m'est si profondément physique, jusqu'à l'âme, que j'outrepasse les limites de la pudeur. Les détails les plus insignifiants, s'ils la concernent, me font perdre la mesure de ce qui se dit ou ne se peut dire. Je ne crois pas que j'oserais, si j'étais peintre, faire seulement le portrait de ses yeux : aussi bien, si j'avais ce génie de les rendre tels que je les vois, ma peinture ne pourrait nulle part être exposée, à cause du scandale. Et supporterait-elle, Fougère, de se voir par les miens ? Tout cela tient de la sauvagerie d'aimer, qu'à peine atténue le vocabulaire de la tendresse. Je parle d'elle comme un homme ivre, il n'y a pas de rue assez large pour mes mots, le ciel me tourne, et je crois à chaque pas tomber de la voir. Vous me direz que je suis fou, qu'il y a des femmes plus belles, qu'on voit la marque du temps sur elle, qu'elle a telle ou telle imperfection, mais je ne vous crois pas, même si je fais semblant d'en convenir, pour ne pas rendre toute conversation entre vous et moi parfaitement impossible. D'ailleurs, ce n'est aucunement de cela qu'il s'agit. Comment se faire comprendre : prenez sa main, comme elle s'attache au membre, et plie, le prolongé de la pensée vers les doigts fins, les doigts... ce qui se passe en moi si elle m'abandonne sa main, ne serait-ce qu'un instant, ce désordre qui se met en moi, n'est pas de la nature que vous imaginez. Ainsi, je ne pense pas, je ne dis pas, son poignet : ce passage, qui m'est toujours l'étonnement d'un premier jour de printemps, pour moi je ne l'appelle point de ce mot grossier qui sert aussi bien à décrire la chose chez l'homme que chez la femme, et ce serait déjà de trop qu'il servît à en parler pour qui que ce soit d'autre, fût-ce une autre femme, je dis à part moi, pour moi, *le ployer de sa main*, et cette expression qui m'est comme la possession de ce ployer-là dans ma paume, tout d'abord on pourrait la tenir pour langage de maître, alors que c'est moi qui suis le vaincu, le possédé... *le paumé*. Vous voyez bien que c'est impossible, qu'il vaut mieux changer de sujet de conversation.

Parce que l'incomparable en Fougère, peut-être ne l'entendez-vous pas, comme ces gens pour qui une certaine sorte de bruit s'appelle indifféremment musique. Des pays entiers ignorent ce que c'est, la musique. Des siècles l'ont confinée à des limites qui paraîtraient misérables. Et ni la chronologie ni la géographie encore n'expliquent qu'elle soit perceptible à votre voisin quand vous y êtes sourds. On dit de celui qui l'entend qu'il est musicien, et c'est un des plus beaux mots qui soient, dont ceux qui ne le sont point enragent. Comment dire que l'on est ou non *musicien à Fougère*? qu'est-ce que c'est que ce jargon! Comme de la main, il y a un ployer de l'âme... c'est la voix, mais là aussi, le mystère n'est pas à tous sensible, on se borne à dire d'un chanteur que sa voix est belle, ou pure, ou forte, étendue : rien de tout cela n'en contient le charme, ne l'explique, qui n'est pas question de timbre ou de portée, de couleur ou d'arcature, qui tient de ce secret dans l'être humain par quoi il n'est l'oiseau ni la fleur, mais lui-même, une porte sur l'infini.

Si je parle de Fougère, je n'en dis rien que je ne vous aie fait entendre cette porte, le chant de cette porte sur l'infini. Ah, vous voyez bien, vous voyez bien, même ceux d'entre vous qui se font une expression polie...

Cette femme, c'est la musique même. La musique au sens qui dépasse le mot. La musique où nous puisons la connaissance autrement inatteignable, et qui n'est aux mots réductible. La musique, par quoi sont dépassés tous les rapports habituels que nous avons avec le monde. La musique, par où vue nous est donnée sur l'invisible, accès à ce qui n'a point d'accès. La musique, en qui l'inexprimable trouve expression. La variation de lumière par quoi ce que je croyais savoir soudain se découvre à peine amorce, aspect, parcelle de la réalité. Et de son chant peut-être ne percevez-vous que le plaisir, il y a de quoi bouleverser l'oreille et le cœur, je veux bien, mais c'est comme un miroir tournant, l'image y change de tout le mouvement qui l'habite, ce qui n'était qu'un tableau devient un être, un monde, la multiplicité d'être au monde et je me perds, j'éprouve la pauvreté de mes sens, la simplicité de mon esprit, l'inutile de ma parole : quand Fougère chante, j'apprends, j'apprends à perte d'âme.

Ne donnez pas des signes d'impatience : ce que je tente dire n'est pas d'expression si facile. Il faut tout le temps autour de soi chercher les objets de métaphore et, qu'on les appréhende, déjà sait-on bien ce qu'on voulait en faire, ne s'est-on pas égaré, ne va-t-on pas se trouver là avec ces moyens d'exposition dans les mains, quand déjà la chose à exprimer, dont on avait eu sentiment fugitif, vous échappe? Bousculée d'une autre.

J'avais déjà, me semble-t-il, une fois commencé de vous expliquer le chant de Fougère par la métaphore du roman. Pourquoi m'étais-je arrêté sur cette voie, ou était-ce que le miroir avait tourné?... il faudrait tout reprendre. Le roman, c'est une invention de l'homme, à partir d'un certain point de ses rêves, de son histoire, des instruments qu'il s'est donnés. Jusque-là, l'homme avait à sa disposition le parler, l'écriture, le développement de la pensée, le raisonnement, les corps de science qui leur sont attachés, mais tout ce qu'il imagine ainsi demeure catalogue. Pour suivre, pour toucher ce que je veux dire, il faudrait trouver dans ce domaine l'équivalent du pas, du saut qu'a été pour l'esprit humain l'invention du roman. Je le vois bien, mais j'hésite à le dire, peut-être parce que je suis dans ce domaine-là, moi aussi, la proie des préjugés que je combats dans l'autre. Ou que, peut-être, en fait, on n'est pas encore parvenu, je veux dire il n'est pas sensible à la plupart des gens qu'on soit parvenu par la musique, où le roman a mené la pensée. A la création des personnages, à leur accession à la vie, à la complexité de la vie. Pour comprendre cela, il faudrait sans doute revenir en arrière, se reporter à l'époque où s'est ouvert le chemin nouveau, comme aux premiers romans, à l'époque où la musique est devenue, a voulu devenir au moins le miroir des êtres, l'expression de la diversité humaine. En général, l'histoire de la musique, le développement de la musique, recèle des leçons dont on ne semble pas se préoccuper. Depuis la première mélopée, les modifications de cet art trahissent pourtant une singulière évolution de l'homme même. Berlioz exprime cela quelque part. Non pas dans un traité, un écrit théorique, mais une sorte de science-fiction, tournée au passé il est vrai, à l'époque où se fit jour dans les musiciens italiens la tentation de l'opéra. Il fait parler Alfonso della Viola, au milieu du seizième siècle, qui avait formé *le plan d'un ouvrage de théâtre sans pareil jusqu'à ce jour, où le chant, accompagné de divers instruments, devait remplacer le langage parlé et faire naître de son union avec le drame, des impressions telles que la plus haute poésie n'en produisit jamais... Un examen attentif de ce qui est ne fait-il pas pressentir avec certitude ce qui sera et ce qui devrait être ? Et les instruments en a-t-on tiré parti ? Qu'est-ce que notre misérable accompagnement qui n'ose quitter la voix et la suit continuellement à l'unisson ou à l'octave ? La musique instrumentale, prise individuellement, existe-t-elle ? Et dans la manière d'employer la vocale, que de préjugés, que de routine ! Pourquoi toujours chanter à quatre parties, lors même qu'il s'agit d'un personnage qui se plaint de son isolement ?*

Que l'opéra ait été un pas en avant qui a nécessité réponse à ces questions, nous l'avons sensiblement oublié, l'opéra lui-même est devenu une forme conventionnelle de l'art, et les esprits d'avant-garde l'ont condamné, méprisé, comme certains aujourd'hui le roman. On n'y veut voir qu'une subsistance féodale, on prophétise sa disparition avec le développement de la société. Mais, dans tout cela, que fait-on de la dialectique ? De nouvelles transformations, comme en vit la société italienne de la Renaissance, ne feront-elles pas naître l'équivalent émotionnel de l'opéra naissant, une nouvelle forme de cet art ? Peut-on penser qu'une invention du seizième siècle au vingtième ne pose pas des questions comparables à celles que Berlioz met sous la plume d'Alfonso della Viola ? Ce sont des questions d'aujourd'hui où on ne chante ni à l'unisson ni à l'octave, où les *soli* ne sont plus à inventer, etc. Et si je veux parler de Fougère, il me vient envie de transcrire ici ce que disait Stendhal quand il voulut donner un portrait musical de Mme Pasta : *On peut dire qu'il n'y eut jamais entreprise plus difficile ; le langage musical est ingrat et insolite ; à chaque instant les mots vont me manquer ; et quand j'aurais le bonheur d'en trouver pour exprimer ma pensée, ils présenteraient un sens peu clair pour l'esprit du lecteur...* C'est de la Pasta que Beyle a dit : *De quels termes pourrais-je me servir pour parler des inspirations célestes que Mme Pasta révèle par son chant, et des aspects de passion sublimes ou singuliers qu'elle sait nous faire apercevoir! Secrets sublimes, bien au-dessus de la portée de la poésie, et de tout ce que le ciseau des Canova ou le pinceau des Corrège peut nous révéler des profondeurs du cœur humain...* Que dirait un Stendhal d'aujourd'hui du chant d'Ingeborg d'Usher ? Avec elle, la question n'est plus de l'emploi du *falsetto* ou de l'usage des fioritures, mais que la rêverie de la cantatrice soit encore de trouver les voies des profondeurs du cœur humain, ce qui est le romanesque du chant, cela ne fait point de doute, et c'est d'elle et non de la Pasta que semble encore Stendhal dire : *Dans l'amour-passion, on parle souvent un langage qu'on n'entend pas soi-même ; l'âme se rend visible à l'âme, indépendamment des paroles employées...* Ceci n'implique aucunement que l'art soit reflet d'une féodalité, et l'opéra, même si les musiciens momentanément semblent s'en détourner, va, j'en suis persuadé, trouver bientôt ses formes nouvelles correspondant aux conditions nouvelles de la vie. En tout cas, rien, jamais, ne m'a donné le sentiment que l'âme se rendait visible à l'âme comme le chant de Fougère, même quand il interprète des œuvres qui passent pour démodées ; et, à poursuivre de citer le même auteur sur le même sujet, n'a-t-il pas donné une définition de son art qui explique cela : *J'appelle* créations *de cette grande cantatrice*, dit-il, *certains moyens d'expression auxquels il est plus que probable que le maestro qui écrivit les mots de ses rôles n'avait jamais songé...*

« Stendhal, — dit Ingeborg, — j'ai comme une idée que, pour mélomane qu'il fût, il ne connaissait rien à la musique! » Et sur une phrase d'elle aussitôt toute ma songerie a dévié.

C'est que je n'y avais pas tenu et, bien qu'elle se dérobât toujours à mes lectures, je lui avais imposé ces cinq ou six pages qui la concernaient, bien entendu sans rien lui montrer de mes sinistres projets touchant Anthoine.

A la fin, je ne peux pas écrire des choses de ce genre et les garder pour moi, vivant à côté de Fougère. Il faut qu'elle le comprenne. L'avait-elle compris ? Elle avait remis l'affaire à l'après-déjeuner, puis il y avait eu du monde qu'elle avait oublié, des courses à faire. Le soir, elle était fatiguée. Le jour suivant, je me suis amené avec mon manuscrit, l'air buté. Bon. Elle a pris son mal en patience. Mais qu'est-ce que c'est que cette attaque contre Stendhal ?

« Stendhal, — elle disait, — essaye de s'expliquer la musique à peu près comme il parle de la peinture, aujourd'hui c'est terriblement dépassé, même si on fait la part du feu, je veux dire du temps. Il essaye de s'expliquer *la création par le chant*, et sans doute que c'est là son mérite, d'avoir ou du moins de s'être posé le problème. Mais comment pouvons-nous juger du bien-fondé de ses dires, puisque rien ne nous est parvenu, que des appréciations verbales, de ce qui fut l'art des chanteurs à son époque ? Nous pouvons aujourd'hui nous faire une idée de Caruso, de Chaliapine, de Lina Cavalieri, même sur des enregistrements de qualité douteuse. L'avenir aura dans ses discothèques possibilité de comparer les voix, le génie, la technique, *et l'âme*, de ceux qui en ce siècle-ci furent, comme disait la Malibran, des *chanteurs de musique*, j'aime cette expression. Mais ceux d'avant... la Malibran, elle-même, tenez... »

Et tout à coup, le miroir a tourné sur lui-même, elle s'est mise à parler de la Malibran. Nous étions dans cette pièce où elle travaille, avec la grande bibliothèque en pin des Landes, et ce piano électrique, comment cela s'appelle-t-il ? où elle s'accompagne, dans ses lectures. Elle était assise, un peu renversée, dans son fauteuil de cuir rouge sombre, le téléphone à côté d'elle sur la table, comme un chien méchant qui attend le moment le pire pour l'interrompre, ayant légèrement repoussé le grand pouf carré qui fait du fauteuil chaise-longue, et elle m'avait permis de m'y asseoir. Ou du moins je m'y étais, comme j'aime, agenouillé. Elle m'a dit :

« Stendhal... bon, mais tu connais le poème de Musset. »

Et moi :

*Ces pleurs sur tes bras nus quand tu chantais le Saule
N'était-ce pas hier, pâle Desdémona ?*

Forcément. Ces deux vers-là devaient me venir aux pieds d'Ingeborg. Elle a souri, ma Desdémone. D'un sourire fantôme, absent. Elle n'entendait pas que, Musset ou non, je ne pensais qu'à elle. Elle rêvait de Maria Malibran. D'abord je n'ai pas très bien saisi où se faisait l'articulation des choses, et puis elle m'a demandé de prendre le livre, et de lui lire, là, là, dix-huit vers, pas plus, je ne les connais pas par cœur, tu veux bien ? Elle m'avait dit tu, comme à Anthoine. C'étaient les strophes XXI, XXII et XXIII, vous savez :

*Connaissais-tu si peu l'ingratitude humaine ?
Quel rêve as-tu donc fait de te tuer pour eux !
Quelques bouquets de fleurs te rendaient-ils si vaine,
Pour venir nous verser de vrais pleurs sur la scène,
Lorsque tant d'histrions et d'artistes fameux
Couronnés mille fois n'en ont pas dans les yeux ?*

*Que ne détournais-tu la tête pour sourire,
Comme on en use ici quand on feint d'être ému ?
Hélas ! on t'aimait tant qu'on n'en aurait rien vu.
Quand tu chantais le Saule, au lieu de ce délire,
Que ne t'occupais-tu de bien porter ta lyre ?
La Pasta fait ainsi : que ne l'imitais-tu ?*

Je m'étais arrêté, croyant comprendre. Elle m'en fit reproche : « Je vous avais dit dix-huit vers... lisez donc la stance d'après! »

> *Ne savais-tu donc pas, comédienne imprudente*
> *Que ces cris insensés qui te sortaient du cœur*
> *De ta joue amaigrie augmentaient la pâleur ?*
> *Ne savais-tu donc pas que, sur ta tempe ardente,*
> *Ta main de jour en jour se posait plus tremblante*
> *Et que c'est tenter Dieu que d'aimer la douleur ?*

J'avais laissé tomber le livre et je vis l'expression du visage, le regard perdu, les yeux immenses, la joue posée sur la main gauche à l'accoutumée de ses rêves, comme si Ingeborg suivait une pensée intérieure, et puis elle fit de la main le geste d'essuyer ses yeux, qui n'avaient pas pleuré pourtant.

« Le nom de la Pasta, — reprit-elle, — vous avait arrêté, mon ami, parce que, j'imagine, vous m'avez crue blessée d'une comparaison que Musset ne fait guère flatteuse. Ce n'était pourtant pas cela que je voulais vous dire... De Stendhal ou de Musset, qui juge bien, d'ailleurs à dix-huit ans de distance, peu importe. Il est vrai que la Malibran elle-même, dans le monde où elle s'était produite, devait d'une certaine façon tenir compte du goût régnant pour les variations, les tours de voix, les broderies techniques du chant. Il est vrai que c'était là ce que l'on considérait alors comme l'invention du chanteur, son art personnel. Mais Marie Garcia pouvait bien, à côté de tel ténor ou devant une rivale, prouver sa science et triompher de tout ce qu'elle ajoutait au chant écrit, ce n'était pas là pour elle ce qui comptait. On estimait, et à raison, à cette époque, que la pureté du chant interdit ces mouvements d'âme qui n'en permettent plus le contrôle. Tout ce que nous savons de la Pasta nous invite à croire que son génie résidait dans la maîtrise qu'elle avait de ses sentiments, qu'elle était un instrument parfait, et ne se permettait justement que la *variation* sur la musique. Mme Malibran, dans ce domaine, égalait la Pasta, mais l'étrange était que même alors, et dans cela résidait ce que le musicien ne peut faire, ce qu'elle créait, à proprement dire, jusque dans l'acrobatie vocale, elle avait ce don sacré des larmes, de larmes qui pouvaient inonder son visage, sans en rien altérer la transparence de sa voix. Cette amie d'elle, la comtesse Merlin, la Créole, raconte quelque part qu'elle lui en demanda le secret, et la Malibran lui dit que c'était la peur de son père (un homme terrible dont on raconte même qu'il la battait pour lui apprendre à bien chanter), c'était sa peur qui lui avait enseigné à dissimuler dans sa voix les mouvements de son cœur, car Marie pleurait pendant les leçons paternelles, et se plaçait derrière Manuel Garcia pour qu'il ne vît point ses larmes. Cette anecdote, j'en ai toujours frémi, depuis que, très jeune, elle me fut contée. Elle me fait la Malibran plus voisine que toutes les cantatrices du passé. Non que j'aie été brutalisée par mon père, ou quelque professeur que ce fût : de nos jours, l'acrobatie n'est plus à la base du chant enseigné, et s'il me venait, chantant, des larmes, il fallait que l'émotion de la musique se mariât avec d'autres douleurs. Entendez-le comme je le dis, Alfred : mon maître et mon bourreau, à moi, ce fut ce siècle où nous vivons, et de lui toujours me vinrent les leçons d'amertume et de souffrance, même s'il en faut croire Musset, *Et que c'est tenter Dieu que d'aimer la douleur...* Dans le chant, sans mépriser la technique, le style comme vous dites, ce qui m'importe, ce qui m'a toujours plus que tout importé, c'est le sentiment profond d'où naissent les larmes, alors même qu'elles ne coulent pas. Car j'ai appris aussi à ne pas pleurer, ce qui, croyez-m'en, d'une certaine façon, est bien pire... La sévérité d'un père, fût-il ce More de Grenade qu'on dit avoir été

Manuel Garcia, qu'est-ce auprès des leçons implacables que nous a données le monde où nous vivons ? C'est d'elles que je me souviens, presque toujours, chantant. Pour qui croyez-vous que je prie, quand je suis l'Éléonore du *Trouvère*? Il y a tant de malheurs dans le monde, que vous avez le choix de la conjecture. Ah, Seigneur, jamais de ma vie, il ne m'a été donné de manquer, pour ce qui est de la musique, de la déchirante musique, des saignantes sources de l'inspiration !... Et voyez-vous, rien, ou presque rien, ne nous est connu de ce que pouvaient penser les grands chanteurs d'autrefois, il semble suffisant de savoir l'étendue et les qualités de leur voix, pour les juger comme des rossignols mécaniques. Que j'aie de la Malibran souvent rêverie, ce n'est pas, si beau qu'il soit, d'un poème de Musset que cela me vient, mais d'une lettre d'elle qui nous est parvenue, qu'elle écrivit d'Angleterre à un ami de France à la nouvelle de la Révolution de Juillet, pour lui dire son enthousiasme (*Je vous assure qu'en pensant à Paris je sens mon âme s'élever...*), où elle disait du peuple français : *Je veux partager le sort de mes frères. La charité bien ordonnée, dit-on, commence par soi-même : eh bien, les autres sont mon soi-même.* Ce dernier petit bout de phrase a, plus que toutes les musiques sur moi, aujourd'hui encore, le don de me faire monter les larmes : *les autres sont mon soi-même...* quelle femme merveilleuse cela devait être pour avoir trouvé ces mots-là ! Ils valent les plus nobles façons *de bien porter sa lyre*, ne trouvez-vous pas ? »

La lumière tournante éclaire Ingeborg en Desdémone. Une Desdémone qui ne ressemble à aucune autre. La Desdémone dont le monde entier est l'Othello. Qu'a-t-elle fait d'autre que l'aimer, d'aimer les autres ? Et lui, il croit n'importe quoi, n'importe ce qu'on lui raconte, n'importe quel Iago. Quand je pense à ce qu'on écrit d'elle dans les journaux, aux coups de téléphone injurieux, aux lettres anonymes. Le téléphone a sonné. Le cœur m'en pince. C'était juste comme j'allais dire quelque chose que je me suis retenu des années de lui dire, et puis voilà : le téléphone.

« Allô... oui, c'est ici... c'est elle-même. Qui est à l'appareil? Comment? Je ne vous comprends pas... Ah? »

Elle m'a fait signe, elle me passe l'écouteur. Une voix sourde qui continue : « ... des ordures dans ton genre, des putains internationales n'ont rien à voir avec notre France. Quand est-ce qu'on sera débarrassé des sales garces... » J'ai raccroché, je ne veux pas que Fougère entende cela. Elle sourit, elle dit : « Pourquoi avoir raccroché? » C'est singulier, je connais ces phrases infâmes... des phrases qui ont déjà servi... où les ai-je entendues [1]? Cette catégorie de salauds manque d'imagination. Ingeborg est très pâle, faussement indifférente. Elle dit : « Faut-il que les gens vous haïssent pour se donner le mal de faire un numéro... » Le téléphone s'est remis à sonner. Je pose la main sur le récepteur. Je dis : « Laisse, ne décroche pas, ils sonneront, puis ils se fatigueront. » Ils sonnent et ne se fatiguent pas. Je décroche, mais je mets l'écouteur sur la table, ma paume sur la bouche d'ombre. « Ce n'est peut-être pas le même type, — dit Ingeborg, — écoute un peu... » J'écoute. Personne ne parle, on attend à l'autre bout, j'entends comme un souffle, une respiration. Le chacal tapi dans l'ombre... Je fais signe des yeux à Fougère. Que faire? Je raccroche. Un petit temps passe. Puis cela sonne. N'y touche pas, c'est moi qui. Toujours la respiration, la bête au loin. Que faire, pour que cela cesse? Laisser la bouche d'égout ouverte sur la table? Ils se fatigueront.

Je suis dans un état de rage indescriptible. Cela me souffle dans la tête, un grand vent. Faire cela, lâchement, à Fougère... Le téléphone, tout y est permis, c'est un abus incroyable, cela entre chez vous,

---

1. *Personne ne m'aime*, roman par Elsa Triolet.

cela bave, ah tu peux dire, les autres... comment tu disais? *Les autres sont moi-même...*

« Tais-toi, — dit Fougère, — tu n'as pas le droit... »
Quelle brute je suis! C'est moi qui l'ai fait pleurer. Non, mon amour, non, mon petit... Elle a détourné les yeux. Et puis elle secoue doucement ses épaules : « Qu'est-ce que je disais? Ah oui... Desdémone... la Malibran... »

Le miroir tournant jette la lumière à nouveau sur cette région des songes. Le téléphone blanc comme un loup gémit d'impuissance dans le coussin du fauteuil rouge. Ingeborg a remis sa joue sur sa main. Elle parle de Desdémone.

« Desdémone... j'ai été je ne sais combien de fois Desdémone... celle de Verdi, bien sûr. La Pasta, la Malibran jouaient encore l'*Othello* de Rossini. Inventer sur le canevas toujours repris de Desdémone. Cela peut paraître impossible. C'est pourtant impossible aujourd'hui d'être la Desdémone des jours élisabéthains, ou celle que Stendhal applaudissait à Milan... Dans le courant de sa courte vie, elle avait débuté à seize ans, elle est morte à vingt-huit, Maria-Félicia Malibran n'a cessé d'inventer, de varier l'image de la malheureuse Desdémone, et je pense que c'était en elle l'idée même du malheur qui changeait de traits, de profondeur, d'accent, comme une blessure qui s'aggrave. Peu à peu, elle avait dépouillé ces fioritures par quoi elle triomphait au début de sa carrière... mais pourtant dès la première fois, *Othello* avait tenu pour elle une place à part, étrange, comme d'une tragédie personnelle, dans les rôles qu'elle jouait. A New York, à la fin de 1825, elle avait dix-sept ans et demi, et je ne sais qui de la troupe qu'avait formée son père devait être Desdémone, qu'il fallut soudain remplacer : Garcia donna six jours à sa fille pour apprendre le rôle et le chanter sur un théâtre qu'elle ne connaissait point. La légende veut que ce tyran l'obtint d'elle d'une menace terrible : c'était lui qui devait être

Othello, et il lui jura que si elle ne triomphait pas en
Desdémone, à la dernière scène, jouant avec un poignard
véritable, il l'en frapperait dans le sein. Ah, comment
vouliez-vous qu'elle donnât ses soins à porter sa lyre
comme la Pasta! La Desdémone de Maria-Félicia
n'était point l'épouse sans reproche qui se porte en
toute confiance, avec une sorte de majesté, vers son
époux qu'elle n'a point trompé, ne pouvant croire
qu'il va la frapper, mais une petite fille qui a suivi le
More, dans l'émerveillement des histoires de sa vie,
qui a quitté les siens et que voilà dans cette Chypre
menacée des Turcs, au milieu de l'armée que son époux
commande, une petite fille qui sait à peine qu'on peut
tromper son mari, qu'il existe d'autres hommes, une
petite fille qui ne sait pas qu'on peut mourir. Elle
ne peut imaginer que Cassio... je veux dire que Cassio
pour elle, c'est comme les jeunes garçons avec lesquels
elle jouait à Venise, quel mal y a-t-il qu'elle parle avec
lui ? Elle ne comprend pas ce qu'il lui arrive, ces changements dans l'homme qu'elle aime, en qui elle a la
confiance d'une fille pour son père... Et Maria-Félicia,
n'est-ce pas cela d'abord qu'elle exprime, mais pas
seulement pour les gens dans la salle, les loges, l'ombre
des grappes d'or... pour ce père qui l'a tant fait pleurer,
et duquel elle croit, elle sait qu'il est capable, pour
une erreur, une faiblesse, de la frapper vraiment de
son poignard. Ah, il n'est plus question même de la
fidélité, de la majesté de la Pasta! Dans la chambre,
sur le navire, quand Othello lui donne ordre de dire
sa prière, l'enfant épouvantée n'est plus qu'un pauvre
oiseau traqué qui cherche l'issue vers le ciel, et se
heurte au mur, et se prend aux rideaux, s'accroche,
volète, affolé, s'enfuit, dans la gesticulation meurtrière du chasseur. Je ne sais comment cela pouvait se
marier à la musique, à la mesure, comment la peur
et le chant pouvaient de pair aller... c'est là chose plus
extraordinaire encore que les larmes, et Desdémone,
car elle était Desdémone, était si sûre de mourir, si

sûre d'être frappée de cette lame, paraît-il, que Garcia avait achetée à un Turc dans les derniers jours, et dont il avait devant elle vérifié l'acier, que lorsque son père la saisit, elle s'empara de la main meurtrière et la mordit si cruellement que le sang en jaillit... Il n'y a pas d'histoire dont j'ai plus rêvé, rien ne m'en a plus appris sur l'art du chant, que cette histoire violente et magnifique. Dieu, que dès ce jour-là la future Malibran avait passé outre la technique du chant, et les bravoures du *bel canto*! C'est à cette échelle que j'ai toute ma vie mesuré le dépassement de moi-même en qui j'incarne... la passion d'où naît la nouvelle créature... Et savez-vous que cette extraordinaire fille a poussé l'excentricité jusqu'à vouloir elle-même être Othello, à jouer une fois le rôle du More sur la scène anglaise ? Qui était la fille à qui elle avait permis d'être Desdémone, je l'ignore, et si à son tour elle avait eu peur : pour moi, j'aurais tremblé devant ce bout de femme au chant sublime, j'aurais craint qu'elle n'arrête pas son bras, à faire l'homme, à prendre ici revanche de son père... »

Nous avions finalement raccroché le téléphone. Il sonna. J'hésitais, la main sur celle de Fougère. Elle eut sur moi ce regard impérieux. Je la laissai faire. C'était Christian. Je m'écartai.

Le miroir avait encore tourné. Que disait Ingeborg ? Sa voix était si douce. Je me mis abominablement à souffrir.

*

Et tourne tourne le miroir, en terres et mers lointaines, où s'en furent les Croisés portant rêves divers et cruauté grande. Si bien qu'il cherche une île qui soit Chypre, toujours courant à Desdémone, il s'égare aux temps qu'elle n'était de ce monde, et pas même encore n'y régnaient les seigneurs de Lusignan. Il tourne et perd l'île, aucune main ne le sachant freiner, suit des voiles sombres et le battement ramé des galères, s'échoue ici et repart là, pour trouver d'étranges ombrages pleins d'oiseaux comme une tapisserie... Car j'ai ouvert, à cause de ces rois poitevins qui tinrent l'ancien royaume d'Aphrodite en même temps que Jérusalem et la Petite-Arménie, le livre de *Mélusine*, j'entends celui de Jean d'Arras qui, pour Marie, duchesse de Bar, sur le commandement de son frère, Monseigneur Jean, duc de Berry, entreprit de l'écrire en l'an 1387, et le parfit le jeudi septième d'août 1394, ainsi qu'il y est mentionné. Parce que plus d'une beauté de ce roman me fait image de Fougère, et je ne puis ici dire comment, ou tout au moins me bornerai-je à l'histoire de comment dans les forêts d'Albanie le roi de ce pays qui eut nom Elinas rencontra Pressine, laquelle lui donna trois filles, dont est l'une Mélusine où vont mes songes. Advint donc, que le Roi d'Albanie chassait *en une forest prez de la marine, en laquelle avoit une moult belle fontaine, et en ung mouvement prinst si grant soif au Roi Thiaus de boire de l'eaue, et adonc tourna son chemin vers ladicte fontaine, et quand il approucha la fontaine, il ouyt une voix qui chantait si mélodieusement qu'il ne cuida pas pour vray que ce ne fut voix angélique ; mais il entendit assez pour la grand douceur de la voix que c'était voix de femme...*

O Fougère, mystérieuse et tendre comme l'intérieur du baiser! ne te moque pas que j'aille chercher au quatorzième siècle finissant image de ton chant, mais qui jamais m'a donné mieux que ce Jean d'Arras à rêver de toi ? encore que je ne sois ce Roi d'Albanie :

... A donc descendit de dessus son chevau, affin qu'il ne fist trop grand effroy, et l'atacha à une branche et s'en alla peu à peu vers la fontaine le plus couvertement qu'il peut ; et quand il approucha la fontaine, il vit la plus belle dame que il eut oncques veue en jour de sa vie, à son advis. Lors s'en arrêta tout esbahi de la beaulté qu'il appercevoit en celle dame qui tousjours chantoit si

mélodieusement que oncques seraine ne chanta si mélodieusement ne si doulcement ; et ainsi il s'arresta tant pour la beaulté de la dame que pour sa doulce voix et son chant, et se mucha le mieulx qu'il peut dessoubz les feuilles des arbres, affin que la dame ne l'apperceut, et oublia toute la chasse et la soif qu'il avoit par avant, et commença à penser au chant et à la beaulté de la dame, tellement qu'il fut ravy et ne sceut se il estoit jour ou nuyt, et ne savoit s'il dormoit ou veilloit.

O Fougère, ce n'est pas que dans la forêt près de la marine, à ce seul premier jour de toi, que j'ai cessé de savoir s'il était jour ou nuit, ce fut pour toute la vie que j'oubliai la chasse et la soif... Ne te moque pas de ce goût physique à me perdre dans les ruelles de l'ancien parler :

Ainsi que vous pourrez ouyr le Roy Elinas si abusé tant du trez doulx chant comme de la beaulté de la dame, que il ne sçavoit se il dormoit ou s'il veilloit ; car tousjours chantoit si mélodieusement que c'estoit une mélodieuse chose à ouyr. Adonc le Roy Thiaus fut si abusé qu'il ne luy souvenoit de nulle chose du monde, fors tant seullement qu'il oyoit et veoit ladicte dame, et demoura là grand temps ; lors vindrent deux de ses chiens courans qui luy firent grand feste, et il tressaillit comme ung homme qui vient de dormir, et adoncques lui souvint de la chasse et si grand soif que, sans avoir advis ne mesure, il s'en alla sur le bord de la fontaine et beut de l'eaue ; et lors regarda la dame qui eut laissé le chanter, et la salua très humblement...

O toi qui chantes si mélodieusement que c'est toujours une mélodieuse chose à ouïr... Et comme un homme qui vient de dormir si grand temps qu'ont passé trente et des années, je tressaille, si abusé qu'il ne me souvient de nulle chose du monde, hormis de cette forêt près de la marine, où tu chantais comme jamais sirène...

Sache-le, bien que, du *Roman de Fougère*, je n'appelle que cette part ici *Le Miroir tournant*, il me faut avouer par ce titre que se dévoile quelque chose injustement qu'on tiendrait pour procédé, et procédé seulement par quoi se fait enchaînement des paroles profondes dont je suis habité, combattu, déchiré, mis hors de moi-même. Et tourne tourne le miroir depuis mon commencement, qui semble à chaque fois qu'on prend conscience, interrompre l'histoire ailleurs pour la porter. Ainsi fut écrite la *Mélusine* de ce Jean d'Arras, dont à mon sens la beauté de langage n'a peut-être jamais été atteinte par la suite pour l'expression *physique* des choses, et où j'ai de longtemps pris une sorte d'ivresse singulière et comme un sentiment d'avoir trouvé la substance même par quoi pouvait se nourrir et se dépasser ma pensée, un haschich de l'intelligence. Dans *Mélusine*, le tourner du miroir se fait d'une invention qui peut aujourd'hui paraître bien simple, et pourtant qui ressemble à ces jeux de lumière du théâtre d'aujourd'hui par quoi l'attention des spectateurs est soudain dérobée d'une scène, de son décor et ses personnages, pour passer à d'autres lieux, d'autres gens, une autre époque même, du fait d'un projecteur : ici, dans le roman de Jean d'Arras, j'entends, l'action se coupe soudain d'un simple : *L'istoire nous dit...* qui suffit à nous transporter en différent royaume, ou parfois s'introduire pour conclure ce qui précède touchant un personnage donné d'une préparation de style : *Et cy se taist l'istoire de luy, et parle du capitaine...* par exemple, ou de tout autre. Qui ne verrait, dans ce pivot de *l'istoire*, le tournis du roman-miroir. J'ai conscience de n'avoir rien inventé, retrouvant purement un ressort du roman français à ses débuts, tenant encore du roman courtois, mais annonçant déjà, même avec ses décors de fées, de villes et fontaines magiques, de serpentes ailées, le réalisme du siècle suivant. Car fantastique qu'elle soit l'histoire de Mélusine a ses racines dans la vie réelle.

Oui, Mme de Bar avait prié son frère Jean, oncle et régent du Roi-Fou, de faire noter pour elle la légende des Lusignan. Mais c'est que le château de Lusignan, en Poitou, était du fief du duc de Berry ; cette parcelle de l'ancien royaume d'Aquitaine passée dans la famille des Valois, au même titre que des terres, n'étaient-ils point devenus les seigneurs des histoires qui y étaient attachées ? Il y a quelque singularité à ce qu'à cette date où Jean d'Arras se met à l'œuvre l'on osât fixer traditions et chroniques en un roman, lequel décrit la malédiction d'une famille alors encore souveraine à Chypre dans la personne du Roi Jacques de Lusignan. D'autant que Mélusine d'Albanie semble avoir été inventée pour marquer précisément les Rois de Chypre du sceau d'une origine diabolique, ou peu chrétienne à tout prendre. C'est le roman de la double nature de cette reine, femme et serpent. Son époux, Raimondin de Lusignan, la perdra pour, à l'encontre de leurs conventions, être entré un samedi soir chez le Dr Jekyll et y avoir vu Mr Hyde, j'entends non point la Mélusine qu'il connaît, mais la serpente. Et ce sont là ces choses secrètes de Dieu (dont *in fine* parle Jean d'Arras, et sa philosophie ressemble étrangement à celle des Mores d'Espagne, aux conceptions d'Ibn Rochd que nous nommons Averrhoès)... ces choses secrètes de Dieu qui *en monstre les exemples ès lieux et ès personnes où il lui plaist.*

Et nous en étions comme la dame eut laissé le chanter...

*

Mais il ne plaît Dieu me ramener à elle, il faut croire, et le miroir autrement a tourné pour le nom d'Aquitaine, en chemin, comme un beau caillou bien luisant sous le pas d'un cheval. Nous étions pourtant cavalerie portée à travers ces régions de souvenir, la Loire par merveilleuse tromperie passée, et j'ai peine à retracer sur les cartes ce chemin qui dut nous ramener vers Parthenay, Saint-Maixent... ici je n'eus guère le temps de penser à Lusignan que nous dépassions, à six lieues d'ouest, en pleine nuit : une ville vide, avec ses « Allées vertes », ignorant, nous, que l'ennemi à la tombée du jour étrangement y a défilé, pour aller où ? nul ne le sait. Nous avons franchi le seuil du Poitou, comme lisière entre le passé et le présent, les rêves et la défaite des rêves... on se croyait Saint-Jean-d'Angély pour but, puis on s'est rabattu vers Ruffec. Cette histoire-là, je l'ai écrite quelque part, d'une femme et d'un homme que la vie avait séparés, et qui se retrouvent par le hasard de la guerre en l'an 40 : Ruffec, par je ne sais quelle discrétion, dans ce roman que je dis, je ne l'appelais que de l'initiale, R... *Une ville comme Ys ou Bagdad. Trente-six kilomètres. R... Il a fallu tout ce bouleversement, la défaite, l'incompréhensible histoire de ces deux mois, cet écrasement, ce pays à vau-l'eau, cet immense désordre, cette migration d'un peuple...* C'est de là que nous sommes partis peu après l'aube suivante, laissant derrière moi mes légendes, dans ce matin superbe et clair de tout l'éclat de juin, il y avait d'autres unités mettant cap au sud, un charroi déjà qui semble n'avoir plus souci des combats. A Mansles, si je m'en souviens bien, où l'on coupe la Charente, étroite encore avec ses roseaux, ses ombrages, on s'est arrêté, à cause des encombrements. Nous n'avions pas de cartes, soldats à l'aveuglette. Quelqu'un nous expliqua que vers Montmoreau qui était notre point de ralliement la route évitait Angoulême, contournant la ville. « On ne verra pas Angoulême ? » dit, à côté de moi, le petit Ménard avec sa voix de tête. Je l'avais fait grimper sur le siège de ma sanitaire, entre le conducteur et moi, cet enfant qui avait été si courageux à Dunkerque. Il s'agissait bien de voir les villes ! La route franchissait une forêt, la tourisme du Médecin-Lieutenant Lévy nous doublait, et s'arrêta. Le docteur me dit : « Et si on faisait le crochet par Angoulême ? » Lui aussi. C'est vrai que ce n'était pas trop un détour : on le comprit quand la Nationale 10 rattrapa la Charente avec ses îles, le long du faubourg de l'Houmeau. Ménard souffla : « L'Houmeau... Monsieur le

Major… vous vous souvenez, Lucien de Rubempré… »
Ce petit Philippe a des lettres. La ville était au-dessus de
nous, là, sur notre gauche. Cela semblait nous éviter les
encombrements après tout… Le docteur était un drôle
d'homme, joyeux et prompt aux décisions. Il faut bien,
quand on est chirurgien. Il avait décidé de bifurquer,
comme on lie une artère. J'avais vingt hommes avec moi,
dix voitures. Et, sourdement, l'envie de voir la cathédrale romane. Je n'avais été qu'une fois dans cette ville,
il y avait très longtemps. Drôle de saison pour le *sight
seeing*. Mais le docteur avait deux galons…

Il allait faire très chaud, c'est sûr. Pourtant, débouchant sur la place, tout en haut d'Angoulême, bleus et
blêmes, avec nos sanitaires, cette Renault cinq tonnes,
un plateau bâché, qui nous avait suivis on ne sait pas
pourquoi, les dragons portés, camouflés vert et brun,
ayant continué la route inférieure, le grand calme du
moyen âge nous accueillit, offrant au délassement de
nos petits gars un croissant frais d'ombre encore sommeil-
leuse. On saute à bas des bagnoles, l'envie de se défrois-
ser, déplisser, ne vous éloignez pas, hein les enfants ?
De toute façon, on reste au plus cinq, dix minutes, mon
Lieutenant ? Malgré tout, le crochet, c'était un peu
irrégulier. Devant nous, les deux tours d'église, ce visage
de forteresse aux basses arcades bouchées de pierres
blanches, le haut mur, le fronton central, les sculptures
à contre-jour que je discerne mal… *Angoulême est une
vieille ville, bâtie au sommet d'une roche en pain de sucre
qui domine les prairies où se roule la Charente. Ce rocher
tient vers le Périgord à une longue colline qu'il termine
brusquement sur la route de Paris à Bordeaux…* Cela est
extraordinaire à moi qui n'ai des vers aucune souvenance,
comme une certaine prose me chante la mémoire. Où
donc est-ce, l'Houmeau, on ne peut plus le voir d'ici ?
On n'aura pas le temps d'aller chercher la place du
Mûrier qui avait à l'angle de la rue de Beaulieu l'imprimerie des Séchard, non plus ? A cette heure de la défaite,
quelle singulière chose, quand on a dix minutes au plus

pour apercevoir la cathédrale (pas question même de Saint-André), que de se sentir soudain à l'ombre des *Illusions perdues*, et de moins penser à l'architecture romane qu'à l'amitié de David et de Lucien, à cette minute ensemble où ils lisent André Chénier... Et c'est alors que de la rampe par où nous avions accédé à ce haut reposoir des siècles s'éleva le bourdon soudain des motocyclettes allemandes... Nous étions faits comme des rats.

Des types jeunes, le cuir, les genoux nus, les mitraillettes, le cirque de leurs petits chevaux de fer penchés. Ils ne doivent pas être nombreux, mais l'armée suit, c'est une question de minutes. Nous autres toubibs, on n'est pas armés. Le pensant, je tâtai dans ma poche le revolver chipé près d'Angers dans le camp des Polonais où j'avais pris cet imperméable qui me donnait un air de général, avec ma demi-ficelle de méd.-aux. Pas régulier. Il faudrait s'en débarrasser... Ces gaillards en un clin d'œil nous avaient tous ramassés sur la place, ceux qui s'égaillaient, cherchant où prendre un verre, les badauds le nez en l'air devant Saint-Pierre, qui n'a qu'une bouche et un seul œil, comme Regnault le quint enfant de Mélusine et de Raimondin, car toutes autres fenêtres y sont aveugles et bordées de figures à la gloire du Christ au dernier jour des hommes. C'était bien le temps de se souvenir que fut Angoulême capitale aussi de Lusignan après les Taillefer. Mais le bruit ici n'est point de Mélusine changée en serpent volant, avec ses ailes d'émail vert et bleu... Nous étions prisonniers, je veux dire le groupe sanitaire, et quelques soldats piteux qui s'étaient trouvés là en même temps que nous. Le tout ne faisait pas quarante hommes. Les archanges verts qui étaient venus balayer chez nous donnaient des ordres hâtifs, criaient des commandements. Il était clair qu'ils nous laissaient comme de la truite en baquet, qu'on reviendra prendre pour la manger fraîche. Il roulait au loin des voitures lourdes.

Tout cela n'a pris le temps de rien. Ni ce qui suit. C'est

pourtant un siècle de pensées. Le docteur, vif et de méchante humeur, se rongeait l'ongle. Mes étudiants en médecine faisaient des messes basses. Nous étions seuls avec notre destin et Saint-Pierre, ses deux clochetons inventés sous Napoléon III par le Viollet-le-Duc local, comment s'appelle-t-il donc, ce criminel? Et moi qui suis là, l'âme ouverte comme un ventre...

Parce que je n'ai songe de rien, ni de l'art roman ni de Mélusine ni de ce qui va se passer, le temps que le gros des Allemands s'amène. A peine si je comprends ce que des petits disent à côté de moi, personne d'entre nous n'a pris jusqu'ici souffle de réfléchir : « Mais, dis donc, Angoulême? alors on est à Angoulême? » Ils viennent de découvrir quelque chose qui m'échappe encore. Quand on n'a pas de cartes, et depuis Dunkerque on ne nous en a plus donné, les noms de villes, c'est de la géographie, ça ne se situe pas sur le plancher... Angoulême... Il y a Philippe qui fait le malin : « Angoulême, préfecture de la Charente, évêché, papeteries, faïence, fonderies, toiles métalliques et feutres... » Tout ça, c'est des départements. Ce qui leur manque, c'est d'imaginer ce qu'il y a de France à l'est, à quel niveau ça correspond par la Bourgogne, Dijon, Lyon ou plus bas? Où est-ce qu'ils sont à cette heure, les Boches? On vient de saisir que c'est foutu. Depuis une semaine, un peu plus, on dégringolait de l'Eure à la Charente, sans bien se rendre compte de ce que ça signifiait. Puis Angoulême. Tout à coup. Angoulême. Un nom d'oiseau rapace battant des ailes sur ce coteau du destin. Moi, je viens de mesurer l'abîme. Je me souviens de quelque chose. La gorge sèche, et les yeux vides vers toi.

C'était à la dernière permission en mars. Je devais rejoindre mon unité quelque part du côté du camp de Sissonne. Ce n'était pas encore vraiment la guerre. Je revois cette dernière nuit, dans ce petit logement alors dont tu te suffisais, quelque part au noir de Paris, dans ces rues étroites où nous nous sentions un secret mieux gardé, par les vieux murs beaux et misérables. Je te tenais dans mes bras comme un voleur. On dit ça machinalement, et puis ça signifie ce que ça signifie. Un voleur. Une chose à quoi l'on n'avait pas droit. Qu'on ne vous donnait pas. Tu la tiens dans tes bras comme. Oui. Comme un voleur. On parlait de la guerre. De la guerre qu'il n'y avait pas encore, malgré la nuit absolue, les séparations, l'absence. Et déjà tous ceux qu'on avait mis dans les prisons. Léon, arrêté devant tes yeux, Jeanne abandonnée... Je me souvenais de l'autre guerre, celle des tranchées, est-ce que, si ça se décidait cette fois, il y aurait les gaz... est-ce que ça durerait aussi quatre, cinq ans... ceux qui sont à plaindre, quand ça dure, ce sont les prisonniers. « Et les femmes ? » tu as dit. On entendait des bruits dans le mur. Raconte-moi encore, quand ils sont venus perquisitionner. Tu n'avais plus la tête à ça. Moi, je n'imaginais pas que quand je te reverrais, j'aurais les cheveux blancs. J'étais jeune à voir avec mes quarante-deux ans, c'est quarante-deux, hein ? Je te tenais dans mes bras, serrée, serrée, de toute mon épouvantable douceur d'homme. Si je ne revenais pas, mon amour, si j'étais quelque part, loin, dans un pays de montagnes, avec le froid, les mains blessées du travail, les saisons à n'en plus finir... si on ne savait pas quand ça va finir, il semble qu'il n'y ait pas de raison, pas de limite, pas de mesure au désert... Ah, je te tenais comme un... Dans mes bras de brute. Sur cette prison de mon cœur. Dans mes jambes de voleur. Mon amour, déjà qui m'échappes. Ma petite fille qui gémis. Mon Dieu, l'avenir. Ne pas savoir, l'avenir.

Alors. Tu t'en souviens, brusquement au-dehors le bruit d'une voiture, des freins, des voix. Non, ce n'était pas pour nous. A cette heure interdite. Une ambulance peut-être. Un va-et-vient mystérieux. Tout était inexplicable dans ces nuits-là. J'ai répété : l'avenir... Ta voix. Ta voix dans l'oreiller, l'ombre. Ta voix, celle qui dit : prends-moi dans tes bras. Mais pour autre chose, cette fois. J'avais de bonnes oreilles, alors. J'ai entendu.

Doucement. Tu disais. Doucement. Mais. Répète.

Tu as cru que je n'avais pas entendu. Tu as élevé la voix. Non. J'ai entendu, mais répète. J'ai besoin que tu répètes, que cela n'ait pas été dit une fois, comme ça, par hasard, enfin peut-être par hasard. Tu as répété. Les mots mêmes, les mêmes mots, quoi. Ils repassent en moi le même chemin de couteau, la même déchirure. Essuie, essuie le couteau. Qu'est-ce que tu as dit? « Tâche de t'arranger... », tu as dit, tâche de t'arranger... « Parce que si tu es fait prisonnier, il faut que tu saches... d'abord, bien sûr, peut-être... mais est-ce qu'on peut attendre? Il n'y a pas de raison. La vie d'une femme a ses limites. Le temps ne revient pas. Il vaut mieux que tu saches. Non, n'y compte pas. Je ne t'attendrai pas. La vie est trop courte. Il ne faudra pas m'en vouloir. C'est comme ça. Je ne te mens pas. Je ne veux pas te mentir. Je ne t'attendrai pas. Je prendrai un amant. C'est inhumain d'exiger d'une femme. Ne pleure pas, mon petit, qu'est-ce que tu as? Tu aimerais mieux que je ne te prévienne pas... le découvrir après... ou quoi, le mensonge? Je prendrai un amant. Si ça te déplaît, eh bien, arrange-toi. Qu'on ne te prenne pas. Ne les laisse pas te prendre. Parce que tu sais, maintenant, tu es prévenu. Je ne t'attendrai pas. »

Cela se passe devant la Cathédrale Saint-Pierre, avec ses trois coupoles sur la nef, la tour romane au croisillon nord avec ses six étages, dont les quatre en haut s'ajourent. Je regarde le Dieu du dernier jour entre les signes animaux des évangélistes et ces chutes d'anges, ces danses d'anges, au-dessus de l'œil de Regnault. Nous sommes seuls. Les motocyclistes rayonnent dans la ville. Je regarde la confusion des choses, les voitures, nos petits gars. Ils parlent par groupes, s'interrogent, sont déjà comme des esclaves enchaînés, ils semblent ne pas oser se détacher de l'ombre. Docteur, Docteur... Il ronge son ongle, il est court et gras comme un taureau, un taureau roux, avec ses gros yeux saillants. Docteur, est-ce qu'on ne pourrait pas. Nous sommes seuls. Personne ne s'y oppose. Si on a de la chance. Ils doivent aborder la ville de l'autre côté. Si je comprends bien, par ici, la rampe, en descendant, si on tourne à gauche, je veux dire à l'opposé de par où, grimpant.., vous y êtes? ça doit être la route de Montmoreau, Chalais... qu'est-ce qu'on risque? Ont-ils seulement déjà mis des sentinelles, tout autour d'Angoulême... pourquoi l'auraient-ils fait, ces gosses de l'avant-garde? Vous me suivez.

J'entends ta voix, dans l'oreiller noir comme l'avenir, il me semble qu'elle vient du fond de la cathédrale, une voix profonde, implacable et douce. Je ne t'attendrai pas. Je ne t'attendrai pas. Qu'est-ce qu'il dit, le docteur? Il est d'accord. On commence à mettre au courant nos bonshommes, hein... Tout cela ne prend le temps ni de l'écrire ni de le penser. Aux voitures. Les petits ont l'air inquiet, mais eux aussi, ils sont d'accord. Sauf deux. Ah, je les connais, ceux-là. Pas des mauvais types. Qu'est-ce qu'ils chantent? Qu'on va se faire piquer, que ce n'est pas la peine, de toute façon la guerre est finie, mieux vaut se tenir tranquilles, dans huit jours on nous renvoie chez nous, tout le monde sera libéré... Je sens le rouge me monter. J'essaye, oh, pas longtemps, de les persuader. Petits imbéciles. On en reparlera dans trois ans. Ils commencent à le prendre de haut. Eux, en tout cas, leur siège est fait. Partez si vous voulez, Monsieur le Major. Est-ce que vous vous rendez compte que c'est déserter? Tout de suite, déserter! Au point où on en est. Dans huit jours, il n'y aura plus d'armée. Pourquoi risquer? Moi, je t'entends qui parles, qui dis : « Je ne t'attendrai pas... » Ça n'a pas pris le temps de réfléchir. Les dix sanitaires, la tourisme, et derrière, dites donc, dites donc. Qu'est-ce qu'ils font, ces types-là? Les soldats de je ne sais quoi se sont couchés sous la bâche, le chauffeur rigole, le cinq tonnes se met derrière nous. Docteur, ça n'est pas régulier. Nous, on peut prétendre, la Convention de Genève. Mais si on a des poilus avec leurs flingues... Oh, et puis! La colonne s'ébranle. On descend la rue abrupte, et vide, on dévale la pente. Je ne t'attendrai pas.

Comme on allait tourner, là où sur la gauche file le boulevard d'en bas, la voix rauque, le *Halt*! d'une sorte de géant casqué, son fusil... Le chauffeur, c'est-à-dire le mien, ma voiture était en tête, il est d'avis de foncer. Bon, pour nous, mais les autres? Qu'est-ce qu'il y a, dit le docteur, qui n'avait pas vu, roulant sur le flanc gauche... Il faudrait parlementer. Je vais lui dire, la Convention de Genève. Vous parlez leur patois? Oui, à la rigueur, j'ai un peu oublié, et vous, Docteur? Il parle leur patois. Enfin, on essaye. J'ai sauté à bas. Je parle au géant de très haut, comme un officier à sa racaille. Je veux dire que ce sont les Allemands, les officiers, là-haut, qui nous envoient, nous allons relever des blessés. Lui, avec ses sourcils tellement blonds sur le regard bleu foncé, marine, il a l'air aveugle, des bras couverts de taches de rousseur, le fusil. Ça doit être un Souabe, il parle un allemand drôlement mal foutu. Il ne marche pas, il crie, il montre la ville, le haut, ça veut probablement dire, allez, retournez-y... Le Dr Lévy qui se mêle de la conversation, et tout le temps moi qui t'entends, je ne t'attendrai pas, je ne t'attendrai pas... Merde. Le docteur. Je n'y avais pas pensé. Comment y aurais-je pensé. Il est juif, bien sûr. Si ce gaillard gammé-là le comprend... D'ailleurs, son allemand, au docteur, qu'est-ce qu'il parle? Maman, c'est du yiddish... il n'est pas fou? Je m'avance, je l'écarte, tant pour pis les galons, je m'y mets d'abondance : si cet homme nous arrête, que sur lui le sang allemand retombe! Nous allons relever des blessés allemands, un accident sur là route, des chars... *Panzer, panzer, verstehst du?* Et puis tout d'un coup le langage qui me monte comme un fleuve, j'ai tout retrouvé à travers dix, vingt ans de mémoire, je parle un allemand magnifique, des phrases entières d'*Hermann und Dorothea*, tout Gœthe à ma gueule tonnant, une prose de majesté, ou Kant, ma parole, qu'est-ce qu'il y comprend, la sentinelle? Kant, sur les remparts de Kœnigsberg avec le langage des voies lactées... (*Je ne t'attendrai pas!*) ... je parle à sa stupeur, l'homme, un paysan avec tout la force de la faux, vingt-deux, vingt-trois ans, mais déjà l'ampleur d'épaules de ceux qui redistribuent les terres entre les peuples... (*Je ne t'attendrai pas!*) ... A moi, tout le langage allemand, tout l'éclat des tragédies, le Schiller de *Wallenstein*, la Chanson de la Cloche, et Kleist, mon ennemi, Kleist à mon secours!

Kleist... la leçon de Kleist n'est pas que de langage : les armes, prendre les armes, tout à coup j'ai cette brusque flambée, et le goût du meurtre dans mon ventre, devant ce jeune homme de chair et de ténèbres. En parlant, j'ai mis la main dans ma poche, et la chose froide et noire y pèse, et merde pour la Convention de Genève! j'ai l'habit du médecin, mais rien d'autre après tout, et tandis que je parle il monte en moi cette volonté de tuer, pour la première fois de tuer... ne pas rater mon géant, je le vois par terre, je vois le sang... mais s'il y en a d'autres, là derrière, au tournant?

Qu'est-ce qui s'est passé dans ce paysan sans regard? Je ne sais s'il a distingué les mots que je disais, si ce bruit des siens lui a fait plus qu'à nous tout à l'heure l'arrivée des motos... Il est noyé, il me regarde de sa cécité marine, il renifle, change de pied, racle sa gorge. (*Je ne t'attendrai pas!*) Quelque chose se déclenche, dans l'épaule et le coude, la hanche hanche... est-ce qu'il va me tirer dessus? La Convention de Genève, le droit international, tout ce qu'il faut dire, et si ce sacré docteur pouvait taire sa gueule, j'en ai des suées que mon zigoto comprenne... oh, il n'a pas l'air futé, futé... mais les Juifs, s'il se doute. Je dis des choses que je ne comprends pas moi-même... (*Je ne t'attendrai pas!*) Tonnerre, il a fait signe de passer!

Les dix voitures sanitaires, la tourisme, la plate-forme bâchée sur les bonshommes dont on voit bosser le cul et l'échine... Tu parles de la Convention de Genève! On tourne. L'accélérateur. On fout le camp. La route. Ça suit derrière? Ça suit! Chauffeur, vous rigolerez un autre jour. Le cœur, la saloperie de cœur qui me bat. Tu ne m'attendras pas, tu n'auras pas à m'attendre...

On roule, on roule. Dans une stupeur de rire, un vacarme de silence. Puis la voix de tête de Philippe : « Les copains derrière...

— Qu'est-ce que tu dis ?

— Je pense aux copains derrière... Sous leur bâche... s'il avait regardé... vous aviez bonne mine, Monsieur le Major, avec votre Convention de Genève! Mais le type, il était plutôt beau à voir.

— Quel type ? Qu'est-ce que tu bafouilles ?

— Le type, là. Avec sa mitraillette... plutôt joli garçon... »

Et moi, ça me flanque une colère rouge. Je sens mes oreilles, mon front. Allons, maintiens-toi. Ce gosse, il ne sait pas ce qu'il dit :

« D'abord, Philippe, les Allemands ne sont pas beaux... retiens ça... »

Ce petit imbécile qui ricane! Pas beaux, aucun? Il discute, ma parole. Je lui dis très vite, sur un ton qui n'admet pas la réplique, qu'à supposer qu'il y ait des hommes beaux, ce ne peut pas être des Allemands, enfin ils n'ont jamais que la beauté des bêtes, des bêtes à abattre. Philippe se tait. Ce n'est pas pour mon demi-galon. Le poteau indique la direction de Chalais. Tourne, je crie au conducteur, qui tourne.

« Monsieur... » Qu'est-ce que c'est, qui m'appelle Monsieur? Ah, Philippe encore? Il a perdu la boule. Qu'est-ce qu'il dit? Moi aussi, il dit, je parle l'allemand... une autre fois, si vous me demandiez... ça vaudrait peut-être mieux!

Et plus ne parle ici l'histoire d'Angoulême, et de ce Christ au dernier jour, ni de Lucien de Rubempré, ni du Dr Lévy d'Antibes, ou de la route qui descend par-dessus les Eaux-Claires dans la verdure vers Vœuil où le chêne et le noyer se marient. Plus ne dit mot l'histoire ni du petit Philippe, ni du géant de Souabe, la gueule ouverte d'étonnement, pour tant de mots sortis de moi comme d'un magister prussien.

Mais tourne et tourne le miroir.

*

Le miroir tourne à l'envers... est-ce d'avoir accroché, où était-ce? dans ce P. C. de passage, avant ou après la Loire, un général soudain quand le téléphone de campagne a sonné qui se trouve au bout du fil devant son collègue allemand... oui... oui, je l'ai fait tourner à rebrousse-temps de quelques jours, c'était quelque part à l'est de Bécon-les-Granits, il s'agissait encore de savoir si Angers serait ou non défendu... ah, c'est une tout autre histoire! et déjà le général Langlois se trouve bien plus au sud à un carrefour, où devant lui s'arrête une grande voiture découverte, avec le CD de l'ambassade du Chili, et sans savoir à qui elle parle Ingeborg s'adresse à lui : « Votre mari, Madame... mais je le connais fort bien... » et il l'envoie à ce pays de Dordogne où nous avions dû nous rabattre, une rectification de frontière nous ayant forcés à quitter Ribérac... Fougère, je me suis arrangé : ils ne m'ont pas pris...

Le miroir trop vite a tourné pour les étapes de cette route, et il s'est enfui deux années comme une seule couleuvre. Quel hasard mène Anthoine et Fougère par un jour gris aux remparts d'Antibes, dans cette demeure toute en vitres sur la mer, chez quelqu'un qui vient de recevoir visite d'une femme, pour eux une inconnue, arrivant tout juste de Vichy, avec une histoire à raconter, une histoire à dire à n'importe qui pourrait la faire parvenir à l'un de ces lieux de mystère, desquels on sait qu'ils existent, mais comment en trouver la clé? Bien sûr, on se doute qu'Anthoine Célèbre... bien sûr, Anthoine... même si c'est aux communistes qu'il va transmettre... C'est une belle femme dont je ne sais rien, mais que cette histoire agite. Elle dit, pourriez-vous... elle dit, il faudrait que... elle dit comment faire parvenir... Donc, hier. Hier exactement. Le Maréchal. Oui, le Maréchal. Il a reçu le général Giraud évadé d'Allemagne. Voilà ce que le Général... et le Maréchal a répondu. Elle sait par le détail ce qui s'est dit entre ces deux hommes, le refus de Pétain... Comment, comment savez-vous cela, Madame ? Oh, mon Dieu, il faut que cela se sache. Ne pouvez-vous pas, Monsieur, n'avez-vous pas, ou si vous connaissez, si par n'importe qui, quel chemin. Répétez, Madame, très exactement, pour que je retienne les mots, que je ne me trompe pas. Elle répète. Nous sommes sortis. Il faisait un grand vent, les quais étaient déserts, la ville vide, et froide, les palmiers gris. Ingeborg n'a pas demandé où nous allions. Elle le savait. Cette histoire était bonne pour quarante-huit heures. Ma *liaison* venait juste de passer, on ne la verrait pas d'un mois ou deux. Tant pis. Alors, naturellement. Le docteur, cela m'était venu tout de suite à l'idée. Il n'avait pas changé physiquement, c'était toujours le même qu'à Angoulême, à peine redevenu civil, il n'avait jamais accepté l'armée ainsi dispersée. Mais bien d'autres choses en lui avaient pris ce tour d'abord qu'il refusait, quand nous nous disputions et qu'il disait, tout ce que vous voulez, tout, mais pas Pétain, ne touchez pas le Maréchal... c'était des histoires de l'autre guerre... alors pourtant que nous prenions ensemble les adresses des hommes, toute la division, en cachette, pour le cas d'une reconstitution clandestine... Dans cette villa d'une avenue qui descend vers la base du Cap, je savais bien que c'était le lieu de croisement de divers fils. Tout se passait entre nous comme si nous ne racontions jamais rien. Nos organisations n'étaient pas les mêmes. Leurs secrets n'étaient ni à lui ni à moi. Ce jour-là, aux allées et venues de sa femme, ses filles, on pouvait comprendre qu'il y avait quelqu'un dans la maison. Je lui dis : « Pouvez-vous faire savoir, très vite, où il faut, que le général Giraud... » Il dit, attendez, il dit, je reviens,

il dit, peut-être pourriez-vous lui raconter vous-même,
il dit, comme ça se trouve, vous avez deviné, justement... Enfin, c'était le patron de son organisation.
Non. Il m'était interdit de le voir. Telles étaient les
règles de la nôtre. Dites-lui tout de même bonjour,
hein ? Le soir même, il devait, dans une crique du Cap...
enfin, un sous-marin venait le prendre... la nouvelle
sera cette nuit même à Alger où il y a... Bon, je n'ai pas
besoin de savoir.

Le hasard. Le drôle de hasard. Je ne pouvais pas, en
tout cas, deviner pourquoi tout ça, ce qui se préparait.
Je n'ai su que bien plus tard le rôle inconscient que j'ai
joué dans tout ça. Et comment... Je l'ai compris quand
j'ai lu le communiqué de l'Information sur un tout autre
sujet, il y avait eu entre-temps le débarquement d'Afrique du Nord, nous avions le lendemain ou le surlendemain vu entrer dans Nice les bersaglieri avec leur équipement misérable, décidé en moins de deux de quitter
la ville, juste prévenir Henri Matisse, sa secrétaire
était venue nous accompagner à la gare du Sud, le dernier train qui partit vers Digne, dans le train il y avait
l'acteur Samson Fainsilber, et par les fenêtres les motards
emplumés de coq dépassaient notre archaïque jouet de
grandes personnes, cette station dans un hôtel gelé,
le train ne pouvait pas aller plus loin, on est repartis
au matin, pour finir, avec l'autocar, un autocar bourré
de jeunes gens bizarres, bottés, avec des sacs, des
messieurs à l'air de gentlemen farmers, des conversations équivoques, par rejoindre obliquement Avignon...
Et c'est là, que nous avons lu le communiqué que je
disais, de l'Information : *Le général de Lattre de Tassigny,
qui commandait la région militaire de Montpellier, a, le
8 novembre dernier, lorsqu'il apprit le départ du général
Giraud pour l'Afrique, abandonné son poste et entraîné
avec lui quelques officiers, quelques hommes et deux canons,
en vue de constituer en France une formation dissidente.
Après avoir erré dans la campagne, inquiet des mesures
qui avaient été prises pour assurer l'ordre, il s'est rendu*

au premier officier de gendarmerie qu'il a rencontré...
Là-dedans, j'entendais surtout le nom de Giraud. Le départ de Giraud pour Alger. Ce général de Lattre ou Delattre, moi... Les gens se poussaient le coude, s'exclamaient : dites donc, avec deux canons! après avoir erré... le premier gendarme venu! C'était une de ces rigolades. Sans nul doute l'affaire était-elle racontée pour ridiculiser ce général, à la manière de Vichy. Nous avions autre chose à faire que de redresser les idées du monde : je devais laisser quelques jours Ingeborg ici, seule, pour aller vérifier cette planque dans la montagne... J'avais appris que de l'autre côté du Rhône, du côté du *Royaume*, comme disait encore ma grand'mère, un peu en dehors de Villeneuve, en contrebas devant la tour de Philippe le Bel, cette belle maison avec des murs, c'était le général Langlois qui y habitait. Commandant le 1er groupe de divisions militaires, armée de l'Armistice. Bon, et puis qu'est-ce que ça prouve? Il me semblait que tous les officiers, dans leur cœur... J'aimais beaucoup Langlois, vous savez. Il avait été très chic avec moi. Avant même le dix mai, quand nous étions encore près du camp de Sissonne. Puis, je vous l'ai dit, il avait pris l'habitude de se servir de moi comme éclaireur. Je ne pouvais pas imaginer. Je n'imaginais pas, quoi. La tentation, je ne le disais même pas à Fougère, m'était devenue grande de passer le pont, l'île de la Barthelasse, la maison rose des gendarmes, et d'aller voir mon général, comment il allait... Ce que les camarades en auraient pensé, ça! Mais j'en ai toujours décidé à ma tête. Seulement quelqu'un, par hasard, toujours le hasard, moi, a brusquement raconté devant moi, tout en faisant des gorges chaudes des deux canons, du premier gendarme etc., que l'équipée de ce général, c'est Langlois qui y a mis un terme. Il avait su. Des officiers l'avaient prévenu, quoi! Il avait envoyé la gendarmerie, dans la région de Saint-Pons. Langlois? vous êtes sûr? Bien, quoi, il fait son métier. Un soldat est un soldat. Ah oui? C'est drôle, après tout ce qu'on avait déjà vu! ça m'a foutu un coup.

Langlois. Au fond, j'étais comme le docteur avec Pétain : à chacun ses illusions.

Ah ce miroir, ce miroir, comme il glisse au glacis des années ! Et puis, ça n'intéresse plus personne, l'occupation, la Résistance, c'est nous maintenant, les vieilles badernes... Qui pourrait encore comprendre ce qui se passait dans ce cœur-là ? Quand c'étaient, aux jeunes gens, des types qui n'avaient pas passé par Saint-Cyr, qui apprenaient à faire demi-tour à droite, et montraient comment démonter une mitrailleuse... Et les étranges causeries, les prêtres qui vous donnaient le bon Dieu sans confession, les éclatements dans la nuit, les gens avec qui on se trouvait vers trois ou quatre heures du matin dans un champ avec un appareil inconnu, à repérer le ronron du ciel, et les boîtes de chocolat qui vous tombent sur la gueule... Celui qui n'a pas lu Péguy en 1943 peut-il bien me comprendre ?

Enfin, on l'avait nettoyé avec des journaux chiffonnés, le miroir. La guerre avait encore duré quand ce n'était déjà plus la guerre. La nuit, je rêvais que ça ne finissait jamais, qu'en fait, ça n'avait jamais fini depuis quatorze, c'était toujours Guillaume, on l'appelait Hitler, et puis après... *Nos soldats à La Rochelle*... Cet hiver, j'étais de l'excursion où le général de Gaulle avait emmené quelques écrivains, c'était juste comme on avait failli perdre Strasbourg, sur le retrait ordonné par Eisenhower. L'homme des deux canons et du premier gendarme, de Lattre, n'a pas accepté d'abandonner la ville, et les Américains doivent annuler leurs ordres. Nous arrivions après cela, la tournée. A Metz, il y avait Giraud dans la foule, écoutant de Gaulle. Encore une réconciliation... dans le train au retour, François Mauriac s'épouvantait de la revendication de la rive gauche du Rhin, qui était la sensation du discours de Metz. Et peu à peu vint le printemps, l'hallali, les armées sont autour de Berlin, les cors de chasse sonnent, qui va mettre pied à terre, et sortant son couteau achever la bête ?

C'est en juillet qu'Ingeborg reçut l'invitation du

général de Lattre. Sans doute le retentissement qu'avait eu cette soirée de la Victoire à l'Opéra, où sa voix avait bouleversé Paris, avait-il poussé le vainqueur de Strasbourg à vouloir avoir Mme d'Usher à Lindau, au Q. G. de la 1re Armée. J'étais invité par-dessus le marché. Il faut croire que l'enivrement de ces jours-là m'était monté à la tête. Je n'ai de rien d'alors une image nette, il y avait un mois que tout me semblait terni d'une buée, que la tête, avec le miroir, me tournait. Je me souviens vaguement, au-delà des ruines de Gérardmer, de ce paysage qui s'ouvre sur l'Alsace, et du pont de Kehl passé en auto, mais au-delà, rien. Nous entrions dans la légende. Je ne revois que cette salle avec un tas de jeunes officiers, plus élégants les uns que les autres, les mess de Lindau, sur le lac de Constance. La haute stature du général de Lattre, son grand nez d'oiseau de proie. Et un aide de camp qui me prend à partie, mais expliquez, expliquez-moi donc. Il m'accusait. Il accusait en moi les communistes, mais de quoi, d'avoir en 1938 voté les accords de Munich. J'avais beau lui dire qu'ils avaient été les seuls, au contraire à ne pas les voter, il haussait ses belles épaules : les seuls ? Et M. de Kérillis, alors ? Oui, les seuls, avec Kérillis, et encore un député de la Côte d'Or, je crois bien. Il ne voulait pas me croire. Rien à faire. Tout le reste est confus. De l'Autriche au Jura souabe et au-delà. Un château quelque part avec des notables comme sur les images, je ne sais pas pourquoi venus, ce que nous faisions là-dedans. Ou ce jardin avec des actrices, un éditeur, des jeunes gens qui parlaient de Franz Werfel... Des généraux... Béthouart, Linarès, Monsabert, est-ce que je sais... des forêts, des montagnes... les Américains... *Roméo et Juliette* à Tübingen, dans les projecteurs parmi les tabors marocains... Aucun moment de ma vie n'a été moins réel. C'était un moyen âge étrange où soudain s'était pour moi à Jean de Bueil identifié Jean de Lattre : je l'imaginais comme l'autre, de la guerre de Cent Ans... à ce moment où Charles VII a envoyé ses hommes à l'aide du duc d'Autriche... ou plus tard, sans doute ayant passé l'âge du *Jouvencel introduit aux armes*, et déjà en mauvais termes avec son nouveau souverain, voulant de sa vie tirer leçon pour la jeunesse, dictant à ses serviteurs l'histoire de sa vie, mais ne les payant point pour mettre son nom ès chroniques. Je confonds, je vous dis. Ce sont les sacrés biseaux de ce miroir. Il y a des choses, je ne sais plus si je les ai vues de mes yeux, ou si je les ai lues quelque part : *... des arbres comme ceux qui font les coulisses au théâtre... Très, très hauts avec les feuillages qui se rejoignent en dentelles au-dessus de la route... Des arbres immenses, avec de la mousse verte sur les troncs et par terre... J'ai vu sur la route, venant à notre rencontre, une voiture avec des officiers allemands... Nom de nom, où est-ce que j'ai lu ça, qui ressemble à un rêve... la voiture... elle n'avait rien d'un fantôme, nous avons bel et bien vu les officiers, armés, casqués, décorés... La route était bonne, la forêt de plus en plus magnifique... Enfin, après une courbe, nous eûmes le soleil dans les yeux : c'était devant nous la lisière d'une forêt... Du moins, nous le croyions... Ce n'était pas la lisière, c'était une clairière. Des tentes y étaient dressées. Des soldats allemands, torses nus, allaient et venaient, sciaient du bois, jouaient au ballon... Il y avait une roulante, des soldats allemands faisaient la queue devant, mangeaient. Il y avait quelques pièces d'artillerie. Nous ne nous sommes pas arrêtés. Je n'ai pas pris de photos. Ils semblaient ne pas nous avoir vus* [1]...

Et puis soudain l'image saute, se fixe quelque part à Paris, dans le quartier militaire, j'ai oublié l'adresse, un appartement assez mesquin, c'est pas très longtemps après Lindau, un mois, un mois et demi peut-être. Comment donc m'a-t-il convoqué ? Un des jeunes gens de là-bas qui est venu me chercher : le Général voudrait vous parler. C'est étrange. Pourquoi ? Dans cette espèce de salon, comme en avaient les gens de ma famille, je

---

1. Elsa Triolet. *Anne-Marie. Les Fantômes armés.*

n'ai pas attendu longtemps : la porte au fond s'est
ouverte, et Jean de Bueil avec son grand bec d'oiseau
souverain raccompagnait quelqu'un, sûrement un officier, en civil. Il m'a fait entrer. J'avais envie de lui
parler du Luc et de Crathor, et de ses querelles avec
Gilles de Raiz, et de ce que ce n'était pas le moment des
bisbilles. Il m'a fait asseoir. Et il a commencé à se plaindre. On l'avait trahi toujours. Ça continuait. De quoi
de Gaulle lui en voulait-il? Du faste de Lindau? Des
fêtes sur le lac? D'avoir quitté Paris, où on lui avait
retiré le commandement de la revue sous l'Arc de
Triomphe, en lui donnant une place au fond de la tribune? La 1re Armée est dissoute, Kœnig commande en
Allemagne, et lui... on veut faire de lui l'Inspecteur de
l'Armée, le rancart, quoi! S'il accepte, c'est fini. Moi, je
suis là, j'écoute, je m'étonne. Pourquoi me dit-il cela à
moi? pourquoi m'a-t-il fait venir, moi? Je comprends
bien que je ne suis le sphinx interrogé que par substitution : il s'adresse au-delà de moi, à d'autres, à toute
une masse d'autres, dont il a représentation sans doute
fantastique, lui, qui fut l'homme de l'Amalgame, celui
qui voulut joindre l'armée de métier et l'armée de la
nuit. Moi, après tout, moi aussi bien qu'un autre. Jean
de Bueil interroge en moi je ne sais quelles Grandes
Compagnies, ceux qui ont surgi de l'ombre, mes camarades. Que voulez-vous que je lui dise? Qu'est-ce que je
vais inventer? Je suis venu ici par le métro, j'ai pris
l'escalier ou l'ascenseur. C'est un petit appartement
avec des boiseries claires, des objets comme partout,
pas trop. Pourquoi tout de même ce général, celui tout
de même à l'heure de l'invasion du Sud qui se porta en
avant, seul, avec ses hommes, et moi je n'avais pas du
tout trouvé ça ridicule, je n'étais pas du côté de Langlois...
pourquoi m'interroge-t-il, moi, avec cette attente en lui,
cette angoisse, cet air de respect, ma parole? Je n'y
comprends rien. Si je lui disais, mon Général, vous qui
avez été l'un des premiers compagnons de Jeanne d'Arc,
vous qui étiez à Verneuil, et au siège d'Orléans, et à celui

de Lagny-sur-Marne... Mais il ne sait pas, lui, que pour moi, il est le Sire de Bueil. Il ne sait pas que je ne le vois que dans le miroir tournant.

Qu'est-ce que j'ai dit, quels mots absurdes, phrases vides : j'ai dû lui conseiller d'accepter ce poste qu'il tenait pour indigne. Oui, moi, Anthoine, je lui ai dit de ne pas sortir de l'Armée, si dur que cela lui fût, de durer simplement, de ne pas écouter ceux qui le poussent à faire de la politique, à se présenter aux élections... Oui, moi, je lui ai dit cela, quel toupet, hein ? Je n'avais pas le temps de réfléchir, c'était comme ça venait, j'avais tout d'un coup une telle idée de l'Armée, du rôle d'un soldat. Je ne pourrai jamais expliquer comment, pourquoi, cela m'avait pris à m'étouffer. Je parlais. Il m'écoutait avec stupeur. Il avait tout naturellement, de moi, attendu tout autre chose. Il dit, vous avez probablement... vous devez avoir... vous avez raison. Et puis encore, ces mots-là, du diable... ces mots-là dans votre bouche !

Il m'a raccompagné. Dans le salon, il y avait quelqu'un qui l'attendait. Il nous a présentés : William Bullitt... Anthoine Célèbre... C'était Bullitt, maintenant, qu'il allait consulter.

Dans l'avenue de Breteuil, parce que c'était l'avenue de Breteuil, au-dehors, je la revois maintenant, j'allais droit devant moi, sans savoir où, vers Grenelle. Je n'en revenais pas. Qu'est-ce qui m'a pris, qu'est-ce qui m'a pris ?

« Qu'est-ce qui t'a pris ? — dit Fougère, et elle me regarde comme une bête curieuse. — C'est drôle avec toi... les militaires... Pour moi, ce sont des Martiens... je te l'ai déjà dit... »

*

Le miroir tourne... il accroche un mur, un arbre, une étreinte, le passé comme l'avenir, des morts en travers d'une route, des soldats verts dans un train d'ombre, un pays de pierre et de vent, le cauchemar écroulé de Berlin détruit, le grand incendie des Landes, que sais-je, et cette nuit panique où la voix éperdue appelle le peuple à se porter vers les aérodromes... le miroir s'affole et prend dans son jeu les lumières de trente années, les spectres d'une vie et les décors du temps, la Maison-Blanche et le Hradcin, la pluie à Rome et l'éponge étouffant Brooklyn, il tourne, le miroir, et j'y vois mon visage, et l'âge sur mon front, et l'ironie aujourd'hui d'autrefois, il tourne, et me ramène aux pieds de Fougère, en plein présent, sur le tabouret de cuir cramoisi, un soir d'hiver, la neige au-dehors tombe sur les jardins.

Je n'ai jamais trouvé plus belle Ingeborg qu'aujourd'hui, dans cette lueur vieux rose d'un Paris secret aux grands arbres noirs. Derrière les vitres tourbillonnent les flocons d'acide borique du Châtelet. Tous les pas de l'esprit sont assourdis, les ombres fausses, les paroles blêmes... Je ne sais pourquoi, j'ai tout juste dit que lorsque Stevenson a écrit *Jekyll*, c'était qu'il venait de lire *Crime et Châtiment* : le rire alors de Fougère, comme un bracelet qu'on agite en levant le poignet. Comment peut-elle avoir traversé l'existence, ainsi, gardant ce regard soudain d'une enfant ? « Et comment voudriez-vous, — lui dis-je, — ayant compris ce qu'elle n'exprime pas, — que je fasse d'Anthoine et de nous deux, si je ne parlais pas de Jekyll ? Le difficile tient à ce qu'il est contraire aux bonnes mœurs de bâtir un roman sur un roman déjà fait, des personnages sur le portrait déjà fait d'êtres imaginaires... Pourtant, sans Raskolnikov il n'y aurait pas eu de Mr Hyde : et toute l'histoire, et la figure même, de *Lucien Leuwen* ne viennent-elles pas d'un roman intitulé *Le Lieutenant* qu'avait remis à Stendhal, en manuscrit, Mme Gaulthier, de Saint-Denis, *l'aimable Jules*... est-ce pillage ou plutôt histoire à partir d'une autre songée ? Beyle, d'ailleurs, était récidiviste : *Armance* ainsi part de l'*Olivier* de Latouche, sinon de celui de Mme de Duras, comme le contrepoint d'une mélodie que son premier auteur n'aurait pas su développer... j'entends du *thème* de Latouche, sans qu'aucunement, si l'on sait lire, on puisse l'accuser d'avoir démarqué *Olivier* pour peindre Octave. On multiplierait les exemples. C'est là, chez tous les créateurs, une démarche souvent dissimulée, pour l'engendrement des chimères... Mais je viens de lire une thèse [1] qui semble établir, en réalité, qu'Octave de Malivert, où l'on voyait surtout le jeu de Stendhal par rapport à des personnages *écrits* (si pas à lui-même), aurait eu pour véritable pilotis un homme de chair et de sang, ce Victor Jacquemont qui fut l'ami de Beyle et de Mérimée, et le héros dans la vie de cette aventure qui a donné *Lakmé*...

— *Lakmé ?* — coupe Mme d'Usher, et il me semble d'abord qu'elle n'a entendu que ce mot en elle, et peut-être qu'elle pense à comment Lily Pons chante l'*Air des clochettes*, mais non, car elle ajoute : — Que ce soit d'un homme vivant ou d'un homme écrit, l'important est qu'il soit venu jusqu'à nous ; n'est-ce pas, au bout du compte, Octave de Malivert qui aura survécu, même dans *Lakmé*. Tout cela, c'est encore une façon ou une autre qu'a de tourner le miroir : et tous les héros de roman sont comme les midinettes qui épinglent au mur les beaux jeunes gens d'Hollywood ou Johnny Hallyday, les soldats dans leur chambrée Claudia Cardinale ou Mylène Demongeot. Pour ne rien dire des romanciers. Sauf que la plupart, quand ils mettent au monde leurs créatures, nous cachent plus ou moins bien à quelle autre ils avaient rêvé. Il manque à Mme Bovary que nous sachions qui était son James Dean... »

Et je la regarde et je me dis que je ne sais que trop qui est son Christian. Oh, pas le Christian de Perros, l'homme du miroir Brot! Non, son Christian d'aujourd'hui, celui à qui s'adressera l'Isolde qu'elle va chanter, ou Mélisande. Parce que le chant jamais, dans sa gorge,

---

1. Jean Théodoridès du « Stendhal-Club », communication au *Congrès des Amis de Stendhal* à Civita-Vecchia (1964).

n'est abstrait. Pourrais-je avoir la sottise de croire que ces accents profonds qu'elle trouve *sous le prétexte* de Pelléas ou de Tristan sont une simple gymnastique vocale, je n'ai pas cette simplicité. Il faut bien que le thème ici ne soit que le manteau couvrant la contrebande. On dirait qu'elle m'a compris sans que je parle, elle répond à ce qui n'a point passé mes lèvres, s'en tenant aux romans, il faut croire, de peur qu'autrement tout devienne trop personnel, trop personnellement attaché à ce que je sais d'elle.

« Vous avez entendu cette année, à l'Opéra, la Callas chantant *Norma*, ou si c'était, à votre avis, Anthoine qui m'accompagnait ? Jaloux comme vous l'êtes, vous diriez de moi, si j'avais ce génie qu'elle a, chantant ce rôle, que c'est ce beau garçon qui m'inspire... oui, l'Italien... incapable de reconnaître la source vraie de l'émotion. Alors que si je chantais *Norma*, j'aurais, j'en suis sûre, tout le temps en moi, dans mes yeux, ma tête et mon cœur, l'obsession d'un pays occupé, de la tragédie d'une femme en proie à l'amour d'un ennemi, prête à tuer les enfants de son crime, et croyez-vous que ce serait pour moi une histoire de Gaulois et de Romains ? Il en va de même des vrais romanciers. Je ne parle pas pour vous, vos romans, qui sont des manières de fables... je parle des romanciers chez qui le verbe se fait chair. »

Elle ne m'humiliera pas. Je sais très bien que je suis un romancier médiocre, sans imagination, sans pouvoir humain. Peut-être doué d'un certain sens poétique, et d'une sorte d'aisance verbale. Mes romans ne sont après tout qu'œuvres de langage. Les critiques ne me l'envoient pas dire. On aime cela ou non. Pourquoi Fougère n'en sentirait-elle point le vide, elle dont le chant est substance, à la fois l'âme et la chair mariées ? Mais voici que, pour me le signifier, elle s'est saisie d'un exemple, dont le choix même me donne soupçon.

« C'est comme cette femme, — a-t-elle dit, — on

suit l'histoire qu'elle raconte, et puis, on dirait en rupture du roman, apparaît un thème secondaire, souvent emprunté à quelque rêve en commun qu'elle pourrait avoir avec le lecteur, parce qu'ailleurs quelqu'un déjà en fait développement, un thème secondaire par quoi le thème principal s'éclaire... »

Qu'est-ce qu'elle raconte, et de qui parle-t-elle ? J'ai dû mal écouter, rêvant moi-même, laisser passer une phrase, un nom... et le miroir a tourné. C'est que, ces derniers temps, je suis devenu très sourd, d'une surdité bizarre, élective semble-t-il. Je passe des mots de ce qui se dit, et ma tête s'efforce de rétablir la continuité par des inventions, qui n'ont souvent rien à voir avec ce qui m'a sans doute échappé... De qui donc à présent Mme d'Usher m'offre-t-elle reflet ? Des noms de romans m'accrochent. Je me trompe. Je dois me tromper. Il s'agit de l'auteur de... pas possible ! Pourquoi le miroir aurait-il pour Ingeborg tourné de ce côté, juste, juste maintenant, après que dans *Le Carnaval* Anthoine... du moment que *Le Carnaval* je ne l'ai pas donné à lire à Fougère ? Avec ce sens en moi de la catastrophe, toujours, j'ai le sentiment de toucher à quelque chose qui s'est produit sans que je le sache, quelque chose qui risque de remettre tout en jeu.

« Rien ne ressemble mieux, — dit Fougère, — ou plus, comme vous voudrez, à ce mécanisme en nous, qui recrée les personnages, rien... si ce n'est cet usage qu'*elle* fait du thème secondaire, dont l'emploi, me semble-t-il, dans ses romans a caractère de système...

— Je ne vous comprends pas, Ingeborg, de quoi parlez-vous ? »

Avec cette ruse des sourds, leur façon pitoyable de toujours feindre avoir manqué d'entendre *quelque chose* et quelque chose d'autre que ce qui leur a en réalité échappé, j'essaye là-dessus de l'amener à répéter *le nom* et elle, croit que c'est de *la chose* que je demande éclaircissement.

« Il y a entre *elle* et moi, — dit-elle, — d'autres points de ressemblance. Elle est venue me voir ces temps-ci. Nos relations sont anciennes, mais fort espacées. J'ai parfois l'envie de faire avec elle le point de ma vie, de la sienne. J'ai cru, ici et là, me reconnaître dans ses romans, mais c'est à vrai dire où l'image lui ressemble, sans être pourtant son portrait. Ainsi cette Élisabeth qu'on voit dans *Le Cheval blanc*, et qu'on retrouve quinze ans plus tard dans *Le Rendez-vous des Étrangers*... peut-être à cause de ce caractère scandinave, mais pourtant j'imagine qu'elle a *écrit* cette image, comme on rêve à se voir dans un miroir à main, à sa table à coiffer, lentement, près du vernis à ongles, et de ces dix objets auxquels on confie les détails du visage... ainsi le même reflet, nous sommes deux peut-être à le prendre pour notre propre confidence... »

Je me sens devenir froid. De ne pas m'être trompé. Mais ce n'est pas, du moins je le pense, à cause du *Carnaval*, cette apparition d'Elsa... indépendamment, bien sûr, de l'histoire du concert, de la loge, de Schumann. Tout est parfaitement naturel : il y a quelques jours de cela, un coup de téléphone (*Je ne vous dérange pas ?*), Elsa pour quelque raison à elle avait repensé à Fougère, elle est venue. Elle a dû s'asseoir là, dans l'autre fauteuil de cuir, de l'autre côté de la cheminée, le thé sur la table basse, son manteau bleu, le sac écossais par terre, elle porte un voile clair sur ses cheveux, elle a dit, comme au téléphone : « Je ne vous dérange pas ? » Rien d'extraordinaire. Je les ai laissées ensemble. Que ces deux femmes se connaissent, je l'avais un peu oublié, voilà tout. Mais c'est bien naturel, à Paris. Il ne s'agit pas de cela, d'ailleurs. Fougère parle d'Elsa, un peu comme d'elle-même, il lui arrive de se tromper, disant *je* pour *elle*. Comme moi avec Anthoine. Pourtant, à part une phrase touchant les yeux de sa visiteuse (*ce sont toujours les mêmes pervenches*), ce n'était pas d'elle qu'Ingeborg parlait, mais de ses romans, du thème secondaire, comme elle dit, dans ses romans...

397

« Voyez-vous, mon ami, d'abord, je n'avais pas remarqué... quand il s'agissait de thèmes à elle, des images d'enfance qui avaient pu se trouver dans ses premiers livres écrits en russe, et qui reparaissent, comme un jeu de miroir, jusque dans ce qu'elle a écrit pendant la Résistance... C'est avec *L'Inspecteur des Ruines* que le système s'est accusé, l'introduction du thème de *La Loge des Étrangers*, ouvertement, directement emprunté à Hoffmann... par quoi le personnage d'Antonin Blond reçoit soudain la lumière romanesque...»

Voyez comme je suis : toute chose amorcée, pour un peu singulière qu'elle paraisse, m'excite comme un cheval, je suis éperonné, je saute des haies qui n'étaient pas du parcours. Fougère n'a pas le temps d'exposer ses vues critiques sur les romans d'Elsa Triolet que, déjà, les souvenirs que j'en ai s'agitent, viennent illustrer un semblant de thèse, encore confusément en moi formée. Je me rappelle le premier livre que j'ai lu de cet auteur, comment ça s'appelait? juste avant la guerre... *Bonsoir, Thérèse*... Il y avait là deux personnages si semblables que lorsque l'un rentrait par la porte de gauche, on avait le vertige de l'avoir à l'instant vu qui passait celle de droite... deux jumeaux, c'était l'explication donnée, et une seule femme, l'autre est morte. Brusquement, je saisis que, pour Fougère, c'était peut-être là la source de ce que j'appelle méchamment *le jeu d'Anthoine*, avec ce perfectionnement de la couleur des yeux, sans parler du jeu de Thérèse lui-même dans cette histoire, l'identité fuyante de la femme, celle dont le nom un soir très tard semble avoir été surpris, hors programme, par le micro, et que l'auteur croit reconnaître au cours des histoires dont son histoire est faite, d'une femme rencontrée à l'autre, ou inventée, d'une Thérèse à une autre, comme si le drame se transportait d'un être à l'autre avec le miroir tournant. Et moi qui croyais avoir en moi trouvé ces vues variables, ce glissement de la personnalité... je n'ai fait qu'emprunter, reprendre... je croyais créer, quand je reflétais !

« Le thème secondaire, — dit Ingeborg, en jouant avec un petit cheval blanc à roulettes que je lui ai donné pour son anniversaire, l'antiquaire de la rue de l'Université en justifiait le prix, m'expliquant : *C'est un jouet 1900, vous savez...* — que ce soit, chez Elsa, la Zubiri de Victor Hugo qui était Alice Ozy dans le monde réel, avec son amant Chassériau, et Zubiri devient le contrepoint de la chanteuse des *Manigances*, peut-être de ses héroïnes celle qui est le plus loin de moi, et la plus proche, mon Dieu, mon Dieu, ce qu'on me ferait pour un rien avouer ! que ce soit le thème de Zubiri, ou dans *Luna-Park* le thème de *Trilby*, encore une histoire de chant, qui nous vient d'un roman anglais... Est-ce que je suis toutes ces femmes, celle-ci, Blanche, dans ce dernier roman, qu'on ne connaît que par les lettres que les hommes lui écrivent, que l'on ne voit que dans la diversité des yeux des hommes, le miroir variable des hommes ? J'ai pensé, naguère, ayant repris ce roman, que je *chantais* Blanche : et c'est alors que j'ai compris en elle, à la fin, quand elle a disparu, vous vous souvenez ? elle est aviatrice, et malgré son cœur malade elle a repris du service quelque part au-dessus du Sahara... c'était pendant la guerre d'Algérie... cela devait être en apparence pour une compagnie pétrolière, mais secrètement l'idée de poursuivre l'histoire d'un peuple, par quoi, à Paris, lors d'une manifestation, dans la rue ou le poste de police, elle avait accédé à une autre vue du monde... Le mythe de Trilby renversé, qui ne pouvait chanter qu'autant qu'un homme du fond de la salle lui donnait des yeux ordre de le faire : ici, l'un de ces hommes écrit à Blanche, vous souvenez-vous : *Ah ! j'ai relu Trilby à cause de toi. Ce n'est pas humain de me l'avoir fait relire. Avec moi tout est à l'inverse. Si je ne chante plus, si je ne peux plus chanter, c'est que ma femme ne m'en donne plus l'ordre...* »

On dirait que Fougère choisit pour moi des raisons de désespoir. Cette citation-là n'a-t-elle pas quelque chose de cruel, de s'adresser à moi ? Je me souviens très bien de *Luna-Park* : cette phrase sort de la lettre du mari. Ce n'est pas d'aujourd'hui que j'ai, secrètement, ressenti l'analogie de situation entre ce personnage et moi. Est-ce bien du chant qu'il s'agit, ou plutôt de ce qui est la vie même du couple, le roman de l'homme et la femme ensemble ? Voici que je suis cet amant qui n'est plus rien sans celle qu'il aime, dans cet éloignement qui ne lui vient que d'elle. Sans ses yeux, sans sa voix. Ce pouvoir des romans sur moi ! Ce qui est dit dans les romans, ce qui se lève à leur cantonade. Je me souviens d'une interview, ou est-ce quelqu'un qui la connaît et qui m'a raconté cela d'Elsa ? Blanche Hauteville, l'héroïne invisible de *Luna-Park*, sa chance de survie, l'avion tombé quelque part dans le désert, c'est... comment dire ? Comme elle écrivait le livre, ne se résolvant pas à l'accident pur et simple, la mort de Blanche, Elsa soudain s'était mise à imaginer que cette femme exaltée, avec le sentiment du crime commis contre l'homme, la découverte de la torture, qui a voulu *savoir* comme elle dit *dans le sable sans frontières*, peut-être est bonnement passée de l'autre côté de ce qu'il est permis de connaître, avec armes et bagages, à la fois la générosité du cœur et sa vie physique, peut-être est dans une de ces tribus du désert, les nomades, partageant leur vie, comme peut la partager une femme, comme une Isabelle Eberhardt, ayant abandonné l'univers de sa naissance, pour être parmi d'autres femmes une femme de ce monde-ci, dans un harem de Bédouins ou de Touaregs. Oui, je m'en souviens : quelqu'un m'avait dit alors, quand le livre est paru, quelqu'un qui avait parlé avec Elsa de son livre, qu'elle avait étudié la vie d'Isabelle Eberhardt, pour donner cette fin singulière à *Luna-Park*, où le thème secondaire est ici sous-jacent, non exprimé... Que disait donc Fougère ?

« Le thème de Grenade dans *Le Rendez-vous des Étrangers,* qui vient d'un poète russe, Mikhaïl Svetlov, dont elle a fait l'expression de ce sentiment commun des gens du peuple, leur solidarité de pays à pays, que nous avons si fort ressenti comme une passion moderne, étrange encore et mal définie, quand il y eut la guerre d'Espagne... le thème de Louis II dans *Le Grand Jamais...* il semble bien que ce soit un système, je vous dis, légende ou romance, le thème secondaire introduit donne sens à ce qui profondément agit les personnages, leurs arrière-pensées, je dirais leurs *arrière-passions,* dont ils ne sauraient eux-mêmes être que les porteurs passagers et peut-être inconscients, à demi conscients. C'est ainsi qu'aux jours de l'invasion allemande, le pays ne savait pas encore de ceux qui s'armaient, commençaient à faire sauter les rails, qui soudain abattirent le premier Allemand au métro Barbès, ce qu'il devait, ce qu'il allait penser : mais la signification de ces choses s'éclaircit par des chansons, où le nom de Roland, par exemple, roulant depuis le lointain Ronceveaux de l'histoire fit du partisan le héros... Le thème principal était certes la Résistance, aurait-il trouvé le chemin de certains cœurs sans le thème secondaire ? Ainsi, quand nous chantons, en vont à l'envers les choses, et l'opéra semble une vieille histoire à dormir debout, mais celui qu'atteint la modulation de l'âme, au fond de la salle, à quoi pense-t-il de sa propre vie ?... »

Je ne me souviens plus de ce que Fougère a dit là-dessus du *Cheval roux,* parce que c'est une histoire trop terrible, où la Schéhérazade prolonge chaque matin d'un jour la vie précaire du monde entier, trouvant autre histoire pour écarter le bourreau... tout cela mériterait probablement étude, il m'apparaît, écoutant Fougère, que j'ai mal lu ces livres, je veux dire insuffisamment, pour en sentir l'arrière-texte ; j'imagine ce que ce serait que *Le Cheval roux* annoté, comme une édition scientifique, avec les pilotis dévoilés, les transpositions éclairées, les liens des personnages et de la vie, non pas leur vie, mais celle de cette Elsa brûlée, brûlée ni par le napalm ni par l'atome, mais par la vie. Parce que, dans ce roman-là qui a été écrit, cela devait être en 1953, croyez-vous vraiment que l'auteur, y situant, me semble-t-il, approximativement la fin du monde vers 1960, ne s'était pas demandé ce qu'on en penserait, disons en 1961, si le monde n'était pas encore détruit ? La fin du monde, nous la portons tous en nous. Avec chacun de nous qui meurt, meurt le monde. De ce que je connais d'Elsa par Fougère c'est là certainement un de ses traits essentiels que de ne jamais croire à sa propre survie : donner sept ans au monde, à ses yeux, en 1953, c'était encore être très généreuse avec elle-même... elle ne croit jamais vivre le temps même d'écrire chaque livre qu'elle écrit. Est-ce vraiment de la guerre atomique pour elle qu'il s'agit ? La destruction de la femme vivante, la morte-en-sursis, il m'est impossible de n'y pas voir, non pas l'atroce « science-fiction » inventée, mais l'image de pudeur de ce lot commun des hommes, la vieillesse. *Le temps de ma vie s'arrêtera au seuil de la vieillesse...* écrivait Elsa en 1943[1]. Que *Le Cheval roux* soit une grande fable où la vieillesse ne dit pas son nom, on ne l'a pas plutôt, passant, pensé, que la certitude, l'évidence vous en aveugle. Et si les hommes n'ont pas détruit l'humanité en 1960, *Le Cheval roux*, déjà quatre, cinq ans plus tard, n'en continue pas moins à me faire trembler. Car l'échéance de la mort demeure. Ici le thème secondaire vient à l'appui de ce que je disais d'Elsa : il s'exprime dans ce récit que fait l'héroïne défigurée de son livre à des êtres jeunes, trouvés dans une maille du réseau atomique, mais jeunes qu'ils soient, condamnés aussi à mourir, le récit de ce qu'elle allait écrire quand vint la catastrophe, c'est LE ROMAN QUE JE N'AI PAS ÉCRIT *où l'on parle du passé...* le roman d'une femme morte

---

1. *Le Mythe de la Baronne Mélanie.*

de nos jours dans la clairière où se trouve son tombeau, qui parle à un homme des siècles suivants, *la Schéhérazade voilée de terre* qui raconte *notre* vie de son tombeau. (*Quelle chance nous avons tous les deux : toi de vivre dans un siècle où on n'est plus jamais vieux, moi d'être bien morte, pour ne pas être vieille...*) Cette fois donc, le thème accessoire par quoi s'éclaire la fin du monde, est encore un roman, mais un roman d'Elsa, l'ébauche que l'Apocalypse a devancée. Et si, ne comprenant pas la signification profonde, du livre on se dit qu'il n'a été écrit que pour sept ou huit ans, jusqu'à ce que l'histoire écarte (ce qu'elle ne semble pas avoir encore fait) la menace atomique, il y a une ironie singulière dans la situation de la Schéhérazade du thème secondaire, par quoi je ne puis m'empêcher de penser que l'auteur a répondu d'avance à ce reproche prévu : car, ici, une femme morte *avant* non pas la catastrophe atomique, mais avant d'être vieille, s'adresse à des gens du siècle où l'on ne vieillira plus, et cela nous est révélé par une femme qui a vieilli, *après* la catastrophe, alors qu'il est déjà d'évidence que ses interlocuteurs de l'avenir ne naîtront même pas. Il y a dans ce livre pour moi tant de choses déchirantes, c'est toujours un peu comme si j'y mourais... je n'écoutais plus Fougère, qui parlait de *L'Ame*, où le thème second vient d'Edgar Allan Poe si l'on veut, parce que c'est l'histoire du Joueur d'échecs de Maëlzel. Je n'écoutais plus Fougère, parce que dans ma tête elle se confondait soudain avec Elsa. Et je me demande soudain, *Le Carnaval* me revenant comme un remords, si ce soupçon tout à l'heure qui m'a traversé...

« J'avais voulu, — dit Ingeborg, — l'autre année, dire bonsoir à Elsa et son mari, à ce concert de Richter, vous savez...

— Comment ? je ne me souviens pas, — je murmure, avec cet air de confusion qui me perd, — quel concert, je ne me souviens pas que nous ayons été... »

Elle rit. Mais voyons, mais voyons. Celui dont il

est question dans le récit d'Anthoine! Prétendre que... comme si... il y a des moments, mon ami, où vous poussez vraiment le jeu *off limits*! Qu'est-ce que vous ignorez donc, qu'est-ce que vous prétendez ignorer... la soirée, le concert, la rencontre, ou la nouvelle, *Le Carnaval*? Parfois, vous me fatiguez, Alfred, j'ai envie à tout jamais de vous renvoyer, de rester seule avec Anthoine, de me borner à Anthoine, aux yeux noirs d'Anthoine! Elle rit, elle rit de moi. Je ne sais plus où j'en suis.

Je viens de découvrir le mouchoir, les ferrets, la preuve enfin... mais c'est *Othello* à l'envers, Desdémone peut bien rire, et moi, c'est moi qui serai frappé, l'un ou l'autre moi. Oui, *Le Carnaval* aux mains de Fougère, c'est le mouchoir trouvé chez Cassio. Ah, quel désordre, quel désordre! La preuve de ce que je ne mène plus le jeu, qu'Anthoine l'a emporté, pas seulement aux yeux de Fougère, mais sur moi, sur moi malheureux, à mon tour devenu son jouet...

Qu'est-ce que j'ai dit alors, qu'est-ce que j'ai laissé percer, que Fougère s'est exclamée : « Mais on dirait, mon ami, que vous êtes jaloux d'Anthoine? Ce serait trop stupide, vraiment. Comme si, moi, à cause de vos considérations sur ses romans, je me mettais à être jalouse d'Elsa! »

Le Carnaval... Ainsi, ces frissons que cela me donnait, cette peur, ce soupçon, ce vertige : le désastre deviné comme un rideau dont on sait d'avance, quand on ouvrira la fenêtre, qu'il va vous tomber dessus. Mais comment est-ce possible, comment voulez-vous, je ne lui ai pas donné le manuscrit à lire, Anthoine, vous me dites qu'Anthoine... et ce serait moi qui pousserais le jeu trop loin, où ce n'est pas permis! Comment se pourrait-il qu'Anthoine ait donné *Le Carnaval* à Ingeborg sans que j'en sache rien? qu'est-ce que c'est que cette duplicité vis-à-vis de moi-même, est-ce que je perds conscience de ce que je fais, comme dans la baignoire, ah, je mêle tout, le réel et l'inventé, le sang qui s'arrête quelque part dans la tête, comme un signet rouge, le roman, la vie, un signet dans la vie... Qui trompe-t-on, encore une fois, moi ou l'autre moi, quelle dérision de tout, Fougère, ah, Fougère, Fougère!

J'ai beau essayer de me représenter ce qui a pu se passer, j'ai beau me dire, impossible, j'ai beau... Le rideau m'est tombé dessus, m'aveugle, m'étouffe les bras, me bâillonne. Je ne joue plus! Sous aucun prétexte. Les choses vont trop loin. Cela suffit, c'est trop, je ne ris pas, moi. Mon Dieu, j'ai la voix d'Anthoine, sa respiration coupée, son halètement. Sa façon de renifler. Fougère s'y trompe : « Cesse de renifler, Anthoine, quand tu fais ça, je te déteste. » Je pense en morceaux, comme lui, je souffle, me reprends, me reperds. J'aurais donné *Le Carnaval* à Fougère? moi, avec les yeux bleus ou noirs, qu'importe, Anthoine, Alfred... le miroir tourne, tourne, et il n'y a qu'une seule alouette, une seule pauvre alouette éblouie, ahurie, épouvantée. Moi qui croyais. Là, comme un clown, à faire le malin. Quand lui aurais-je donné, je ne lui ai pas donné, pas moi, pas nous, ainsi jouer contre soi-même, ça ne tient pas debout, ni assis ni. Même en rêve. C'est triché, voyons, c'est triché, pas de jeu, pas permis. Comment faire, maintenant, comment regarder Fougère en face, que pense-t-elle de moi, de mes misérables rouéries? Et je ne puis pas avouer mes raisons, pourquoi j'ai voulu lui cacher *Le Carnaval*, desservir Anthoine, voler Anthoine, avouer que je voulais tuer Anthoine, une fois pour toutes, le tuer, avec ces mains-là, les mains d'Anthoine, comme dans un mauvais roman, où le crime s'explique par l'héritage, le testament caché qu'on découvrira page trois cent nonante et tant... mais peut-être que c'est moi, qu'il faut tuer, mes yeux bleus qu'il faut crever, pour ne laisser enfin place qu'au seul Anthoine, ce répugnant Anthoine, cet Anthoine triomphant? Rien ne va plus. Tout ce qui précède ici se disloque. Je ne pourrai plus rien expliquer à personne de cette histoire, la vraisemblance est foutue, le réalisme à la dérive, le lecteur laisse choir le livre, il a les yeux au ciel, l'œil fou, il se demande, il se demande un peu... Oh, migraine, migraine! Si je mets un avec deux, si je reviens en arrière, si je rapproche, à l'envers, à l'endroit, je compose, j'oppose, je choisis, je renonce, rejette, regarde autour de moi, les morceaux, il en manque, ils ne bichent pas, collent mal, se calent, coincent, chevauchent, chahutent, je n'arrive pas, je n'arrive positivement pas...

En dénonçant le système, à tout prendre, Fougère... Hein? Aller jusqu'au bout de ma pensée. En dénonçant le système, elle a condamné à mort l'un de nous, Anthoine ou moi. Pourquoi? Je n'en sais rien. Peut-être ne s'en est-elle pas rendu compte. Anthoine ou moi. Aller jusqu'au bout... Anthoine... Ou moi. Je n'ai que trop le choix. Je n'ai plus le choix. C'est Fougère qui l'aura voulu. Je m'en lave les mains. Me voici jeté dans un escalier vulgaire, où je n'ai qu'à me rompre le cou : dans tous les crimes passionnels, le meurtrier ainsi... il rejette le crime, *son* crime, sur celle qu'il aime, c'est elle, elle! qui l'aura voulu, comment aurait-il pu faire autrement, elle a ri par exemple, ou tourné la tête, et voilà, il n'y a plus qu'à tuer, à tuer, à tuer. L'homme porte-t-il la responsabilité d'être la hache, de n'être que la hache? La femme qui tenait la hache, pourquoi, négligemment, l'a-t-elle laissée tomber...

Le miroir a tourné, définitivement tourné sur cette chose de sang. J'ai beau ne pas m'y résoudre. Essayer d'écarter comme des mouches mes pensées. Leur essaim revient et m'entoure. Je ne suis bruit que d'elles. Les mouches me cachent la forêt. Je suis le prisonnier de ce labyrinthe de bruit. Je n'entends plus rien d'autre du monde. Sourd, sourd à tout ce qui n'est pas le sang, les battements du sang, le cœur impitoyable. Lui ou moi. Qui, lui, le cœur? Ah, laissez donc. Anthoine. Dans le miroir, je ne vois plus qu'Anthoine, l'innocent Anthoine. La victime. Il est imbécile, pour l'assassin, de s'attendrir sur sa victime. Et pourtant la victime lui ressemble, elle est un homme comme lui, un être de chair, il ne faut pas trop le regarder, de peur de voir ses yeux, d'en sentir le souffle, d'en voir battre le cœur. Ah, lâche que je suis.

Pour me donner la force du meurtre, celle du bras, celle de l'âme, comment faire ? comment assurer le coup porté à mon image ? Et le trouble en moi de ce sang partagé... Anthoine, mon semblable, mon frère... Je frémis du coup qui va nous séparer, comme ces monstres naturels qui naissent deux avec un seul cœur, le couteau dans les anastomoses de l'âme, et les pieds de Peter Schlemihl ont-ils crié de douleur quand le diable leur arracha son ombre ? Il faut s'armer, se durcir contre l'autre, nourrir sa haine et ses différences. Sournoisement, parce que je suis habité de cet écho du *Carnaval*, la musique implacable, les accords violents, toute la cruelle exactitude de Richter, l'idée en moi se lève de puiser ailleurs, dans un autre écrit d'Anthoine, les justifications de mon acte, qui le fassent moins fratricide, de m'y assurer que cet homme, non, ce n'est pas moi, c'est un autre, un fauve, une bête à abattre, en tout cas un étranger à mon âme, l'idée qu'il est devenu un étranger à mon âme, peu à peu, à écrire peut-être, à vivre s'écartant de moi, *se personnalisant*... un homme d'une autre sorte, comme s'il y avait la guerre entre nos deux pays, que j'aie le droit, n'importe comment, lorsqu'il surgit devant moi, de l'abattre, que j'aie le devoir de l'abattre, n'importe comment, avec toute la sauvagerie du devoir ivre de sa douleur et, les coups tombant sur lui ici ou là, qu'ils le taillent, le déchirent, l'étripent ! Celui que je tue, il faut qu'il paye atrocement le prix d'être un étranger, de m'être un étranger, de n'être plus moi.

Qu'est-ce que je dis ? Qu'est-ce que je pense ? Où trouver l'excuse, où trouver la confirmation ? Confusément, en moi, cette tache rouge : inconsciemment, ou presque, l'idée. Le troisième conte. Dans la chemise. Ce qui m'avait révolté, sous cette gaieté fausse, forcée, ce qu'elle me révélait d'Anthoine, de l'écart qui s'est fait avec les années entre Anthoine et moi. *Œdipe.* Je vais relire *Œdipe*, y chercher mes raisons de massacre.

Et de la pièce à côté vient le déluge, un étrange défi, le jeu du piano électrique, la voix étonnamment comme des roues de cristal, où les paroles

> *Où va la jeune Hindou-ou-e,*
> *Fille des parias ?*
> *Quand la lune se jou-ou-ou-ou-ou-ou-e.*
> *Sous les grands mimosas...*

peu à peu se transforment, n'ayant plus besoin du sens pour le drame, et ne sont que le chant de l'âme brisant ses chaînes, la rimaillerie, l'opéra, Léo Delibes, tout ce que vous voudrez, et ne sont que l'ascension du son, la tessiture de la femme, l'éclat, le triomphe sans mots de la perfection, ah, Dieu! Desdémone ou Lakmé, c'est toi, Fougère, à qui s'ouvrent ces régions à mes pareils interdites... ces régions où je n'aurai jamais accès que par toi.

Troisième conte de la chemise rouge.

ŒDIPE

> *Die Leiden scheinen so, die Œdipus
> getragen, als wie ein armer Mann klagt,
> dasz ihm etwas fehle...*
>
> Hölderlin.

Ce fut le plus tôt fait qu'on mît à concevoir. L'homme était mort avant qu'on pense à le tuer. A partir de quoi, tout se trouvait changé dans la vie de l'autre, tout avait autre signification, tout avait autre avenir, c'était comme un texte récrit.

Il ne s'agissait plus de se rendre à son bureau, à quoi rimerait maintenant ce travail de fiches ? Le but machinal de chaque geste n'était plus le même. Les rapports humains prenaient valeur de dérision. Chaque phrase avait double sens, caractère de masque, objet de parade, nécessité de feinte. La parole perdait sa nature, n'ayant plus raison d'informer, mais de détourner.

Il y a des sentiments qui portent date. Non que la mort-éclair soit comme le zip invention récente ni le besoin de dissimuler pour l'assassin. Mais certains raccourcis de l'âme accusent incompatibilité d'évidence avec les temps de flâne, la marche à pied, même la vitesse du vélo. Il faut qu'on ait l'habitude de déjeuner à New York et retour dans la journée pour une certaine rapidité d'esprit. Et l'important réside moins dans la vitesse que dans la lenteur de pensée devant le fait : déjà tout se passe comme dans les machines à calculer, l'homme mis en face du résultat sans avoir encore pu aligner les chiffres et tirer un trait.

Cela se passait dans une ville de cachou pâle où le printemps survint presque aussitôt, dans une stupéfaction de couleurs, l'immensité du ciel, les avenues à reflets bleus. Les vêtements ne tenaient plus aux corps, les femmes passèrent soudain au premier plan, les ouvriers avaient abandonné les gros lainages, et dans ces noces de Cana, semblait-il, on avait dû procéder à la multiplication des couples. Toute sorte de petites lumières jouaient dans les vitres, les yeux, les toitures. Des affiches flambant neuf faisaient une réclame scandaleuse à la saison. Tout le monde avait l'air d'un touriste. Inutile de vous cacher plus longtemps que cela se passe à Paris.

Si j'ai, se disait le nouveau meurtrier, sans le vouloir, avant de le vouloir, de le débattre, d'y penser, tué... alors il s'agit au moins d'un crime sans préméditation, c'est même trop dire : non pas d'un crime, d'un accident. En tout cas, d'homicide par imprudence. Mais où réside l'imprudence ? Avoir chargé le revolver, n'avoir pas mis le cran d'arrêt, avoir sorti l'arme de la poche, en avoir menacé l'autre, avoir appuyé le canon sur la région précordiale, ou quoi ? Au moins faudrait-il un mobile, pour que crime il y eût : je ne le vois pas, je n'ai pas eu le temps de l'avoir. Évidemment, *a posteriori*, je pourrais m'en inventer un. Affaire d'imagination. Mais même ainsi, je n'y arrive pas, probablement parce que je manque d'imagination, je n'ai pas assez lu de romans policiers. Le terrible, c'est que les juges, eux, ils doivent s'en gaver : si bien qu'ils en fourmillent, de mobiles.

C'était un type qui marchait sur ses trente ans, plutôt solide, on ne dirait pas beau, mais plaisant, enfin qui ne se faisait pas remarquer. Il était à ce moment de l'homme où ne fût-ce qu'un jour passé sans se prouver qu'on en mérite le nom empêche de dormir la nuit suivante. Rien ne l'intéressait que cela. Pourquoi donc avait-il abattu cet inconnu, tout à coup, et justement à l'heure où ça le travaillait le plus, un peu après le déjeuner, quand il avait loisir de flâner dans la rue, regarder les filles ? Comment pourrais-je le savoir si, lui, il ne parvenait pas à se l'expliquer ?

Plus tard, quand il eut loisir de parler de l'histoire avec détachement, d'après les journaux, devant de tierces personnes, il se permit des hypothèses, lancées comme cela, en guise d'hameçon, pour pêcher une sorte de poisson agile : histoire d'éprouver la solidité du fil. Ses interlocuteurs réagissaient, donnaient leur avis, haussaient les épaules aux invraisemblances, enfin c'était comme une répétition générale de ce qu'il pourrait advenir de la conversation devant la Cour, Messieurs. D'abord, des suppositions plausibles qui n'éveillaient ni l'intérêt, ni la conviction, puis des vues plus audacieuses, psychologiques assez qu'on en dît tiens, tiens. Mais une fois, parlant à un adulte d'avant-guerre, c'est lui qui fut harponné. Un banquier qui avait de la lecture, et une très jolie petite amie. Ayant eu vingt ans vers 1935, enfin avant le Front populaire proprement dit. Quand on lisait André Gide. Il émit l'idée qu'il s'agissait là d'un *acte gratuit*. Idée de banquier, dit poliment son interlocuteur. Et à part soi de s'émerveiller qu'il fallût précisément un homme d'encaisse pour se complaire au crime qui ne paye point. Dans le premier moment.

C'est que notre assassin, lui, avait six ans lors de la défaite par conséquent onze lors de la victoire, dix-huit pour Dien-Bien-Phu, et avec le sursis d'étudiant, soldat qu'en 59, il a évité l'Algérie de justesse. Il avait un peu lu Camus, pas du tout Chester Himes et plus généralement Mickey et Tintin. Il se fit expliquer l'acte gratuit en long et en large, se procura le *Prométhée mal enchaîné* chez une mercière qui avait des lettres, étudia dans *Les Caves du Vatican* l'histoire d'Amédée Fleurissoir, et finalement se persuada que son cas ne ressemblait absolument pas à celui du jeune Lafcadio. Parce que, gratuit qu'il soit, l'acte gidien est longuement prémédité, je veux dire, même s'il s'exécute à l'improviste, quand

413

l'occasion fait le gratuit, qu'il est tout de même le résultat d'une *pré*-méditation philosophique, il appartient à un système, et le meurtrier en a d'avance en poche, toute prête, l'étiquette avec le prix *gratis*. Donc, rien à voir. Mais revenons-en aux premières heures.

Comme il traversait cette place devant la Gare Montparnasse, toute retentissante de demoiselles pneumatiques, avec les barrières blanches et rouges, le sable entre des pavés ôtés, notre homme remarqua sur le trottoir, un peu au delà de la « Brasserie Alsacienne », une fille en pantalon de chamois, les longues mèches raides des cheveux blonds qui tombaient à gauche sur le paquet de bouquins tenus sous le bras, et liés avec une courroie, et il en oublia pour un instant sa situation, le défunt abandonné sur la voie publique, la police qui se livrait à toute sorte de mensurations, photos, tests et suppositions, pour ne plus voir que ce cou frêle, et le jaillissement un peu prématuré de la gorge. On a beau avoir de l'expérience, l'invention pour aborder une enfant de ce genre ne vous pousse pas aussi vite que le geste d'anéantir un individu dont on ne sait rien. On essaye en soi deux ou trois formules, enfin le plein dix-neuvième siècle. Ce qui cette fois-là donna le temps à un blondinet tout à fait contemporain de la petite de s'amener avec cette désinvolture qu'ils ont, lui mettant le bras autour des épaules...

C'est drôle, ces gosses, ils ne sont déjà plus du tout comme nous. Dix-sept ans, pas plus. En pleine rue, tout à fait à leur aise. Elle lui a dit : « Qu'est-ce que c'est que cette idée... tu portes des lunettes noires maintenant ? » Il portait des lunettes noires, il eut le geste de vérifier à la branche qu'elles étaient encore là, d'aplomb, et répondit : « Tu vois... ça donne un genre ! »

Si je me mettais des lunettes noires ? Comme ça, on ne verrait pas mes yeux, ce que je pense. Mais, d'un autre côté, pour peu qu'on me suspecte, on penserait tout de suite que je cache ma pensée. D'abord, oui, et puis, à la réflexion, pas question. Vous me direz, si vous

aviez réfléchi pour le bonhomme comme pour les lunettes...
Bien sûr. Mais c'est tout juste : le bonhomme, il m'a servi
d'avertissement pour les lunettes. Si je regarde les gens
tout droit, avec de bons yeux nature, mentir est plus
facile, enfin facile, ce n'est pas le mot, il ne s'agit pas
de moi, je n'y ai aucune peine. Je veux dire qu'on
ne me croira pas derrière des verres fumés, et que le
mensonge ne se borne pas, pour réussir, aux paroles
prononcées : il n'est complet qu'avec les yeux, l'air
d'innocence, le regard clair, bien en face, honnête et
sympathique.

Là-dessus, le meurtrier ressentit une manière de
trouble. Il n'avait pas encore lu les journaux. Il ne savait
pas de quoi, pour les autres, son crime avait l'air :
simple agression nocturne, histoire de rôdeur, affaire
de mœurs, règlement de comptes... Tout s'était passé
si vite. On tue quelqu'un, il vous échappe, et se classe
sans vous. C'est un peu vexant. Et puis, surtout, suivant la version retenue, il faudrait avoir un comportement différent. Soit pour mettre les hypothèses en échec,
soit au contraire pour les combattre *du dedans*.

La chose avait été si rapide, les gestes automatiques
du premier moment si peu réfléchis, que l'assassin
s'était trouvé assassin, non pas devant sa victime, mais
déjà loin d'elle, ayant pris ses distances, brouillé les
pistes, et qu'il lui était impossible de reconstituer les
conditions de l'acte, son décor, le lieu précis où l'affaire
avait eu lieu. De quoi donc avait-il l'air, ce mort? Et
faute de cette image dans sa mémoire, impossible de le
revoir vivant. Qui était-ce? C'est terriblement gênant
de ne pas savoir qui on a tué.

Ne pas savoir pourquoi, passe. D'abord ce n'est plus
une question. Mais où... il avait une vague idée du quartier, une rue commerçante, des magasins de chaussures,
la confection, des soldes de pièces d'étoffe, une foule
fatiguée, des gens avec des filets, les vendeurs qui font
du boniment. Non, cela, c'était *avant*. Peut-être que
le heurt s'était produit dans ce petit café de bois-char-

bons, où il avait pris de la limonade. Là, quelque chose de tout à fait net, comme le couvercle, on ne peut pas dire le bouchon, avec son feston de métal, la capsule, c'est le mot, la capsule verte, avait sauté. Et puis pas du tout. Il n'avait adressé la parole à personne, là : au zinc, il y avait des déménageurs qui rigolaient, ce n'était pas à eux qu'il se serait mesuré. Ni à ces gosses qui plaisantaient en italien.

Ne pas retrouver le visage de l'homme qu'on a tué, c'est pas mieux qu'avoir fait un enfant en étant saoul. Après, il se promènera dans la vie comme votre photographie, avec l'air de demander aux passants : je ne vous rappelle rien ?

Une rue oblique, des vieilles maisons, un trottoir avec des marches. Il y avait moins de monde, un peu trop tout de même pour un crime. Il me semble, sur la gauche, me rappeler un très haut porche, une de ces portes cochères par où on devait sortir dans des calèches, et le rez-de-chaussée a été coupé en deux, pour faire le logement de la concierge, avec fenêtre sous la voûte, ou l'entre-sol des boutiques. Dans le fond, une cour ronde avec des arches. Ce n'est pas là. Je ne suis pas entré dans cette maison. J'ai suivi la lèpre des façades : ici, on n'a pas de sitôt entrepris le ravalement !

Si bien que dans les journaux aussi ce fut difficile de se retrouver, j'entends de retrouver le cadavre. Le premier qui parut être le sien fit qu'Œdipe, nous l'appellerons désormais Œdipe pour la commodité, bien qu'il n'ait jamais couché avec sa mère, ni tué son père (Vous êtes sûr ? Ce n'était pas son père qu'il avait tué ? Ne dites donc pas de bêtises !), Œdipe enfin pendant deux ou trois jours dévora la presse, celle du soir surtout, soulagé, la conscience en paix, de ce que le mort eût un nom, une identité, une biographie. Pour lui, il n'aurait sans doute jamais imaginé tout seul que ce pût être un Yougoslave. Mais pourquoi cela ne serait-il pas un Yougoslave ? Un Yougoslave, cela se tue comme un autre. Œdipe était tout près de faire la bêtise de se montrer sur les lieux, parce que cela le démangeait de reconstituer le décor, et que la rue où le corps avait été découvert avait un nom qu'il ne connaissait pas. Puis quoi ? est-ce qu'on regarde toujours le nom des rues où on passe... où on passe, non, mais où on tue, tout de même. C'est vite dit. Quant à lui, il n'avait pas regardé. Là-dessus, cette étudiante qui avoue : son amant allait la quitter, elle a été chez Gastinne-Renette... Allons, allons, c'est une mythomane, cette fille-là! Pas vilaine d'après les photos.

Il me fallait donc chercher un autre mort, reprendre les journaux des jours précédents, d'ailleurs cette rue avec un nom si drôle, rue du Surmelin, c'était dans le vingtième... je n'avais pas eu le temps d'arriver du vingtième quand je m'étais trouvé sur les quais, juste là, près d'un pont, sortant d'un taxi. D'après l'heure. Et le seul cadavre qui collait avait été étranglé : avec des mains de gorille, disait *Le Parisien*... ces journalistes, toujours l'exagération! Regardez-les, mes mains, est-ce qu'elles ont l'air de mains de gorille ? D'ailleurs, il me semblait avoir appuyé le canon du revolver sur la région précordiale : seulement, non, je n'avais pas été chez Gastinne-Renette, et je ne possédais pas de revolver. Alors, comment tout cela s'était-il goupillé au juste ? Peut-être que je l'avais étranglé, tout de même, mon Yougoslave... Je confonds tout, le Yougo, c'est l'étudiante, et elle avait été chez Gastinne-Renette.

Je me suis souvent demandé, c'est vrai, comment cela fait, le cou, quand on le prend dans ses mains, qu'on serre. Il y a donc une certaine vraisemblance à ce que, mon type, quand l'idée m'en est venue, ou plutôt avant qu'elle me soit venue, je l'aie attrapé comme ça dans mes pattes. Et puis cela explique l'absence de revolver. Précisément, pour le revolver, il y avait quelque chose qui me gênait : impossible de me rappeler comment j'avais pu m'en débarrasser... Comme cela, tout s'arrangeait. J'étais un étrangleur.

La nuit, dans mon lit, bien étendu sur le dos, les

épaules hors des draps, je faisais, c'est-à-dire je refaisais le geste d'étrangler. Je n'avais jamais remarqué que mes mains fussent énormes, et puis fortes avec ça, des vraies mains de gorille. Les pouces sur la pomme d'Adam. Les autres doigts agrippent la nuque, sous les doigts le sentiment des cheveux rasés... Ainsi c'était bien ma victime. Ma chance était que ce fût un bookmaker, alors on cherchait parmi les parieurs. Moi, jamais je n'ai joué aux courses. Comme si je me doutais par avance. Sans doute pour préparer mon alibi.

De toute façon, je ne me déchausserai pas en public que des yeux indiscrets ne découvrent les blessures de mes pieds... ils prendraient alors au sérieux le nom d'Œdipe, et chercheraient à savoir si j'ai passé par ce carrefour qu'emprunta l'homme assassiné : *Frondifera sanctae nemore Castiliae petens...* le secret est que, ignorant le grec, je n'ai jamais lu Sophocle et tiens de Sénèque seul l'histoire de Laïus, le salaud de père qui m'a abandonné... gagnant les forêts feuillues de cette sacrée Castalie... *calcavit artis abitum dunnis iter...* il talonnait une piste encombrée de toute sorte de saloperies... *trigemina qua se spargit in campos via...* là où trifurque la route dans les champs. Mais je vous dis que je n'ai pas tué mon père, moi, ce n'est pas moi qui l'ai tué, en tout cas, je veux dire si on l'a tué sur le troisième rameau du carrefour, celui qui fait le serpent dans un val profond et touche les errantes eaux de l'Ilissus dont il coupe d'un gué le lit glacé... Drôle d'histoire! Alors, la chose aurait eu lieu sur un pont de la Seine? Je le vois comme si j'y étais. Le nommé Laïus est monté sur une Vespa, à l'arrêt du feu rouge, il s'amène de la rive gauche, un pied sur la pédale, l'autre à terre, l'engin dans ses bras penchant un peu de côté, moi, j'arrivais... je n'avais pas vu passer au vert, lui tout d'un coup pétarade, et de l'épaule m'envoie de côté, ces vieux-là, ça se croit tout permis avec la jeunesse. Je lève mon bâton, je le frappe... Je ne l'ai pas étranglé, voyons! c'était où la route se détriple, et quel pont, dites-moi, voit ainsi devant lui se partager la rue? Si la Seine était glacée, il fallait que ce fût en plein hiver! D'ailleurs, depuis 1939, l'Ilissus n'a pas gelé que je sache, il ne tient pas debout, votre crime... il ne se passe même pas au mois de mars... C'est déjà trop de n'avoir ni le lieu, ni le corps, ni le mobile, ni l'arme, si vous n'en avez même pas la date! Messieurs les jurés apprécieront...

Œdipe en était là, quand au matin la femme de ménage lui apporta son petit déjeuner au lit. C'était son grand luxe dans la vie. Et les journaux. Le bookmaker avait été étranglé par un photographe auquel il avait vendu un timbre-poste de l'île Maurice à un prix excessif. Cela n'a pas deux sous de vraisemblance : mais le photographe avait encore avoué. Qu'est-ce qu'ils ont tous à avouer comme ça! Zut, le café sur les draps changés de la veille... C'est vrai que ses mains, à Œdipe, elles n'étaient pas si grandes qu'on dit, et le book était doué, paraît-il, d'une encolure de taureau. Là-dessus, on avait découvert dans une cave un mort d'une semaine, avec lequel tout allait comme sur des roulettes : il avait reçu trois balles dans le cœur, d'une arme appuyée à l'espace entre les troisième et quatrième côtes gauches, directement sur le veston, on avait dû le faire basculer par un soupirail, rue François-Miron... Œdipe se précipita sur les lieux, en taxi. Les flics ne vont tout de même pas regarder sous le nez tous les gens qui passent en taxi dans la rue François-Miron. En tout cas, cette rue-là, elle a un trottoir surélevé avec un escalier, elle vient obliquement de la rue de Rivoli, et la maison, avec le haut porche, mais la voilà!

Comment l'assassin s'était-il procuré un revolver, et comment s'en était-il débarrassé? Après tout, c'était l'affaire des inspecteurs, pas la sienne. Lui, il avait fait son boulot, il avait tué. Il n'avait tout de même pas à prouver lui-même qu'il était l'assassin! Évidemment, n'avoir ni l'arme ni le mobile du crime, mais du moment qu'il y a le mort, c'est le principal. Et puis, cette rue commerciale, voyons, le court chemin pour arriver aux quais... Tout de même, il avait pris un taxi pour arriver aux quais, il y avait là quelque étrangeté. D'abord, à quel quai l'avait-il débarqué le taxi ? Ce n'était-il pas plutôt sur la rive gauche de l'Ilissus ? On donne une adresse, et puis, en route, on dit au chauffeur, après tout, arrêtez-moi là, je passe devant chez un ami, j'en profite, s'il n'est pas à la campagne...

L'invraisemblable, c'est ce corps qui bascule par un soupirail, en plein jour... D'abord, ce sont les journalistes qui racontent ça, je ne suis pas obligé de les croire. Mais la maison avec le haut porche, la cour ronde. Ce n'est pas là que le crime a été perpétré, puisque je n'y suis pas entré, moi. Ça ne fait rien, je regrette le Yougoslave. Parce que la victime de la rue François-Miron, à part qu'il avait un pull-over acheté à Marseille, on ne sait rien de lui. Peut-être que c'était un Yougoslave tout de même !

Œdipe habitait au bas de la rue des Martyrs, à droite en montant, un drôle de local, dont il fallait bien qu'il eût hérité, mais cela lui supposerait un oncle et moi qui n'ai jamais eu héritage de personne, cela m'est aussi difficile d'imaginer cette dévolution des biens qu'à lui sa victime. Nous admettrons donc plutôt que c'était une amie à lui, qui n'aimait ni aller à l'hôtel ni le recevoir chez elle, qui s'était arrangée pour qu'une de ses connaissances, un Américain pour fixer les idées, retournant dans sa patrie, laissât son dirais-je appartement à mon Œdipe, sous la vague condition de le remettre à la disposition de son vrai propriétaire quand celui-ci dans deux ou trois ans viendrait faire un tour à Paris. D'abord cela permet d'expliquer l'absence de tous aménagements qui eussent rendu cette turne logeable. Et ces petites assiettes façon Compagnie des Indes, dépareillées, qu'Œdipe n'eût pas achetées tout seul, si on ne les lui avait laissées avec la piaule.

L'immeuble était parfaitement laid, médiocre, mesquin, sale, avec des boutiques dont les déchets et les caisses encombraient la voûte basse où séjournaient sur un côté les poubelles vides quand elles n'étaient pas pleines, une charrette à bras du plombier, divers vélos, un tas de sable, des pelles et pioches, une voiture d'enfant, des écriteaux contradictoires sur la situation de la concierge dans l'édifice, des avis multiples sur le passage des releveurs de compteurs, des ramoneurs, le terme à payer, est-ce que je sais, et un revendeur de bouquins qui soldait là des livres cochons, des annuaires, des exemplaires du *Larousse médical*, des romans policiers en cinquième main, des manuels pour arriver dans la vie, la petite correspondance, comment faire un beau mariage, acquérir des muscles en trois semaines, devenir champion de tennis, le japonais en cinq leçons, le judo en vingt-trois, et une édition sous papier glacé du *Kâma-soûtra*. Mais, au fond, il y avait une cour qui aurait fait puits, n'était que la maison d'à côté, direction Montmartre, prolongeait sa tranche de meulières à jours grillagés d'un mur à mi-hauteur, d'où surgissaient au niveau du quatrième étage les poussiéreuses verdures d'arbres insoupçonnés. La cour, elle-même, était étranglée de petits bâtiments où l'on donnait des coups de marteau sur du métal, de remises certains jours ouvertes sur un déballez-moi ça d'antiquaire aux Puces, et une baraque en bois dont personne n'avait jamais bien compris l'usage. Seulement, à main droite, il se faisait un diverticule entre les portants où perchait la bicoque d'Œdipe, que la concierge appelait pompeusement *l'hôtel particulier*.

Remarquez que la présence de notre héros dans la maison était annoncée dès la voûte, au mur lépreux de gauche où pendaient tant de boîtes à lettres qu'on aurait cru qu'un régiment habitait l'édifice : la sienne était bizarrement presque sous le plafond, peinte autrefois en bleu, et pour y accéder, il fallait monter sur une borne à côté de l'entrée de l'escalier A. Le facteur était un type de bonne volonté ou tout au moins, le pied sur la borne tous les matins, sur le coup de huit heures trente, escomptait-il peut-être le prix annuel des calendriers. En tout cas, les yeux une fois à niveau de la boîte, on pouvait voir à qui l'on avait affaire, puisque le locataire s'était payé une plaque en cuivre qu'il astiquait lui-même au miror, pour qu'on lût son nom, pas Œdipe, qui n'était pas son vrai nom. Mais retournons dans la cour.

L'hôtel particulier est fait de deux morceaux : un rez-de-chaussée avec une cuisine, une salle d'eau comme de nos jours on appelle une salle de bains où il n'y a pas la place d'une baignoire, même du type sabot, ah, bon Dieu, ne laissons pas entrer l'assassinat de Marat dans cette histoire! justement que qui c'est cette fille, Charlotte Corday? Et des cabinets turcs. Tout ça sans communication intérieure avec l'étage, où on accède de dehors par une sorte d'escalier-échelle, et là il y a deux pièces minuscules en retrait avec une terrasse qui gagnerait à ce que les caisses jadis vertes aient des fusains ou autres arbustes à feuilles persistantes, mais cela demanderait de la suite dans les idées. L'embêtant, c'est qu'il n'y a jamais de soleil : on en voit le matin sur le corps de bâtiment de devant, avec la lumière d'est, jamais plus bas que le troisième. L'hôtel particulier est orienté nord, nord-ouest, parce qu'il est un peu de traviole, mais pas assez pour attraper le couchant, d'ailleurs, intercepté de toute façon du côté rue des Martyrs. Œdipe est meublé avec des chaises de jardin en paille laquée, bleu et orange, style 1923, il tient à la précision. Un rocking-chair pour le confort, et comme œuvre d'art sur le mur en face du lit, dans la seconde pièce, pour ne pas dire l'alcôve, un agrandisement au sextuple de *L'Œdipe et le Sphinx* de Gustave Moreau. Noir et blanc, bien entendu. Des cendres partout. Dans le salon, comme dit Œdipe, une cheminée de briques avec appareil de cuivre rouge et fausses bûches à festons d'amiante, pour le chauffage au gaz.

Le jeune fille s'assit, alluma sa cigarette, prit sur la table assortie aux chaises, le jeu de cartes abandonné, le remit en ordre, battit et commença à se faire la bonne aventure. Elle avait toujours le pantalon de chamois, ses bouquins étaient posés à terre dans leur courroie, ses épis de blé tombaient sur le valet de pique et le sept de carreau.

« Le petit blond, — dit Œdipe, — qui est-ce ? »

Elle comptait ses paquets, tournait les cartes, un deux trois quatre, un deux trois quatre : « Quel petit blond ? fit-elle, la tête visiblement ailleurs.

— Le petit blond, — dit Œdipe, — l'autre jour devant la Gare Montparnasse...

— Une visite. Un deux trois quatre, un homme de loi... des ennuis... il n'y a pas de petit blond... c'est un grand brun...

— Et vous venez souvent dans ce quartier-ci ? »

Elle haussa ses tombantes épaules, montra du menton par la fenêtre : « Là... j'habite... »

Comment ? Là, où ? Ah, derrière le mur ? La maison voisine ? Le jardin ? Ça, par exemple ! C'est la jeune fille du jardin ! Je savais bien qu'un jardin comme ça, en plein Paris, où ce n'est pas vraisemblable, il fallait bien qu'il y ait une jeune fille... Et vous n'y êtes pas prisonnière ? On vous laisse sortir.

« Mais quel petit blond, — dit-elle, — ça court les rues !

— Celui qui porte des lunettes noires !

— Je ne vois pas... Et puis, vous êtes pas drôle, vous : un monsieur qui vous invite chez lui, c'est pour vous parler d'un petit blond ! Je me demande ce que ça signifie, tous ces trèfles... »

Bref, ils n'avaient plus parlé du petit blond. Elle dit : « Tu n'aurais pas du jambon ? Moi, ce truc-là, ça me creuse... » Il n'avait pas de jambon, descendit en trombe comme il était, pieds nus, en robe de chambre noire à pois verts, et ramena d'en bas du thon à l'huile et un ouvre-boîtes, deux petites bouteilles de schweppes. « Il est bien froid, ton schweppes, — dit-elle, admirative, — tu as un frigidaire ? » Oh, c'était un minuscule, à accus, mais ça fait froid tout de même. « Tu n'aurais pas du catch up ? » Si, mais il fallait redescendre. « Eh bien... » Il redescendit. Elle fit la moue, — « Tu appelles ça du catch up ? moi, je dis de la sauce tomate » —, et résuma ses impressions sur le local : « Ton gourbi, mon mignon, je serais à ta place, je ne me donnerais pas la peine de courir pour trouver mieux, c'est intime comme cadre, pour un assassinat ! »

Il sursauta. Comment savait-elle ? Il ne s'exclama point comment sais-tu, parce que les mots chez lui devançaient toujours la pensée. Il avait déjà, très sérieusement, dit : « Eh bien, vois-tu comme c'est, moi, je tue les gens ailleurs ! »

A propos, elle s'appelait Jocaste, Charlotte, et ça n'avait pas la moindre vraisemblance. D'ailleurs, en fait d'inceste, il était trop jeune pour être son père.

« Et où ça, si on peut, — avait-elle dit, — savoir ? »

Eh bien justement. C'était bien là le hic. On ne pouvait pas. Parce que j'ai bien pensé... tu as vu sur les journaux... l'assassinat de la rue François-Miron ? D'abord, ça m'avait tout l'air. Seulement les soupiraux, dans ma rue à moi, ils étaient si petits, que pour faire passer le cadavre, il aurait fallu le bourrer, enfin ça aurait pris du temps... « Qu'est-ce que tu chantes ? » Je n'ai pas de voix, je ne chante pas... je te dis qu'à faire filer le macchabée ça aurait demandé dans les... « Ah mais, ah mais, tu m'intéresses ! » Jocaste ressemblait au Sphinx, qui est une Sphinge comme chacun sait, les seins... mais ce petit nom-là, ça me dérange, rapport Maman. Charlotte évidemment... C'est un peu inquiétant : il faudrait surveiller les couteaux. Puis ce n'est pas le quartier. Tu n'aimerais pas mieux Philomèle ? « Philomèle ? » Oui, au lieu de Jocaste. Elle fut victime, dit le dictionnaire, de la brutalité du Roi de Thrace, Térée, son beau-frère, pour l'empêcher de révéler le crime qui lui fit, ensuite, couper la langue et la tint étroitement enfermée. « Tu voudrais me couper la langue ? — Idiote, je ne suis pas ton beau-frère! » De toute façon, elle s'en foutait. Alors, vendu. Va pour Philomèle. Le téléphone. Tu ne réponds pas ? Il insiste. Dzing dzing. Je dis dzing parce que le français ne sait pas imiter le téléphone. Laisse donc, il finira bien par se calmer. Mais si c'était urgent ? Ah, toi, comme petite bourgeoise! Bon, c'est tes affaires.

« Tu comprends, je sais ce que c'est. De deux choses l'une. Ou c'est le bureau qui s'étonne de ne plus me voir. Ou la police qui se fait des idées. Dans un cas comme dans l'autre, mieux vaut laisser courir.

— Écoute, Eddy... tu permets ? Œdipe entre nous, c'est un peu... je ne comprends pas très bien ton existence. Le bureau... tu dis tout le temps, le bureau... puis tu n'y vas pas. Ils ne vont pas te mettre à la porte ?

— Ce sont des gens bien élevés. Le patron, s'entend. Il croit que je suis poète.

— Tu fais des vers ?

— Tu es folle! Je passe pour.

— Oh, dis-m'en, de tes vers! C'est pas gentil! »

Le téléphone. Tu vois, tu ferais mieux. Et puis si c'est la police, ça va lui paraître suspect. Tiens, tu as raison. Trop tard. Plus personne. Dans tout ça, tu ne m'as toujours pas répondu, le petit blond. Mais quel petit blond ? Devant la gare Montparnasse. Ça n'est pas une adresse. Bon, place du 18-Juin. Ça s'appelle place du 18 Juin ? Première nouvelle. Et qu'est-ce qui s'est passé le 18 Juin ? Je ne sais pas, j'étais trop petit. Quelqu'un doit le savoir. Sûr, il y a des maniaques, mais le petit blond...

Ce qu'il peut être... J'ai beau chercher. A moins que ça soit Sophocle ? « C'est une allusion ? » dit Œdipe, mais non, le poète justement, le noir, tu sais bien, qu'on a joué au T. N. P... Je te parle d'un petit blond, et toi... Oh et puis, si ce n'est pas Sophocle! Tu l'as vue, sa pièce ? Moi, dit Œdipe, quand on me sort de Tintin. Et Philomèle : « A ta place, je ne le dirais pas. A ton âge, ça fait demeuré... » Et ça, qu'il lui répond en d'autres termes, cela le fait, demeuré ? Écoute, Eddy, tu ne vas pas recommencer. Il avait fait tomber le paquet de bouquins qui était resté sur le coin de la table depuis le début de la conversation. Pardon excuse, la librairie, ce n'est pas mon fort. Ah, pour une coïncidence...

Il avait ramassé un livre qui s'appelait justement non pas *Œdipe à Colone* comme vous êtes prêts à le croire, mais *De l'assassinat considéré comme un des Beaux-Arts*. Philomèle ne voyait pas. Quelle coïncidence ? Mais enfin, le type que j'ai tué. Ah ! ton père... dit-elle. Et à quoi tu as reconnu que c'était ton père, puisque tu es un enfant trouvé ? Un enfant perdu, ma petite, tâche d'être polie pour ma mère. Tu ne sais pas comme c'est commode, dans la vie. A quoi je l'ai reconnu, Papa ? Simplement, j'ai de la mémoire. A part ça, qu'est-ce qui te parle de mon père ? Bien, tu disais. Je disais rien, c'est Sophocle. Mais non, mais non, l'autre ! le blondinet. D'ailleurs, moi, Sophocle... Et puis, Sénèque, c'était un Espagnol tout ce qu'on fait de châtain. Sénèque ? — dit-elle, — qu'est-ce que c'est encore que ce gars-là ? Œdipe se mord les lèvres : Sénèque lui a échappé. Il allait bafouiller quelque chose. Oh, ce téléphone ! Allô... Non, Monsieur, ce n'est pas mon père ! Lamartine ? Qui vous parle de Lamartine ? Ici c'est Colone 00 je ne sais plus combien. Eh bien, consultez le nouvel annuaire !

« Tout de même, — dit Philomèle, — quel âge as-tu ?

— Cette manie, les filles aujourd'hui, de demander leur âge aux messieurs ! Je croyais te l'avoir dit, je *marche* sur mes trente ans... »

Pour mieux se faire comprendre il avait mis les coudes au corps, et levait les pieds en cadence.

« Tu marches, — dit Philomèle. — J'ai envie de faire ton éducation. Pour commencer je t'apporterai Rimbaud et Sagan.

— Rimbaud, je veux bien, — qu'il fit rêveusement, Œdipe, — c'est des trucs genre Victor Hugo, hein ? Ça, je peux, à la rigueur, on s'arrête où on veut, c'est comme les bandes dessinées. Sagan, alors là,

pas question. J'ai essayé. Trop difficile pour moi... »
 Ça l'a travaillé après, ce qu'elle avait insinué, comme ça, la petite. Parce qu'en effet, le bureau, ils auraient pu le mettre à la porte. Je serais joli. Oh, j'irai demain, c'est la fin du mois. Et puis si la police enquêtait, et qu'on lui dise, au bureau, M. Œdipe... naturellement pour la police on ne l'appelle pas Eddy... il n'est pas revenu depuis, voyons, le 17 ou le 18 mars, c'est bien ça, Fernande? Fernande est la secrétaire du patron. Qu'est-ce que vous croyez? Jamais de la vie. La secrétaire du patron, c'est sacré. Et alors, la police, le 17... ou le 18? Voyons, voyons, réfléchissez bien : la différence peut sembler minime, mais que ce soit le 18 et pas le 17, ça pourrait être gros de conséquences pour quelqu'un! Je les connais, ils ne voudront pas me charger, c'est des bien braves, au bureau. L'un dira très vite, le 17, le 17... et l'autre qui croit comprendre, mais voyons, qu'est-ce que tu racontes! le 18, bien sûr. Pourvu que le patron ne s'en mêle pas, parce que celui-là, comme gaffeur!
 Ça a été une petite fête quand il y est entré, au bureau. Oh, c'est M. Œdipe, c'est M. Œdipe! M. Œdipe qui est revenu! On se disait que vous aviez les oreillons, Monsieur Œdipe... c'est fou ce qu'il y a des oreillons ces jours-ci! Il paraît. Et regardez donc Fernande, elle en est toute pâle : elle disait un grand garçon, ça peut être très mauvais, les oreillons... Moi — ça, c'était l'expert-comptable — je n'y ai pas cru, ce n'est pas votre genre, les oreillons. Seulement de nos jours, avec ces blousons noirs. Eh bien quoi, Monsieur Goluchowski, avec les blousons noirs? Mademoiselle Marie, je sais que je vous porte sur le système, mais ce n'est pas une raison. Qui vous parle de blousons noirs? Ah ça, par exemple, elle est bien bonne, mais vous, Monsieur Goluchowski! Moi, j'ai parlé de blousons noirs? Je ne me souviens pas. Peut-être après tout, ce n'est pas si important, qu'est-ce que je voulais dire? Ah oui, de nos jours, un mauvais coup est toujours possible. Vous auriez dû téléphoner,

dire que Fernande ne se trouble pas, on ne m'a pas encore assassiné !

« Monsieur Goluchowski, — proteste Fernande qui, en fait d'être toute pâle, avait rougi jusqu'aux oreilles, — il y a des sujets de plaisanterie vraiment ! Quand je pense à l'assassinat du 18 mars ! »

Quel assassinat du 18 mars, il y en a eu plusieurs, Fernande avait en vue celui qu'on appelle dans les journaux l'assassinat du 18 mars. Mais non, Fernande, c'est le 18 juin, vous confondez tout. Je sais ce que je dis, l'assassinat du 18 mars qui a été fait par l'assassin du 18 mars. Œdipe restait sur la réserve, le sujet était épineux. Il s'agissait parfaitement de l'affaire de la rue François-Miron. « Et c'est justement ce jour-là, Monsieur Œdipe, que vous aviez disparu ! Vous étiez venu le 17, moi, on ne peut pas me raconter des craques ! » Oh ça, c'est mauvais, c'est mauvais. Je vais revenir faire des fiches pendant deux ou trois jours, histoire de leur brouiller les dates, puis je laisserai passer un peu de temps, les oreillons, c'est une idée.

« L'assassin du 18 mars, — poursuivait Fernande, — quand il a poussé sa victime dans le soupirail, les gens qui passaient n'ont pas compris, il leur cachait le bonhomme, et le facteur de pianos qui est venu déposer...

— Mais, — dit Œdipe, — vous êtes drôlement au courant, Mademoiselle Fernande !

— Pensez donc, je croyais que c'était vous !

— Qui ? le facteur de pianos ?

— Toujours le mot pour rire, Monsieur Œdipe. Non, bien sûr, pas l'assassin non plus. Le... » Et elle faisait le geste d'enfourner le paquet dans le soupirail.

« Et pourquoi pas l'assassin, Mademoiselle Fernande ? — dit Œdipe sur un ton de suavité. — Pendant que vous y êtes...

— Oh, je n'aurais pas rêvé ! Le facteur de pianos, c'est le seul qui a vu l'assassin vraiment. S'il avait su que c'était l'assassin du 18 mars, bien entendu, il l'aurait saisi à bras-le-corps, et puis vous savez, c'est un bel homme! Ceinturé qu'il l'aurait! Du catch! Mais voilà, il ne savait pas que c'était l'assassin du 18, il l'a avoué, j'ai cru que c'était un sac de pommes de terre... »

M. Goluchowski se marrait doucement. Je les ai déjà entendues deux ou trois fois, les pommes de terre. Eh bien quoi ? il faudrait dire des carottes pour vous changer, Monsieur Goluchowski ? En attendant, le facteur de pianos...

« Mademoiselle Fernande, — dit M. Goluchowski, — il y a une chose que vous ne nous avez jamais racontée... et pendant ce temps-là, ses pianos, qu'est-ce qu'il en avait fait, le facteur ? »

Tout le bureau se tortillait. Pas Œdipe. Enfin il résultait des renseignements de Fernande que le facteur de pianos avait donné à la police une indication précieuse, je dis bien : précieuse! Quand l'assassin du 18 mars s'est retourné, l'affaire faite, le paquet glissé dans la cave, il s'est naturellement épongé le front, et puis il a dit... devinez ce qu'il a dit, Monsieur Œdipe!

« C'est sot, Mademoiselle Fernande, de demander à quelqu'un de deviner ça... comment voulez-vous qu'il devine ?

— Ne m'interrompez pas, — dit Fernande, le visage rayé, rouge et blanc, — je le demande à M. Œdipe, c'est une façon de parler. Parce que comment voulez-vous qu'il le devine ? C'est tout vous, Monsieur Goluchowski, c'est tout vous! Alors, l'assassin du 18 mars, après s'être épongé le front, il n'a dit qu'un petit mot, un seul, mais, oh combien significatif! Il a dit : *Tintin!*

— Il a dit *Tintin*, — se fit répéter Œdipe, — vous êtes sûre, Mademoiselle Fernande ?

— *Tintin* comme je vous vois! Une chose comme ça, Monsieur Œdipe, ça vous oriente les démarches! *Tintin!* Même qu'il se frappait le menton avec l'index! »

Mlle Fernande est une grande bringue qui pourrait passer pour jolie si elle n'enlevait pas ses lunettes, mais voilà, elle les enlève. Et puis c'est la secrétaire du patron. Si je la prends à part, tout le monde va croire. Pourtant. Parce que d'où sait-elle ces choses ? Mademoiselle Fernande! Vous ne pourriez pas m'aider ? Je suis perdu dans mes fiches...

Mlle Fernande lui a tout raconté! Naturellement elle s'en balançait de l'assassinat du 18 mars, comme de sa première couche-culotte. Mais si Œdipe avait été la victime ? Ah, ça, Mademoiselle Fernande, je n'y avais pas pensé... Mlle Fernande avait donc été voir les inspecteurs. Comment, les inspecteurs ? Bien sûr, les inspecteurs. Vous me donnez chaud, ma chère amie. Vous voulez que j'ouvre la fenêtre, Monsieur Œdipe? Non, ça ira, c'est le premier moment. Ils ont été aimables, au moins, avec vous, les inspecteurs ? Très, très aimables. Je leur ai dit, vous comprenez, c'est confidentiel, ça restera entre nous, et d'ailleurs peut-être que cela n'a rien à voir, absolument rien, mais voilà, au bureau nous avons un collègue, M. Œdipe, qui a justement disparu... remarquez, il pouvait simplement en avoir sa claque, du bureau, puis peut-être qu'il a une petite amie... vous m'excusez, c'est comme ça que je leur ai dit... enfin, il va reparaître demain, après-demain, en attendant on est tous un peu inquiets, on cherche à se rassurer en disant les oreillons, et moi ça ne me satisfait pas complètement, ces oreillons-là... je préférerais... Enfin! pour vous dire au plus court, j'ai demandé à voir le cadavre, dans le cas où je l'aurais reconnu, sinon on n'en parle plus. Ces messieurs m'ont très bien comprise. Ils m'ont dit, eh bien, venez jeter un coup d'œil, évidemment votre collègue, si c'est lui, n'est pas très appétissant, mais comme on l'a mis dans la glacière... Ah, Monsieur Œdipe! dans quel état j'étais! Aurais-je le triste courage de vous regarder comme ça ? J'avais emporté un flacon de sels. Ça ne se fait plus beaucoup de nos jours, mais aussi faut-il bien dire que c'étaient là des circonstances un peu particulières. Voyez-vous, si ça avait été vous, je crois, Monsieur Œdipe, que je n'y aurais pas survécu!

En tout cas, pas plus de vingt-quatre heures après l'enterrement...

« Mais voyons, Mademoiselle Fernande, vous n'y pensez pas! »

Elle se mouchait, elle ne voulait pas avouer ses larmes. Euh, euh. Et tout d'un coup toute souriante : et puis, ce n'était pas vous! C'était un homme assez gras, bien roulé, légèrement plus grand qu'Œdipe, le genre légèrement maquereau. S'il avait fallu l'identifier par rapport à quelqu'un du même gabarit, cela aurait été peut-être assez difficile parce qu'il était déjà plutôt avancé, hein... Enfin, ce n'était pas vous, ce n'était pas vous, vous pouvez dormir sur les deux oreilles. Les inspecteurs ont été un peu tristes, ils croyaient déjà que ça y était, mais ils ont pris votre adresse et la mienne, pour le cas où on vous retrouverait dans les égouts, ou je ne sais pas.

« Ils ont pris mon adresse? Mais, dites donc, Mademoiselle Fernande, est-ce que vous n'avez pas été un peu rapide dans tout ça? Vous auriez pu attendre, ou prendre des nouvelles, téléphoner à Colone 00-hum hum..

— Tiens, Colone? Je croyais que c'était Lamartine... mais puisque vous aviez disparu, je vous aurais cherché partout sauf chez vous...

— C'est vrai, je comprends, mais tout de suite aller à la police... Allons, bon, ne pleurez pas pour une remarque en passant, Mademoiselle Fernande, je disais ça, mais... »

Toute cette histoire s'est mise à le travailler. Parce que lui, ce n'était pas lui qui l'intéressait, pas l'assassin, mais la victime. Cette idiote de Fernande! Aller donner son adresse à la police! Il faut reconnaître qu'elle ne pouvait pas savoir. En sortant du bureau, il s'était mis à flâner, il chiffrait. Au fond, si du moins il avait vu la victime, ce serait déjà ça. Resterait à trouver le mobile. Peut-être que, même un peu endommagés, les traits du cadavre lui rappelleraient quelque chose. Pas si idiote que tout ça, Fernande. Il aurait dû lui demander où exactement s'adresser, à la Préfecture on le rejeta de porte en porte. Remarquez, s'il n'y avait pas eu la démarche de Fernande, le précédent de Fernande, il ne se serait pas aventuré dans cette galère... il aurait craint d'être suspect, d'attirer l'attention sur lui, mais maintenant qu'il ne serait qu'un entre autres... Bah! le vin est tiré. Sa petite histoire pour les inspecteurs, il l'avait habilement mijotée : démarche confidentielle, rien de moins sûr, il s'agissait d'un ami qui était marié, parti sur un coup de tête, sa femme croyait qu'il avait été rejoindre une gourgandine, il ne fallait pas l'affoler, lui mettre dans l'idée un crime possible... mais lui, il avait son point de vue, il connaissait le personnage de longue main, il ne croyait pas à une fugue sentimentale... enfin, il venait à tout hasard, rien que pour éliminer une possibilité... rien de plus... éliminer! Si ce n'est pas son ami, alors, on n'en parle plus.

L'entrevue avait été assez éprouvante. Le frigidaire, c'est meilleur pour le schweppes que pour... Évidemment, il aurait pu en toute tranquillité dire que ce n'était pas son ami. Pour plusieurs raisons. Il n'était pas venu ici pour identifier le cadavre, mais pour donner corps, c'était le mot, à ce qui s'était passé. Cela ne concernait que lui. S'il avait simplement... mais voilà, le démon qui l'habitait s'était à nouveau déclenché : Œdipe avait pris un air perplexe. Il n'en savait rien, mais il avait pris un air perplexe. L'inspecteur lui demandait : « Alors c'est lui ou c'est pas lui ? » La raison aurait exigé... va te faire fiche! Il sentait ses épaules grimper, ses sourcils en même temps, la bouche qui faisait la moue. L'inspecteur : « Ça pourrait être lui alors ? » et là-dessus Œdipe s'entend parler, comme si c'était quelqu'un d'autre : Évidemment, je ne crois pas mais... ça serait horrible, pauvre petite femme, horrible...,

— Enfin, c'est lui ou c'est pas lui ?
— Hum, hum...
— Alors, c'est lui ?
— On ne peut pas dire.

— Mais vous le connaissiez... vous le reconnaissez ?
— C'est que... On croit connaître un homme. Mais je ne l'ai jamais vu qu'habillé. Alors, comme ça... ça vous change quelqu'un. On n'aurait pas imaginé, le détail, les poils... Vous n'avez pas remarqué, comme ça change le décor, hein? quand on les déshabille, les hommes?»

L'inspecteur s'est étranglé. Comment, quand on les déshabille? Non mais alors vous! C'est pour ça que vous êtes venu! Eh bien, mon salaud! Je devrais vous boucler pour attentat aux mœurs... estimez-vous heureux... allez, filez, et un peu plus vite que ça!

Pour qui avait-il pris Œdipe ? C'était bien la première fois que cela lui arrivait. Et il aurait volontiers filé, sans plus, mais en sortant du cabinet, un fonctionnaire l'avait coincé. Pour les formalités. Quelles formalités? On lui avait demandé son adresse. C'était désagréable, mais quoi! Ils l'avaient déjà. Une deuxième fois, ça n'augmentait pas le danger. De toute façon, même, il prouvait ainsi, une qu'il n'avait pas disparu, deux, par la confiance qu'il mettait dans les inspecteurs, qu'il ne craignait pas la police, trois... enfin quatre et cinq... j'en inventerais toutes meilleures les unes que les autres.

Il était à peine rentré rue des Martyrs que Philomèle s'amenait avec un filet à provisions, un grand pain et son petit frère, Johnny (son nom c'est Charles, mais il trouve ça tarte), dans les onze ans, le genre ennuyé, poli à faire peur ; elle lui apportait *Les Illuminations*, édition du Mercure de France, in-douze, d'avant l'autre guerre. C'était un jour, en bas, où la réserve de l'antiquaire était ouverte, la cour était embarrassée de meubles Regency et de lampes sur pied style métro, et puis on était en train de sortir un régiment de Vénus de Milo, de toutes les tailles, bronze, plâtre, c'est fou, disait Philomèle, ce qu'elle est à la mode, avec le Japon. Œdipe était plutôt nerveux. Pourquoi avait-elle amené ce môme ?

« Pourquoi tu as amené ce mioche, Phil? On ne pourra pas se parler... »

Ils étaient entrés dans la chambre, mais le gamin avait l'oreille fine : « Oh, — qu'il dit, Johnny, — vous en faites pas pour moi, j'ai trouvé un *Tintin*, alors. Je garde les provisions. Et puis, j'ai l'habitude, Monsieur. Si vous croyez que vous êtes le premier! » Quel sale gosse! Ils poussèrent la porte. A deux, la porte fermée, c'est si petit, vaut mieux s'étendre... « C'est gentil chez toi, — dit Philomèle, avec le sentiment de se répéter —, mais faudrait pas avoir les seins trop gros... » Il lui raconta sa visite, elle fit la grimace : « Brr, je n'aime pas la viande congelée... », puis tout d'un coup elle comprit toute une série de choses qu'il lui avait dites, les mit ensemble, se rendit compte qu'elle ne s'était pas arrêtée à certains propos parce que... et résuma le tout d'une petite phrase à l'oreille d'Eddy : « Mais alors... ce n'était pas ton père? » Ce qui provoqua chez l'autre une crise aiguë de rigolade.

Elle s'était levée, remettait son pantalon de chamois, sérieuse, plissant ce petit nez dont je ne crois pas vous avoir encore entretenu, un amour de petit nez, et elle parlait, parlait, parlait. Ce serait trop long à écrire. Bref, puisque Eddy était l'assassin du 18 mars, et que la police allait sûrement venir rue des Martyrs, à cause du parallélisme... quel parallélisme? eh bien, la démarche de Fernande et la sienne, quoi... il n'y avait pas une minute à perdre, il fallait surtout qu'on ne le trouve pas. Après ça, ils vous tordent les doigts de pied, ils vous font la magnéto dans les testicules, tu dis des bêtises, ils mettent un avec deux, et puis va te débrouiller! Enfin, Philomèle proposait de cacher Œdipe chez elle, dans sa famille. Tu n'es pas folle? Je les connais, non... alors! Tout comme le môme, lui, comme toi, il lit *Tintin*, Maman a sa télé, Papa ses calculs, Marie-Amélie... surtout depuis qu'elle a eu son troisième, et quant au beau-frère...

« Parce que tu as un beau-frère, par-dessus le marché?

— Tiens, cette idée! Le Roi de Thrace, bien sûr, Térée... Et puis, c'est à côté... Ils n'iront jamais t'y chercher. C'est le système de la lettre volée... tu ne sais pas? Ah, bien sûr, tu ne l'as pas lu, Poe... Edgar Allan... c'est fou, ce que j'ai encore à t'apprendre! »

Tout cela n'a pas l'ombre de vraisemblance. Ce M. Œdipe ne tient pas sur ses pieds, il dégringole d'un Palais de Thèbes en carton-pâte dans un Paris beurre-frais. Il regarde tout avec des yeux d'aveugle, avant même de se les être crevés. Il est pris d'une tentation d'évidence : cette jeune demoiselle, dont il aurait fait Charlotte Corday comme un rien, voilà qu'il est prêt à l'appeler Antigone, à se laisser conduire par elle à Colone. Tu parles d'un caniche! Mais lui-même...

Par exemple, est-il admissible un instant qu'à trente ans, ou presque, on lise *Mickey*, *Tintin*, quand il y a le Livre de Poche?

Selon toute probabilité, tout cela, c'est du pour. Œdipe fait mine. Il possède au moins une bonne culture moyenne, comme on dit. Ou mieux peut-être. Il a des connaissances du côté Tragiques grecs et romains. Et il est du rôle qu'il joue, le rôle de l'assassin du 18 mars, d'être un lecteur de *Tintin*. C'est déjà la Cour d'Assises : il prépare la plaidoirie. Tant que ce n'était que la police, il s'agissait encore de brouiller les pistes, de nier le meurtre. Mais devant les jurés! Ce qui lui importe maintenant, c'est de le faire prendre au sérieux, son crime, puisqu'il ne peut plus le cacher. Il faut qu'il soit un lecteur de *Tintin* pour que les jurés se disent, tiens, mais c'est drôle! C'était pourtant un garçon tout à fait normal, il lisait *Tintin*... et puis, à la réflexion, voilà où ça mène, ces lectures-là... Il a bien calculé son affaire. Il s'est dit, pour que l'assassinat du 18 mars apparaisse dans l'ordre, il faut que l'assassin... enfin, l'essentiel, c'est le caractère de ses lectures qui persuaderont les jurés que, tout ça, c'est de l'enfantillage... Tenez, la preuve : qu'est-ce que c'est que cette insinuation que, de toute littérature au monde, en dehors de *Mickey* et de *Tintin*, il ne connaît qu'Albert Camus ? Ça ne tient pas debout, je vous dis. A moins...

A moins qu'il ne tente par là d'amener les gens à expliquer son attitude dans la vie par la théorie de l'Absurde, et là, on peut être tout à fait sûr qu'il s'agit d'un camouflage. Camouflage d'un autre crime ou, comme on finit par le penser, d'un *non-crime* ? En tout cas, Œdipe triche : parce qu'il en va de l'Absurde, comme de l'Acte gratuit, rien de tout cela n'a plus cours depuis l'échange des billets.

Œdipe craint apparemment l'incrédulité, touchant sa participation à l'affaire de la rue François-Miron. S'il avait l'arme du crime, il mettrait à y laisser ses empreintes le soin que le criminel apporte à les effacer. Mais il n'a pas plus l'arme, que le mobile du crime, que le corps du délit. Pour donner créance à sa machination, il lui faut détruire la logique même du monde, sa cohérence, depuis le 18 mars 1964. Il est trop malin pour se rattacher lui-même, ouvertement, à une philosophie quelconque, qui permettait d'envisager l'existence de telle façon qu'il puisse y être pris pour un assassin. Il se contente d'insinuer. Ce que vaut la philosophie de l'Absurde, après tant de soirées dans les théâtres d'avant-garde il fut défini comme l'expression de l'homme qui en a fait le tour, il sait parfaitement que ce n'est que reprise de Macbeth :

> *Life's but a walking shadow ; a poor player*
> *That struts and frets his hour upon the stage*
> *And then is heard no more ; it is a tale*
> *Told by an idiot, full of sound and fury,*
> *Signifying nothing...*

Et dans quelle bouche Shakespeare avait-il mis ces mots ? D'où vient qu'on prétende en faire sa conception de la vie ? Ici l'Absurde fut défini comme l'expression de l'homme qui en a besoin pour la justification de ses crimes. Pour que Macbeth, au moins intellectuellement, triomphe, il faut que soit la vie un conte dit par un idiot, plein de bruit et de fureur, sans signification aucune... Est-ce qu'Œdipe agit suivant cette définition de l'existence ? N'est-il pas au contraire celui qui dans sa propre vie introduit un sens, qui donne sens au monde qu'il habite ? Et là finit l'absurde où entre l'homme, par qui signification est donnée jusqu'à la fureur et au bruit. Œdipe n'est pas Macbeth, et sa vie point une ombre qui marche, ni ce pauvre acteur qui fait le paon et passe à s'agiter son heure sur la scène, puis que l'on n'entend plus... D'ailleurs, imaginez l'Œdipe d'aujourd'hui, un jeune homme en slip avec une peau de mouton sur l'épaule et un alpenstock, qu'il apparaisse et se mette à dire que la vie est un conte dit par un idiot, et que ce ne soit pas en anglais, qu'on ne donne pas référence à William Shakespeare, vous entendez d'ici le chahut que ça ferait dans le monde progressiste ! Alors, peut-être, notre jeune scout court vêtu va-t-il penser que si c'était en russe, ça mettrait les rieurs de son côté, il change de citation, se met à l'abri de Lermontov :

И жизнь, как посмотришь с холодным вниманьем вокруг
Такая пустая и глупая шутка ...

Et la vie, pour peu qu'on regarde alentour avec une froide attention — Quelle plaisanterie vide et sotte ! voilà qui n'est pas à dire à un Sphinx, ni à un peuple en train de bâtir le socialisme... Mais qui est le Sphinx, qui est le Sphinx en tout cela ? Le premier venu. Et toujours, à ses questions mortelles, Œdipe seul répond. Peut-être, que s'il se cherche éperdument une victime, c'est afin de n'avoir pas tué son père... Écartez de lui ce calice ! Il ne peut pas résister, déjà Antigone le pousse, il change d'hypothèse comme de chemise, de système comme de slip, d'absolu comme de casquette, à Colone, à Colone ! Mais au fait, Antigone, ma fille, comment s'appelait ta Maman ?

Donc, Phil emmène Eddy chez elle, c'est-à-dire dans

l'appartement de sa famille, sis dans l'immeuble voisin de celui où l'hôtel particulier se carre à l'écart dans la cour encombrée.

Une maison bourgeoise, assez mal tenue, dont l'escalier est partiellement recouvert d'un chemin talé, décoloré, montrant sa trame, qui fut beige à bandes latérales, noires et rouges, et que l'on appelle pompeusement *le* tapis dans le langage maison. Les anneaux de cuivre vissés au bois des marches sont depuis des temps immémoriaux veufs de tringles, si bien qu'on se désintéresse de les frotter, verdissant. Un souvenir de faux marbre se gondole aux murs, les paliers portent à la craie des fournisseurs, car il n'y a pas d'escalier de service, une numérotation qui s'adjoint parfois le nom abrégé des habitants. Du bois blanc non peint qui grimpe atteste qu'on a finalement, il y a de cela une dizaine d'années, changé la colonne montante, laquelle ne permettait préalablement ni les machines à laver, ni le chauffage d'appoint, ni la cuisinière électrique, et plongeait la maison dans les ténèbres chaque fois qu'un locataire éprouvait le besoin de prendre un bain. Il y a trois portes par palier : celles de droite et de gauche commandent les appartements sur la rue des Martyrs, celle du fond, à deux battants, donne en réalité sur l'ancienne demeure devant laquelle a été construite la façade, à l'époque de Louis-Philippe. C'est-à-dire, à partir du second étage : au rez-de-chaussée et au premier, le mur recouvre le soubassement du jardin... oui. Est-ce que je me fais bien comprendre ? Il y avait autrefois ici une maison en retrait sur la rue de tout ce qui est maintenant le devant de l'immeuble avec son escalier, une pente de gazon en dévalait jusqu'à la rue. Le deuxième fond, par conséquent, est l'ancien rez-de-chaussée d'une demeure aujourd'hui masquée. C'est où habite la famille de Phil.

Celle-ci, poussant devant elle son jeune frère, et brandissant le sac et le pain, entra dans l'antichambre avec le cri de guerre par quoi, d'époque immémoriale, les membres de la tribu annonçaient aux sédentaires leur retour de la chasse aux boîtes de sardines. Et, se déchaussant d'un pied l'autre, elle invita d'un clin d'épaule son ami l'Assassin à la suivre dans l'espèce de rotonde à cinq mètres de haut, débouchant par de grandes portes vitrées sur le jardin, et où donnaient de part et d'autre les pièces à proprement parler de l'appartement. Cela était saisissant de pauvreté somptueuse.

D'abord Œdipe ne voyait que le jardin, à cette heure plein de soleil, parce que les grands arbres n'avaient pas encore feuillé. Il avait beau savoir par la rumeur publique l'existence de cet îlot de verdure suspendu dont il voyait les arbres de chez lui, c'était tout de même comme dans les rêves où l'on s'est imaginé couché la tête au pied du lit, au moment du réveil, cette façon qu'on a de pivoter de cent quatre-vingts degrés sur soi-même pour se réadapter au jour. La pièce où il venait de pénétrer avait été jadis peinte en marron foncé, elle avait perdu les filets or de ses boiseries et, bien que périodiquement Mme Carpentier de Penhoët, c'est-à-dire la mère de Phil, c'était comme cela qu'on avait décidé, les vieux, de l'appeler, Mme Carp de Pen, ainsi qu'on disait à la réflexion pour simplifier, soupirât qu'il eût fallu refaire les peintures en gris Trianon, on ne s'y décidait pas. Aussi la pièce gardait-elle ce caractère sombre qui devait s'aggraver le soir, de l'impossibilité de l'éclairer vers le haut, avec ces appliques de fer forgé dans les panneaux à un peu plus que taille humaine, de la rosace du plafond pendant depuis la guerre de 14 une chaîne sans lustre, celui qui existait alors, bien entendu tout cristal à pendeloques, tombé d'étonnement lors du premier bombardement de Paris par la Grosse Bertha.

Tout cela, notre Œdipe l'avait su d'un coup d'œil, avant même d'avoir aperçu les habitants, les langes pendus sur une petite ficelle, le parc d'enfant où deux lardons avec des bouts de bois et une trompette aiguë se chamaillaient sur le parquet dont une latte manquait, le grand fauteuil au dos crevé d'où sort un crin blond gris, et le monsieur dans un nuage de fumée qui y était perdu parmi les paperasses de ses genoux, la grande fille très fatiguée, comme une Philomèle lourde qui aurait coiffé ses cheveux dans le genre pièce montée à la mode d'il y a trois ans, c'est-à-dire avant la naissance des petits dont elle poussait le troisième d'une main rythmique dans une petite voiture servant de berceau, ce qui faisait de la place dans la pièce quand on allait promener le dernier bout de chou.

« Fanny! — avait crié Phil en entrant, et elle avait jeté sur un guéridon le pain long et le sac à provisions, — voilà le père de mon enfant! » La dame, encore jeunette, qui était à la radio en train d'écouter Jacques Brel, lui baissa le ton sans l'éteindre et pivota sur le siège de piano adapté à la vie moderne où elle était assise devant le poste. Une personne toute frisée qui regarda l'intrus sans l'ombre d'un étonnement. « Eddy, — expliqua Phil —, c'est Fanny... »

Que Fanny était la mère de Phil, de cette jeune femme, si j'ai bonne mémoire Marie-Amélie, encore mal remise de son troisième accouchement, et du garçon qui lisait *Tintin* comme les grandes personnes, c'est ce dont Œdipe prit conscience progressivement, malgré sa vivacité d'esprit, mais je n'ai pas de raison de vous en faire un *suspense* : « Enchantée, — dit Fanny, — mais tu pourrais donner un siège à Monsieur, Paulette, il doit être fatigué. » Œdipe s'étonna moins de cette supposition que du prénom : ainsi Phil, chez les Carp de Pen, s'appelait Paulette... Mince.

Il s'était assis avec la rapidité qu'il mettait à tuer les gens, et il dit tout de suite à sa belle-mère : « Moi, à votre place, Madame, je me mêle de ce qui ne me regarde pas, je ne permettrais pas à ce morveux de se baptiser Johnny. Remarquez, Charles, je le comprends, ça doit le faire mal voir au lycée...

— Monsieur... vous permettez que je vous dise Eddy? eh bien, Eddy, c'est le nom de mon mari, alors vous comprenez...

440

— M. Carp de Pen s'appelle Johnny?
— Mais non, qu'il est drôle! M. Dumont s'appelle Charles.
— Eh bien, moi, à votre place, je l'appellerais Étéocle...
— Étéocle? Comme c'est curieux! que j'appelle M. Dumont Étéocle? Charles! Tu voudrais t'appeler Étéocle? »

Le monsieur dans le fauteuil grogna quelque chose et l'on vit sa main ramasser des papiers éparpillés.

« Mais non, mais non, Fanny! — dit Œdipe. — Il s'agit de Johnny. Si Étéocle vous paraît difficile, que penseriez-vous de Polynice?

— Ah, ça, je préfère! — s'exclama Fanny. — Mais pourquoi diable Polynice? ou Étéocle? Johnny, ça lui plaît, et puis c'est moderne! »

Il insista. Vous me feriez plaisir. Fanny se tourna vers sa seconde fille. Elle ne l'avait pas mal choisi, Paulette, le père de son enfant : mais au fait! Une brusque inquiétude l'avait saisie. Elle demanda : « C'est pour quand? »

Phil la regarda, l'air absent : « Quand, quoi? » dit-elle. « Eh bien, le... » dit sa mère. Et Phil : « Ah, bon... mais à quoi tu vois que c'est le... ça pourrait être la... » On était en plein pastis.

« Tout ça, — reprit Fanny —, ne m'explique pas pourquoi vous voulez changer Johnny en Polynice? C'est bien particulier... »

Œdipe la regardait, comme cela à contre-jour, et il la trouvait charmante, la maman. Après tout, elle n'était pas tellement plus vieille que lui! Il y a seulement trois ou quatre ans, personne n'aurait trouvé étonnant qu'il la préférât à Phil... Il lui sourit : « Pourquoi j'aimerais que Johnny s'appelle Polynice... à vrai dire, moi, ce serait plutôt Étéocle, affaire de goût... mais voyons, Fanny, c'est à cause de ce charme que vous avez! »

— Hop là, — dit Phil. — Maman, c'est chasse gardée,

mon bonhomme. D'ailleurs, c'est moi, Jocaste. Et puis si ça lui chante, à ce môme, d'être Johnny! »

Cette M{{me}} Carp de Pen, pensait Œdipe, Philomèle peut dire ce qu'elle veut, je me l'enverrais bien par-dessus le marché. Même, que si j'avais des sous, je lui donnerais des bijoux et je la mènerais chez Dior. Pure hypothèse, par malheur. Et puis toc, voilà l'imaginative qui s'emballe. Étéocle les a découverts par hasard, comme ils s'embrassaient dans un taxi, rue François-Miron, où il avait fini par céder aux instances de Jocaste... après tout, si Johnny s'appelle Charles comme son père, pourquoi Fanny ne porterait-elle pas le nom de sa fille... elle avait voulu voir le soupirail. Ce qu'il fallait s'expliquer, c'est qu'Étéocle passe par là : peut-être était-il allé à la Samaritaine, à cause du bricolage, il voulait s'installer une petite scie à découper dans la réserve du jardin... et tiens, voilà qui pourrait servir, à l'occasion, pour les cadavres... Alors ce sale gosse n'a rien eu de plus pressé que d'aller rapporter à sa sœur. Dis donc, Phil, mon neveu il va avoir un oncle! Elle ne comprenait pas d'abord, après quoi, elle a été chez Gastinne-Renette. Oh, je n'aime pas, je n'aime pas cette histoire-là...

« Pourquoi donc... Polynice, c'est joli. Et puis maintenant qu'Eddy est de la famille, — disait Fanny, on peut bien lui faire ce petit plaisir...

— Qui est de la famille? »

C'était Charles qui émergeait du fauteuil. On se demanderait comment un être aussi moche peut avoir des filles aussi jolies, si l'on n'avait pas vu sa femme. Il ne devait pas avoir plus de cinquante ans, mais il était de cette matière blonde qui s'écaille très vite chez l'homme, se fripe, se plisse, se coupe, amasse la poussière dans les plis, se fatigue dans le poil, se tache partout, le genre son, comment? s, o, n, son! *péricarpe des fruits des céréales, après qu'il a été séparé par l'action de la mouture* qu'il dit le *Petit Larousse Illustré*, édition de 1924. Il ne portait pas encore de lunettes, mais il

avait tort. Il aurait mieux fait d'avoir une moustache.
Ça, remarquez, on pourrait peut-être l'en persuader
plus facilement que d'employer un rasoir électrique.
Il ressemble à du tabac qu'on a semé un peu partout,
autour, en bourrant sa pipe. Vous voyez ça d'ici.

Quand on lui eut expliqué qui était Œdipe, Charles
soupira profondément, se leva, l'on put remarquer
qu'il avait la jambe longue et le thorax exigu, et résuma
la situation en se grattant la fesse : « Alors, elle est
enceinte, Paulette? », ce qui provoqua la tempête.
« Papa! » criait Marie-Amélie, scandalisée, comme si
son monopole venait d'être mis en question. Et Fanny :
« Enfin, Charles, aie un peu plus de tenue devant les
enfants! »

Je ne me lancerai pas à rapporter la conversation
légèrement confuse qui s'ensuivit, d'autant que... les
petits canards dans leur parking, ils en font un boucan,
qui donc a pu leur donner cette trompette? Mais c'est
toi, Papa, tu ne sais rien leur refuser. Dis donc, Marie-
Ame, à leur âge, ils ne savent pas encore demander
les instruments de musique...

C'est pas vilain, Marie-Ame, mais c'est elle pour sûr
qui l'est, enceinte. Le quatrième pointe déjà, au fait
où est-il, le coupable?

Là-dessus, Phil mit les choses au point : « Il n'y a pas
de quoi s'effaroucher. Enceinte! C'est un bien gros mot.
Je ne le suis que de vingt-quatre heures, alors, ce n'est
pas gênant pour les relations mondaines.

— De vingt-quatre heures? — s'étonne Fanny.
— Alors comment le sais-tu?

— Ma petite Fanny, mon amour de Maman en sucre,
tu resteras naïve, comme ça, toute la vie! Ni Marie-
Ame, ni moi, ni Johnny nous ne t'avons donc rien appris? C'est fou, ce qu'on aura été discrets!

— Polynice! Veux-tu cesser de ronger tes ongles? »

Fanny avait brusquement, comme cela, un besoin
pressant d'agir en éducatrice avec ses enfants. Mais
Polynice qui croyait encore s'appeler Johnny la regarda

sans comprendre, et continua tranquillement à faire ce qui n'était interdit qu'au frère d'Étéocle.

« Maintenant, Charles, écoute-moi bien, — dit Phil, en lui ramassant ses papiers. — L'arrivée dans notre caravaning d'un spécimen mâle d'origine thébaine, à juste titre soupçonné de meurtre, et son entrée dans la tribu, implique de notre part à tous, je dis bien à tous, pour que Marie-Ame, par la suite, s'en explique avec le Roi de Thrace... implique de notre part à tous des devoirs particuliers à son égard. Fanny, ma petite, ne m'interromps pas! Cette fois, c'est moi que ça concerne, peut-être? Premièrement, vous allez le nourrir. Ah non, ne commencez pas! Le nourrir. Pour le coucher, ne vous dérangez pas, je m'en charge, mais ça signifie qu'on va transporter ma paillasse dans la pièce où Johnny fait ses cochonneries...

— Mes cochonneries! — protesta Johnny. — Tu en trouveras des menuisiers qui me valent à onze ans et trois mois!

— Étéocle, fous-nous la paix! Ou je t'appelle Polynice. Mais là n'est pas l'essentiel. L'essentiel réside en ce que, tu ne pourrais pas lui dire, Fanny, tout de même, de ne pas bouffer ses ongles comme du petit-lait? en ce que... en ce que... en ce que... » Qu'avait-elle à s'enrayer le phono? « Attends un peu! » dit Fanny, et elle avait couru au poste. Comme je suis un peu sourd je n'avais pas saisi ce qui se passait. Naturellement, c'était Aznavour. Il entra dans la pièce, l'emplit jusqu'au cinquième mètre de hauteur, creva le cœur de tout le monde, et retomba comme une lettre déchirée en mille miettes sur les Carp de Pen. Une fille charmante en profita pour nous recommander de manger une orange à notre petit déjeuner. Œdipe l'imagina si fort qu'il avoua tout de suite la chose à Philomèle : « Je viens de te tromper avec la demoiselle aux oranges... — Bon, dit-elle, après tout, ce n'est pas ma mère... Écoute, mon petit Johnny, je renonce à t'appeler Étéocle, si tu nous apportes le petit déjeuner au lit : Eddy tient beaucoup à être servi pour le petit déjeuner... » C'est terrible, cette vitesse de la pensée. Il avait suffi d'une allusion de Phil à Fanny, pour qu'il fût uniquement possédé de cette aventure nouvelle : il demanda donc directement au principal intéressé, c'est-à-dire à Laïus, le type du fauteuil, vous n'eussiez pas voulu qu'il pensât Charles, ça serait un peu rapidement familier : « Coucher avec sa belle-mère, cher Monsieur, c'est tout de même de l'inceste, n'est-ce pas ? » Et Laïus : « Cette question ne s'est jamais posée à mon esprit, jeune homme, elle demandrait quelque réflexion... Vous savez, quand je suis né, c'était tout juste les frères Wright, la pensée s'envolait à peine pour retomber à quelques mètres de là. J'ai de la peine à suivre mon demi-siècle. Mais, à m'en tenir à la conception classique de l'inceste, c'est-à-dire à Phèdre, Hippolyte était son beau-fils sans doute, seulement par Thésée. Il y a donc inceste si vous couchez avec la femme de votre père, ça ne permet pas de conclure pour la mère de votre femme, problème, me semble-t-il, tout à fait moderne, tout à fait moderne... Au fait, à ce qu'on me dit, alors, je vais être grand-père ? Excusez-moi de ne vous avoir pas félicité plus tôt : comment l'appellerons-nous, si c'est un garçon ? Pour les filles, c'est toujours plus facile. Ça me fait tout drôle de me dire que je vais être grand-père, moi qui crois toujours avoir dix-huit ans, je suis si lent à me rendre compte...

— Mais, Charles ! — s'exclama Fanny, — tu as encore oublié que tu avais déjà trois petits-enfants ! »

Laïus Carp de Pen regarda, surpris, la pièce tout autour de lui, aperçut les mioches dans leur parc, l'aîné jouait de la trompette, leur fit guiliguili de la main, et sourit d'un air gêné : « C'est vrai, je te demande pardon, Marie-Ame, c'est que je ne peux pas me résoudre à croire que tu as déjà fait ta première communion... »

Là-dessus, voilà la radio qui fait encore des siennes : les émissions sont arrêtées dans le genre tragique. Le speaker avec une voix bouleversée a l'air de nous préparer au pire. Fanny tourne le bouton, on rate quelque chose parce qu'elle a la manie de mettre au point, si les nouvelles devaient forcément être au point pour nous apprendre... *Le Roi de France est mort!* Qu'est-ce qu'il dit? Il a dit : *Le Roi de France est mort...* On ne pourrait pas lui demander de répéter? *Le Roi de France...* ah, mon Dieu, mon Dieu... qu'est-ce qu'on va devenir? C'est Charles qui rassure son monde, il a l'air du marchand de sable : « Il ne faut pas se troubler... c'est seulement du Bossuet... » Ah mais, naturellement, naturellement. Est-on bête? On avait cru. D'abord il n'y a pas de Roi de France. Comment, il n'y a pas de Roi de France? Eh bien, qu'est-ce qu'il te faut. D'ailleurs, dit Œdipe, je connais tout Bossuet par cœur, et il n'est pas mort un seul Roi de France pendant qu'il faisait son numéro.

« Tu connais tout Bossuet par cœur, maintenant? » c'est Phil qui s'étonne, à qui se fier? Œdipe aurait pu lui répondre que tout Bossuet était dans *Tintin*, mais il était déjà pris d'une hypothèse : et si c'était le Roi de France, le cadavre du 18 mars? Encore! Toute l'histoire récrite de fond en comble, tout le monde se fait recaler au certificat supérieur...

Dans tout ça, le Roi de Thrace n'avait pas montré sa couronne. Et il était l'heure du déjeuner. « Où as-tu fourré ton mari? — demanda Phil à sa sœur. — Il va encore nous faire manger les sardines racies... Tu ne pourrais pas l'élever un peu mieux?

— Je te défends, Paulette, de dire du mal de Georges!

— Qui c'est, Georges? » demanda Œdipe, un peu distrait par ses rêveries incestueuses. Et Philomèle, agacée : « Qui veux-tu que ce soit? Térée, bien sûr.

— Ah, Térée! Il fallait le dire tout de suite. Ta famille est compliquée, avec ces façons d'avoir au moins un nom par personne...

— Tu t'y feras, — dit Philomèle. — La difficulté plutôt, c'est qu'on ne s'y connaît plus dans les générations, avec cette manie qu'a Johnny d'appeler Poulot grand-père, le trompette, tu sais? qui, dans ces conditions, ne s'habituera jamais à lui dire mon oncle.»

Justement Étéocle qui avait disparu dans le jardin pour des besognes secrètes reparaissait en pleine conversation, avec un esprit d'à-propos fort remarquable chez un si jeune garçon :

« Marie-Ame... — demanda-t-il, — tu ne pourrais pas dire au père de tes enfants que c'est l'heure de la tétée? Regarde, le nouveau, il est là, lui... » Et il fit un petit salut de la main à Œdipe. Celui-ci ne remarqua pas la nuance qu'il y avait dans le ton de Johnny, par rapport à ce matin, quand il était venu chez lui, cette politesse affectée alors... La psychologie est un genre démodé pour lui. Paul Bourget, Freud... tout ça! *Tintin* ne s'embarrasse pas de tout ça... pan! et c'est le cosmos. Mais ces considérations littéraires n'avaient fait que le traverser : il venait d'être frappé d'un éclair...

Remarquez, on dit *un éclair*... toujours le langage de la vitesse de la lumière, ça date, ça date, c'est dépassé! On n'a pas encore d'expression qui corresponde à l'état des connaissances. Faudrait faire gaffe, parce que le français sans ça, le temps de chercher ta clef dans ta poche, on a changé de serrure, et pas qu'on craigne les cambrioleurs... Le temps de se retourner, on a une langue morte dans la bouche. Drôle de sensation. Tant pis. Donc... il venait d'être frappé d'un éclair, Œdipe, faute de mieux. C'était l'insistance de tous ces gens à parler de cet autre beau-frère qu'il n'avait pas encore eu l'honneur de rencontrer. Térée, pour l'appeler comme le *Larousse*. Et si Térée... De quoi avait-il l'air, Térée? Si, par hasard, c'était un homme assez gras, bien roulé, le genre légèrement maquereau, plus grand que moi, légèrement plus grand que moi... Il frissonne. Vous parlez d'un déjeuner que cela allait faire, lorsqu'ils allaient s'asseoir ensemble, là autour des sardines, l'Assassin du 18 mars et sa victime! Parce que Térée... de toute évidence. Vous entendez d'ici la conversation : « Et alors, mon cher, qu'est-ce que vous êtes devenu depuis la dernière fois?... — Oh, pas grand'chose, j'ai eu plutôt froid... mais vous, cher Œdipe, vous n'avez pas eu d'ennuis à cause de moi, j'espère? » En tout cas, espérons qu'il se sera couvert les seins. Le bon côté de la chose, c'est que d'apprendre les liens de famille qui s'étaient créés entre eux, ça garantissait la discrétion du cadavre.

« Ah, Georges! Enfin! »

Le nouveau venu était assorti à l'appartement, un mètre quatre-vingt-quinze à vue de nez. Le reste n'était que détail. Il fallait abandonner l'hypothèse. « Je te présente Eddy... » dit Phil, on ne peut plus seizième arrondissement. Il s'en foutait. Il s'assit à table, remarqua que le couvert n'était pas mis, fulmina : « Eh bien merde, moi qui ai couru! Où elles sont, les sardines? Je parierais que vous allez encore les servir froides! » Puis soudain, fort intéressé, désignant Œdipe : « Mais dites donc, belle-maman, ce jeune homme? Qu'est-ce qu'il vient foutre ici? »

Comment Œdipe poursuivrait-il la conversation avec un personnage aussi grossier, lui qui a été élevé avec tout le raffinement moderne de *Juliette de mon cœur*, la délicatesse d'âme de Tarzan, le *spinach* musculaire de Mathurin-Popeye? La première fois que Marie-Amélie avait introduit son futur époux rue des Martyrs, Philomèle s'était contentée de murmurer : « Dis donc, sœurette, tu n'aurais rien de plus petit? », mais Térée alors, qui n'était qu'un Georges ou un autre, un peu grand c'est tout, se tenait dans une sage réserve, impressionné somme toute par le local et la belle-famille. Sur quoi, il avait précipitamment fait trois gosses à Marie-Ame, pour ne pas préjuger de l'anguille sous roche. Et comme l'état actuel de la littérature interdit formellement les retours en arrière quand ils sont de moins d'un siècle, l'arrivée de ce monsieur déjà tout habitué à la vie de château chez les Carp de Pen, *alias* Dumont, désorganise le feuilleton de fond en comble. Outre qu'Œdipe n'est pas aussi calé pour ce qui touche les Rois de Thrace que pour les affaires de cœur de la dynastie thébaine ou Davy Crockett, il a horriblement envie de jouer à autre chose. D'ailleurs, l'essentiel est dit. Il y a belle lurette que la dramaturgie se passe de dénouement, et de toute façon Œdipe sait bien que son histoire ne deviendrait touchante qu'à condition de renoncer à Philomèle, pour la remplacer par Antigone, or il en a sa claque d'incestes. A moins d'attendre que cet enfant que Phil suppose assez hâtivement conçu (probablement en raison de la rapidité d'esprit du père) soit en âge d'emmener Œdipe à Colone. Mais, d'abord, si c'était un garçon ? Ça fait trop d'aléas, et cela forcerait à changer de costume pour tomber dans l'anticipation, puisque le désir de se conformer à la loi de contemporainéité que certains préconisent dans le réalisme, avait fait commettre à cet esprit spéculatif l'imprudence de ne se réserver aucune marge d'avenir. Donc ni passé ni futur, le rêve se voit réduit à l'instantané. D'autant que personne ne pense plus au crime de la rue François-Miron (c'est déjà de l'ancien au bout de quinze jours), qu'il faudrait tout de même, pour la forme, qu'Œdipe qui s'appelle par chance de son nom véritable Édouard Dumont, si bien que ça sera commode pour le linge, et que ça ne changera guère Paulette que de prénom... qu'il serait bon, disait-elle justement, qu'Eddy passât ne serait-ce qu'un instant au bureau, pour entretenir l'amitié, et que par conséquent il faudra se borner à ce petit groupe de famille, tous les Carp de Pen autour des sardines, le nourrisson qui dévore sa mère, par concession à la psychologie contemporaine, avec cet avantage aujourd'hui de la photographie en couleur, le soleil dans les arbres du jardin qui viennent d'ouvrir leurs menottes vertes de marronniers, et dans l'embrasure, à la porte-fenêtre de gauche, avec des pinces en matière plastique qui les tiennent sur le fil de nylon blanc, les petites couches jaune et rose, et trois paires de bas pleurant.

Mais quelle est la chose qui manque à l'Œdipe d'aujourd'hui, qu'il lui faille inventer meurtre et victime, comme une imaginaire royauté, à la différence de l'homonyme Roi de Thèbes, et lui, plus que pour éveiller notre pitié, pour s'en garder ? Toute l'histoire en serait à récrire de ce point de vue, et dans le style des condensés. Avec la morale. Tu ne tueras point. La technique de *Superman* et l'optimisme sportif. Les temps ne sont plus où les dieux suffisaient à tout expliquer. Et même si on se crève les yeux pour se punir, on n'évite pas le tribunal de l'opinion publique, elle exige des héros poncés dehors et dedans, qui n'ont jamais rêvé d'étrangler personne, jamais tué à coups de canne sur un gué qu'il soit leur père ou non un monsieur se croyant permis de passer avant eux dans les portes. Des héros bien tenus, partageant l'idéal de l'époque, tels que toutes les mères dont le fils s'appelle Édouard, et le mari Dumont, n'écrivent pas à l'auteur que leur Doudou, à elles, ne se conduisait pas comme ça avec les jeunes filles, et n'aurait jamais fait de l'œil à leur putative belle-maman. *Les douleurs qui furent le lot d'Œdipe —* dit Hölderlin, en un texte contesté, dont on discute aussi qu'il soit en prose ou en vers, — *ont l'air de comme si un mendiant se plaignait de quelque chose qui lui manque...* Un compte en banque apparemment, ou plutôt, à y réfléchir, une idéologie. Eddy ne se crèvera pas les yeux. Cela ne se fait plus dans le monde moderne. Ni les sphinx. Qui voudrait d'un sphinx chez soi ? Les sphinx, pour les uns, sont dangereusement réalistes, avec ces seins de femme, et le goût décoratif est à l'abstrait, assez de ce retour d'Égypte ! Pour les autres, n'en parlons pas, qui ne trouvent point ces animaux exemplaires, et tiennent pour des portraits à leurs murs qu'on change de temps en temps, comme de souverains dans les mairies, ou de femmes quand on divorce. D'ailleurs que vient-il faire dans cette galère, Hölderlin, qui est mort fou, passaient encore Sénèque et Sophocle, mais Hölderlin ! qu'est-ce que c'est que ces manières d'aller chercher ses épigraphes au cabanon. Tout cela tourne au discours, et mieux vaut en demeurer, une demi-page plus haut, à ces trois paires de bas à quoi les scoliastes de l'avenir, ceux-là pour qui Stéphane Mallarmé ajoutait une note à son poème, trouveront bien moyen un jour ou l'autre de donner force de symbole, valeur historique, signification sociale, profondeur éthique, caractère de preuve, explication de l'abîme, exaltation des sommets. De toute façon, il n'y a le choix qu'entre l'injure et l'oubli ou l'intégration au système qui l'emportera dans l'administration des affaires humaines. Si jamais on dresse une statue à Édouard Dumont, qu'elle soit ce qu'elle veut! mais n'y oubliez pas d'y adjoindre, à contre-jour séchant, ces trois paires de bas.

N'empêche qu'on trouvera cette histoire bien mince, et qu'au juste a-t-il donc voulu, l'Œdipe de la rue des Martyrs, amener le monde à penser, avec ce meurtre hypothétique, et son cadavre choisi? On dira que Sophocle ou Sénèque avaient leurs raisons de nous montrer ce roi grotesquement appelé Pied-enflé, lesquelles tenaient aux conditions mêmes d'Athènes et de Rome. Sophocle voulait-il contre les tyrans affermir le recours aux oracles, et Sénèque pensait-il à son maître Néron, faisant par son Œdipe à Créon répliquer, qui prend argument de sa longue fidélité pour se défendre de comploter contre son Roi : *Aditum nocendi perfido praestat fides*, la fidélité prépare entrée de nuire au perfide. Si cela ne suffit pas à vous faire image moderne, écoutez ce qu'Œdipe ajoute quand Créon lui demande : *Et quoi si je suis innocent?* Laissons là le latin, Œdipe parle ici le volapük de la tyrannie, disant : « Les rois ont coutume de craindre pour certaines les choses douteuses », et plus loin : « Quiconque fut accusé, acquitté garde sa haine : soit abattu tout ce qui est douteux... » Et quand Créon à cette phrase a répondu : *Ainsi naissent les haines*, le tyran répliquera que celui-là qui craint trop les haines ne sait point régner, car la crainte est gardienne des rois. On voit bien ce que ce système transcrit dans le style contemporain mettrait en tête du lecteur, et le jeune amant de Philomèle s'il avait fait de ses rêves un *Staline* en bande illustrée, il n'encourrait plus les reproches de légèreté qu'on lui fait et vous parlez qu'il y a matière, enfoncés *Tarzan, Chéri-Bibi, Roméo, détective privé*! Mais Œdipe a présente à l'esprit l'aventure de quelqu'un de sa connaissance, qui fit une fois quelque chose dans ce genre, et en eut de graves ennuis, bien qu'il n'y eût pas lui-même vu malice. Substituer à la malédiction des dieux de l'Olympe le moteur historique à l'heure même où se fait l'histoire, c'est là sans doute ce qu'on approuve en théorie, sous le nom de *réalisme*, mais c'est mettre son doigt dans le feu, on s'y brûle. Le lecteur de *Tintin* est plus sage qu'il n'y paraît. De qui tient-il que, sinon la vengeance, du moins mieux vaut manger la soupe froide? Il n'importe, mais le fait est. Œdipe passera donc aux yeux de certains pour volage, et tout ceci pour futile. Peut-être, le temps que sèchent ces trois paires de bas, ce conte aidera-t-il un esprit enclin au rêve à traverser sur la pointe des pieds le petit bout d'époque où nous sommes, dont la morale courante est que toute vérité n'est pas nécessairement bonne à dire, et qu'il en va du réalisme comme des chapeaux : il y en a de toutes les tailles et de toutes les formes, il ne faut que choisir celui qui se trouve aller à cette tête qu'on a, et tant qu'on l'a, sur les épaules.

Et puis à la fin, vous qui faites les malins avec l'étendue de vos connaissances en littérature, rappelez-vous quand le chœur demande au Roi qui s'est crevé les yeux pourquoi sur soi-même avoir exercé cruauté semblable, comme Œdipe perd patience et dit aux citoyens de Thèbes, sur le ton de l'irritation : *Ah! cesse de me conseiller...* — si le singulier ici paraît singulier, c'est l'habitude de ne considérer dans le chœur que son guide, ses autres personnages ne faisant de part et d'autre de qui parle que les gestes collectifs de l'opinion publique, — *cesse de me dire que je n'ai pas fait ce que j'avais à faire!*

Cessez... Œdipe, la fourchette en l'air, une feuille de

salade au bout, a déjà pour un hold-up tout à fait perdu de vue et Phil, et Marie-Ame, et Fanny, et les trois paires de bas que le vent balance, avec la manière de s'en servir... Oui, que vient faire Hölderlin là-dedans ? Pas plus que le grec, Œdipe ne sait l'allemand. Alors, pourquoi pas le russe, pourquoi pas, après tout, changer d'épigraphe... il rit sous cape : il avait pensé *changer d'épitaphe*... et comment ça s'appelle quand, au lieu d'être une plume dans les cheveux de la première page, c'est là comme un peu de boue aux souliers de la dernière ? Pourquoi pas le russe, Lermontov à nouveau, par exemple :

Въ нашъ вѣкъ всѣ чувства лишь на срокъ

avec tous les *tvërdi znak* et tous les *iat* de la terre, comme l'uniforme du hussard, *en notre siècle tous les sentiments ne sont qu'à terme*, faites-en si vous pouvez un octosyllabe, c'est le problème du Sphinx, et peut-être que c'est la morale de *Tintin*. En tout cas, cela se passe comme si, mais qui pourrait sonder le cœur de l'homme ? Le Sphinx, mot qui dans la langue thébaine signifiait l'étrangleur... tiens, tiens! ah, je vous en prie, ne nous laissons pas dérouter, de grâce... le Sphinx ne sait qu'interroger l'homme, et comment comprendrait-il que Lermontov ait à peine dit qu'*en ce temps l'on n'aime qu'à terme*... il ajoute, et tant pis si le vers s'étire et la rime s'en perd : Я васъ никакъ забыть не могъ ... *d'aucune façon je n'ai pu vous oublier*... Le Sphinx n'y comprend rien, c'est lui qui est pris au piège de l'énigme, il s'étrangle, emportez-le vite avant qu'il se décompose, mettez-le bien à la glacière, avec le schweppes, de nos jours les sphinx ne sont qu'à terme, il n'y a plus de Rois à Thèbes, plus personne n'y tue son père, plus personne à sa mère n'y fait des enfants, enfin c'est la décadence du sentiment, il n'y a plus non plus de hussards, et tous les contes sont à dormir debout.

J'aime ces ténèbres, dit Œdipe, à peine il vient de se crever les yeux.

Et Jocaste — on allait l'oublier, cette petite, qui voit

bien que de fil en aiguille, cet amant qu'elle s'est choisi, il va devenir inutilisable, si on le laisse plus avant patauger dans la mythologie, et tout ça parce qu'il n'a pas les mauvaises lectures qu'il faut — lui colle entre les mains d'en haut, en fait de chaussons de lisière, un livre de la Série Noire, tout ce qu'il y a de progressiste, afin de le ramener à des idées saines, suivant le système de l'Armée du Salut. C'est une embrouille un peu trop simple pour son âge, il n'y comprend rien. On dit *goutte.* Comment? Comme ça. Alors, il la lit légèrement en diagonale, sa Série Noire, Œdipe, remarquez, l'avantage, toutes les situations sont connues, les personnages, on les a rencontrés ailleurs sans se demander qui c'est, le crime, et quand je dis le crime, j'exagère, parce que lequel des crimes c'est, le crime, enfin que ce soit l'un ou l'autre, c'est pour ça qu'on se l'appuie, ce feuilleton-là, bien qu'il ne soit pas traduit, moi, je préfère toujours quand c'est du traduit, pas vous, traduit ou pas je connais une personne, quand elle est arrivée au bout, elle recommence, et se demande qui diable c'est, l'assassin, voilà précisément à quoi l'on reconnaît une Série Noire bien faite, mais pour ce qui est de celle-ci, ce n'est pas le cas, je me demande ce qu'il lui a passé par la tête, à M. Marcel Duhamel, d'éditer ça, sans avant-prop au moins, parce que, peut-être, avec avant-prop, le lecteur, il se serait dit, voyons voyons... et puis, là-dessus, il tombe, Œdipe, qui ça? Œdipe, il ne va pas falloir peut-être que je vous renvoie aux pages roses du *Petit Larousse*, non, qu'est-ce qu'on vous a donc appris à l'école, ou si c'est que vous l'avez oubliée, votre Histoire de Thèbes, avec toutes ces complications de la vie moderne, Shell que j'aime, la surface corrigée, la Deuxième Chaîne en attendant mieux, et l'aide aux peuples sous-développés dans mon genre... voilà qu'il tombe, Œdipe donc, sur un passage qui lui fait le poil perplexe et l'œil en boule de loto, je le transcris pour la clarté de la chose :

... Le jeune homme lut, dans les yeux de son adversaire, la résolution de frapper : sa main se crispa sur le bord de

la table à coiffer (car sa main était naturellement peureuse) et le sort voulut que sa paume sentît un objet métallique sur le meuble. L'instinct de défense le lui fit saisir et, quand l'idée revolver se forma dans sa conscience, il avait déjà tiré : Omme gisait à ses pieds comme un pauvre savant lequel est une fois sorti de ses habitudes avec toute l'ingénuité d'un amoureux de quarante ans. L'esprit d'Anicet avait quelque retard sur les événements, il en résulta qu'une sorte d'hébétude flotta comme le petit nuage de fumée du coup de revolver. A vrai dire, c'est peu de chose qu'une vie humaine. Encore faut-il s'attendre à en détruire une. La mort d'Omme n'émouvait point Anicet, mais seulement qu'elle eût été si brusque et sans préparation psychologique. Les suites de son acte lui échappaient, ou plutôt il ne les imaginait pas encore. Déjà Mirabelle avait enlevé au cadavre son poignard, sa cape et son chapeau. Elle les donna rapidement à Anicet : « Tenez, déguisez-vous, et mettez le loup que vous avez sûrement dans votre poche. » Pendant qu'il obéissait sans comprendre, Mire avait fermé la porte à clef, ouvert une armoire à robes, pris la grande étoffe qui abritait les vêtements, jeté l'étoffe sur Omme et roulé le mort dans ce linceul. Elle regarda le vivant et dit : « Il était à peu près de votre taille. » Dans le moment qu'Anicet saisissait l'étrangeté de cet imparfait, quelqu'un secoua la porte du dehors...

Ça alors, c'est vache, il s'exclame, cet enfant de Laïus, si ce bouquin-là tombe dans les mains des gens, ils vont dire que j'ai copié, j'aurai beau faire, parce qu'on peut tuer ses père et mère, ça ne vous empêche pas d'être du Jockey-Club, mais copier, alors c'est mal vu, remarquez tout le monde copie, seulement il y a ceux qui sont malins, ils changent les noms par exemple, ou enfin ils s'arrangent pour prendre des bouquins épuisés, mais Gallimard, ils suivent, même des trucs de 1920, comme c'est le cas, on n'a pas idée de copier sur du Gallimard, surtout qu'ici, tout y est, le thème, le ton, les trucs, je pourrais toujours prétendre que je ne l'ai pas lu, qui me croirait ? Ce serait encore du Balzac, la jeunesse, le Balzac, elle! mais une Série Noire, surtout moi, je vous le redemande, qui me croirait? Pourtant, je vous le jure, je ne l'avais pas lu, ou si je l'avais lu, c'était en diagonale, comme toujours, et ce passage-là, eh bien, il m'avait échappé, je pensais à autre chose de plus sérieux, comment on pourrait commercialiser mon crime, en tirer un film avec Belmondo dans Œdipe, bien qu'il ne soit pas tout à fait assez joli cœur pour le rôle, que pour un rien il te vous ferait Mounet-Sully... Là-dessus, je tombe sur cette page où je me dis, nom de Dieu, mais c'est moi tout craché! A part que c'est un film en costume, rapport la date et le petit hôtel particulier, l'époque du cubisme littéraire, c'est mon crime, à s'en frotter les yeux. Tu vois ça, tourné Vadim, avec un rien de plus capiteux, faudrait seulement dénicher la gosse, ça, je peux évidemment compter sur le metteur en scène, pas besoin d'ailleurs, tiens, au fait...

« Dis donc, mon chou, tu ne trouves pas que ça fait un peu chochotte à la réflexion, Philomèle? Tu ne trouves pas, — dit Œdipe, ou plutôt comme il s'appelait déjà lui-même sans le savoir, Anicet, — que ça t'irait mieux au teint, Mirabelle?

— Moi, je veux bien, — dit-elle, tout de suite à la page, — sauf que pour rebaptiser Étéocle, et puis le grand pendard, ça va encore être tout un tintouin, mais avant de s'y mettre, si ça ne te fait rien, et de changer de garde-robe, tu ne pourrais pas me dire cette fois à quoi tu joues? Parce qu'entre nous, Chanel, Lanvin... j'aurais l'air d'être la mère à Fanny, tu n'aurais pas plutôt quelque chose qui date moins? Un bon petit crime Empire, par exemple : la taille sous les seins, ça me va, c'est foudroyant... Non? Alors je transigerais pour M*me* Steinheil, l'avant-guerre, l'autre, ça fait déjà style, et puis l'impasse Roncin, ça nous changerait de la rue des Martyrs, pas vrai? »

Déjà, notre Anicet s'appelait Félix, il avait oublié d'être assassin pour mourir président de la République entre les bras de la future héroïne de l'impasse comment tu dis ? dont au Musée de Chartres on conservait soigneusement la statue sans voiles par un sculpteur de l'époque dont le nom m'échappe, quand lors de l'arrivée du général Leclerc la ville fut bombardée un peu plus loin, mais le contrecoup fit, tout comme la Grosse Bertha la fois précédente le lustre des Cap de Pen, tomber le bas-relief de *La Guerre*, par Préau, si malencontreusement que l'anatomie de Mme Steinheil qui se trouvait dessous, fut perdue pour la rêverie des générations à venir. Mais non pas le mécanisme de la création des personnages de roman qu'aucun obus ne peut souffler ni priver de ses moyens aucune bombe, lequel n'a pas fini d'engendrer les héros fictifs sans quoi l'homme ne peut rêver ni la femme s'endormir.

« Oh, et puis, c'est pas la peine de se casser la tête pour savoir comment ça finit! » s'exclama Johnny, rapportant sans l'avoir achevé le *Tintin* que lui avait prêté son faux-braire... (cette plaisanterie, c'est du réchauffé, observe avec sévérité Paulette, et tu devrais savoir que ça ne fait jamais rire personne... Il n'y a pas de quoi se vanter, qu'il répond comme un pape, le galopin, de ne pas se fendre la poire pour quelque chose qui n'est pas drôle, moi je trouve que « faux-braire », ça lui va comme une paire de gants à ton jeune ami... Tout cela, une fois servi le petit déjeuner sur l'établi, Œdipe encore à ronfler comme un bienheureux).

« De toute façon, — poursuit-il, cet ange, — ça ne peut être que par un mariage... (quoi ? que ça finit, bien sûr !), et les voisins qui gaspillent le riz de l'épicier sur le jeune couple, le voile de la mariée qui se prend dans le changement de vitesse, et des inscriptions obscènes au cul de la Jaguar, pas vrai ? A moins que l'auteur, qui m'a pas mal l'air d'un tordu, préfère poursuivre les choses un peu plus loin, jusqu'au premier platane venu, pour faire week-end, et que tout rentre dans l'ordre, Œdipe cesse de nous courir à changer d'état civil comme de numéro minéralogique, et quant à toi, sœurette, cette bouille que tu vas faire, oh la la, la tronche ouverte... bien que, remarque, les décapotables, c'est tout de même moins sale pour mourir... »

Il ne saura jamais, le mignon, que la pantoufle qu'il vient de recevoir dans sa petite gueule en or, *Made in Italy* c'est écrit dedans, c'était celle de Mme Steinheil qui fut la maîtresse de Félix Faure et la légitime d'un lord et pair d'Angleterre, avec le crime de l'impasse Roncin entre ces deux épisodes, lequel demeure pour tous les Œdipe du monde un modèle du genre puisque personne ne sait plus qui a été tué ni par qui ni pour quoi. D'ailleurs, voici que découvrant le café au lait à son réveil, l'assassin du 18 mars verse brusquement dans le Bernardin de Saint-Pierre, que personne n'a plus lu depuis la victoire du Trocadéro, et s'incarne, l'assassin disais-je, avec sa vitesse coutumière sous les traits de Paul, de plain-pied entrant dans l'élégie, croise ses pudiques bras de vingt-neuf ans et quelques mois devant sa poitrine frisée, ayant vaguement remarqué la présence du junior dans la carrée, sans songer, comme il surgit de l'océan furieux des draps, à cacher ce qui se passe un peu plus loin, pour gémir avec la voix du goéland en bas âge : « Virginie, Virginie, sale gosse! où as-tu encore pu fourrer la croix d'or que Maman m'a donnée pour mon baptême ? »

LE MIROIR BRISÉ

Le manuscrit m'a glissé des doigts, les feuillets épars. Je les ramasse sans trop voir, les mêlant, qu'importe, pour les fourrer, vite, dans la chemise rouge. Tout cela est écrit depuis des mois. Pourtant, l'obsession, ici, d'Anthoine, encore qu'elle soit d'autre ton, c'est la mienne, c'en est comme une prédiction, les chemins battus devant mes pas, mais soudain je comprends que, sous ses traits à lui, déjà, c'était moi, qui prenais ce tournant de la pensée, sur le ton de l'humour, comme si tuer pouvait être sujet d'humour. Le moi des faubourgs d'Angoulême, tâtant dans ma poche un revolver clandestin. Ainsi, quand je n'osais pas encore penser à la mort d'Anthoine, à la mise à mort d'Anthoine, *je permettais*... c'est le mot juste, je permettais à Anthoine de m'en faciliter l'approche, de m'habituer sinon à l'idée de le tuer, du moins à celle de tuer. Oui, le jeu a été trop loin. Puis-je l'arrêter encore? Comment s'empêcher, d'une nuit sur l'autre, de revenir à une hantise d'insomnie ou à un rêve cyclique? Je ne suis pas maître du cours intérieur des choses, du tour qu'elles vont prendre. Penser, pour l'homme, c'est toujours tomber... *comme tomber,* je veux dire : impossible de se rattraper, il faut aller jusqu'au bout de la chute, de l'enchaînement des idées, à la conclusion, au fond de l'abîme, on ne peut pas couper court.

C'est dans le jeu même d'Anthoine qu'a commencé

l'idée fixe. Non point d'abord la volonté de tuer, par exemple de tuer Anthoine, mais le mécanisme de la décision dans l'homme, la décision de tuer, je dirai presque, plus encore que de tuer, d'avoir tué. Humainement peu fait pour me complaire à ce genre d'exercice, j'avais sentiment de n'y pouvoir réussir que pour autant que j'en aurais la main forcée. Par une certaine précipitation de l'acte, qui ne me laisserait pas le temps critique d'être moi-même, de me faire valoir toutes les bonnes raisons qui sont en moi de ne pas devenir un assassin. Un principe d'accélération.

Il se trouvait que j'avais repris *Le Jouvencel* de Jean de Bueil, de quoi j'ai déjà tant parlé. Je ne pouvais, à vrai dire, alors, rien lire qui ne me fut rêverie de cette tentation que j'avais. L'idée m'était venue, à reprendre ce roman singulier, que dans une certaine mesure le Jouvencel était au Sire de Bueil son Anthoine... Remarquez que presque tous les romans, j'eusse pu les lire de cet œil-là, et me dire ainsi de Mme Bovary pour Flaubert. Mais, enfin, c'était *Le Jouvencel* que je lisais. Et peut-être cette arrière-pensée en moi fut-elle à l'origine d'une démarche obscure : j'avais mes raisons à pousser mon autre moi-même à écrire l'histoire d'un assassin, mais il me fallait l'y entraîner par la logique ou la psychologie, lui donner l'amorce de ce qui allait être *Œdipe*. C'est à lire *Le Jouvencel* que le mécanisme m'en apparut, et c'est là, je dois l'avouer, que je volai le schéma verbal d'une phrase, qui peut aujourd'hui sembler archaïque, mais dont j'avais éprouvé le choc, au hasard d'une page, et la magique vertu : nulle part un assemblage de mots ne s'était ainsi proposé à moi pour mieux traduire l'incroyable rapidité de la pensée, la vitesse de l'acte qui *brûle* à l'arrivée la conscience. C'est ainsi, je dois l'avouer, que je calquai fort exactement sur une phrase de Jean de Bueil ce qui allait être la première phrase d'*Œdipe* : *Ce fut le plus tôt fait qu'on mit à concevoir*. Et j'en fis don à Anthoine, pour exprimer la genèse du meurtre, qui, chez le meurtrier, mûrit avant même que le raisonnement ait pu se développer. Il fallait que ce fût Anthoine qui légitimât le dédoublement de l'homme par quoi l'homme voit naître en lui le meurtrier.

Parce que le dédoublement du Dr Jekyll, par substance chimique, clivant en lui le jeune Mr Hyde, l'assassin, plus j'y réfléchissais, et plus cela me paraissait une vue sommaire des bouleversements intérieurs de l'homme, de son autosubversion morale. Je dirais pire : une explication de prétoire, une version des faits à l'usage des juges et de l'opinion publique, par quoi le criminel qui ne peut plus nier son crime tente au moins de le présenter comme logique, fatal, inévitable, excusé par là-même... Y substituer la vitesse de pensée, qui a déjà servi aux surréalistes comme explication du génie poétique, faire du crime (lequel, comme le génie est une sorte d'apogée) une dictée automatique, la transcription dans l'acte de *l'attentat* contre la nature qu'est la création verbale... tout cela d'abord n'apparaissait à mes yeux que comme une tentation, s'inscrivant bien sûr dans le jeu d'Anthoine, ce dédoublement sur lequel je ne sais trop si je me suis jusqu'ici pour les autres le moins du monde exprimé... Non? Si je ne l'ai pas fait, je m'en excuse, et qu'avez-vous donc compris à tout ce qui précède?

Le *trouble*, au sens franglais du mot comme dirait M. le professeur Étiemble, le trouble dans cette affaire est que tout ce que j'écris est situé à l'intérieur du jeu d'Anthoine, que je n'en ai donc nulle part édicté les règles, elles sont supposées connues, comme dans tout roman on ne se croit pas tenu d'expliquer les données des rapports humains, pour une époque, une société définies. Quand je commence à lire *Madame Bovary*, je sais que l'adultère est mal vu en province. Personne n'a besoin de me dire dans *Armance* ce qui complique les rapports de l'héroïne avec Octave. Ces romans se situent dans un jeu que tous les lecteurs savent jouer. Mon histoire, nécessairement ici vue du milieu, comment la comprendrait-on de l'intérieur? Je ne puis passer au dénouement sans m'expliquer. Non que je veuille excuser le meurtre. Vous n'êtes pas mes juges. Tout au plus mes témoins.

Personne n'a essayé de suivre Anthoine à la trace. Personne, l'ayant rencontré, ne s'est demandé où je me trouvais à cette minute. J'ai longuement ainsi vécu d'alibi en alibi, j'étais celui d'Anthoine, il était le mien. Je ne sais lequel de nous deux était le vice et lequel la vertu. Dans le jeu considéré, le clivage se faisait autrement : entre être ou ne pas être aimé de Fougère, ce qui est une morale qui en vaut une autre. Et qu'importe, d'ailleurs, cette distinction du bien et du mal, puisqu'il y a toujours l'esprit de Dieu dans les actes du diable! Shakespeare mieux que moi l'a dit : *a soul of godness in things evil.* Puisque Anthoine ne se voyait point dans les miroirs, je lui tenais lieu d'image. A moins que ce ne fût à l'inverse, lui qui m'était reflet. Tout commence comme dans *Alice, let's suppose,* c'est-à-dire que tout part de Fougère, du *supposing* de Fougère. Elle aura ainsi par le jeu qu'elle invente séparé en moi non pas le criminel du philanthrope, mais le personnage qu'elle voit d'un œil critique, Alfred, celui que je suis vraiment, ainsi baptisé ou non, de l'idée qu'elle se fait de moi pour m'aimer, ou plus exactement pour l'aimer : Anthoine.

Comment ai-je eu la folie d'y consentir, quand, d'ailleurs, à quelle occasion, je l'ai oublié, perdu de vue. Peut-être d'abord cela me semblait-il convention passagère, sans gravité. Je n'aurais pas dû laisser prendre consistance à Anthoine, mais je ne me rendais pas compte qu'il prît consistance, d'abord. Puis quand la plaisanterie a tourné à l'habitude, comme un surnom devient un nom, le mot d'argot passe dans le dictionnaire, par le verbe la conception des choses que se fait le voyou s'infiltre dans la tête molle encore du fils de famille, j'ai pris peur, j'ai bien pensé à dire je ne joue plus, impossible : revenir en arrière, comment, et si au lieu de ne pas aimer Alfred, elle allait, abandonnant Anthoine, ne plus m'aimer du tout ? Tous les jours, je souffrais de son indifférence, ou pire, pourtant tout à l'attente du moment où elle me verrait comme elle m'aime, comme elle dit qu'elle m'aime, je ne pouvais renoncer à Anthoine, à être Anthoine, pas plus que le drogué à sa drogue. L'heure d'Anthoine arrivait, je la sentais venir, comme une soif, j'étais au désespoir, mais cela me faisait si mal en moi, il me fallait encore une fois m'apaiser, me donner cette compensation : bon, ce serait pour demain, et le lendemain c'était la même chose. Je n'aurais pas dû. Et puis j'ai été pris, irrémédiablement pris au piège. J'ai renoncé à en sortir. J'attendais le moment où elle me disait : « Allons, mets tes yeux noirs... » Ce sourire qu'elle avait, les lumières soudain baissées, ses bras. Je ne sais pas, les autres hommes... est-ce qu'ils sont aussi prisonniers des bras de la femme qu'ils aiment ? Je ne peux même pas dire *ses bras*, sans trembler.

Longuement Anthoine n'eut d'existence qu'entre nous. Est-ce Fougère qui inventa de lui donner souffle pour les autres ? J'ai ce sentiment confus qu'en réalité cela est parti de moi. Que c'est de moi qu'en est venue sournoisement l'idée, sans que je l'exprime avec clarté, mais peu à peu insinuant dans les propos entre Fougère et moi l'existence objective d'Anthoine, son existence aux yeux des tiers. Ce n'était pour commencer qu'artifice du dialogue, et puis cela aussi devint habitude de pensée. Passer à la *pratique* de cette objectivité ne pouvait se faire sans Fougère complice. Tout eut lieu comme si cela venait de son initiative. J'avais l'air, même, de m'y opposer, d'en souffrir. En vérité, j'en souffrais, mon opposition était sincère. Je comprenais ce qu'allait devenir ce monstre de moi qui ferait de moi le monstre... Mais.

Mais. Il n'y a pas de plus étrange cheville intellectuelle que ce petit mot sournois, qui jette à terre tous les raisonnements, toutes les résolutions prises. Ce *mais* qui fait le crime. Sur lui, comme le roman tourne avec le miroir, tourne la morale de l'homme. Il révèle soudain à la pensée noble (la pensée linéaire) la souterraine, l'inframentale existence d'une deuxième ligne au moins en moi de l'enchaînement des choses. Je dis *au moins*, ayant sentiment qu'il en est dans ce domaine comme avec le miroir Brot : de l'existence de deux pensées qui se confrontent, naît au minimum une troisième pensée, qui est entre les deux autres le fléau d'équilibre, et puis si je commence à faire jouer les charnières entre les trois images le jeu démultiplie chacune, et rend à l'esprit sa complexité... Bref. La tentation se fait grande, le vertige, de passer de l'image à la vie, de donner vie à chaque aspect de moi-même, de devenir une forêt d'hommes. Bref, bref. Le premier pas, c'est Anthoine. Refuser la vie à Anthoine, c'est avorter tous les autres moi-mêmes. Je haïssais Anthoine, et pourtant. Il fallait payer du prix terrible qu'allait me coûter un Anthoine indépendant, ayant sa vie propre, la perspective d'être un monde, de ne plus me limiter à cette convention, moi. Quand j'en perdais la tête, je me rassurais d'un autre petit mot, voyons, c'est un jeu. Ce n'est qu'un jeu. Dire ce n'est qu'un jeu, au bout du compte, ne m'était qu'une médication symptomatique. Parce que, le joueur, le jeu insensiblement pour lui cela devient, plus que la vie, la vie, on sait ça. Sur une carte, tout autant que la fortune, on se jouera soi-même... On se trompe à se dire, volontairement, ce n'est qu'un jeu.

J'hésitais, je cédais. Il aurait fallu couper l'herbe sous le pied d'Anthoine. Pour ça, j'étais bien trop curieux de ce qui allait se passer, de ce qui me menaçait. Rien n'est attirant comme le danger. L'interdit. Le *raisonnablement* interdit. Au moment de rejeter les cartes, de dire c'est fini, je ne joue plus, je sentais la fièvre, la crispation de mes doigts. C'est le quitte ou double. La mauvaise salive de l'attente. Le puits du jeu. Cette fois, c'est la dernière, je vais dire... et puis je cédais. Chaque chute en préparait de nouvelles. Anthoine se particularisait, Fougère le présentait à des gens qui ne me connaissaient pas. Au début. Il se fit même dans nos relations avec les autres distinction de deux sociétés, le monde d'Anthoine et le mien. Puis, peu à peu, les amis d'Anthoine apprirent l'existence d'Alfred, un familier du ménage, qui ressemblait au physique à l'amant de Fougère, mais pas au moral, ah ça, non! Je vous fais grâce du développement que vous imaginerez sans moi. Il était grandement favorisé par une espèce de division du travail entre nous : la vie politique d'Anthoine le distinguait de moi, si nos idées étaient parentes. Il m'arrivait d'avoir de longues soirées avec Fougère, tandis que l'autre allait à sa cellule : cela prenait le parfum de l'adultère, parfois, mais si j'avais la tête assez folle d'y croire, l'impatience de Fougère, attendant Anthoine, dissipait cette illusion. Ne me dites pas que c'est puéril. D'ailleurs, Anthoine était devenu ce militant que nous avions imaginé. Moi, je veux dire vraiment *moi*, l'homme qui était à la fois Anthoine et Alfred, qui s'était engagé d'innocence dans le jeu duquel il ne pouvait plus s'échapper, je me mis à éprouver cette tricherie comme un crime, et puis je changeais, de ce que j'apprenais, de toute une vie jusque-là pour moi recouverte de légendes, je devenais vraiment Anthoine, plus du tout par jeu, par esprit de responsabilité devant les autres, et déchiré que je fusse à la fois d'être ce que j'étais et ce qu'on croyait qu'était Anthoine, je me pris à considérer de mon devoir de le doter d'un caractère exemplaire. Cela n'était pas à vrai dire de mon plein pouvoir, car à l'inverse de l'expression shakespearienne il y a toujours l'esprit du diable dans les choses de Dieu même. Néanmoins, Anthoine était mon rachat.

J'ai remarqué, au passage, les invraisemblances de cette histoire. Puisque Anthoine n'avait autre existence que moi-même, comment pouvait-il converser avec d'autres et moi ? Ce genre de contradiction, d'illogisme ne survint pas tout de suite dans le jeu d'Anthoine. Je l'ai relevé dans l'histoire du miroir Brot, à l'époque du film de Sobatchkovski, c'est-à-dire au lendemain de Munich, il faut croire que je n'avais d'abord pas pris garde à l'anomalie, je l'avais laissé s'installer vers cette époque, peut-être bien l'esprit troublé par les événements. Mais pourtant, soit que je n'aie pas voulu pousser à fond la réflexion qui aurait dû naître de l'étrangeté même de la chose, soit que... je ne sais pas, moi, enfin il s'est écoulé vingt-six années, avec tout ce que le monde a connu de 1938 à 1964, avant que je prenne pleinement conscience du point où le jeu avait cessé d'être un jeu, où son déroulement m'échappait. C'est quand je me suis trouvé devant l'inexplicable, Fougère ayant lu *Le Carnaval*, cette preuve de la *duplicité* d'Anthoine... ah, qu'est-ce que je dis ? Était-ce moi qui jouais double jeu vis-à-vis de moi-même ? Non, non. Pour que Fougère ait connu le deuxième conte de la chemise rouge en dehors de moi, il fallait, de toute nécessité, une vie indépendante d'Anthoine, ignorée de moi. Voilà ce qui me faisait frémir, ce qui me fit soudain surgir en moi ce désir dément d'en finir avec Anthoine, *de le tuer*.

Car, du moment même où il avait existence indépendante, en finir avec lui, ce n'était plus renoncer à un jeu, une convention entre Fougère et moi, c'était anéantir un être, un acte de sauvagerie, incompréhensible sans doute, mais une affaire de sang en vérité. Ne riez pas de moi. Je ne suis pas l'Œdipe de la rue des Martyrs... je n'ai jamais tué personne, même pas en imagination, dans la colère, comme vous probablement, jamais. Je ne suis pas Mr Hyde, et si j'ai pu m'imaginer à la grande rigueur comme une sorte de Iago, cela n'implique en rien entre ce personnage et moi ressemblance des actes. Tuer. Physiquement tuer, vous représentez-vous cela ? Oh, bien sûr, dans les rêves, cela arrive... mais qui porte responsabilité de nos rêves ?

J'ai toujours été frappé comme d'une espèce de monstruosité, plus grotesque encore que ridicule, par cette manière qu'ont certains romanciers de parler de leurs personnages comme d'êtres vivants, les appelant par leur nom dans la conversation avec vous ou moi, dans des phrases au passé défini par exemple. Ce qui suppose de leur part la croyance d'avoir donné le jour à des créatures, lesquelles ont pris vie en dehors de l'écriture, des créatures ayant existence propre aux yeux d'autrui. Mais si la chose s'est faite à mon insu, si mon personnage m'échappe, vais-je lui laisser liberté d'action, lui permettre de se mouvoir indépendamment dans le monde des hommes? Puis-je assumer la responsabilité de son comportement ultérieur? Ceux qui ont engendré par la chair, si leur enfant devient un fou ou un criminel peuvent se résigner à la simple douleur, ils ne l'ont pas mis au monde par l'esprit. Moi, j'ai d'Anthoine autre sorte de responsabilité. Je ne peux pas m'en remettre au juge ou au médecin, le cas échéant. Il me faut prévenir l'horreur, l'incontrôlable. Anthoine, s'il m'échappe, est capable de n'importe quoi. J'ai le devoir d'arrêter cela, et pas le choix des moyens.

Une chose est de créer des êtres imaginaires, autre de priver de la vie l'être *sorti* de l'imagination. Même comme cela se passe dans la création romanesque ordinaire. Le héros de mes rêveries, s'il faut, c'est-à-dire si le roman exige que je lui ôte cette vie donnée, c'est déjà m'a-t-il toujours semblé manière d'assassinat. Sous prétexte de réalisme, dois-je limiter le temps concédé à cet enfant de ma tête? Sous prétexte que dans la vie réelle les gens meurent... Il est étrange que les romanciers ne semblent jamais avoir été tentés de désobéir à la loi naturelle, d'accorder l'immortalité à ceux qu'ils mettent au jour. Nous ne devrions enfanter que des dieux. Ne me répondez pas. Je sais tout ça. Je peux le dire moi-même. Donnez donc la vie à des prolétaires pour qu'ils tombent des échafaudages ou soient étouffés dans les mines! Le romancier respire l'homicide le plus naturellement du monde. Pourquoi se gênerait-il? Ni Gœthe n'a été accusé du suicide de Werther ni

Stendhal n'a passé en jugement pour avoir fait exécuter Julien Sorel. Il n'y a rien qui jouisse d'impunité comme le meurtre romanesque. Le romancier ne sera même pas inquiété pour la complaisance qu'il met à tuer, pour cette délectation qu'il montre à faire mourir, sa complaisance dans le détail d'agonie.

Mais si je tue Anthoine, au moins aurai-je un système de défense : il s'agit, c'est évident, d'un crime passionnel.

Parce que rien de tout cela n'a lieu, ne s'explique sans Fougère. Au fond, si je tue Anthoine, ce n'est pas moi seul qui porte responsabilité de sa vie. Ni de sa mort.

*

Si jamais ce que j'écris sur ce papier y demeure, si je ne le couvre pas d'encre bouclée, si je ne déchire ou ne brûle pas ces aveux, il faut bien qu'on trouve ici non point de quoi m'accabler, mais ma seule défense. Aussi tout doit-il être bien clair. Si je tue Anthoine, quand j'aurai tué Anthoine, qu'on ne puisse aucunement dire que je suis un assassin. Comment? Ce que vous demandez là m'est la preuve que vous n'avez rien encore compris à ce que je viens de dire, que j'ai laissé des obscurités dans l'affaire, de la fumée...

Voilà. Je ne puis pas être un meurtrier parce qu'Anthoine n'existe pas. Il n'a jamais existé. Comprenez-vous bien? Il n'a eu de réalité que celle des mots. Vous me suivez? Le tuer, bien sûr, le tuer : c'est tuer un mot, raturer de l'écriture, corriger un texte, rien de plus. On n'est pas un meurtrier parce qu'on supprime un personnage dans un roman, une pièce de théâtre. Je connais des gens, c'était pour eux un procédé politique : ils avaient une photographie où on voyait des personnages dans une situation donnée, le document témoignait d'un fait, ils ne voulaient pas s'en priver, seulement, là, de côté ou derrière, il y avait quelqu'un, entre-temps, qui était devenu leur ennemi. Alors comment le laisser sur cette attestation de ce qui fut l'honneur des autres, ceux qu'on pouvait encore nommer? Dans le domaine de la photographie, ce qui s'appelle en littérature le rédacteur ou le correcteur (monstres modernes redoutables dont les ravages exigeraient autre développement que cette parenthèse) se nomme le *retoucheur* : mot, il faut le dire, infiniment plus délicat, qui vous a des airs hypocrites. Le retoucheur donc vous enlève un homme dont la présence est devenue gênante, il rectifie l'histoire, il balaye un moment de votre vie, il est une sorte d'aspirateur de la malséance. Naguère encore, s'il ne faisait pas très bien son travail, il laissait à la place de l'indésirable une sorte d'aura, une faiblesse du fond, où l'on suspectait le passage d'un fantôme. Mais, de nos jours, la technique s'est améliorée, déjà j'ai vu des images où, si l'on devine le tripatouillage, le retoucheur n'en peut aucunement, lui, être tenu responsable : il a très joliment rattrapé le fond, avec un de ces granités dont il a le secret, parfois même il a très légèrement rétabli la continuité d'un bras, d'un dossier de chaise... aussi n'est-ce pas sa faute si l'équilibre de l'ensemble (l'ensemble ne le concerne pas, on ne lui a confié que le coin où... comme au spécialiste qui vous enlève une verrue sur le visage mais n'est pas chargé de vous rectifier votre nez en trompette), si l'équilibre défectueux de l'ensemble vous met la puce à l'oreille. Bon. Peut-être. Que. Je ne dis pas. Bien que, dans ce cas-là, le retoucheur est plutôt comparable au bourreau qu'à l'assassin. Et encore, métaphoriquement, métaphoriquement. Mais si ce joli travail est opéré, pas sur un fait, sur une scène imaginaire : ainsi, supposez que, pour des raisons à lui, cet homme l'incommodant physiquement par exemple, Flaubert ait décidé de supprimer le mari dans *L'Education Sentimentale*, qui le lui reprocherait? Soyons sérieux. Et même si on retrouvait le premier manuscrit, c'est-à-dire celui que nous connaissons, on pourrait peut-être discuter de l'habileté, de la légèreté de la retouche, mais pas considérer Gustave comme un tueur. Pas même comme un falsificateur.

Ce serait très simple, dans le cas présent. Je ferais passer à mon compte ce que dit ou fait Anthoine, j'irais dans sa cellule à sa place, j'assisterais à des Congrès, pourquoi pas? Je ferais tache, moi, sur ces photographies, ces groupes? Essayez d'être polis.

Donc Anthoine n'a jamais existé, enfoncez-vous bien cela dans la tête. Quelques anomalies dans l'histoire que vous venez de lire sont imputables à ma seule inconséquence. Ce sont des fautes littéraires, un point c'est tout. Des invraisemblances. Vous avez bien pardonné à Anthoine, c'est-à-dire à moi, d'avoir confondu dans sa mémoire un village d'Alsace avec un autre village d'Alsace. Moi, mon tort, c'est d'avoir pris trop au sérieux par ci par là des aspects de moi-même, de les avoir attribués à deux personnages, quand je n'en suis qu'un, c'est-à-dire d'avoir fait ce qu'en réalité font tous les romanciers. On pourrait voir, au point où j'en suis, dans mes *retouches*, la preuve de ma sincérité, le désir de réparer auprès du lecteur une tromperie à laquelle, dans un premier temps, je ne voyais aucun mal. Et restons-en là : Anthoine n'a jamais existé.

Cela arrange bien les choses, remarquez, côté jalousie. On n'est pas jaloux de ce qui n'existe pas. Hum... je le dis, et puis. J'ai déjà remarqué que vous vous faisiez de la jalousie une idée un peu sommaire. Quand on s'y met, on est jaloux des fantômes, des rêves, du silence, et peut-être bien que si l'on dit : *Anthoine n'existe pas*, ce n'est qu'un système pour ne pas trop souffrir, un cautère sur une jalousie de bois. Tiens, si vous pouviez vous en sortir à défendre cette expression dernière, je vous paye des guignes. De toute façon, Anthoine n'existe pas.

Il n'existe pas. Aussi n'intercepte-t-il pas votre image

quand il est placé entre le miroir et vous. Il ne fait pas image dans le miroir. Il ne se voit pas, parce qu'il n'existe pas. Je vous demande un peu comment vous avez pu imaginer les choses, accepter l'idée qu'il existât? Je me tue à vous dire que je suis un auteur réaliste, alors, chez moi, bien sûr, ça va de soi, un personnage, même séduisant, qui n'affecte pas les miroirs, comment, comment diable, comment Dieu voulez-vous qu'il existe?

Du point de vue du réalisme, je le reconnais, tuer Anthoine, même façon de parler, ne va pas sans inconvénient. Non seulement parce que tuer quelqu'un qui n'existe pas... non. Mais, du point de vue du réalisme d'aujourd'hui, cela va me priver précisément de mon héros positif. Parce qu'enfin, moi, je ne puis pas prétendre. Anthoine était mon héros positif. Tout d'un coup me voilà démuni de héros positif, j'ai l'impression de me montrer en public dans une tenue plutôt légère. Et cela dans le moment où, justement, je faisais tous mes efforts pour revenir sur ce caractère imaginaire que prenait mon histoire, quand je croyais la ramener dans les limites, les... que dire? entre les, enfin, rives, rivages d'un réalisme traditionnel, d'un réalisme comme tous les réalismes, quoi, du prêt à porter, de la bonne confection. Et puis me voilà sans héros positif. Remarquez, déjà ne pas avoir de rives, de rivets, de rivages... mais pas de hér. pos. : alors, là! Surtout qu'on ne peut pas tout à fait se retenir de penser que si Anthoine n'existe pas, c'est précisément parce qu'il était un héros positif, ou, même pis, que la preuve qu'il n'existe pas, c'est que s'il existait il serait un héros positif. Enfin. Vous voyez ça. D'ici.

Parce que ce livre est le roman du réalisme. Du réalisme contemporain. Avec ses difficultés, ses contradictions, ses problèmes. Vous n'aviez pas remarqué? Oui, naturellement, c'est un livre sur la jalousie. Aussi. Sur la pluralité de la personne humaine. Je veux bien. Mais surtout, surtout. Du moins, à cette page. Un roman du réalisme, je vous dis. Où c'est peut-être le réalisme même qui est le héros positif? Ah, mes enfants, laissez-moi la paix avec le hér. pos.! Est-ce que oui ou non le caractère *contemporain* du réalisme est l'essentiel, la dominante? Oui? En ce cas, il faudrait que le héros fût à la fois positif et contemporain, et qui ne voit qu'alors le roman risque avec une facilité déconcertante, réaliste aujourd'hui de ne plus l'être dans six mois, puisque tous les caractères, qui faisaient la semaine dernière positif un héros comme n'importe quel citoyen, risquent d'avoir été tous remis en question par la moindre crise ministérielle? Puisque, disons-le bien, si ce n'est pas le réalisme, c'est la réalité qui est sans rivages. De nos jours. Ça changera peut-être, notez. Mais alors le réalisme, pour se conformer à ce qu'on exige de lui, doit se baser non pas comme on l'a toujours cru sur la réalité présente, mais sur la réalité à venir, il doit devenir, en d'autres termes, un réalisme tout conjectural. Je ne suis pas contre. Il faut seulement accorder les violons.

Donc Anthoine n'existe pas. Et je peux bien crier très fort que moi, du moins, j'existe, qui cela convaincrait-il? Vous avez écrit, me dira-t-on, le roman d'un homme qui n'existe pas, et vous vous prétendez réaliste! On me juge. Et si vous ne voulez pas être jugé, vous n'avez qu'à faire comme tout le monde, ne pas écrire de livre, ne pas écrire. Comme cela, les bêtises que vous pensez ne laissent pas de trace contrôlable, et quand elles seront exprimées un jour ou l'autre par un imprudent, vous aurez plein droit de votre fenêtre de lui verser sur la tête les pots de chambre sentant bon la merde du jour.

Calme-toi, mon ami, calme-toi. Il faut être calme, très calme, pour bien tuer quelqu'un. Que ce ne soit pas la chienlit. Tuer froidement quelqu'un. Juste y donnant le temps qu'il faut. Ayant regardé son carnet, pour voir à quelle heure on a ce rendez-vous, après. Où l'on dira, à qui vous demande, d'ailleurs sans y tenir, et qu'est-ce que vous avez fait ces jours-ci? ,eh bien, rien de très, comme toujours, quoi, la vie courante, la mort aussi.

La grande difficulté du réalisme d'aujourd'hui, pour le dire avec une sérénité relative, ne tient pas du tout à ce que les règles qu'on a cru pouvoir en édicter sont absurdes, mais en ce qu'elles ne sont pas applicables. Il ne s'agit pas de passer d'un réalisme qui en aurait tenu compte à un réalisme différent, comme, par exemple, de la tragédie classique au drame romantique par la négation de la règle des trois unités. Ce genre de mécanisme, et la succession des écoles littéraires, cela correspondait à un temps où l'homme avait peut-être inventé la brouette, mais ne considérait pas encore le relativisme einsteinien comme une vieille lune. La grande difficulté du réalisme dans son développement tient à ce que, pour que ses règles deviennent valables, ce n'est pas la cervelle du romancier qu'il faut changer, mais le monde. L'étrange est justement que ce soient les hommes qui voulaient changer le monde qui aient cru pouvoir commencer cette opération par la cervelle des romanciers. Ce qui rappelle ce *socialisme en petit* dont la première critique fut donnée par Anton Tchékhov, qui n'avait pas lu Lénine. Dans ce siècle, contrairement à ce qu'on aurait cru, mettre la charrue avant les bœufs a plus que jamais été pratiqué par toute la terre. Ce serait justice que les écrivains reprochent avec âpreté aux hommes politiques de ne pas avoir assez organisé la production des hommes positifs dont ils ont besoin comme modèles à leurs romans, ainsi que les peintres davidiens faisaient chez eux poser des athlètes à la mesure de l'antiquité grecque. Or les hommes politiques au contraire mettent en accusation les écrivains qui ne fournissent pas le peuple de héros à imiter. N'est-ce pas le monde renversé ?

Tout cela... où en étais-je ? Il suffit d'un rien que je me perde. Tout cela comme les cheveux sur la soupe. En réalité, j'ai la tête ailleurs. J'invente de m'en prendre à ceux-ci, à ceux-là, pour éviter ce qui me dévore. Je dis des mots, pour m'égarer. Je me joue et vous joue une pièce. Et celle en moi qui se déroule, vous n'en sau-

rez rien. Vous ne saurez jamais, jamais ce qui m'étouffe.
Ce roman silencieux de moi. Ce qui vient de se passer,
à quoi vous n'avez pas accès. Parce que tout semble
comme si, justement, ce que je vous livre était mon
secret, n'est-ce pas. Alors que. Ce roman banal que je
traîne. Ce désespoir. Ce désespoir de toute la vie. Ces
sanglots sans sanglots. Ces pleurs sans pleurs. Cette
abomination d'être. Et je me retourne pour voir ce qui
me suit, cette ombre. Si loin que ma mémoire y plonge,
cette mer muette... rien de cet abîme en moi ne chante,
et je n'entends au loin que la convulsion d'avant le cri,
je n'entends que cette montée en moi, cette accumulation de l'insupportable, cette croissance qui m'emplit,
ce mûrissement noir, qui vient du fond de l'existence,
en vain toujours écarté pour toujours revenir, et je suis
là, je fais semblant, je souris parfois avec cette bouche,
pour moi seul amère, avec laquelle je raconte, je raconte,
et je ne tombe pas sur les genoux, il n'y a personne à qui
demander pardon, à qui s'accrocher pour balancer sa
tête, et tordre ses épaules, personne qui entendrait ma
tempête, qui essuierait mon écume, personne pour savoir,
deviner, épouser ce tremblement de l'âme, cette lassitude au profond de la chair, personne, je suis seul, cessez
de prétendre, je suis seul à vainement hurler, et je ne
hurle pas, à quoi bon, pour qui, pour quoi faire, vous
voyez bien que personne, pas plus autrefois que naguère,
personne, avec cette gueule que j'ai, avec, avec, et tout
le reste, ah depuis si longtemps que cela dure, et moi
pas possible de me tromper, finissez, il n'y a rien dont
j'aie si forte horreur que des paroles consolantes, cela
fut toujours la même chose, hier, il y a dix ans, il y en a
vingt, je ne peux plus compter, je n'ai pas assez de doigts
à briser, de poignets à tordre, de front à cogner, cogner,
cogner que c'en éclate, je suis le supplice de la sup-
plication, la plainte informe, le gémir de ne pas gémir,
le siège obscur de ce qui n'a pas même le soulagement
d'un nom pour se définir, le volet qui bat où il n'y a pas
de fenêtre, l'impossibilité de se mentir, même inécouté,

pour soi, comme on prend de l'aspirine, je suis le chien derrière la porte par grand vent, le lit sans repos, le vin sans ivresse, la voix sans oreille, le temps sans horloge, le visage absent, l'hiver qui vient à pas d'agonie, et cela dure affreusement, comme une blessure d'aisselle, où revient appuyer le cuir, cela trébuche obscurément de planche en planche, cela s'écrase au cœur des cendres, cela qui n'est que conscience, un instant tue, de la douleur.

*

Je n'en peux plus, Anthoine, je vais te tuer. Tant pis pour moi, la suite. Je vais te tuer. Au moins qu'il y ait ce changement. J'attends de tuer comme une grande pluie. Comme on attend qu'elle tombe, et craint la bourrasque prête à l'emporter ailleurs. Parfois c'est un étrange soulagement qu'il pleuve. Qu'il pleuve dur et dru, tambour aux doigts de verre, toit battu, là, plus bas, tout proche, éclaboussé. Je n'en peux plus, ma pluie. Entends mes pas, mes pas pour rien, par la soupente. Qu'est-ce que Dieu compte ainsi dans la gouttière interminablement ?

Anthoine, je vais te tuer pour que cela finisse, avec Fougère, enfin, ce faux-semblant d'aimer, qui me rend faible à chaque fois, et qu'elle avoue, et qu'elle cesse un jeu pareil. J'ai craint tout perdre si longtemps, maintenant je ne veux plus rien que perdre, et perdre tout. Regarde-moi : peut-on m'aimer ? Il est bien tard à cette question de répondre. Je n'ai jamais été jamais aimé, toute la vie. Tais-toi. Tu le sais bien. Ni toi non plus. Pourquoi donc étais-je jaloux, de quoi donc. Mais c'était de t'aimer, toi, qu'elle jouait le jeu. Pour me donner le change. Je voudrais croire que Fougère n'a jamais aimé personne. Cela me serait un grand soulagement. Qu'est-ce que tu as, à renifler comme ça ? Tu sais bien que ça l'agace prodigieusement, Fougère : elle te déteste quand tu renifles.

Anthoine, je vais te tuer. Pour voir. Et si elle allait être malheureuse... Tu crois qu'elle pourrait être... Tu n'es guère causant aujourd'hui. Je t'interroge. Anthoine est muet puisqu'il n'existe pas. Ah, va faire un tour. Il sera temps, lorsque tu rentreras, que je te tue. Anthoine a pris son chapeau. Il porte un chapeau depuis quelques semaines, tout ce qu'on fait de Dior- boutique. Il m'a dit: « A tout à l'heure, Iago! » Qu'est-ce que c'est que cette plaisanterie? Puisqu'il n'existe pas.

Fougère ne va pas très bien. C'est souvent ainsi depuis quelques mois. Je ne sais pas ce que c'est. Peut-être le temps qui lui pèse. Ou qu'elle est fatiguée de moi. Elle ne chante pas ces jours-ci. Elle ne demande pas Anthoine, et peut-être que cela se fera très simplement, de le supprimer. Elle a des préoccupations singulières. Elle parle de son âge, et ne voit pas ma stupeur. Comme si elle pouvait vieillir. Comme si tout le ravage d'être, ce n'était pas en moi, en moi uniquement qu'il se faisait. Elle ne me parle jamais de cette chose tragique, mon visage, elle a l'air de ne pas le voir, de ne pas voir ce que je suis devenu. Indifférence ou pitié. Mais je l'ai surprise à regarder d'anciennes photographies. Je la soupçonne d'avoir inventé Anthoine pour ne pas me voir, et ce qu'elle aime en lui c'est peut-être ma jeunesse. Ce n'est peut-être que la jeunesse. Bien que même à changer de coiffure, à prétendre à la noirceur des yeux (jusqu'ici les gens se teignaient les cheveux pour faire jeunes, et d'ailleurs on n'en voyait que plus durement le labour), dans le rôle d'Anthoine, je ne peux me cacher après tout que, de plus en plus, la différence entre l'acteur et le personnage du drame, se fait insensible, l'écart insignifiant. Qu'arriverait-il si les deux images, à un moment, en venaient à se confondre, si le jeu devenait de lui-même impossible, que je ne puisse plus être Anthoine... sans pour autant avoir eu l'initiative de la violence, et qu'au lieu de m'être débarrassé de lui, il demeure entre nous comme un regret? Après tout, ce n'est pas seulement autrui qui doit comprendre qu'Anthoine n'existe pas, qu'il n'a pas de vie indépendante, c'est moi, c'est nous. Parce que, bizarrement, nous avons, j'ai fini par croire à l'existence d'Anthoine, à son *objectivité*. Peu à peu. Subjectivement sans doute. Mais j'ai peur de cette incarnation. Voilà pourquoi j'ai l'obligation de *tuer* Anthoine. Même sachant que c'est lui, pas moi, qu'elle aime. Avec tous les risques d'une opération qu'on ne sait pas encore faire, une de ces expériences *in vivo* qui donnent à frémir au chirurgien. Et encore le chirurgien opère-t-il sur un autre, pas sur lui-même. Tout se passe comme si j'étais jaloux, abominablement jaloux de mon cœur, que je veuille être aimé sans lui, *tenter* d'être aimé, parce que! et que, risquant le tout pour le tout, je m'apprêtais à me l'enlever, ce cœur, cette image incompatible avec ce que je suis devenu ; peut-on vivre sans cœur, c'est à tenter, c'est à tenter. D'ailleurs tout cela n'est que métaphore, il n'y a pas d'Anthoine, le tuer, c'est façon de parler, il s'agit simplement de mettre fin à un jeu où la raison vacille. Et d'abord faire que Fougère s'en retire. Même si je dois tout perdre à cela. Parce qu'à ce point où j'en suis des choses, tout se brouille, et *votre* réalité me paraît être, elle, le jeu. Je vais donc, comme on dit, prendre sur moi... retourner la situation...

Fougère...

Je ne peux pas de but en blanc parler de cela devant Fougère. Je suis sorti par un soleil d'automne inattendu, Paris soudain paré de rousseurs et de mauves. Ce samedi est bruyant de voitures, comme si la ville entière venait soudain de décider de partir dans toutes les directions vers la campagne du week-end, quand la brume s'est levée. Je cours avec la mienne au milieu de tout ça, dans un désordre de pensées et d'intentions. J'avais tourné d'abord à droite, les objectifs changent avec le hasard, je me dis Paris comme un chapelet... Le Marché Suisse, les jardins de la Tour Eiffel où j'ai mesuré de l'œil d'où tombent ces jours-ci les suicides, la Seine, les Champs-Élysées, puis remontant par les quais de la rive

droite... où donc a lieu, j'y songe, le heurt d'Œdipe et
de Laïus? Je conduisais comme un fou de vingt ans.
J'aurais aimé un accident, je dois dire. Je ne le cherchais pas. Je l'aurais même évité, s'il s'était présenté.
Mais j'aurais aimé un accident. Qu'est-ce qu'il peut arriver de mieux, à cet âge, avec cette gueule, ce cœur, ces
limitations, ces trous de l'esprit, les oublis, les mots l'un
pour l'autre... Je ne suis plus rien de ce que j'ai cru être.
Je donne raison à tout le monde contre moi. Ce matin,
il y avait dans un journal une petite saloperie... eh bien,
j'étais d'accord. C'est de ça que je dois avoir l'air, on
m'a convaincu... Je ne peux pas avoir raison contre
tout le monde. D'ailleurs, avoir raison... qu'est-ce que
ça veut dire? Quand ils m'aimeraient tous, ils diraient
de moi, je ne sais pas... il n'y a qu'une chose qui compte
et tout le reste est de la foutaise. Une seule chose. Être
aimé. Et là, nul ne peut, personne, me raconter des
histoires. Je sais. Je sais, et pas depuis deux jours. Le
type qui trouve sa femme dans les bras d'un autre,
possible que ça lui apprenne. Moi, pas besoin. Le type
qui trouve sa femme dans les bras d'un autre, il a peut-
être tort d'y attacher tant d'importance que tout ça,
c'est peut-être une erreur, un faux pas, une surprise.
Mais moi. Pas depuis deux jours. Toute la vie. On peut
inventer ce qu'on veut, on peut me dire... il y a l'irréparé,
l'irréparable. On répare l'instantané, on le corrige. Mais
le passé. On ne répare pas le passé, on le porte en soi
dans le toujours.

Je me suis arrêté devant l'École Massillon. On l'a
nettoyée à la saison dernière. Les ombres en sont parties,
il en demeure l'éclat, le fouillé. C'est tout l'automne roux
et mauve, les fruits, les paniers, les guirlandes. Le drôle
est que cette aventure soit la mienne. Je n'ai jamais
mieux vu en moi le fourmillement des choses, la pléni-
tude d'être, ce sentiment de la fécondité de l'homme.
Tout se passe comme si l'on m'avait décrassé les yeux
de l'âme, enlevé la suie, l'effacement du temps. J'écris
cela, ne sachant trop si quelqu'un le lira, n'aura pas de

longtemps été lassé de mes tempêtes. Le lecteur, en tout cas, ignore ce qui me lie avec cette bâtisse ancienne, dans ce coin de Paris en cette saison qui me ressemble. Je suis un fils de l'automne. Je descends de la famille de ce prélat, de son frère aîné, Joseph, bien entendu. Massillon était notre cadet. Cela m'a toujours paru bizarre, cette filiation. Quand je l'ai dit à des gens qui ont de la lecture, ils se sont mis à dire qu'à la réflexion, ma prose, tiens... les ressemblances... enfin, il paraît que j'ai dans ce que j'écris la couleur du *Petit Carême*. Il y a dans les lettres de Mme de Chateaubriand, oui, la femme de René, le récit d'une journée à La Seyne, à côté de Toulon, où elle avait été envoyée soigner sa tuberculose au début de mars 1826. Je ne sais qui l'avait menée chez des gens dignes de compassion : ... *une famille de* vrais *Massillon*, écrit-elle au ministre Clausel de Coussergues, *qui y vit dans un état de pauvreté tel que Mme Massillon est obligée de garder la chambre, faute de vêtements. Cette famille est composée du père, de la mère et de deux garçons. Au mois de juillet dernier, M. le Cardinal de Clermont-Tonnerre écrivit à M. le Grand-Maître de l'Université en faveur du plus jeune des deux fils, afin de lui obtenir une place dans un collège. Mais cette demande est restée sans réponse; et ce malheureux enfant est encore à la charge de ses parents; il s'annonce tout plein d'esprit, mais est complètement dénué d'instruction. L'aîné, âgé de vingt ans, et celui pour lequel je sollicite tout votre intérêt, demande une place dans les douanes ou dans les postes...* Celui-ci, qui s'appelait François, fut, sur l'intervention de cette brave dame, nommé le 1er mai suivant écrivain de la Marine, malgré son peu de culture, devint sous-commissaire à trois galons (dit Pailhès, éditeur des lettres de Mme Chateaubriand à Clausel de Coussergues) et mourut en 1885. J'ajouterai qu'il fit la Guerre de l'Opium en Chine, d'où il rapporta ces trois malles rouges à décor jaune et noir qui sont dans mon bureau et où on peut les voir ; et qu'il fut par la suite commandant du port de Toulon. Car c'était mon arrière-grand-père. Tout ceci me vient

481

à propos de bottes, semble-t-il, mais cent trente-neuf ans après la visite de Céleste Buisson de La Vigne, vicomtesse de Chateaubriand, comment n'y point repenser pourtant, devant la somptuosité de l'Hôtel Massillon, et à ces gens dont je suis issu, qui tiraient le diable par la queue, dans la région même où, quand ma mère était enceinte, elle était venue cacher son déshonneur dans une propriété de chênes-liège et de tamaris, chez des amis de sa grand'mère. L'histoire arrive au bout d'elle-même, Maman. Le crépuscule se fait tôt, en cette saison, et pour repasser sur la rive gauche, on croise le lieu qui fut la Morgue où jouent aujourd'hui des enfants. Allons, je vais faire envoyer des fleurs à Fougère. C'est un des grands progrès du vingtième siècle qu'il y ait en novembre des fleurs qui ne sont pas des chrysanthèmes. Novembre pour nous deux, cela signifie quelque chose. Enfin, du moins, pour moi. Je commence donc le tour des fleuristes. Celui-ci pour me faire mentir n'a que des chrysanthèmes : il est vrai qu'on fait maintenant des chrysanthèmes blancs qui n'ont pas l'air de chrysanthèmes, comme les femmes qui ont tant maigri que ce n'en sont plus. Mettez des jaunes avec, dit la dame, ceux-là qui sont tout bouffis. Non. C'est difficile de sortir des fleuristes sans rien acheter. Partout ailleurs, il y avait des roses. Des roses foncées, des claires, le fil de fer et l'asparagus. Je ne veux pas de roses. Ingeborg reçoit depuis deux jours des roses à ne savoir où les mettre. Des violettes, aussi. Je n'aime pas les glaïeuls. Les lilas blancs, il faudrait alors les récolter de boutique en boutique, chacune en a dix branches, et pour les lilas, moi, il m'en faut une forêt. Chaque fois qu'elle comprend que je vais sortir sans rien acheter, la marchande me fait mousser ses azalées. Ça, il y en a : les pots tortillés de papier d'argent, ou avec un ruban vert en travers, comme le grand cordon de je ne sais quoi. Mais ce sont des malingres, des azalées pour jeunes filles. Si je prenais un pot, il faudrait que trois hommes soient nécessaires à le porter. Encore des chrysanthèmes, des roses, des roses, des roses... Autrefois en cette saison..., — m'explique ce fleuriste mâle avec son tablier violet, — vous avez pourtant le choix, il y a des fleurs tout le temps, vous êtes bien difficile. Maintenant on a de tout n'importe quel mois. Tenez, les glaïeuls, quand on en avait encore en octobre, c'était de la veine, ça faisait plaisir. Vous n'aimez pas les glaïeuls ? Je l'ai déjà dit. A un autre, c'est vrai. Finalement, rue du Bac, j'ai trouvé un agave : ses longues feuilles olive et jaune qui se plient comme un fourreau de parapluie qu'on retire et là, au centre, une seule grande fleur de massepain en artichaut, avec sous ses écailles, de petits boutons bleus et rouges. La fleur la plus triste du monde. Voilà qui me ressemble. J'ai dit : c'est un agave ? et la personne : vous voulez rire. Alors, quoi ? Elle a dit quelque chose comme Bilbergia... Bambergia. Bambergia ? J'ai mal compris, ou cela vient de Bamberg, cette ville qui est à la fois dans *L'Inspecteur des Ruines* et dans *La Semaine sainte* ? J'ai écrit un petit mot sur une carte, le nom de Mme d'Usher a rendu la fleuriste malade. Elle voulait que je lui signe un petit papier mouillé, espérant que je portais le nom de la cantatrice, car, quand elle a vu le mien, elle a eu l'air toute désappointée. Elle m'a demandé si c'était la Sainte-Ingeborg ce soir. J'ai dit oui, il ne faut pas trop décevoir ces jeunes âmes.

Maintenant il fait tout à fait nuit. Les cafés sont pleins de garçons en cuir et toile, de filles à cheveux raides, d'étudiants noirs, de couples épuisés par le lyrisme, de camionneurs du modèle au-dessus. Je contemple tout ça, avec mon pot dans le bras, comme si je ne l'avais jamais vu, comme si je ne devais plus jamais le voir. Les grands appareils à billes toussent, chahutent, clignent la couleur, s'éclairent sous les cow-boys, les dames du Colorado, les combats de boxe. Je m'arrête pour regarder comme un gosse blond à en crever te secoue un jardin où les fauves alternent avec les mousmées quand on fait mouche. Voilà. C'est à Mme de Chateaubriand que je dois d'être là, un peu moins analphabète, à contempler ce spectacle inspirant, sans remarquer trop que le froid pince.

En rentrant, l'appartement est silencieux, noir. Je traverse sans allumer le long couloir de moquette où j'ai toujours le sentiment de marcher sur du sable. Il y a de la lumière sous la porte de Fougère, son bureau. Je ne m'arrête pas, je veux me laver les mains. La cuisine est éteinte, c'est vrai, samedi, la bonne espagnole a été chercher ses deux enfants à l'école où elle les a mis, à cause d'histoires de famille, à Versailles. Elle les a pour le week-end. On lui donne campo à cinq heures, le samedi. Tout à l'heure, nous mangerons dans la cuisine, les restes du déjeuner. J'aime ça. Je passe par le cagibi. C'est la petite pièce à peu près carrée qu'on a ménagée au bout du couloir, où donne au fond la salle de bains, à gauche la chambre de Fougère. Auparavant, ce n'était qu'un passage, ouvrant à droite sur l'escalier de service par une porte qu'on a condamnée, et on a mis devant une psyché d'homme, un meuble anglais, avec deux tiroirs au-dessous de la glace, l'un pour les mouchoirs et les slips, le second les chaussettes. *Nos* chaussettes, *nos* slips, ai-je une fois de plus follement pensé, mais il faut en finir avec le mythe d'Anthoine. J'ai allumé, posé le pot sur l'un des deux tabourets de fer noir, je passe dans la salle de bains, me laver les pattes. L'eau n'est pas très chaude, on a des ennuis de plombier. Je me vois dans la glace : j'ai indiscutablement les yeux bleus, pas très bleus, mais tout de même. Je reviens prendre mon pot. Et un mouchoir. La porte de la chambre s'ouvre sur une pièce sombre, le rectangle de lumière du cagibi se jette en travers sur le lit, accroche la chaise Martine, au pied, de *mon* côté, et en projette l'ombre agrandie sur les portes blanches du placard entre fenêtres, on dirait une guillotine. C'est la chambre décrite dans *Murmure* avec ses boiseries de lait, ses panneaux et le plafond dans une étoffe grise et blanche... La voix de Fougère, à côté : « C'est toi ? » Je réponds : « C'est

moi... » avec le pincement au cœur de l'équivoque...
« Tu m'as fait peur, — dit Fougère. — Qu'est-ce
que c'est, cette fleur? C'est joli... » Elle était dans son
fauteuil rouge, elle s'est levée, elle a été chercher pour
ma fleur un cache-pot Napoléon III bleu et jaune.
Je l'ai suivie. « Je t'ai fait peur? Qui voulais-tu que ce
soit? » Et elle : « Je ne voulais rien du tout... mais ce
grand appartement vide, quand Soledad n'est pas là... »
Et nous revenons chez elle. Ma fleur est belle, c'est
vrai, mais triste, triste comme moi. C'est, un Bambergia,
j'ai choisi que ce soit un Bambergia. Un quoi? Bambergia, de Bamberg, où il y avait, tu sais, la Loge des
Étrangers, dans l'hôtel, le chambre d'Antonin Blond,
la porte au fond qui s'ouvrait sur une loge de théâtre...
et toi sur la scène qui chantais *Don Juan*, le grand air
de Dona Anna... Fougère...

« Tu m'as laissé tomber, — dit-elle, — mais j'ai eu
de la visite... »

Elsa Triolet sort d'ici, enfin il y a bien trois heures.
Elle lui a apporté son nouveau roman, une copie dacty-
lographiée. Je vois que déjà la lecture est en bonne voie.
De quoi s'agit-il?

« D'un homme qui est mort, et d'une femme qui lui
a survécu... »

Fougère... je voudrais te parler d'Anthoine... Encore!
Tu n'as pas d'autre sujet de conversation?... Fougère,
c'est très sérieux. Elle a pris son mal en patience. Je
parle donc. Je parle sur la nécessité d'en finir. Je parle
du caractère pervers de ce jeu que nous jouons depuis
tant d'années. Je parle de ma lâcheté, de mes craintes,
un mélange de sentiments, cette jalousie d'un être
qui n'existe pas, que nous avons inventé, et cette domi-
nation qu'il exerce sur moi parce que s'il n'était plus
là je redoute de perdre ce semblant de bonheur... Je
parle, et Fougère a pris dans ses mains, machinalement,
le manuscrit du *Grand jamais*... c'est comme ça que ça
s'appelle... *Le Grand jamais*... un homme qui est déjà
mort et une femme qui lui survit. Fougère, l'autre jour,

je ne sais quand, tu m'as dit... mais pourquoi ne serais-tu pas jalouse d'Elsa? pourquoi ne serais-je pas jaloux d'Anthoine? qu'il existe ou qu'il n'existe pas. Jaloux à tuer. Elle dit : Tu es fou, et elle dit : Ce n'est pas sérieux? Elle dit : Qu'est-ce que ça veut dire? et elle dit : On ne tue pas quelqu'un qui n'existe pas.

Je parle pour établir entre nous que tout cela n'a jamais été qu'un jeu, Anthoine, jamais qu'une convention verbale, je parle pour que Fougère ait reconnu qu'Anthoine n'existe pas en dehors de notre conversation, qu'on ne peut ni le voir ni le toucher ni faire avec lui l'amour, qu'il n'y a pas que lui qui ne se voit pas dans les miroirs, qu'il n'est même pas un reflet, une construction nodale de la lumière, si bien qu'il suffirait de ne plus le nommer, jamais, pour qu'il disparaisse de notre vie...

Je croyais qu'elle acquiesçait, même avec ce regard de peur qu'elle porte sur moi, — elle est nerveuse ce soir il me semble, — je croyais qu'elle avait compris, qu'elle allait me faciliter les choses, quand elle a dit cette phrase à me donner la sueur : *Mais Anthoine c'est tout de même toi*... On n'en sortira pas, si elle prend ce chemin, je lui dis qu'on n'en sortira pas, Anth... enfin ce concept, ne peut pas être moi, parce que je suis quelqu'un qui existe encore, un être de chair et de sang, tu peux prendre ma main, me toucher avec ta bouche, sentir sous tes doigts mon poil, mon souffle, le tremblement de mon cœur... j'existe encore pour toi, n'est-ce pas, Fougère? j'existe... j'existe pour toi, Fougère? Ou non?

Est-ce qu'elle a compris l'état où je suis, qu'elle ne veut pas me contrarier, qu'elle a peur aussi de ce que je vais imaginer faire si... Toujours est-il qu'elle répète ce que je dis (Tu existes, tu existes pour moi, mon petit...), comme si elle le faisait sien, miette par miette, pour m'apaiser sans doute, elle surenchérit même à mes paroles, si je dis que cet être de raison n'existe pas, et cela pour la vingtième fois, elle ajoutera qu'il n'existe pas du tout, pas du tout... pour effacer toute espèce de retour en arrière peut-être, comme si dire qu'il n'existe pas, c'était dire qu'il existe un peu. Pourquoi dis-tu qu'il n'existe *pas du tout*? Il n'existe pas, cela suffit, cela nous suffit, non? Oui, mon chéri, oui, mon chéri. Elle me regarde avec cet air sérieux qui touche à l'épouvante. Et toutes ces fleurs autour de nous, ces roses obscures et ces roses éclatantes, les violettes du général, et un azalée, tiens, un azalée qui a poussé entre temps. Alors, c'est entendu, ce soir, tu ne me diras plus : *Mets tes yeux noirs*...et moi, je ne me ferai pas une raie dans les cheveux, je ne serai pas Anth... enfin, cet être... cette absence d'être.

Il m'a semblé entendre une porte s'ouvrir dans mon dos. La porte de la bibliothèque. Je sens une présence. Comme pour me contredire. Allons, allons, cela suffit avec les fantômes. Je secoue mes épaules. C'est extraordinaire, quand on se met à imaginer qu'on a quelqu'un dans le dos. Mais le visage de Fougère. Elle est assise devant la cheminée, elle a l'air de voir quelque chose, ou quelqu'un? derrière moi. Elle a battu des paupières. Je dis n'importe quoi de vague, de hors de propos. Elle a dit : Anthoine... elle ne l'a pas dit, elle l'a pensé si fort que je l'ai entendu, je ne me retourne pas, je ne veux pas me retourner, c'est trop stupide, il n'y a personne, personne n'est entré, et si c'était quelqu'un... Quelque chose, au fond du silence, comme malgré soi, doucement, renifle, ou s'en retient : je sens insensiblement que je tourne sur moi-même, contre ma volonté, mais je tourne, le corps, puis cela entraîne la tête, le regard...

Anthoine. Anthoine est là. Tranquillement. Il s'est assis, il a pris un journal et ne le lit pas. Il ne nous interrompt pas, il fait le discret. L'Anthoine que je connais, qui me ressemble, aux yeux près, à la coiffure. Son ridicule petit chapeau posé sur la chaise voisine. Cette fois, il a un costume gris, qui le distingue de moi, dans ce veston plus sombre. Comme pour me prouver que je ne le vois pas dans le miroir. Je regarde rapidement

Fougère : à son air d'effroi je saisis qu'elle aussi l'a vu, Anthoine. Nous pouvions bien pour le conjurer cesser de prononcer son nom. Il est venu. Il tousse légèrement, il croise les jambes, il a des jambes.

« J'étais sorti, — dit Anthoine, — et j'ai eu des tas de difficultés de circulation... on n'imagine pas ce que c'est autour de l'Opéra, ce soir, j'ai cru que je n'arriverais jamais... Mais, qu'est-ce qu'il y a, je vous dérange ? »

J'ai brusquement compris l'impensable : c'est arrivé, Anthoine est jaloux de moi. Pour qu'il m'ait tout à l'heure appelé Iago... J'ai fait cela. J'ai rendu Anthoine jaloux de moi. Où l'imagination mène-t-elle ? Et s'il allait... Othello, qui aurait d'abord jamais rêvé qu'il en viendrait à tuer Desdémone ? Personne, au départ, n'est moins jaloux qu'Othello...

Nous étions muets, tous les deux. Moi, je pensais, impossible, impossible... Anthoine, en dehors de moi... ce sont les miroirs ou quoi... un Anthoine avec une existence propre, il est très près de moi et j'entends son souffle, il renifle un peu. Comme s'il sentait déjà l'odeur du meurtre autour de lui... il renifle un peu. Je ne peux même pas lui demander ce que cela signifie, ce serait reconnaître son existence. L'agacement sur le visage de Fougère, est-ce bien de l'agacement ? La voix : « Je voulais t'apporter des roses, ma chérie, puis je me suis dit que tout le monde... Et je vois que je n'ai pas eu tort... » Son geste embrasse la pièce, les bouquets, mon agave. Mon Bambergia, c'est-à-dire. Soudain Fougère s'est renversée, la tête, les yeux blancs, un soupir... mon Dieu, elle s'évanouit !

Nous nous étions précipités tous les deux à la fois, nous sommes arrivés presque en même temps auprès de Fougère, et j'ai senti cette chose terrible, la main d'Anthoine contre ma main, le mouvement de sa manche contre mon bras, la terreur.

« Allons, — dit-il, — aide-moi à la porter sur son lit ! »

Nous l'avons soulevée, sa tête ballait, elle était pâle, elle avait ce visage que je ne lui ai vu qu'une fois, après l'opération, quand on l'a ramenée... On n'avait pas besoin d'être deux à la porter, mais il semblait que ni l'un ni l'autre n'avait le droit de le faire seul. Nous l'avons mise sur son lit. J'étais hors de moi d'effroi. Anthoine a dit : « Ce n'est rien... elle respire... » Elle a un peu gémi, bougé la tête. Mais elle ne reprenait pas connaissance, ces yeux ouverts.

Il faudrait appeler le médecin. Je ne bouge pas. J'ai peur. J'ai trop peur pour savoir que faire. Anthoine, lui, est pris d'une sorte de fébrilité. Il fait déjà du doigt un numéro sur l'appareil blanc. Il dit : « Tu restes là, planté... tu n'as pas senti, ses mains, elle est froide... tu pourrais te grouiller, apporter des boules... » Je dis, bêtement : « Des boules ? », et lui, eh bien oui, quoi, tu ne sais pas qu'il y en a deux, des bouillottes, la rouge et la bleue, pendues sur la porte du petit placard à linge, dans la salle de bains, la tête en bas ? Bien sûr, que je le sais. Je passe, dans la salle de bains, j'éclaire. Les deux bouillottes, la rouge et la bleue, la tête en bas. L'eau n'est pas très chaude, il faut la laisser couler, cela viendra peut-être. Je me vois dans la glace. Cette gueule, mon Dieu. En tout cas, j'ai les yeux bleus. Les cheveux en arrière. Il n'y a rien à faire, l'eau n'est pas assez chaude. Je vais dans la cuisine, en chauffer. Quelle casserole ? Non, celle-là est trop grande. L'autre, ce sera juste. L'allumage automatique de la cuisinière à gaz butane me fait toujours sauter. Ça va être impossible de verser l'eau d'une casserole ronde dans les bouillottes. Ah, le petit pichet d'étain qui a un bec, avec ça pour le transbordement... « Tu as été rien long... » dit Anthoine. Non, elle n'a pas l'air mal, Fougère. Elle a baissé les paupières. Je glisse les bouillottes sous ses pieds, près de ses genoux. Anthoine l'avait couverte avec le grand plaid rose et vert.

Il est là qui se bat avec le téléphone. Un numéro ne répond pas. L'autre, le médecin est absent jusqu'à lundi. Ah, être malade un samedi! C'est toujours comme ça. On peut bien crever. Ça ne devrait pas être permis aux médecins, les dimanches. Peut-être le Dr Bravon ? Va pour le Dr Bravon. Il vient de partir pour Gros-Rouvre, si vous voulez l'y appeler dans une heure... Ça n'a pas de sens. Moi, je ne sais plus, je n'ai plus d'adresse. Tu pourrais chercher, au moins, dans l'annuaire, Alfred... J'ai eu, paraît-il, une idée. Ça tient à ce que regardant Anthoine, j'ai songé, tout recommence, je me noie... Alors j'ai pensé à Christian.

« Si tu appelais Christian ? Il est couvert de médecins. Comme il n'en a pas besoin, avec cette dégoûtante santé qu'il a... alors il ne se fâche jamais avec eux... il pourrait nous trouver quelqu'un... »

Le numéro de l'avenue Friedland, je le reconnais au doigt d'Anthoine, le W de Wag, l'A... « Christian ?... Ingeborg est malade... Il faudrait un docteur... » Il a dit, j'arrive, paraît-il, je suppose pas tout seul. Anthoine a éteint la grande lumière, il suffit de la lampe de chevet, de l'autre côté, de *mon* côté... « Elle repose, — il dit, — laissons-la, tu fais un bruit insupportable avec tes jointures, qu'est-ce que tu as à craquer comme ça ? » Il m'a sorti par le cagibi, je n'ai plus de volonté. Fougère, mon Dieu, Fougère...

Nous sommes là, dans ce réduit violemment éclairé pour que pas une tache, une ride ne m'échappe. Dans un coin, le « valet », comme ça s'appelle, avec, dessus, mon costume d'hier que la bonne n'a encore pas rentré, une cravate... à côté de la psyché, sur le tabouret la valise d'Ingeborg, pour le cas où on se déciderait à aller au moulin... Moi, je ne vois qu'Anthoine, au fond, dans la glace, aussi grand que moi, qui me déborde de côté, un Anthoine qui serre les dents et les lèvres... Mais comment ça se fait, comment ça se fait ? Anthoine ! Il dit : Quoi ! Je dis : Anthoine, comment ça se fait ? Il faut croire qu'il a compris, qu'il ricane. Enfin, ricane. Cet espèce de sourire pâle.

« Oui, — dit Anthoine, — c'est comme ça... Ça t'étonne ? Pas plus que moi.

— Mais depuis quand ? — je lui demande.

— Depuis... depuis... depuis que je l'ai remarqué. C'est revenu d'un coup. Je n'y croyais pas d'abord. Je croyais que c'était toi... »

Enfin, peu importe, il se voit dans la glace, et je l'y vois. Monsieur a retrouvé son image. S'il n'y avait que l'image... Parce que sa présence physique m'incommode, m'horrifie. Ce n'est pas seulement un reflet, un homme dans le miroir. Du même coup, il a pris corps. Il me frôle, la pièce est minuscule, j'entends sa respiration. et puis il m'a pris par le bras, et je n'aime pas ça, sa poigne. Je me secoue. J'ai retrouvé toute ma violence. Il m'est insupportable, il me souffle dessus. Il renifle. Il renifle le meurtre. Je suis saisi d'une pensée, tout à l'heure en moi qui s'était endormie, je le regarde, avec cette haine qu'il voit, et qui lui fait un peu hausser les épaules. Nous n'avons pas grand'chose à nous dire, pas besoin de nous dire... C'est l'homme à abattre. Comment est-ce dit dans ce vieux livre de moi, toujours le même : *Avez-vous jamais tué un homme ? C'est beaucoup plus compliqué qu'on ne le croit. D'abord, ça se défend...* On écrit des choses comme ça, trente ans avant, et puis voilà, trente ans après, qu'elles prennent corps. Tout à l'heure, je me disais, Anthoine... oui. Je vais le tuer. Il n'y a rien d'autre à faire. Si ce n'était que Fougère... mon Dieu, Fougère... qu'est-ce qu'elle a ? Cela fait plusieurs fois. Le médecin qui va venir.

«Cela te gêne que j'existe, — dit Anthoine, sourdement, — cela te gêne ? Évidemment ce serait plus simple, un monde où il n'y aurait qu'un seul homme. On pourrait se payer le luxe d'ignorer la jalousie, hein ? Bien que ça soit idiot d'être jaloux de moi... enfin, je ne vais pas t'expliquer. Mais le fond de l'affaire, c'est bien ça : il te faudrait tout pour toi seul, le soleil, le beau temps, Fougère... Les autres, tu en as marre, des autres, avec leurs histoires, leurs besoins, leurs malheurs. Ça devient gênant, au bout du compte, les autres. Puis ils sont si nombreux, il y en a de toutes les couleurs, il y a des malheurs de toutes les couleurs.

On s'en tire en signant des trucs à des présidents de République dans des pays improbables. On dit des choses généreuses. On s'indigne. On critique. On a raison, d'ailleurs, c'est notre fonction d'avoir raison. On a eu tant de fois raison qu'on a oublié toutes celles où on s'est trouvé avoir tort. Oh, je suis injuste : dans ces derniers temps on se paye aussi le luxe d'avoir tort, on gratte ses plaies, ses plaies intellectuelles, bien sûr. Pendant quoi, il y en a d'autres qui crèvent doucement, comme toujours. Ou pis : qui ne crèvent pas... longuement qui ne crèvent pas... »

Mais il est odieux, qu'est-ce qu'il me veut ? Qu'est-ce que c'est, ces discours ? D'ailleurs, qui est jaloux de l'autre ? On ne peut être jaloux de quelqu'un qui existe[1]. Il s'agit bien de ça, je vais le tuer, rien de plus. Qu'il taise sa grande gueule. Il peut bien parler des autres, cette façon d'avoir le cœur sur la main, pouah ! « Ça ne va pas finir, ces manières ? Ça te réchauffe le ventre, toi, quand tu parles des peuples sous-développés, de la famine au bout du monde ou que tu te prends sur place pour le prolétariat ? Et si ça te déplaît que je te parle comme ça... tu n'as qu'à nous foutre la paix, à disparaître... toi qui n'as qu'à te montrer pour que Fougère... est-ce que tu crois que je vais te laisser faire du mal à Fougère, parce que tu as pris je ne sais trop comment consistance, que tu as peut-être une carte d'électeur ? » Je sens que pour un rien, il se jetterait sur moi, je sens son abominable présence, il renifle, il a dit : *Salaud!* entre ses dents, il serre les poings, je vois tout cela devant moi, dans le miroir, par-dessus mon épaule et il m'a pris l'épaule dans sa poigne, ah non, je n'aime pas ça, je n'aime pas ça... j'ai vu brusquement une chose qui dépasse l'imaginable, dans la glace, Anthoine... je ne me suis pas trompé : le reflet d'Anthoine a les yeux bleus.

Tout à coup, cela, je ne le supporte plus. D'ailleurs

---

[1]. Affirmation au moins risquée. (*Note de l'auteur.*)

ma résolution était prise. Je ne permettrai pas le meurtre de Desdémone. J'ai levé le poing. Je frappe. De toute ma force. D'une force que je ne me connaissais pas. Je frappe. Je frappe. Pour tuer. Et quelque chose alors, dans un bruit énorme, me mord cruellement le poignet. Est-ce Anthoine? Le sang. J'ai perdu l'équilibre. Je perds mon sang.

Le bruit de violence a tiré Fougère de sa torpeur. Elle ne sait plus ce qui vient de se passer, elle est dominée par ce sentiment de faiblesse physique, elle ne se souvient que peu à peu de la scène qui a précédé son évanouissement. Elle s'est soulevée, et soudain elle se précipite vers la porte fermée sous laquelle il y a un rais de lumière. Mon Dieu, mon Dieu... qui? La porte ouverte, elle voit l'homme à terre, un vieillard, ses cheveux blancs, le sang, et droit devant elle, l'étoile, l'araignée dans le miroir brisé. Alfred est seul, par terre, mais ce n'est pas de cela que Fougère s'étonne, tout ce qui compte, c'est le sang. Il se répand du poignet sur le tapis, le vêtement. Elle ouvre les autres portes, la salle de bains, le couloir, elle crie. Personne ne répond. L'appartement est vide et noir. Elle ne peut pas porter ce corps, le traîner vers le lit, il faut appeler quelqu'un : le téléphone, mais le concierge ne répond pas au numéro de la loge... cela sonne, cela sonne... il doit être sorti, et Soledad qui n'est pas là. Fougère comprend soudain que l'essentiel, c'est d'arrêter le sang, une serviette, une écharpe, quelque chose, ah, ce grand mouchoir que lui a donné Christian : elle lie ce bras au dessus de la plaie, elle serre à le faire bleu, garrotter... Elle est à genoux près d'Alfred, elle lui parle, il gémit, elle lui parle, il se tourne vaguement. Mais qu'est-ce qu'il y a eu? Elle pense avoir eu comme une hallucination, pourtant. Alfred est seul. Il n'y a personne, personne dans l'appartement? Elle frémit. Que va-t-elle faire? Appeler un médecin... Comme elle se relève, cela sonne. Auquel des deux escaliers, elle ne peut jamais distinguer. C'est à la porte du grand. Fougère tremble de froid, elle a jeté une robe de chambre chaude sur ses épaules. Qui cela peut-il être ? Elle allume, ouvre : c'est Christian, avec un homme qu'elle ne connaît pas, l'air d'un Japonais de haute taille, des gants noirs et une serviette. « Comment ? — dit Christian, — vous, Ingeborg ? Où est Anthoine ? » C'était pour elle qu'il amenait le médecin. « Docteur, par ici, — dit Fougère, sans répondre, — heureusement que vous êtes arrivé... »

Christian est maintenant un vieux monsieur, de petite taille, qui a pas mal maigri, et forci du ventre, avec un visage couperosé, le nez épaissi, les cheveux clairsemés, mal blanchis. Il n'est pas très bien tenu, on voit qu'il souffre mal de se passer d'un domestique homme. Il a pris Alfred sous les aisselles, il arrive toujours dans la vie aux moments où il faut le tirer d'affaire, celui-là. Le médecin a pris les pieds. « On va salir le lit, — dit-il, et il n'a pas du tout l'accent japonais, — vous n'auriez pas... » Fougère avec un visage sans expression, les lèvres un peu serrées, a tiré de l'armoire une alèze blanche en plastique, le pauvre bras saigne encore un peu, malgré le garrot, mal mis. « Laissez-moi voir, dit le docteur, et Christian a tourné le commutateur. Il mène Ingeborg à côté, chez elle, dans le fauteuil rouge, on voit bien qu'elle est à bout. Christian répète : « Mais où est Anthoine ? Il m'avait appelé, il m'avait dit... » Ingeborg renverse la tête sur le coussin, elle se tait, elle a du sang sur les mains, les avant-bras. Il se fait un silence. On entend au loin bourdonner le boulevard Saint-Germain. Christian n'ose plus rien dire. Il dit pourtant, qu'est-ce que cette fleur ? Et Fougère, un Bambergia, paraît-il.

Le médecin entre dans ce silence : « Madame..., — Ingeborg s'est redressée, elle a un pauvre sourire, elle le regarde, — est-ce que vous avez besoin de mes soins ? » Elle fait non de la tête, c'est passé, un étourdissement, rien. Mais... ses regards sont tournés vers la chambre.

« Vous avez eu raison de lui mettre le garrot, — dit le docteur et ses yeux bridés ont une douceur singulière, —

nous allons l'emmener dans mon service j'ai la voiture en bas... si M. Fustel-Schmidt veut rester avec vous... »

Elle ne l'écoute pas, c'est autre chose qu'elle veut savoir : « Est-ce que... »

Le docteur ne répond pas tout de suite, il cherche ses mots. Il regarde Mme d'Usher avec un mélange de respect et de pitié. Elle crie : « Non !

— Mais non, Madame, mais non... il vivra. De ce point de vue-là, ce n'est rien...

— De ce point de vue-là ? »

C'est Christian qui a dit ces derniers mots. Le docteur a vers lui un mouvement de la main, et il se tourne vers Ingeborg : « Je veux dire... soyez courageuse, Madame : je sais que vous êtes courageuse... Il vivra, bien entendu, mais... comment vous dire ? Il vous a... oui, c'est ce qu'il faut dire : il vous a aimée, Madame, comprenez bien, il vous a aimée à la folie. »

LE MÉROU

Après-dire

J'avais, par routine, imprudemment accepté d'écrire une préface à *La Mise à mort*, rien ne me semblait plus facile, je savais ce que j'allais dire, et puis la vie (cette autre figure de la mort) s'est chargée de jour en jour, d'en retarder l'écriture, ce qui était là, tout prêt, s'évanouissait, j'attendais l'occasion de me, de le ressaisir, et les quatre mois que je m'étais donnés pour cela s'amenuisaient, je tremblais de sentir à mes pieds le temps comme un tapis qui brûle, bien que parfois, les nuits, dans l'insomnie, il me semblait *voir* la chose écrite, toute écrite, l'intrication de ses thèmes, la réponse à tout ce qu'on avait pu me dire de ce livre, la dénonciation de moi-même, le roman rendu, non point clair, mais transparent... Le matin, j'étais pris d'autre chose, des épreuves, les délais imposés à un travail différent, les événements de cette année-là (de cette année-ci), sans parler d'une épouvante qui hanta tout cet été de 1969, jour et nuit, jour et nuit...

Le vrai est que toute préface à *La Mise à mort*, dans son principe même est une absurdité. Ce roman est à lui-même sa préface, je veux dire perpétuellement, d'une page sur l'autre. C'est de quoi le relire, après quatre années d'oubli, m'a lentement, pernicieusement persuadé. J'ai essayé de me rappeler comment je l'avais écrit, pour en montrer la trame, et tout ce qui m'en revenait à la mémoire était marqué de contradictions

telles, qu'en parler seulement eût exigé de moi comme un
incessant démenti. Avec cela, qu'il me fallait *imaginer*
en même temps, tiens, ce verbe change de sens ! imaginer
une illustration du roman même, une sorte de constant
pléonasme de ce qu'on lit et de ce qu'on pourra voir,
en marge. Autre absurdité : le jeu que nous avions inventé,
Elsa et moi, pour trente-deux volumes, s'y était-il épuisé ?
En tout cas, tout ce qui se présentait à mon esprit comme
l'image de ce que j'avais écrit me semblait d'une grossièreté redoutable... là aussi, tout était substitution
au roman inventé, et à sa part de réalité, d'une image
nécessairement primitive. Quand, tout d'un coup, c'est
par ce biais, que j'aperçus comment faire, sur quoi jeter
la lumière, répondre à tout, presque, et il ne me restait
pas le temps de l'écrire, c'était le 8 octobre, c'est-à-dire,
jour pour nuit, quatre ans après que, affaire d'effacer
La Mise à mort, je m'étais mis à écrire *Blanche*, et il
faisait un même temps insensé qu'alors pour un automne,
la même chaleur, le même soleil aux fenêtres du matin,
on venait de me rapporter de l'exposition Maeght à
Saint-Paul de Vence les trois portraits de Fougère par
Matisse, je veux dire les trois qu'il m'a donnés, et dont
l'absence commençait à me peser.

Les trois portraits de Fougère... je l'ai écrit naturellement sans y penser, parce que, tout de suite quand il
s'agit de ce roman, me reviennent les non-sens qui se
disaient alors, et qui m'ont fait soudain dans *Elle* —
comme *Elle*, assez étrangement, en publiait la première
Lettre à Fougère (*Je n'ai jamais pu traduire la* Lettre *de
Tatiana : les mots en sont trop simples pour passer d'une
langue à l'autre. Le français ne fait pas miroir au russe...*),
et l'on m'avait demandé un titre à l'affaire, illustrée de
photographies en couleur de nous deux, chez nous à la
campagne, et des légendes à ces photos d'Émile Muller...
— et qui m'ont fait, les non-sens qu'on disait de ce livre,
me décider brusquement, là, entre des *Idées de confort —
vacances dernière minute*, et *La Nuit des Panthères* (*Au
cœur de la jungle... le nouveau roman d'amour et d'aven-*

tures de Hans Ruesch)... à dire la vérité en lettres énormes, une page du journal, à quoi trouver un titre m'avait désespéré plusieurs jours :

J'AVOUE OUI : FOUGÈRE, C'EST ELSA TRIOLET

C'était d'abondance en ce temps-là, ce qu'il m'avait paru l'essentiel à dire de ce livre sur lequel allaient de mille façons les commérages. Couper court. Après débrouillez-vous. Cela se passait en juillet 1963. Il vient soudain de me sembler que c'est encore de là qu'il m'est possible de repartir, que c'est encore cela l'essentiel.

Tu venais de publier (en janvier) *Le Grand Jamais* qui, maintenant, va succéder à ce livre dans cette prolonge des *Œuvres Croisées*. Peut-être n'est-ce pas simple coïncidence, mais, gare, je vais parler de ce qui n'est pas mon domaine... Il y a entre nos livres une étrange conversation parfois qui s'institue, peut-être de ce que nous ne disons pas autrement. Si je me mettais à developper cela, il n'y aurait jamais de préface à *La Mise à mort*. Pourtant l'essentiel est bien ici que, moi qui ai toujours protesté quand on se mettait à « reconnaître », dans les personnages de mes romans des gens vivants, des modèles en chair et en os, pour la première fois depuis *Anicet* (où Mirabelle n'a point d'original, remarquez), je revendiquais un modèle à ce discours de toi, je reconnaissais que c'était de toi que j'avais parlé pendant quatre cent quatre-vingt-quinze pages, ou tout au moins parlé de tout en fonction de toi, que tout ce livre n'était qu'une longue, interminable lettre, non pas à quelque fabuleuse Ingeborg, mais à toi. Cela impliquait bien des choses, et pour Fougère, et pour Anthoine, Alfred ou Christian, par exemple. Il fallait tout d'un coup lire autrement tout le livre, et on allait croire à ce Michel rencontré au début, il serait mon ami Mikhaël Koltsov, j'y reviendrai, et alors que signifiait donc l'histoire de *Murmure*, ce Danemark, ou la Chypre shakespearienne d'*Othello* mêlée aux drames de l'île aux jours d'écrire ce roman, pouvait-on douter désormais que *Le Carnaval*, cette histoire des bords du Rhin en 1918-1919, ce n'était pas à l'aspirant Pierre Houdry qu'elle était arrivée, et Théodore du coup, les gens allaient un jour ou l'autre y reconnaître le Docteur Fraenkel...

    Je n'ai écrit *Le Carnaval* qu'où il se place dans le roman, quand j'en fus arrivé là. Pourtant l'idée de quelque chose comme *Le Carnaval*, je l'avais eue un an avant, à ce concert de la Salle Gaveau où Richter joua Schumann. A la sortie, j'ai dit à Fougère... à Elsa, j'entends... que je venais d'avoir l'idée d'un roman qui se passerait entièrement pendant que Richter exécutait *Le Carnaval*, ce soir-là, un roman des bords du Rhin en 1919. Un carnaval de faisans chus des branches... Puis je n'y ai plus pensé qu'au delà de la page 277 de *La Mise à mort*[1]. Et, ce que j'ai écrit, alors, c'est bien ce que j'avais dans la tête pendant que Richter jouait ce soir-là. Une histoire qu'on ne peut détacher de moi, je veux dire de moi, non pas Pierre Houdry. Dans la réimpression faite chez Gallimard des *Aventures de Télémaque*, un livre écrit en plein mouvement Dada, et paru en 1922, j'ai rajouté les feuillets de notes joints au manuscrit, pour le collectionneur Jacques Doucet, deux ou trois ans après. On y trouve toute l'histoire du Rhin débordé, des faisans tombant dans la fascination des eaux tournantes. Et aussi bien dans *Le Roman inachevé*, écrit en 1956, ces deux strophes comme d'un rêve né :

    1. Ici se pose la question du déclic de l'écriture du roman même : après avoir écrit *La Mise à mort*, y ayant incorporé les trois *Contes de la chemise rouge*, je me suis demandé, si en fait je n'avais pas, dans ma tête, commencé toute l'affaire Salle Gaveau. En réalité, les choses se sont passées à partir d'une phrase surgie, qui est la première du livre, comme je le raconte plus loin. Comment s'est fait la convergence d'une chose pensée antérieurement et de ce texte en cours de développement, je n'en sais rien. Il restera toujours possible qu'un lent travail inconscient m'ait mené par ce développement verbal à une justification du projet né au concert. Cependant si *Murmure* n'était pas né, je n'aurais pas écrit *Le Carnaval*. Le mécanisme des miroirs internes demeure complexe. J'en viendrai plus loin à cette affaire de *l'incipit*, mais ne faut-il pas avoir dès maintenant en tête la première phrase du livre : *Il l'avait d'abord appelée Madame, et toi le même soir, Aube au matin ?*

*Il n'y a pas eu cette neige et dans le grenier mort de froid
Près de Sainte-Odile un chasseur quand on a quitté la
scierie
Ni les yeux brillants des fourriers qui troquaient le mark à
vil prix
Ni les drapeaux jaunes et blancs dans les cités de l'hystérie
Ni l'Alsace et le Rhin débordé pour borner notre charroi*

*Il n'y a pas eu Rœschwogg et la jeune fille aux yeux verts
Dans la maison d'en face qui me disait des vers allemands
Tandis que je tendais les mains à sa laine et Dieu sait
comment
Entre nous deux l'hiver cruel ainsi passa tranquillement
A voir ses doigts sur le clavier jouer* La Truite *de* Schubert

Il serait difficile de prétendre que *Le Carnaval* n'a pas de lien avec la biographie de l'auteur. Et sans doute du personnage appelé Alfred, celui qui au contraire d'Anthoine peut reprendre à son compte l'épigraphe tirée de Chamisso :

*Den Schatten hab' ich, der mir angeboren,
Ich habe meinen Schatten nie verloren...*

ce qui dans une certaine mesure permet de penser que, si Anthoine a perdu son ombre, c'est qu'il n'est rien d'autre que l'ombre (ou la lumière) d'Alfred. Mais vous voyez bien, tout ceci ne peut se lire qu'une fois le roman lu, et non avant de le lire.

*

Pourtant je voudrais insister sur le caractère particulier des trois *Contes de la chemise rouge* dans *La Mise à mort,* de leur valeur de parenthèses dans le roman, de *thèmes secondaires* pour me reporter à un concept déjà familier aux lecteurs des *Œuvres croisées.* Dans *Murmure,* il est d'évidence que l'auteur, en établissant une certaine confusion entre le XVIIIe siècle danois et le temps d'Elsa, ne serait-ce que par l'espèce de rêve où il est impossible de ne pas lire une sorte d'exaltation d'Octobre et des temps qui suivirent la Révolution russe (l'évocation des *soubotniks,* par exemple), et en même temps une certaine confusion entre les amants d'autrefois et ceux de cette vie, ... y a pratiqué, l'auteur, une opération de même ordre qu'avec notre apparition pendant le concert Richter, dans *Le Carnaval,* quand Pierre Houdry aperçoit dans la loge voisine, non point Fougère et Anthoine, mais l'auteur de ce livre et Elsa. Cela paraît d'abord une façon de distinguer ceux-ci des personnages du conte, mais c'est assurément du même coup un effet de miroir. Anthoine et Fougère se reconnaissant ici dans le monde réel, c'est cet autre couple qu'ils voient dans le miroir. Je me répéterai : leurs ombres ou leurs lumières. Sans compter que le mécanisme ici est exactement l'inverse de celui qui joue dans *Through the looking-glass,* au début, c'est-à-dire qu'au lieu que ce soit la petite Alice qui passe du monde de tous les jours de l'autre côté du miroir, dans la seconde pièce, l'autre chambre, l'autre maison, le monde imaginaire, ce sont les personnages du monde imaginaire qui enjambent le cadre du miroir pour se trouver dans le « monde réel ».

Le Carnaval, ce n'est pas pour rien que pour titre lui soit donné celui de la musique jouée. Schumann ici fait la liaison entre l'histoire vraie qui n'est pas de Pierre Houdry et de Bettina, et celle de l'homme qui la raconte, que voilà vivant, et vieux, près de la femme par qui toute sa vie a pris sens (un sens que ne pouvait atteindre Pierre Houdry) ; ou, si l'on veut, la musique de Schumann éclaire le reflet de cet homme dans le miroir qu'elle est, le reflet objectif de cet homme, celui qu'il ne peut, lui, voir de ses yeux. Je disais ceci et brusquement pour moi quelque chose en effet s'éclaire, s'éclaire d'une image, à quoi je n'avais pas songé d'abord, dont je n'avais pas mesuré l'importance à mes yeux mêmes : c'est-à-dire que le *rideau* tiré par la musique (ici Schumann) entre le monde et moi, est ce qui établit devant moi un miroir semblable à celui d'*Alice*, un de ces miroirs comme *La Mise à mort* en est semée, un de ces miroirs qui peuvent fort bien n'être pas du tout de glace ou de métal, ou d'eau... je me sens entraîné à dire que le miroir, ou ce que j'appelle ainsi dans le domaine du roman, par métaphore ou toute autre figure de mots, est à la fois un révélateur et un écran, où ce que cet écran révèle peut être reflet, transparence ou masque [1]. Enfin je suis sur le point de prétendre que *La Mise à mort*, après tout n'est qu'une variation sur l'idée de miroir, où, pour moi, l'échelle des reflets va de la lumière aveuglante aux ténèbres, le miroir pouvant aussi bien être obscur que lumineux, servant aussi bien à montrer, qu'à déformer, à cacher... Tenez.

De Fougère, par exemple. L'image de Fougère, faite, inventée pour *cacher* Elsa : il ne fallait pas qu'elle écrivît, Ingeborg d'Usher, mais il importait de la situer par ce prénom danois d'une princesse qui fut reine de France une seule nuit, par cet écho d'ailleurs où se perdre, ce ton de feuilles tombées dans le patronyme d'un premier mari pour quoi, plus que d'un portrait de la cantatrice, je vais ici trouver image, mélodie, enfin rêve à l'heure où les fougères se font rousses, dans ce tableau de Georges Malkine, *La Demeure d'automne d'Edgar Allan Poe*, que j'introduis dans cet après-dire histoire de lui donner décor, crépuscule, valeur de *seuil* à je ne saurai, nous ne saurons qu'à la fin vraiment quoi, peut-être parce que le scarabée d'or aura quitté cet

---

1. A-t-on réfléchi que l'écran, jusque-là qui cachait le feu, depuis l'invention du cinéma est au contraire devenu le porteur de l'image, le médium de la vue ? Non point l'obstacle aux étincelles, mais l'incendiaire qui met le feu dans la tête.

abri pour ses quartiers d'hiver... et ailleurs je donne image de ces quartiers neigeux, pour rendre sensible le temps passé... je disais qu'il importait pourtant de la situer, Ingeborg, dans sa maison d'Usher, moins qu'en ce matin sans doute où elle fut appelée Aube, et peut-être bien plus pour nous égarer, nous, que la situer, elle comme à l'envers dans le rêve de Johann-Friedrich Struensee, ce rêve *d'un pays*... ce rêve dans l'avenir, ce rêve fiction... tout était comme un voile jeté sur *ton* visage et puis je n'ai pas pu le supporter quand le livre fut dans les mains des gens, si bien que je l'ai arraché, ce voile, qu'on te voie et non plus cette *diva*, ce miroir, dont le chant pourtant produit sur Alfred ou Anthoine cet effet que me font tes livres à l'état naissant (ces autres miroirs), cette musique de toi. Ceci écrit des années plus tard, à l'heure où tout prend pour moi sens multiplié, du matin premier à ce dernier roman de toi qui vient de paraître, et son titre même : *Le Rossignol se tait à l'aube.*

*

A rapprocher de ce début, simple hasard d'une impossible préface, le passage suivant d'*Œdipe*, qu'on lira peut-être autrement que dans ce conte du type sérienoire, à la lueur de ce que je viens d'écrire :

Si je mettais des lunettes noires ? Comme ça on ne verrait pas mes yeux, ce que je pense. Mais, d'un autre côté, pour peu qu'on me suspecte, on penserait tout de suite que je cache ma pensée. D'abord, oui, et puis, à la réflexion, pas question...
... Si je regarde les gens tout droit, avec de bons yeux nature, mentir est plus facile, enfin facile, ce n'est pas le mot, il ne s'agit pas de moi [1], *je n'y ai aucune peine. Je*

---

[1]. Œdipe, pour l'appeler par son nom, veut dire qu'il s'agit non de lui, mais de l'auteur, du *mentir-vrai* de l'auteur.

veux dire qu'on ne me croira pas derrière les verres fumés, et que le mensonge ne se borne pas, pour réussir, aux paroles prononcées : il n'est complet qu'avec les yeux, l'air d'innocence, le regard clair, bien en face, honnête et sympathique.

Je pourrais m'en tenir là pour montrer comment ce que j'écris, et particulièrement *Les Beaux Quartiers*, *Les Communistes* (version corrigée), *La Semaine Sainte*, et bien entendu, *La Mise à mort*, *Blanche ou l'oubli* sont à divers égards, mêlant la théorie à la pratique, des « arts romanesques » autant que des romans.

Mais je ne sais quel démon (quelle Alice courbant le Roi Blanc sur son Koh-I-Nor pour le faire dire *autre chose* que ce qu'il entendait) me pousse à recopier ce qui suit les mots précédents :

Là-dessus, le meurtrier ressentit une manière de trouble. Il n'avait pas encore lu les journaux. Il ne savait pas encore de quoi, pour les autres, son crime avait l'air : simple agression nocturne, histoire de rôdeur, affaire de mœurs, règlement de comptes... Tout s'était passé si vite... Et puis, surtout, suivant la version retenue, il faudrait avoir un comportement différent. Soit pour mettre les hypothèses en échec, soit au contraire pour les combattre du dedans...

Je vous jure que je n'ai pas écrit cela hier ou avant-hier, mais bien en 1964. Parce que, sans cela, à quelles interprétations de texte ne serais-je en pas butte! Plus encore que pour mes, de la part de mes contemporains, de la part des historiens de l'avenir, pour peu qu'ils découvrent à la fois et la date à laquelle j'écris ceci, et ce que je me suis trouvé écrire d'un tout autre point de vue, ces mêmes jours, messeigneurs, quelle découverte! et je ne serai plus là pour pousser les hauts cris. Ce serait pis, croyez-moi, que pour Fougère, surtout que, pour détourner les esprits, je n'aurai rien à *avouer*, sur cette voie-là.

Tout de même, entre le Tome 32 des *Œuvres croisées* et cette reprise de leur course, il m'est arrivé de faire, touchant mes romans, un autre *aveu* dans un livre, lequel ne va peut-être pas tomber entre les mains des lecteurs de notre double entreprise. Cela se trouve dans un petit bouquin de moi, encore à paraître, à cette heure d'en écrire, par quoi (autre aventure *croisée*) après *La Mise en mots*, titre qui légèrement me nargue, d'Elsa Triolet, je lui succède, avec ce second volume, chez Skira, d'une collection intitulée *Les sentiers de la création*. Lequel a pour raison sociale *Je n'ai jamais appris à écrire ou les incipit*. Il s'agissait de montrer le rôle déterminant de la première phrase, écrite souvent sans la moindre intention de suite, de *l'incipit* en un mot de mes romans (et qui sait ? pas seulement des miens), sur tout le développement du roman. Nous n'avons ici d'intérêt que pour ce que j'en dis touchant *La Mise à mort*. On me pardonnera sans doute, ou tant pis, d'en extraire, pour les introduire ici, cinq ou six feuillets.

Il n'y avait pas de miroir à la première page de La Mise à mort. *Cela n'en a pris le titre* (Le Miroir de Venise) *qu'après coup. La phrase de réveil... je dis cela machinalement, mais pour une fois j'ai souvenir de l'avoir lue* [1] *à cette heure où l'on ne dort plus et on ne se décide pas d'être éveillé, et je crois bien que c'est elle qui m'a jeté à bas du lit. Où sont les pantoufles ? Bah, j'aime autant marcher pieds nus.*

J'ai donc écrit sur le premier feuillet la première phrase. Cette fois, c'est bien la première, il n'y a pas eu de retour en arrière, de saut en avant. J'ai donc écrit :

---

1. Il faut expliquer ici que c'est une thèse développée dans le livre dont je parle que je *n'ai jamais écrit mes romans*, que je les ai *lus*, c'est-à-dire que, devant le déroulement du texte, j'étais *un lecteur*, n'en sachant pas plus qu'un autre, enfin comme je le dis à cette occasion, qu'écrivant une histoire, *je n'ai jamais su qui était l'assassin.*

Il l'avait d'abord appelée Madame, et toi le même soir, Aube au matin.

Il ne pouvait pas m'échapper que cela relevait, sinon de la mémoire, du moins d'une façon de synthèse mnémonique. Le cinq novembre 1918, j'ai rencontré Elsa à cinq heures de l'après-midi, et je ne pouvais lui avoir dit que Madame. Nous ne nous sommes plus de cette minute séparés pour la vie... toi le même soir... bien sûr. Certainement pas Aube au matin, parce que ça a beau faire joli... mais un nom comme cela, éphémère, qui n'était pas le sien, que personne ne pouvait lui avoir donné, ainsi que je lui en ai donné des centaines depuis, comme on offre des violettes. Alors j'ai ajouté, pendant que j'y étais, me connaissant :

Et puis deux ou trois jours il essaya de Zibeline, trouvant ça ressemblant...

J'ai dû lui essayer d'autres noms bleus, ou blancs. En tout cas, c'est le b d'Aube qui me vaut, m'a valu le choix de Zibeline, où le b voisine l'l, d'où la résolution de la phrase sur leur mariage ressemblant. La phrase suivante :

... Je ne dirai pas le nom que depuis des années il lui donna, c'est leur affaire...

est strictement autobiographique, voilà, pour l'heure où j'écris (mai 1969), bientôt quarante et un ans que nous en gardons l'un et l'autre le secret. Et cela sans rimes intérieures.

... Nous supposerons qu'il a choisi Fougère...

Où la ressemblance est plus grande à mon sens, et la transposition : Pour les autres elle était Ingeborg... *qui donne à Fougère un nom scandinave, on en voit facilement la pudeur initiale...* je vous demande un peu, *ajoute l'auteur, qui prend déjà pour la seconde fois la responsabilité de ce que je lis.*

En fait, rien de tout cela n'est prémédité, et si maintenant Fougère, puisque Fougère il y a, dit : « Ne te regarde pas comme cela dans la glace... reste un moment avec nous... », *j'apprends, l'auteur, le* je *apprend, croit apprendre qu'il y a là une glace, en face de lui, probable-*

ment derrière Fougère[1]. *Remarquez que je n'ai d'abord pas lu ainsi dans la glace. On dit ne te regarde pas dans la glace, même s'il n'y a pas de glace, ça ne veut pas dire que... c'est une façon de dire à quelqu'un qui vous agace par là, qu'il ne pense qu'à lui-même, soit qu'il se taise, soit qu'il ne parle que de lui. Et puis c'est écrit,* par l'autre, *pour donner le ton de voix de Fougère. C'est ressemblant.*

Là-dessus ledit auteur éprouve le besoin de situer ce qui vient de s'écrire dans le temps et dans l'espace. Parce que jusque-là il ne se fait aucune idée d'où, quand ni comment. Je lis :

La scène se passe dans un petit restaurant à l'époque du Front populaire, quand les nappes étaient de linge à carreaux bleus et rouges, l'air comme une bataille de confettis, avec le steack flambé au poivre, trois verres par personne et l'accordéoniste aveugle qui venait de jouer *Marquita.*

Mais je ne sais pas, dans ce petit restaurant, qui est nous *(reste un moment avec nous), sauf Fougère, et pour qu'il y ait* nous, *il faut au moins un autre personnage. D'ailleurs, à qui Fougère dit-elle cela ? A quelqu'un sans doute qui me ressemble. Il va prendre un nom :*

Je ne me regarde pas dans la glace, dit Antoine, sans qu'on y prît garde, sa réputation déjà faite.

Il ne se regarde pas dans la glace, au sens figuré. Mais aussi peut-être à proprement parler. Jusqu'à présent je ne sais qui est Antoine, ni s'il a ou non une glace où se regarder. Pour Antoine, pourtant, est-ce que j'ai choisi le nom d'Antoine ? C'est venu comme c'est venu, je l'ai lu (et ici il me faut anticiper, plus loin le personnage d'Antoine ne sera qu'une face d'un personnage appelé Alfred, un peu comme il en va chez Stevenson du Dr *Jeykll et de Mr Hyde. Or, Antoine et Alfred, je ne l'ai pas fait exprès, mais il faut que je vous explique : pour*

---

1. Plus précisément au dessus de Fougère, derrière elle, mais penchant du haut (*note ajoutée au texte*),

*l'état civil, je m'appelle Louis, c'était le nom de mon père
et c'est tout ce que j'ai hérité de lui, mais pour le Bon Dieu,
ma grand'mère maternelle a voulu que je sois baptisé non
seulement avec le nom de ma marraine qui s'appelait
Marie, mais de deux noms de sa famille à elle, celui de
son propre père qui s'appelait Antoine, et celui de son
frère, mort à dix-neuf ans, Alfred. Si bien que sur mon
acte de baptême je m'appelle Louis-Marie Antoine Alfred,
c'est comme ça).
Ce n'est qu'au bout du paragraphe que tout de même
j'avouerai la présence de la glace :
... tandis que Fougère et l'autre (un ami vient-on
de dire) parlaient comme s'ils avaient été seuls. Ce
miroir en l'air, au-dessus d'elle.
Et c'est l'entrée du miroir de Venise : un beau miroir
guilloché, de ce Venise à bords couleur de saphir, avec
des étoiles taillées...
Remarquez que, ces miroirs-là, on n'en voit jamais
dans les restaurants. Je ne pouvais pas l'avoir inventé
pourtant. Il fallait pour le développement qui suit un
vrai miroir devant Antoine, mais pourquoi ce miroir de
Venise ? Ce baroque ne me ressemble pas. D'ailleurs,
que cela me travaillait, on le voit six pages plus loin.
Et après... pourquoi de tous les miroirs rencontrés
suis-je revenu à celui-ci, cet invraisemblable miroir de
Venise ? Il fallait bien que je l'aie vu quelque part, dans
un bistro quelconque, toute la fin de chapitre, dix-sept
pages encore, ne m'en apprend rien. Tout cela est occupé
par un développement qui nous fait connaître Antoine
ou Anthoine Célèbre, un écrivain qui écrit l'histoire d'un
homme qui a perdu son image, c'est-à-dire qui ne se voit
plus dans les miroirs. Il avait été dit, chemin faisant,
que l'histoire de l'homme-qui-perdu-son-image se situait
par rapport à un miroir de 1936.
Au commencement du chapitre II, l'idée que cela se
passait en 1936 fait qu'Anthoine, ou l'auteur, c'est le
même semble-t-il, cela lui fait venir à l'idée un restaurant
de la rue Montorgueil. Et que ça ne pourrait pas être*

en 1936, parce que ce jour-là, il faisait bien chaud, et que nous avions été en Espagne en 1936 en octobre, novembre 1936, et qu'alors c'était plus tard, la rue Montorgueil, 1937 ou 38 :

Parce qu'à côté de Fougère, il y avait Michel, racontant un tas d'histoires. Un Michel de passage, tourné vers Fougère, sous le miroir à bords bleu sombre. Si j'ai pensé d'abord 36, c'est sans doute parce que, dans ma mémoire, Michel est lié à cette aube de l'été 36, à ces jours de la mort de Gorki.

De là, que ne va-t-il sortir! Mais donc ma compagnie de la rue Montorgueil est au complet, et dans Michel je ne peux pas ne pas avouer qu'il faut reconnaître Michel Koltsov, le grand journaliste soviétique, correspondant de la « Pravda » en Espagne du côté des Républicains, lequel devait en 1941 mourir dans un camp de Staline.

Je ne vais pas suivre comment tout cela se débobine. Et toujours les histoires, quand elles s'embrouillent, le souvenir du miroir de Venise comme un œil qui nous surveille pour nous rappeler à l'ordre...

A me relire... juste après cette coupure, il y a une grande note en bas de page, que peut-être je n'ai pas avantage à vous cacher :

1. *A me relire*, il m'apparaît du mécanisme par quoi naît *La Mise à mort* quelque chose que j'ai donc mis quatre ans à saisir : lorsque Fougère dit à Antoine (ou Anthoine) *Ne te regarde pas comme cela dans la glace*, la protestation que celui-ci en élève ne vient pas, comme il m'arrivait de dire, de ce qu'il ne regarde pas son image dans le miroir vénitien, *puisqu'il a perdu son image*, ainsi qu'on l'apprend aussitôt après, mais de ce que, regardant ce miroir vide, dont à bien réfléchir nous saurons où la scène se passe, il y voit une autre image, l'image d'un autre, parce que le tiers personnage de la scène est assis, non de l'autre côté de la table, avec Fougère, mais avec lui, de ce côté-ci. Et c'est ce Michel, qui lui revient à la fois dans le miroir et dans la mémoire, d'où sortiront le premier chapitre et le second. Car, sans nul doute, Anthoine (ou Alfred) est bien moins possédé du désir de se voir, que de retrouver le visage perdu de Michel. Ce que Fougère ne peut savoir, d'autant que le tiers personnage à qui elle parle, tandis que son amant est distrait par l'image de Michel, n'est peut-être pas, n'a peut-être jamais été Michel, mais n'importe quel ami avec qui nous avions dîné ou déjeuné ce jour-là rue Montorgueil. Si c'était rue Montorgueil. Et s'il y avait

513

un miroir vénitien. Parce que *nous* ne sommes nullement sûrs de tout cela. Si bien que la conversation ainsi située est pure imagination d'Alfred (ou d'Anthoine), ou, comme on dit dans *Le Petit Jehan de Saintré*, de *l'acteur*.

Et à part quoi, je donnais tantôt l'explication du, une explication du, nom d'Antoine, Anthoine devenu. Il m'apparaît qu'elle ne suffit pas à éclairer la variation d'une *h* dans ce nom. Je veux dire qu'Anthoine de la Salle n'a pas été le seul, pour l'orthographe à me faire restituer à ce prénom son ancienne écriture : car je me ressouviens de ce qu'à l'époque je lisais ou relisais les *Tragédies* d'Anthoine de Montchrestien (dont on trouvera d'autre part aliment dans un livre que je me suis mis à écrire entre temps). Il n'est pas du tout certain que j'avais d'abord appelé ce *je* qui me ressemble Antoine, et que le phénomène ne s'était pas produit à l'envers, je veux dire d'Anthoine à Antoine, et non le contraire. Des ratures sur le manuscrit m'en donnent ici et là quelque doute.

Rien n'est donc si simple qu'il paraît dans la *création* des personnages. Les enfants se font plus simplement. Plus bonnement.

*

J'en étais à ce point d'écrire quand un jeune homme, un étudiant avec qui j'avais eu il y a quelques mois une conversation, m'a remis le texte d'un *Mémoire présenté en vue de l'obtention de la maîtrise ès lettres d'enseignement...* à la Faculté des Lettres et Sciences humaines de Nanterre, dont est le titre : *La conception romanesque, chez Aragon, dans « La Mise à mort »*. La lecture m'en a arrêté près de deux jours dans cette préface, où je suis pourtant loin d'avoir tout dit. Si l'auteur de ce Mémoire était un sot, je pense que lire son travail m'eût provoqué, stimulé, incité à tous les pas à lui donner réponse. Mais, par malheur, c'est fort loin d'être le cas. Peut-être y a-t-il parfois dans son écrit un certain ton guindé qui tient plus qu'à autre chose à la nature de ce genre d'exercice universitaire, à la nécessité pour l'élève de constamment se justifier devant ses maîtres et du sujet choisi et de comment il en parle, de se dissimuler le plus souvent derrière des répondants, qu'il cite, et qui sont déjà gens qu'on imprime. Mais cela est de très peu d'importance, même quand, dans le détail, je me sens en désaccord d'avec lui (par exemple, s'il abuse, précisément comme d'un paravent, d'une excuse de sa pensée, d'un concept gidien devenu fort à la mode ces temps-ci, « la mise en abyme », pour justifier son entreprise et la mienne). Cependant la lecture de ce travail intelligent, attentif, minutieux, perspicace, où je me suis plus d'une fois senti percé à jour, pris au dépourvu, comme un homme surpris en pantoufles, m'a, je dois l'avouer, interrompu dans le mien, de travail, et mis mal à l'aise pour le poursuivre : je dirais facilement que, plus que mon texte, c'est celui de Claude Rouquier que j'ai envie de compléter, continuer. Je n'en ferai rien, et pourtant je crains bien de ne plus parler de *La Mise à mort* comme si ma tâche était d'éclairer ce roman pour le lecteur, mais bien plutôt pour tenter de prouver à l'auteur du *Mémoire* je ne sais trop quoi, vraiment, de lui montrer en tout cas dans mon livre des perspectives qui ont pu lui échapper, de le guider par la main dans ce labyrinthe pour l'y perdre plus que pour lui en faire trouver l'issue. Il y a entre lui et moi, si j'ose dire, l'*abyme* des générations, le fait qu'une série de phénomènes, dans la poésie, le roman, la pensée, lui est tombée toute cuite tandis que pour moi, ces phénomènes-là n'avaient pas encore frit dans la poêle, quand ils ont éveillé mon attention, et que je les vois toujours d'un œil d'avant. Ainsi Proust, Gide et quelques autres. J'en ai déjà le sentiment avec certains de mes cadets, qui n'ont pas eux, et de loin, un demi-siècle de différence avec moi, et pourtant. Et puis, cela me gêne d'une certaine façon, d'être ainsi pris au sérieux. J'éprouve une envie féroce de me montrer, ou mon livre, sous un jour défavorable, de me faire prendre la main dans le sac, un sac que je ne sais trop comment inventer. Enfin, me voilà pour ce soir déconcerté, capable de me faire la victime de ma propre perversité. Mieux vaut que je m'arrête. Au matin, je reprendrai ce muet discours, je l'espère, comme si de rien n'avait été.

*

Au matin... la brume d'hier est toujours là, je ne parle pas de ma tête, mais de la fenêtre. Il s'est établi quelque distance entre ma lecture et moi. Tout se passe comme si je devais à Claude Rouquier de m'avoir forcé la marche, interrompant un certain piétinement de ma part, de m'avoir poussé vers l'essentiel à dire, de me faire négliger le détail.

L'essentiel, ce n'est pas d'expliquer *La Mise à mort* : elle est là pour ça, ou jetez ce livre au feu. J'ai dit qu'elle se préfaçait elle-même de page en page, de phrase en phrase. Si j'ai quelque chose à y ajouter, cela relève de ce qui s'est passé depuis la première publication de ce livre, j'entends pour moi-même, les réflexions à quoi m'a entraîné, m'entraîne le fait de l'avoir écrit. Non pas un désir de le modifier, de le corriger, de le rendre plus lisible, plus facile, de répondre à des critiques, de mettre les rieurs de mon côté, que sais-je ?

D'abord touchant les miroirs, ces étranges machines par quoi l'homme a semble-t-il d'abord reproduit un phénomène naturel, s'étant vu dans la profondeur des eaux avec l'étonnement de Narcisse. Puis sur un emploi des dits miroirs dans la peinture, qui est sans doute cela même que j'ai tenté d'imiter dans le discours appelé roman, comme d'évidence devait m'y pousser le jeu des *Œuvres croisées* poursuivi.

Non que ces miroirs-ci me soient toujours venus de la peinture. Au contraire, lorsque j'écrivais *La Mise à mort*, ce sont des miroirs *écrits*, et non peints, qui attiraient mon regard (*Ne te regarde pas comme cela dans la glace...*). Le miroir d'Alice, par exemple, celui qu'une simple phrase lui permet de traverser. Ou même, non pas des miroirs reconnus tels par l'auteur, mais des livres dont je m'étais servi, moi, comme de miroirs, pour voir sur mon visage ce que la seule pensée n'y peut inventer : Stevenson, Charles Lamb, Hölderlin, le Sire de Bueil, Jean d'Arras ou Sénèque... Des miroirs encore d'autre sorte, que j'appellerai *miroirs isolants*, comme la musique, le chant, qui accaparent une autre sorte de regard, le détournent de ce qui se passe au profit de la mémoire ou simplement de l'âme.

Mais, mon bouquin refermé sur le nom de Fougère, c'est surtout dans les miroirs peints ou feints, comme il vous plaira lire, que j'ai pour ma part cherché la signification de ce que je venais d'écrire, tout au moins de permettre à quelque invisible Alice d'écrire pour le Roi Blanc que je suis dans cette partie d'échecs.

C'est que, dans les Flandres ou en Italie, l'emploi des miroirs en peinture, d'ailleurs assez rare, pendant de longues périodes de Van Eyck à nos jours, et qui passait encore pour une sorte de sorcellerie quand Ingres le pratiqua pour nous faire voir la nuque ou l'épaule d'une femme regardée de face, l'emploi des miroirs me semblait surtout avoir cet avantage d'isoler une part de la réalité, de lui donner le pas sur le reste du vaste monde, de me faire pénétrer dans ce que j'appelle la *deuxième chambre*. Entend-on bien ce que je veux dire ainsi ? Le peintre, paysage, nature-morte ou portrait, décrit (décrivait) toujours *une chambre*, c'est-à-dire l'intérieur d'une vue limitée, un champ que le cadre isole des autres vues *possibles*. L'introduction du miroir fait apparaître dans le tableau *la deuxième chambre*, le second regard qui montre au peintre ce qu'il ne peut voir d'où il est, qui nous révèle un secret complémentaire[1]. On tient pour le premier exemple de cette magie, et c'était peut-être l'amorce d'une révolution de la représentation des choses, ce tableau de Jean Van Eyck qui est à Londres, *Le mariage Arnolfini*, où un

---

[1]. Pour limiter ce que je dis ici : car *le* ou *les* miroirs peuvent multiplier les vues comme le miroir à trois faces les personnages, se parler entre eux, ouvrir les portes d'autres chambres, donner du monde une vue multiple, et non plus ce théâtre regardé de la salle, où l'acteur me fait face...

miroir-espion figure sur le mur du fond, comme un détail, qu'ici j'isolerai, le reproduisant aux dépens de ce qu'on voit d'abord dans la toile : car, pour moi, dans cette œuvre singulière en son temps (même si par la suite on lui compare *les reflets* d'autres tableaux, soit dans une armure, soit dans une vitre, si on considère comme de même nature les truquages des trompe-l'œil italiens ou allemands dans les salles décorées où le miroir est nécessaire pour voir ce que le regard direct ne peut saisir), pour moi, disais-je, dans cette œuvre, c'est le tableau même qui est *le détail*, ce que le peintre a vu, et l'essentiel c'est ce *qu'il ne pouvait pas voir*, tel que le miroir rond, petit, convexe, l'a surpris d'en arrière du couple des mariés, par dessus l'épaule des personnages, comme un œil regardant le peintre et un autre personnage, qui ne sont pas sur la toile, mais dans ce vide où nous sommes, car, comme en témoigne la grande signature sur le mur au-dessus du miroir, le *Mariage* est une attestation d'état civil du témoin Van Eyck, qui déclare avoir assisté à cette cérémonie pratiquée dans la chambre même des Arnolfini, à côté du lit, avec les pantoufles en désordre sur le tapis... et je ne sais qui est l'autre personnage avec lui dans le miroir, le second témoin, mais ce n'est sûrement pas un prêtre. Rêvez-y. En tout cas, c'est ce Van Eyck-là qui m'a donné l'idée d'illustrer *La Mise à mort*, presque uniquement, de miroirs peints, d'une anthologie de regards au second degré, du mystère muet qu'ils constituent, de ces contrebandes de la vision, de ces sortes d'arrière-pensées des peintres qui semblent ainsi avoir le plus souvent cherché à dire à ce niveau de leur composition quelque chose qui ne s'adressait pas à tous les lecteurs du tableau, mais à ceux-là seuls qui sont capables de s'inquiéter de cette vue dans la vue, de cet écho intérieur de la vie. Il ne faudrait peut-être pas chercher dans ces images à secret autre chose que le fait du secret (comme les tiroirs dissimulés dans les meubles anciens, faits pour les lettres dissimulées ou les poisons du crime ou des suicides), leur demander, même par métaphore, une explication des scènes du roman, y chercher à reconnaître Christian, Alfred... Ou Fougère. Ici, j'ai voulu ranger les *vues* romanesques parmi les images de même sorte qu'en a données l'art de peindre, et rien de plus. Prenez ces non-illustrations pour ce qu'elles sont. Un catalogue d'armes. Où le fusil à télescope voisine avec la pertuisane. Le miroir de Van Eyck, celui de Nathalie Gontcharova, celui de Paul Klee... Voilà tout.

Et puis, pas tout. Au fait! Par exemple, ce grand dessin d'Henri Matisse, de la collection Albert Skira : j'en aurais pu choisir trente-six autres chez ce peintre qui a interposé plus d'une fois le miroir dans ses œuvres, à la façon d'Ingres pour nous montrer un autre aspect du modèle décrit, ou à celle de Vermeer de Delft une autre pièce de sa demeure, ou un personnage dissimulé comme Velasquez dans les « Ménines », ou le décorateur dont j'ignore le nom dans la salle de concerts de Tchékski Krumlhof... mais je m'en suis tenu à un dessin, ce dessin, d'abord parce qu'on le connaît peu, pour sa taille surprenante, et puis sa très grande beauté, et encore pour une raison à moi qui le rapproche de *La Mise à mort*. Tout s'y passe comme si, dans ce dessin de dimensions inhabituelles, le peintre avait voulu, et uniquement, rendre la beauté d'une femme, n'en apparaître que le témoin (au sens du *Mariage Arnolfini*). Le modèle couché, à la renverse, se trouve cependant comme double, du fait d'une glace placée derrière elle (il faudrait dire devant lui, mais non). Au moins est-ce ce qu'il faut admettre, parce que rien ne décrit ici la glace que le fait du double-voir, de sa nudité inversée au-delà de la femme, comme une ombre dans ombre. Cet absent miroir (ô Mallarmé!) est le contraire du miroir de théâtre où, de la salle, nous ne voyons jamais rien, mais qui nous est conventionnellement désigné comme miroir par un glacis le plus souvent de blanc et d'outremer obliques. En arrière de la *seconde* femme

(Alice tombée *through the looking glass*), dans ce dessin géant, et un peu au-dessus d'elle, sans que l'explique aucun truc perspectif, apparaît Henri Matisse lui-même en train de dessiner, et on ne saura jamais si ce qui se trouve, à ce moment de son papier, sur son papier, est ce que nous voyons dans l'ouverture du miroir, car, cela, c'est, cela demeure son secret. Je me permets d'imaginer que la femme a été dessinée *avant*, et qu'à cette minute où nous le voyons Matisse, dans le fond du miroir, se décrit lui-même, encore à l'état d'esquisse, d'un trait rendu incertain par la distance, la buée des lunettes.

Ainsi, j'ouvre pour vous une autre question, qui, dans *La Mise à mort*, il en faut convenir, prend parfois caractère dominant, place centrale, et par suite exige d'apparaître au milieu des miroirs dans le choix de l'illustration : la question de l'autoportrait.

*

Le jeu de l'autoportrait a entraîné qui s'y adonne à des expériences diverses. Une des plus singulières, chez un homme conscient d'un physique assez monstrueux, comme l'était Toulouse-Lautrec, lequel s'est dessiné, caricaturé tant et plus, aura été dans ce montage photographique, publié ici et là, où on le voit en face de lui-même, faisant son portrait. J'en rapprocherai le portrait photographique de Malkine, qui date des années vingt, où le peintre s'est, non pas surpris, mais *installé* dans un petit miroir mural, exigeant une organisation de la lumière venant d'en haut. Il y a tant d'autoportraits de Picasso qu'on ne saurait choisir entre eux, et qu'ils les faudrait donner comme une galerie racontant l'aventure physique de ce peintre. Le plus souvent (par exemple dans le dessin de Mucha représentant Gauguin) l'œil d'un étranger par comparaison donne aux autoportraits un certain relief, en particulier à cause (et cela est vrai aussi bien pour Matisse) de l'autostylisation, par quoi le peintre prend d'emblée avec lui-même une liberté autrement grande qu'avec les choses et les gens. Aux lieu et place de Picasso tel qu'il s'est vu, j'ai l'envie de placer l'œuvre d'un jeune Tchèque, Jacha David, qui, avec le simple espace de la boucle d'un P., donne réalité au regard même de Picasso, à l'homme-œil. L'autoportrait d'un autre Tchèque, Kolař, montre à quel point cet art particulier, de nos jours, permet une multiplicité d'aspect : le trait, noir ici, là blanc, c'est-à-dire espace ou dessin, isole sur une poussière des mots, *la présence* du peintre, faisant de cette pulvérisation d'écriture une matière nouvelle où s'écrit Kolař : c'est le contraire de l'exemple précédent. Je donne aussi dans ces pages l'autoportrait assez injurieux que j'ai fait de moi quand je devais avoir vingt-trois, vingt-quatre ans, et qui a servi à illustrer la couverture du petit livre de Georges Sadoul, me représentant. Si l'on songe que le portrait de moi par André Masson a été dessiné sensiblement à la même époque, où je figure comme les personnages « à trouver » des assiettes, dans une espèce d'envol lyrique, on voit comme la conception du *portrait*, dont il semblait qu'elle fût une fois figée, a pu revêtir de nos jours encore une diversité d'aspects, qui la font paraître aussi surprenante qu'aux yeux de nos ancêtres les premières figurations humaines (On sait comment au vingtième siècle le portrait, peint ou sculpté a été utilisé comme un moyen politique, je n'en déshonorerai pas ces pages). Je ne vais pas ici *expliquer* par avance le choix de nos images dans leur totalité. A-t-on besoin de dire pourquoi j'utilise comme un frontispice du roman le *Narcisse* de Caravage? Cela n'a-t-il pas dans le texte son immédiat commentaire ? Parfois j'emploierai la légende comme justification d'un dessin ou d'une peinture. Parfois je m'en passerai. Et, parfois, avec Paul Klee, par exemple, d'étranges correspondances, non plus entre le personnage et l'auteur, s'établiront comme pour le débordement du Rhin dans

Le Carnaval, ou la scène finale du roman. Je ne vois pas pourquoi un emploi de la peinture ou du dessin en exclurait un autre. Et si j'ai montré Pouchkine comme il aimait le faire lui-même de lui-même, à cheval en route pour Erzeroum, où l'autoportrait touche à la caricature, pourquoi n'aurais-je pas emprunté à ses manuscrits deux dessins qui donnent (ainsi qu'il les a pour lui imaginés) les deux personnages d'*Eugène Onéguine,* Onéguine lui-même et Lenski ? Comment voulez-vous que je ne songe pas que ces deux amis, dont pour une femme l'un tuera l'autre, sont peut-être aussi une sorte de dissection de l'âme du poète, les deux aspects dédoublés de Pouchkine, comme j'ai imaginé Anthoine et Alfred, dont Pouchkine lui-même est peut-être le *tertium quid,* l'Indifférent ?

Et en fait de dédoublement, qu'on regarde où il est ce dessin qui est de la main de Paul Valéry, comme un résumé (plus qu'une illustration) de *La Soirée avec M. Teste.* On sait que cette rencontre entre l'autre et son double se fait, dit-il, *dans une espèce de b* : le lieu de la scène n'est spécifié ici que par la présence d'un grand miroir devant lequel s'est assis le jeune Paul, il devait alors avoir aux alentours de vingt-cinq ans, l'âge qu'était le mien, écrivant *Le Paysan de Paris,* en tout cas c'était après son retour du régiment (l'armée avec la classe 90, André Gide, Paul Valéry, Pierre Louÿs, les casernes avaient dû en voir de belles). Le miroir, ici, sert non seulement à localiser la rencontre, mais à montrer le dos de l'auteur, comme s'il était la Mme Moitessier d'Ingres. Et la semelle d'un de ses souliers à quoi nous voyons combien ce grand homme avait le pied petit. Mais aussi, mais surtout, il sert à nous faire voir de face ce personnage de haute taille qui, parlant avec Valéry, nous tourne le dos, M. Teste, tel que l'a imaginé le poète. Or, le visage de M. Teste étant éclairé de fouet par une source lumineuse qu'il nous cache, dans le miroir la clarté même semble avoir mangé les traits du personnage. J'ai mes raisons de considérer M. Teste comme un *double* de Paul Valéry, une histoire de corres-

pondance qu'une femme avait confiée à un de mes amis...
il ne s'agit pas de cela. Toujours est-il que ce *double*-ci,
amplifié comme aiment à se voir les hommes de petite
taille (Napoléon, Staline, etc.), *n'a pas de visage* dans le
miroir. C'est probablement un individu en passe de
perdre son reflet, atteint au moins d'une maladie du
reflet, comme Anthoine. Un jour ou l'autre, il faudra
examiner le *cas* Teste, dans les divers écrits où P. V.
l'a fait paraître ou disparaître, de ce point de vue-là.
Ici, je suppose le problème résolu, parce que M. Teste
me sert à éclairer *La Mise à mort*, et non point ce roman
le cas Teste.

*

Tout autoportrait suppose un miroir, a été peint ou
dessiné devant un miroir (une mémoire au besoin, c'est
encore un miroir). Par une étrange convention tacite,
les peintres pendant des siècles ont *supprimé* le miroir
de leurs autoportraits, comme un prestidigitateur qui
ne montre pas l'envers de ses tours. Ils se sont peints,
ou du moins ont voulu nous donner à croire qu'ils se
peignaient, comme un bouquet, là, sur la table. Mais on
sait aussi de reste que la plupart des peintres ont souvent prêté à leur modèle au moins un air de famille avec
eux-mêmes : ce qui me semble dû au fait que tout
homme est au peintre un peu miroir de lui-même (ce
que c'est que d'avoir étudié l'anatomie, cette science
de la ressemblance des hommes!) Cette tendance à se
lire en autrui est assez singulière, et il ne semble guère
qu'on se soit jamais efforcé d'en connaître la raison (le
mécanisme), de se demander comment il peut se faire
que le modèle du peintre ait aux yeux de celui-ci tendance à se muer en miroir. Il est certain que dans l'art
écrit le même phénomène se rencontre assez fréquem-
ment [1], parfois sans que l'auteur, par exemple d'un

1. Le miroir *d'encre* où l'auteur se voit prend facilement caractère hypnotique.

roman, en prenne conscience, mais il n'est pas moins rare au contraire que ledit auteur donne de propos délibéré à ses personnages des traits destinés à se distinguer d'eux au physique ou au moral. Ce qui pourrait bien être le fait d'un désir chez l'auteur de dissimuler son vrai visage. L'autoportrait dans les œuvres écrites est bien souvent ainsi travesti par des dehors que l'auteur s'attribue et qui ne sont pas les siens : on peut très bien croire qu'aux yeux de Stendhal Julien Sorel était un autoportrait bien que ce personnage séduisant n'eût aucun des traits de son créateur, naturellement porté à se voir *en beau* par les yeux de l'esprit. Cela se produit aussi chez les peintres : regardez les deux autoportraits de Dominique Ingres, ayant sans doute même faiblesse [1] que Valéry, le jeune homme et le vieillard, celui de 1805 et celui de 1859, l'un comme l'autre nous laissant croire à un homme de haute taille, ou de taille au moins moyenne, alors qu'Ingres n'avait qu'un mètre quarante-sept. Pour le reste, il y a lieu de penser qu'ils étaient fort ressemblants.

A cet égard, il est toujours intéressant de comparer les autoportraits aux portraits faits sans miroir, je veux dire par quelqu'un d'autre. Ainsi considérez les divers Gauguin par lui-même : celui qui est dit je ne sais trop pourquoi *Portrait-charge*, actuellement à la *National Gallery* de Washington, fait en Bretagne en 1889 comme le *Bonjour, Monsieur Gauguin* qui est à Prague et le dessin au crayon où le peintre s'est vu en Indien, en 1890, ou le bas-relief de plâtre qu'on a coulé en bronze, OVIRI (Le Sauvage), qu'on date de 1893, et encore cette pierre sculptée, du même temps, que j'ai achetée comme « sculpture maya » il y a une dizaine d'années à une antiquaire de Paris laquelle l'avait trouvée chez un hobereau près de Pont-Aven [2]... tous auto-

---

1. ... *même faiblesse* : pas tout à fait, Valéry ne vante ici que son double.
2. Et ne faudrait-il pas ajouter l'*Autoportrait* donné à Vincent Van Gogh (1888), l'*Autoportrait au Christ jaune* (1889), le *Portrait de l'ar-*

portraits marqués par une stylisation du visage, donnant à Gauguin l'aspect d'un prédécesseur des hippies d'aujourd'hui. Et mesurez l'écart qui existe entre ces vues de miroir et les portraits directs que nous avons de Gauguin, comme ce dessin de Mucha (dont j'ai déjà parlé), que son fils m'a donné, Gauguin dans l'atelier de son ami tchèque, assis dans un peignoir de modèle, entre deux séances de pose. C'est bien le même homme, mais dont les traits sont moins accusés, comme ils étaient sans doute, sans stylisation.

La stylisation, je veux dire la tendance à la stylisation des autoportraits n'est pas que le fait de Gauguin. Presque chez tous les peintres on retrouve cette exagération de l'individuel quand ils se représentent. Et aussi bien chez les écrivains qui ont eu ce violon d'Ingres. Voir les nombreux dessins de lui-même dus à Pouchkine, plusieurs des autoportraits de Van Gogh, Picasso, Matisse (en général ceux qui relèvent du thème *Le peintre et son modèle*, chez l'un et l'autre de ces derniers). Styliser n'est plus aujourd'hui le propos d'un petit nombre d'artistes, il faut dire. Et n'en va-t-il pas de même pour les portraits écrits ? Ce qui nous ramène à *La Mise à mort* où les deux personnages d'Alfred et d'Anthoine sont des images dédoublées de l'auteur, et pour cela même (pour cette séparation, cette scission de l'être) doués de traits accusés, qui les distinguent l'un de l'autre. Et en même temps de l'auteur, *l'Indifférent*. Les variations du portrait de l'un à l'autre tiennent à deux ordres de stylisation de l'image par quoi l'auteur se montre aussi différent de lui-même que, par exemple, dans les diverses représentations qu'a données de son visage quelqu'un comme Paul Klee.

Et je le souligne, parce que, dans ce livre-ci, il me semble que les miroirs (miroir de Venise, miroir Brot

---

tiste à l'idole (1893), l'*Autoportrait près du Golgotha* (1896), les deux dessins des derniers temps à Tahiti, histoire de voir de tous côtés ce visage avec ses yeux mêmes ?

ou miroir tournant) qui servent de machines à diviser la personnalité de l'auteur ne manquent pas entre eux de ressemblance, j'entends dans leur fonctionnement. Car il se peut bien que pas seulement ceux qui s'y regardent aient entre eux un air de famille, une ressemblance de réflecteurs : mais je voulais ici plutôt, pour ma part, dire que les miroirs se ressemblent dans leur façon de voir les gens... Et qu'après tout, dans *La Mise à mort*, l'important n'est ni Alfred ni Anthoine ni l'auteur, mais cet œil qui les perce, ce regard de poisson dans l'aquarium qu'avec justesse Jacha David donne à Picasso, le regard du miroir.

Ou bien du m... Mais il ne faut pas mettre les poissons avant le filet. J'entends que oui, les mots sont les reflets des choses, miroirs à leur manière, mais dans l'absence des choses les miroirs ne reflètent rien, ni les mots.

Imaginez-vous que ces temps derniers les journaux ont parlé d'un film du Commandant Cousteau, vous savez, une expédition sous-marine en Méditerranée. Eh bien, l'un d'eux racontait une expérience faite en plongée. Un miroir avait été descendu à l'entrée d'une petite grotte sous-marine où habitait un mérou. Ce poisson plat à l'œil rond, sortant de chez lui, s'y aperçut et, croyant se trouver devant un rival qui voulait s'emparer de son refuge, entra dans une terrible colère, se précipita sur l'intrus et brisa la glace.

Voilà qui ressemble étrangement à la scène finale de *La Mise à mort*. Et peut-être après tout qu'Othello et moi nous sommes des mérous, poissons de la Méditerranée l'un comme l'autre, et comme Pablo Picasso-Ruiz, le Malaguène. Et qu'importe d'où est Gauguin! Voyez lui l'œil : c'est un mérou de Paris, voilà tout, comme fut Robert Desnos. Et je gage que si les mérous savaient lire il n'y aurait pas que les miroirs immergés pour leur donner cette colère homicide des jaloux : ils seraient sans doute devant certains romans comme je suis devant *Luna-Park*, par exemple, où, chaque fois que je relis ce livre dangereux à la façon des miroirs ardents, qui mettaient à distance le feu aux navires de bois, je brûle de cette jalousie insensée dont pas moins que d'Othello le souvenir d'Aphrodite à Paphos consume encore à Famagouste les lieux mythiques où le More de Venise est supposé avoir déchiré ses doigts et son âme.

Et peut-être bien que tout cela, comme l'histoire d'Alfred et d'Antoine n'est rien d'autre qu'histoires de mérous.

A.

Le miroir de Venise	9
Lettre à Fougère sur l'essence de la jalousie	69
Le miroir Brot	85
Seconde lettre à Fougère où il est question d'une glace sans tain	149
Digression du roman comme miroir	179
Premier conte de la chemise rouge : Murmure	209
La digression renversée ou le miroir comme roman	259
Deuxième conte de la chemise rouge : Le Carnaval	277
Fougère ou le miroir tournant	345
Troisième conte de la chemise rouge : Œdipe	409
Le miroir brisé	459
Le Mérou, après-dire	497

DU MÊME AUTEUR

Poèmes

FEU DE JOIE *(Au Sans pareil)*.
LE MOUVEMENT PERPÉTUEL *(N.R.F.)*.
LA GRANDE GAÎTÉ *(N.R.F.)*.
VOYAGEUR *(The Hours Press)*.
PERSÉCUTÉ PERSÉCUTEUR *(Éditions Surréalistes)*.
HOURRA L'OURAL *(Denoël)*.
LE CRÈVE-CŒUR *(N.R.F. — Conolly, Londres)*.
CANTIQUE À ELSA *(Fontaine, Alger)*.
LES YEUX D'ELSA *(Cahiers du Rhône, Neuchâtel — Conolly Seghers)*.
BROCÉLIANDE *(Cahiers du Rhône)*.
LE MUSÉE GRÉVIN *(Bibliothèque Française — Éditions de Minuit — Fontaine — La porte d'Ivoire, E.F.R.)*.
EN FRANÇAIS DANS LE TEXTE *(Ides et Calendes)*.
NEUF CHANSONS INTERDITES *(Bibliothèque Française)*.
FRANCE, ÉCOUTE *(Fontaine)*.
JE TE SALUE, MA FRANCE *(F.T.P. du Lot)*.
CONTRIBUTION AU CYCLE DE GABRIEL PÉRI *(Comite National des Écrivains)*.
LA DIANE FRANÇAISE *(Bibliothèque Française — Seghers)*.
EN ÉTRANGE PAYS DANS MON PAYS LUI-MÊME *(Éditions du Rocher Seghers)*.
LE NOUVEAU CRÈVE-CŒUR *(N.R.F.)*.
LES YEUX ET LA MÉMOIRE *(N.R.F.)*.
MES CARAVANES *(Seghers)*.

LE ROMAN INACHEVÉ *(N.R.F.)*.
ELSA *(N.R.F.)*.
LES POÈTES *(N.R.F.)*.
LE FOU D'ELSA *(N.R.F.)*.
LE VOYAGE DE HOLLANDE *(Seghers)*.
IL NE M'EST PARIS QUE D'ELSA *(Robert Laffont)*.
LE VOYAGE DE HOLLANDE ET AUTRES POÈMES *(Seghers)*.
ÉLÉGIE À PABLO NERUDA *(N.R.F.)*.
LES CHAMBRES *(E.F.R.)*.

Proses

ANICET OU LE PANORAMA, roman *(N.R.F.)*.
LES AVENTURES DE TÉLÉMAQUE *(N.R.F.)*.
LES PLAISIRS DE LA CAPITALE *(Berlin)*.
LE LIBERTINAGE *(N.R.F.)*.
LE PAYSAN DE PARIS *(N.R.F.)*.
UNE VAGUE DE RÊVES *(Hors commerce)*.
LA PEINTURE AU DÉFI *(Galerie Gœmans)*.
TRAITÉ DU STYLE *(N.R.F.)*.
POUR UN RÉALISME SOCIALISTE *(Denoël)*.
MATISSE EN FRANCE *(Fabiani)*.
LE CRIME CONTRE L'ESPRIT PAR LE TÉMOIN DES MARTYRS *(Presses de « Libération » — Bibliothèque Française — Éditions de Minuit)*.
LES MARTYRS (Le crime contre l'esprit) *(Suisse)*.
SERVITUDE ET GRANDEUR DES FRANÇAIS *(E.F.R.)*.
SAINT-POL ROUX OU L'ESPOIR *(Seghers)*.
L'HOMME COMMUNISTE, I et II *(N.R.F.)*.
LA CULTURE ET LES HOMMES *(Éditions Sociales)*.

CHRONIQUES DU BEL CANTO *(Skira)*.
LA LUMIÈRE ET LA PAIX *(Lettres Fançaises)*.
LES EGMONT D'AUJOURD'HUI S'APPELLENT ANDRÉ STIL *(Lettres Françaises)*.
LA « VRAIE LIBERTÉ DE LA CULTURE » : *réduire notre train de mort pour accroître notre train de vie (Lettres Françaises)*.
L'EXEMPLE DE COURBET *(Cercle d'Art)*.
LE NEVEU DE M. DUVAL, *suivi d'une lettre d'icelui à l'auteur de ce livre (E.F.R.)*.
LA LUMIÈRE DE STENDHAL *(Denoël)*.
JOURNAL D'UNE POÉSIE NATIONALE *(Henneuse)*.
LITTÉRATURES SOVIÉTIQUES *(Denoël)*.
J'ABATS MON JEU *(E.F.R.)*.
IL FAUT APPELER LES CHOSES PAR LEUR NOM *(Parti Communiste Français)*.
L'UN NE VA PAS SANS L'AUTRE *(Henneuse)*.
LA SEMAINE SAINTE, roman *(N.R.F.)*.
ENTRETIENS AVEC FRANCIS CRÉMIEUX *(N.R.F.)*.
LES COLLAGES *(Hermann)*.
BLANCHE OU L'OUBLI, roman *(N.R.F.)*.
JE N'AI JAMAIS APPRIS À ÉCRIRE OU LES INCIPIT *(Skira)*.
HENRI MATISSE, roman *(N.R.F.)*.
LE MENTIR-VRAI *(N.R.F.)*.

Romans

LE MONDE RÉEL
   LES CLOCHES DE BÂLE *(Denoël)*.
   LES BEAUX QUARTIERS *(Denoël)*.

LES VOYAGEURS DE L'IMPÉRIALE *(N.R.F.)*.
AURÉLIEN *(N.R.F.)*.
LES COMMUNISTES *(E.F.R.)*.
I. Février-septembre 1939.
II. Septembre-novembre 1939.
III. Novembre 1939-mars 1940.
IV. Mars-mai 1940.
V. Mai 1940.
VI. Mai-juin 1940.

En collaboration avec Jean Cocteau

ENTRETIENS SUR LE MUSÉE DE DRESDE *(Cercle d'Art)*.

En collaboration avec André Maurois

HISTOIRE PARALLÈLE DES U.S.A. ET DE L'U.R.S.S. *(Presses de la Cité)*.
LES DEUX GÉANTS, *édition illustrée du même ouvrage (Robert Laffont)*.

Traductions

LA CHASSE AU SNARK, de Lewis Carroll *(The Hours Press Seghers)*.
DJAMILA, de Tchinguiz Aitmatov *(E.F.R.)*.

COLLECTION FOLIO

Dernières parutions

2335. Khalil Gibran — *Le Prophète.*
2336. Boileau-Narcejac — *Le bonsaï.*
2337. Frédéric H. Fajardie — *Un homme en harmonie.*
2338. Michel Mohrt — *Le télésiège.*
2339. Vladimir Nabokov — *Pnine.*
2340. Vladimir Nabokov — *Le don.*
2341. Carlos Onetti — *Les bas-fonds du rêve.*
2342. Daniel Pennac — *La petite marchande de prose.*
2343. Guy Rachet — *Le soleil de la Perse.*
2344. George Steiner — *Anno Domini.*
2345. Mario Vargas Llosa — *L'homme qui parle.*
2347. Voltaire — *Zadig et autres contes.*
2348. Régis Debray — *Les masques.*
2349. Diane Johnson — *Dashiell Hammett : une vie.*
2350. Yachar Kemal — *Tourterelle, ma tourterelle.*
2351. Julia Kristeva — *Les Samouraïs.*
2352. Pierre Magnan — *Le mystère de Séraphin Monge.*
2353. Mouloud Mammeri — *La colline oubliée.*
2354. Francis Ryck — *Mourir avec moi.*
2355. John Saul — *L'ennemi du bien.*
2356. Jean-Loup Trassard — *Campagnes de Russie.*
2357. Francis Walder — *Saint-Germain ou la négociation.*
2358. Voltaire — *Candide et autres contes.*

2359.	Robert Mallet	*Région inhabitée.*
2360.	Oscar Wilde	*Le Portrait de Dorian Gray.*
2361.	René Frégni	*Les chemins noirs.*
2362.	Patrick Besson	*Les petits maux d'amour.*
2363.	Henri Bosco	*Antonin.*
2364.	Paule Constant	*White spirit.*
2365.	Pierre Gamarra	*Cantilène occitane.*
2367.	Tony Hillerman	*Le peuple de l'ombre.*
2368.	Yukio Mishima	*Le temple de l'aube.*
2369.	François Salvaing	*De purs désastres.*
2370.	Sempé	*Par avion.*
2371.	Jim Thompson	*Éliminatoires.*
2372.	John Updike	*Rabbit rattrapé.*
2373.	Michel Déon	*Un souvenir.*
2374.	Jean Diwo	*Les violons du roi.*
2375.	David Goodis	*Tirez sur le pianiste!*
2376.	Alexandre Jardin	*Fanfan.*
2377.	Joseph Kessel	*Les captifs.*
2378.	Gabriel Matzneff	*Mes amours décomposés (Journal 1983-1984).*
2379.	Pa Kin	*La pagode de la longévité.*
2380.	Robert Walser	*Les enfants Tanner.*
2381.	Maurice Zolotow	*Marilyn Monroe.*
2382.	Adolfo Bioy Casares	*Dormir au soleil.*
2383.	Jeanne Bourin	*Les Pérégrines.*
2384.	Jean-Denis Bredin	*Un enfant sage.*
2385.	Jerome Charyn	*Kermesse à Manhattan.*
2386.	Jean-François Deniau	*La mer est ronde.*
2387.	Ernest Hemingway	*L'été dangereux (Chroniques).*
2388.	Claude Roy	*La fleur du temps (1983-1987).*
2389.	Philippe Labro	*Le petit garçon.*
2390.	Iris Murdoch	*La mer, la mer.*
2391.	Jacques Brenner	*Daniel ou la double rupture.*
2392.	T.E. Lawrence	*Les sept piliers de la sagesse.*
2393.	Pierre Loti	*Le Roman d'un spahi.*
2394.	Pierre Louÿs	*Aphrodite.*
2395.	Karen Blixen	*Lettres d'Afrique, 1914-1931.*
2396.	Daniel Boulanger	*Jules Bouc.*

2397.	Didier Decoin	*Meurtre à l'anglaise.*
2398.	Florence Delay	*Etxemendi.*
2399.	Richard Jorif	*Les persistants lilas.*
2400.	Naguib Mahfouz	*La chanson des gueux.*
2401.	Norman Mailer	*Morceaux de bravoure.*
2402.	Marie Nimier	*Anatomie d'un chœur.*
2403.	Reiser/Coluche	*Y'en aura pour tout le monde.*
2404.	Ovide	*Les Métamorphoses.*
2405.	Mario Vargas Llosa	*Éloge de la marâtre.*
2406.	Zoé Oldenbourg	*Déguisements.*
2407.	Joseph Conrad	*Nostromo.*
2408.	Guy de Maupassant	*Sur l'eau.*
2409.	Ingmar Bergman	*Scènes de la vie conjugale.*
2410.	Italo Calvino	*Leçons américaines (Aide-mémoire pour le prochain millénaire).*
2411.	Maryse Condé	*Traversée de la Mangrove.*
2412.	Réjean Ducharme	*Dévadé.*
2413.	Pierrette Fleutiaux	*Nous sommes éternels.*
2414.	Auguste le Breton	*Du rififi chez les hommes.*
2415.	Herbert Lottman	*Colette.*
2416.	Louis Oury	*Rouget le braconnier.*
2417.	Angelo Rinaldi	*La confession dans les collines.*
2418.	Marguerite Duras	*L'amour.*
2419.	Jean-Jacques Rousseau	*Julie ou la Nouvelle Héloïse, I.*
2420.	Jean-Jacques Rousseau	*Julie ou la Nouvelle Héloïse, II.*
2421.	Claude Brami	*Parfums des étés perdus.*
2422.	Marie Didier	*Contre-visite.*
2423.	Louis Guilloux	*Salido suivi de O.K., Joe!*
2424.	Hervé Jaouen	*Hôpital souterrain.*
2425.	Lanza del Vasto	*Judas.*
2426.	Yukio Mishima	*L'ange en décomposition (La mer de la fertilité, IV).*
2427.	Vladimir Nabokov	*Regarde, regarde les arlequins!*
2428.	Jean-Noël Pancrazi	*Les quartiers d'hiver.*
2429.	François Sureau	*L'infortune.*

2430.	Daniel Boulanger	*Un arbre dans Babylone.*
2431.	Anatole France	*Le Lys rouge.*
2432.	James Joyce	*Portrait de l'artiste en jeune homme.*
2433.	Stendhal	*Vie de Rossini.*
2434.	Albert Cohen	*Carnets 1978.*
2435.	Julio Cortázar	*Cronopes et Fameux.*
2436.	Jean d'Ormesson	*Histoire du Juif errant.*
2437.	Philippe Djian	*Lent dehors.*
2438.	Peter Handke	*Le colporteur.*
2439.	James Joyce	*Dublinois.*
2441.	Jean Tardieu	*La comédie du drame.*
2442.	Don Tracy	*La bête qui sommeille.*
2443.	Bussy-Rabutin	*Histoire amoureuse des Gaules.*
2444.	François-Marie Banier	*Les résidences secondaires.*
2445.	Thomas Bernhard	*Le naufragé.*
2446.	Pierre Bourgeade	*L'armoire.*
2447.	Milan Kundera	*L'immortalité.*
2448.	Pierre Magnan	*Pour saluer Giono.*
2449.	Vladimir Nabokov	*Machenka.*
2450.	Guy Rachet	*Les 12 travaux d'Hercule.*
2451.	Reiser	*La famille Oboulot en vacances.*
2452.	Gonzalo Torrente Ballester	*L'île des jacinthes coupées.*
2453.	Jacques Tournier	*Jeanne de Luynes, comtesse de Verue.*
2454.	Mikhaïl Boulgakov	*Le roman de monsieur de Molière.*
2455.	Jacques Almira	*Le bal de la guerre.*
2456.	René Depestre	*Éros dans un train chinois.*
2457.	Réjean Ducharme	*Le nez qui voque.*
2458.	Jack Kerouac	*Satori à Paris.*
2459.	Pierre Mac Orlan	*Le camp Domineau.*
2460.	Naguib Mahfouz	*Miramar.*
2461.	Patrick Mosconi	*Louise Brooks est morte.*
2462.	Arto Paasilinna	*Le lièvre de Vatanen.*

2463. Philippe Sollers — *La Fête à Venise.*
2464. Donald E. Westlake — *Pierre qui brûle.*
2465. Saint Augustin — *Confessions.*
2466. Christian Bobin — *Une petite robe de fête.*
2467. Robin Cook — *Le soleil qui s'éteint.*
2468. Roald Dahl — *L'homme au parapluie et autres nouvelles.*
2469. Marguerite Duras — *La douleur.*
2470. Michel Foucault — *Herculine Barbin dite Alexina B.*
2471. Carlos Fuentes — *Christophe et son œuf.*
2472. J.-M.G. Le Clézio — *Onitsha.*
2473. Lao She — *Gens de Pékin.*
2474. David Mc Neil — *Lettres à Mademoiselle Blumenfeld.*
2475. Gilbert Sinoué — *L'Égyptienne.*
2476. John Updike — *Rabbit est riche.*
2477. Émile Zola — *Le Docteur Pascal.*

*Impression S.E.P.C. à Saint-Amand (Cher),
le 20 avril 1993.
Dépôt légal : avril 1993.
1er dépôt légal dans la collection : janvier 1973.
Numéro d'imprimeur : 1044.*
ISBN 2-07-036314-7./Imprimé en France.

65201